HURLEVENT DES MONTS

édition mise à jour en 2013.
ISBN : 978-2-0813-0954-8

EMILY BRONTË

HURLEVENT DES MONTS

Traduction
par
Pierre LEYRIS

Préface et chronologie
par
Diane de MARGERIE

Bibliographie mise à jour en 2013
par
Laurent BURY

GF Flammarion

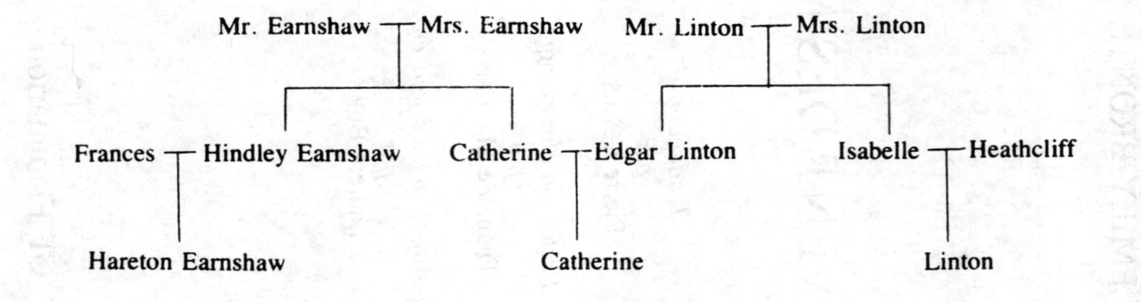
Mr. Earnshaw
Mrs. Earnshaw
Mr. Linton
Mrs. Linton
Frances
Hindley Earnshaw
Catherine
Edgar Linton
Isabelle
Heathcliff
Hareton Earnshaw
Catherine
Linton

PRÉFACE

I

Pour Nicole Bon

Comme tout roman, celui-ci prend racine dans la vérité singulière de l'auteur. Avec la même matière, la romancière aurait pu choisir une autre trame : ce qu'elle a privilégié, c'est la solitude absolue de Heathcliff. Il est à part. Il n'appartient à rien, ni à personne. Seul au monde, il vient du néant et retourne au néant malgré un départ, et un retour qui aurait pu se transformer en renaissance. Condamné à la solitude, il assouvit son mal intérieur par la violence retournée sur le moi. La création de Heathcliff remonte comme un noyé de la profondeur des souvenirs d'Emily Brontë : le désespoir de Branwell, son frère bien-aimé, la névrose du jeune homme développée par son amour contrarié pour Mrs. Robinson ; la solitude du père, le pasteur, demeuré veuf ; la mort des deux sœurs aînées — tous ces drames vécus à l'âge le plus tendre.

Qui donc m'a donné ce corps-là ? demande chaque ligne angoissée du roman, comme si Emily vivait, à travers l'écriture, cette interrogation qui apparaît de manière si véhémente dans ses poèmes [1]. Qui donc a fait de moi un enfer n'ayant pas besoin des enfers de la religion, une geôle de contradictions, un germe de solitude abolue, une matière en quelque sorte indifférente à tout, à tous ces détails que sont la faim, la soif, la souffrance physique ? C'est surtout de la vie de son frère Branwell

1. *Poèmes*, traduits par Pierre Leyris (Gallimard, 1963, et Poésie/Gallimard, 1983).

qu'Emily va vivre pendant son existence stoïque au presbytère ou au pensionnat. Et surtout de la vie de l'écriture partagée dès l'enfance avec frère et sœurs pour multiplier l'imaginaire à travers des personnages, des guerriers, des rois, des reines, des châteaux, des îles, des pays exotiques, tout un monde foisonnant dissimulé aux regards indiscrets des adultes par sa minutie, par des lettres, des mots microscopiques, impossibles ou presque, à déchiffrer. Texte secret qui s'apparente à la nature de la lande et de la tombe, où l'invisible est vécu secrètement à travers le visible. Il se cache tant de choses derrière ces hiéroglyphes !

Une seule substance soude ensemble ce groupe d'êtres que l'écriture a pour toujours liés dans le secret de l'enfance. D'autant plus fort que la mère et deux sœurs aînées — Maria et Elizabeth — sont mortes. Ils sont quatre maintenant — Charlotte, Branwell, Emily, Anne — à survivre à travers des signes, des signes tracés en marge d'une vie où leur seule vraie vie s'est réfugiée. Depuis les remarquables études de Raymond Bellour qui montrent avec éclat combien l'œuvre dite de l'enfance — les *juvenilia* — est en fait le creuset de tout ce qui devait venir, « véritable texte à quatre voix » dont les fragments s'imbriquent « dans un jeu grave et collectif qui est le centre de la vie des enfants Brontë » — il n'est désormais plus possible d'éluder « la réalité d'un mythe collectif auquel chacun des enfants donne son profil singulier ».

René Crevel avait déjà saisi cette singularité multiple dans son essai *Les Sœurs Brontë, filles du vent* [1] : « Le quatuor échappe au mensonge qui poursuit l'humanité vulgaire jusque dans les plus secrets replis de ses intempérances extasiées, de ses amours et de son inconscient. » Le quatuor : Crevel ne songe pas à dissocier les sœurs tant il pressent que leurs destins sont liés. Il fait d'elles une entité unique et rebelle :

« Filles d'un homme d'Église, vous n'avez point perdu cette innocence païenne dont le masochisme judéen fit le péché originel. Les habits noirs, le pensionnat cruel, le

1. Éditions des Quatre Chemins, 1930.

culte dans le temple trop bien ciré, le froid carrelage en guise de plancher, et toutes les méchancetés d'une religion menaçante qui se débitent en sermons dans votre maison même, rien n'a triomphé de vos cœurs libres. Et voilà bien le miracle.

« ... Les Brontë, tonnerre et vent, respectent la flore et la faune tourbillonnantes que leurs songes nourrissent.

« Elles ne cueillent nulle fleur, n'arrachent nulle plume, pour leur parure.

« Elles savent ce qu'il y aurait de sacrilège dans d'aussi mesquines coquetteries.

« Elles ne sont point des modistes. »

En effet. Emily a beau être la fille d'un clergyman, elle est faite pour scruter l'infernal et son imaginaire l'a précipitée dans une demeure où règne un bourreau. Comme pour amadouer le lecteur, sa sœur Charlotte, signant Currer Bell, précisait dans sa préface à *Wuthering Heights* : « L'écrivain qui a un don créateur possède quelque chose dont il n'est pas tout à fait maître — une force qui, parfois, a une étrange volonté et activité propre. » Charlotte tente presque d'excuser sa sœur d'avoir été, telle la sibylle, en proie à un dieu-bouc. Elle sait combien Emily est faite pour côtoyer les gouffres. Qui lui avait donné ce goût, si ce n'est Branwell, à travers ses échecs successifs, dans le travail ou l'amour? Branwell dont Emily s'est faite la sœur vigilante, réceptive, maternelle, mais blessée de la plus terrible des blessures : la pitié?

Depuis 1844, le presbytère de Haworth est plongé dans le plus affreux des drames. (Or c'est en 1845 qu'Emily compose *Wuthering Heights*.) Branwell, le seul homme parmi les enfants Brontë, l'espoir de son père, chéri par ses sœurs, déjà si vulnérable d'avoir par trois fois subi l'expérience du deuil, Branwell tombe amoureux d'une femme mariée chez qui il est précepteur. Scandale : il a trahi la confiance du mari, séduit la mère de ses élèves ; il a plongé dans le gouffre des mensonges, de l'adultère. Chassé, il se réfugie dans la boisson et l'opium. Veuve, Mrs. Robinson lui demeure interdite, figée dans son rôle de mère et sa maturité. Hébété, Branwell manque de mettre le feu, se détruit de gin et de whisky. Emily avait déjà été témoin des ravages de la passion quand son père était demeuré veuf, inconsolable, ou tout au moins inconsolé ; nul doute que l'aura maléfique attachée aux réalités du mariage et de la passion ne soit due à ces expériences personnelles dramatiques. Personnelles, car tout ce qui s'insinue entre ces êtres est ressenti par les autres. Et même, reflet du drame, le presbytère de Haworth dut changer. La magie de Hurlevent connaît également au cours du livre une affreuse dégradation : une fois Heathcliff devenu le maître, chacun s'enferme dans ses craintes, ses murs, dans des chambres devenues des geôles dominées par la tyrannie dévastatrice d'un homme seul et frustré. Emily avait de ses yeux vu par deux fois semblable solitude et déréliction. Elle aussi est seule auprès de son frère, à Haworth, en ces dernières années où il n'a tenu aucune de ses promesses, ou des ambitions que l'on avait nourries pour lui (devenir peintre, enseigner la peinture). Il avait pourtant écrit de beaux textes avant de s'adonner à la boisson et à l'opium.

Le pasteur et Branwell durent s'affronter durement au cours de la désagrégation d'un fils tellement doué, si valorisé par les siens. Après la rupture avec Mrs. Robinson, après un dérèglement total de son être, Branwell est emporté hors de la vie au terme d'une agonie d'un seul jour tout comme, dans le roman, Heathcliff meurt de sa passion refusée.

La dalle de sa tombe sera posée à côté de deux autres dalles : celles de ses petites sœurs, comme la tombe de Heathcliff voisine avec celle de Catherine et de Linton. C'est l'automne. Emily tousse sans cesse depuis l'enterrement. Elle s'enferme à Haworth, le seul lieu qui lui convienne grâce à l'infini de la lande. De sa sœur, Charlotte écrira qu'elle avait un tempérament magnanime, mais brusque et emporté comme le frère, indomptable comme le père. Secrète, violente, impassible, Emily ressemble plus aux hommes de la famille qu'aux femmes. Elle n'est pas exempte d'une certaine forme de cruauté à en croire les anecdotes qu'on rapporte : il lui arriva de profiter de la vue basse de Charlotte pour l'amener dans un enclos où il y avait des vaches et de s'amuser alors de ses terreurs. Étrange plaisanterie plutôt garçonnière que féminine.

Catherine et Heathcliff évoquent puissamment le couple Emily-Branwell, et d'ailleurs Emily ne survivra à son frère, et à son livre, que pendant la dérisoire durée d'un an. Il semble que, tout comme Heathcliff, Branwell ait été mutilé par une souffrance destructrice du moi ; c'était un faible qui n'a pu dominer son masochisme et, sans doute a-t-il obscurément souhaité contaminer les autres car le mal, autant que le bien, est labile, et tente de se reproduire.

Ce mal de vivre, Emily l'a miraculeusement transformé en pitié, en amour. Cette destruction qu'elle a sous les yeux, elle en fait l'intime trame du roman qui prend naissance en elle. Ses derniers mois de vie furent silencieux et farouches : tel Heathcliff elle vivait l'intuition de sa mort. Les biographes, les témoignages de sa sœur aînée nous font douloureusement participer à ces ultimes semaines où elle refusa tout médecin et tout médicament comme si elle devait atteindre à la transparence fatale qui altère Heathcliff tout en le délivrant. « Il est inutile de la questionner ; on n'obtient pas de réponse », écrivait Charlotte à Ellen Nussey, et encore : « Elle est sans pitié pour elle-même ; l'esprit est inexorable envers la chair. » Sans pitié envers elle-même peut-être parce qu'elle en a trop éprouvé pour Branwell. Maintenant le frère est mort. Le roman où il vit est achevé. Heathcliff et la première Catherine se retrouvent sur la lande comme Hareton et l'autre Catherine peuvent s'aimer au coin du feu. L'œuvre dénoue les contradictions de la vie.

Le salut existe dans l'imaginaire. Emily Brontë ayant permis aux jeunes cousins de s'aimer près de l'âtre, peut s'adonner à la description d'une liberté plus complice, plus insolite ; à travers la volatilisation de leurs corps, l'amour de Cathy et de Heathcliff brûle d'une ardeur plus haute. On peut même estimer avec Powys que chez Emily Brontë « l'ardeur sexuelle est allée si loin qu'accomplissant une sorte de révolution elle est revenue à son point de départ ». Elle est devenue une passion désincarnée, absolue, exempte de toute faiblesse humaine. Indestructible. C'est donc maintenant, une fois sereinement célébré l'amour-échange, qu'Emily peut se tourner vers ce qui est d'une semblable nature, d'une même étoffe, qu'elle peut redevenir Heathcliff, et son écriture fusionner avec l'inceste dont elle est née.

C'est maintenant que l'amour entre Cathy et Heathcliff peut enfin déployer ses sombres ailes qui vont battre de concert — âmes riches d'une vie spectrale, délivrées des interdits, libérées de cette gangue de la vie si pénible à supporter :

> « Oh, torturant est le rappel, oh lancinante est l'agonie
> Quand l'oreille commence à entendre, quand la pru-
> [nelle commence à voir
> Quand le pouls se reprend à battre et le cerveau à
> [concevoir
> Quand l'âme à nouveau sent la chair, quand la chair
> [retrouve ses fers... »

Ce poème cité par Arthur Symons en 1918 dans son bel article sur Emily Brontë [1] exprime le soulagement éprouvé par la créatrice et sa créature placées dans la même situation : une paroi opaque qui cède, une transparence qui vient, la jouissance de pouvoir vaincre le tombeau dans des retrouvailles incestueuses et voraces où Cathy et Heathcliff, Emily et son frère à peine disparu, pourront se rejoindre — maintenant et toujours, puisqu'ils sont morts, et, que, comme l'écrivait John Donne, « la mort une fois morte, il n'est plus besoin de mourir ».

1. Article publié en 1918, repris dans *Dramatis Personae* (1925). Voir p. 398.

II

Wuthering Heights repose sur un conflit entre les liens légitimes et les passions illégitimes : un petit garçon trouvé, surnommé Heathcliff, amené au sein de la famille Earnshaw par le père, n'est pas accepté par le fils, Hindley. Dès l'abord, s'impose une scission de l'image fraternelle : d'un côté, un frère trouvé, fascinant, sauvage, rebelle ; de l'autre, un frère mesquin, usurpé, jaloux. Si Heathcliff est refusé par Hindley, il est en revanche passionnément adopté par la fille, Catherine Earnshaw, qui voit en lui bien plus qu'un frère selon le sang : une âme jumelle selon l'esprit. Cette rivalité pleine d'animosité entre deux « frères » qui encadrent Catherine, la fille passionnée et pure, est l'humus qui va nourrir les sentiments viciés des principaux personnages, donnant au roman une singulière et intime fureur.

Ce qu'Emily Brontë suggère si puissamment, c'est combien l'exigence d'une vengeance engendre, sur le plan romanesque comme sur celui de la vie, un retour destructeur des mêmes situations où l'être, incapable de se libérer, étouffe. Heathcliff se construit en quelque sorte un cachot où mieux se livrer à l'autodestruction : quand Catherine épousera son riche voisin, Edgar Linton, maître du joli domaine du Manoir de la Grive, Heathcliff repartira mystérieusement, comme il était apparu. Est-ce pour tenter de vivre ailleurs ? Mais non : il reviendra, riche, mais appauvri par son ressentiment tenace. Par pure perversité, il épousera sa belle-sœur Isabelle Linton, se rapprochant ainsi du foyer qui lui a brûlé les ailes. De cette union naîtra un fils mou et veule auquel il donnera comme prénom le nom haï du rival qui l'a spolié : Linton. Il l'élèvera dans la violence d'un sadisme vengeur. Quant à Hindley, le frère de Catherine, il laissera grandir son fils Hareton dans l'incurie. Mais n'avait-il pas, enfant, ressenti ce sentiment d'abandon quand son père l'avait obligé d'accepter Heathcliff ?

Ainsi tout ce qui a été infligé le sera, implacablement, à son tour. Loi du talion qui oblige la symétrie à continuer ses ravages presque jusqu'au bout. Son amour bafoué transformé en rancœur ambitieuse, Heathcliff ne rêve plus qu'à réunir les domaines antagoniques du Manoir de la Grive et de Hurlevent et transformer l'univers en une seule terre sur laquelle régner dans une violence destructrice. Pour arriver à ses fins, il imagine de marier son fils à la fille de la femme autrefois aimée, la deuxième Catherine dont la naissance a causé la mort de sa mère. Mariage odieux, pourri dans l'œuf, qui se terminera par la mort de l'enfant-mari.

On voit comment les hommes sont restés des fils sans mère : Heathcliff, orphelin rivé à son amour impossible ; Linton, son fils, rejeton terrifié, incapable de devenir un homme ; Hareton, mutilé dans son développement intellectuel et affectif, abandonné aux forces débridées de son bourreau et de la nature. Tous, ils tournent dans le cachot circulaire d'une haine qui sévit comme une maladie donnée avec la vie.

La circularité est inhérente à la construction même du récit : le voyageur Lockwood se fait raconter les événements par la vieille gouvernante qui en fut autrefois le témoin. Comme le montre le plan qui figure plus haut, la circularité culmine dans les relations amoureuses : la première Catherine étant partagée entre ses deux frères, le vrai et l'adoptif, et sa fille, la deuxième Catherine, épousant, l'un après l'autre, ses deux cousins. De plus, comme si le mal initial avait des conséquences sans fin, l'histoire ne cesse de recommencer, cette affreuse histoire des Linton et des Earnshaw, de l'enfance au visage animal que l'on doit lisser, endiguer, puisque dans la deuxième génération, la cruauté se glisse également dans les sentiments amoureux.

Mais, si Emily Brontë s'était contentée d'écrire un sombre drame romantique, elle aurait célébré l'apothéose du rejet de Heathcliff. La deuxième Catherine n'eût pas été capable de métamorphoser le jeune Hareton ; elle aurait continué de vivre avec son mari, le fils de Heathcliff, au sang dégénéré, et Heathcliff eût régné jusqu'au bout dans son rôle de destructeur démoniaque.

Or l'une des puissantes originalités du roman, qui finit par exorciser et justifier Heathcliff à travers sa mort, est qu'il ne peut abîmer Hareton, tant l'enfant lui résiste jusqu'à travers leurs affinités. Ils ont la même sauvagerie. La même passion des espaces illimités. Le même amour pour les deux Catherine. Et d'ailleurs la description comparée des deux cousins (Hareton et la petite Catherine) est sans cesse à l'avantage du garçon. Les lamentables moqueries auxquelles participe la jeune fille avec une cruauté insipide et coquette, reproduisent exactement, comme le veut l'hérédité, l'attitude de Cathy trahissant l'aimé pour des fanfreluches et le confort d'une maisonnée. Le roman prend son sens véritable avec l'initiation de la petite Catherine à une nouvelle innocence perçue à travers les enfers. La roue a tourné ; c'est une autre génération qui vit et, au cours de cette révolution, tout devient possible. Aucun désespoir ne vient durablement figer le flux de la vie. Une deuxième Ève est née, qui initie Hareton aux secrets des livres : la connaissance devient le symbole du Bien, et la métaphore biblique se trouve inversée.

Si Bataille a raison d'insister sur la prodigieuse « intuition du mal » que possédait Emily Brontë (intuition dont on a vu combien elle s'est développée au contact du réel), la romancière ne cesse cependant d'y opposer sa prodigieuse volonté d'un amour qui triomphe de l'impossible. Il a fallu la parodie du mariage avec Linton pour que la jeune Catherine apprenne à aimer, et l'étonnant est que, pas un instant, on ne se dit qu'elle a vieilli, mûri, mais bien au contraire qu'elle est transfigurée et rajeunie, une fois rejeté le mensonge d'un mariage forcé. De même Emily Brontë permettra aux personnages de la première génération, Cathy et Heathcliff, d'échapper au cercle de la damnation une fois qu'ils auront accepté d'abandonner le règne de la chair pour ne plus vivre que celui de l'esprit.

Malgré l'amour entre la petite Catherine et Hareton de nouveau livrés à la lande, la nature est loin d'être ici une déesse enveloppante et bénéfique, un Éden consolateur. Elle est un univers décentré, ouvert, balayé d'orages et de liberté ; un paradis plein d'une sensualité intense, non définie, auquel le corps participe mais qui dépasse infiniment ses limites : un paradis mental sans bien ni mal, totalement amoral, où seules comptent une force, une résistance et une vitalité qui ont la dimension de l'espace. Il est donc naturel que tout ce qui s'y trouve soit empli de violence, loin des pièces douillettes où l'âme fuit la confrontation avec Dieu ou avec la Mort.

Trois lieux vont incarner cette violence : la lande, la tombe et Heathcliff lui-même. La lande — lieu symbolique, extrême, exemplaire, un repère nu, un corps livré au souffle du vent. La lande où exister, où faire vivre son désir, caché, lové, exposé cependant aux cieux, à Dieu, comme le corps enfoui en terre est livré au sol et au créateur. Même la tombe où la dépouille de Catherine sera enfermée, devient, comme la lande, un lieu où le corps refuse d'être emprisonné puisque les âmes jumelles de Heathcliff et de sa bien-aimée trouveront à se rejoindre à travers ses parois. Pas d'espace plus clos, plus réservé que celui de la tombe, écrivait le poète Andrew Marvell. Et pourtant, ici, pas d'espace plus proche, plus complice, où les êtres communiquent à travers leurs voix, par l'essence comme par les sens.

Le corps de Catherine, Heathcliff l'a vérifié en le déterrant, n'est pas corrompu ; il n'est pas réduit en poussière. Une chair intacte a su l'attendre sous terre comme elle n'a pas su l'attendre dans la vie, et la mort est ici réunion triomphale et charnelle de deux corps faits l'un pour l'autre. Ainsi la tombe close vient-elle rejoindre la lande, et toutes deux expriment le défi jeté par l'homme à tout ce qui le piège. Comme le remarque Viviane Forrester, « Heathcliff nie le cloisonnement vie/mort. Si la femme est absente, fuyante, dans la vie — si elle est réservée à la part morte de l'homme, à son mari Linton —, décédée, elle peut enfin, sans doute, être appréhendée, animée d'une vie différente ; vivante, mais autrement. Ainsi, les émotions, les flux libidinaux circulent-ils hors les murs de la tombe, la vie sexuelle n'est-elle plus confinée à des biographies ratées, l'impérieuse dictature de la mort est-elle narguée. »

La lande, la tombe, Heathliff enfin : enveloppe ambiguë qui dissimule les contradictions, les refus, la violence intime de celle qui sut l'imaginer. Plus encore que les deux Catherine, Heathcliff incarne les tourments d'Emily, justement parce que ce personnage reflète la nature virile de la romancière, son admirable ténacité devant la souffrance, son ascétisme, sa volonté farouche, la part vierge, indomptée, que la romancière a su mêler à la nature maladive et névrotique de son frère Branwell. John Cowper Powys a bien discerné cette fureur de la romancière : « En lisant l'histoire de Heathcliff, on ne peut s'empêcher d'imaginer combien Emily Brontë dut lacérer son âme pour créer cette terrifiante figure. Heathcliff, qui n'a pas de père, ni de mère, ni même de prénom, devient à nos yeux l'incarnation de la fureur qu'Emily Brontë devait refouler dans son cœur. La circonspection, la réserve hypocrite de ce monde feutré, habité par des êtres bienveillants, pusillanimes et prêts à tous les compromis, exaspèrent cette terrible jeune fille ; tandis qu'elle arrache et déchire tous les masques qui dissimulent nos haines et nos amours, elle semble pousser des cris farouches et se précipiter telle une louve, dans le bêlant troupeau des moutons humains [1]. »

Cette nature androgyne d'Emily Brontë a créé des êtres au sexe inversé : Linton est joli, raffiné, féminin ; en face de lui, Catherine incarne une puissance presque mâle. Mais la maturité naissante de celle-ci va faire taire cette force que l'enfant tolérait, et qu'elle avait préservée in-

1. John Cowper Powys, *Emily Brontë*, trad. Didier Coupaye (in *Wuthering Heights*, Pauvert, 1972).

tacte jusqu'alors. Si Catherine se laisse séduire par le monde de Linton, c'est qu'elle n'est pas dans son état normal, elle a été mordue par des chiens, elle est vulnérable, elle a momentanément besoin de ces voisins fortunés et de leur réconfort, comme si Emily Brontë voulait nous dire l'infériorité passagère dans laquelle le corps se trouve après l'agression — et au moment, peut-être, des métamorphoses — de la puberté. Le corps de Catherine a perdu l'insolente innocence de l'asexué. Il adopte les fioritures, les boucles et les escarpins. Devenir femme condamne Catherine à un monde étriqué où l'instinct se meurt. Elle va mourir d'être venue se réfugier dans ce monde-là qui est celui des adultes. Mourir d'un acte responsable et adulte qui est de donner la vie, mourir du désir qu'elle a inspiré à celui qu'elle a rejeté. Telles sont les conséquences mortelles de la grande trahison incarnée par le passage de l'état d'enfance à l'état d'adulte. Voilà le Mal, bien plus que le sadisme de Heathcliff qui n'en est que la conséquence. C'est un mal dont Emily Brontë montre qu'il est universel, car chacun éprouve la nostalgie du moment où ses forces étaient encore vierges avant d'être édulcorées par la passive acceptation d'un moule — ici, le bal, les visites, le mariage, l'accouchement, l'ensemble de ces événements dont la banalité contraste avec la solitude enfantine partagée sur une terre sauvage.

Le personnage de Heathcliff est le lieu de ses secrètes noces avec Catherine, son alter ego. La formidable originalité de cette figure, dont l'aura domine la littérature anglaise de l'époque, tient à cet emmêlement brûlant de chasteté et d'inceste. La célèbre déclaration d'amour de Catherine — « Je suis Heathcliff » — va bien au-delà d'une confidence amoureuse : elle célèbre le non-dit, l'impossible à vivre sur le plan humain, la réunion avec le frère par l'écriture. A vrai dire, dans ce roman, c'est moins d'amour qu'il s'agit que d'identification : à qui, à quoi dois-je m'identifier ? telle est la question qui envahit Emily et son personnage Catherine. Deux univers se disputent Catherine à travers les domaines de Hurlevent et du Manoir de la Grive : celui des relations dites normales et celui d'un moi profond, irréductible, d'une nature aussi libre que celle de la lande.

> Je le disais, je le redis
> Pour jusqu'à ma mort le redire
> Trois dieux sont dans ce petit corps
> Qui nuit et jour se font la guerre.
>
> Tous ne tiendraient pas dans le Ciel
> Tous cependant tiennent en moi
> Et miens doivent rester jusqu'à ce que j'oublie
> Ma présente entité.
>
> O vienne le temps qu'en ma poitrine
> Leur combat prenne fin...

écrivait Emily dans son poème *Assez pensé, philosophe*, poème qui résonne comme en écho à la multiplicité et à l'ambiguïté de Heathcliff, tiraillé entre des forces contraires, ne trouvant son unité que dans la paix de la mort : de son vivant, il n'était qu'un champ de bataille.

Peu importe si je m'appelle Emily, aurait pu dire la romancière, elle qui, sous le pseudonyme masculin d'Ellis Bell, a dissimulé une nature qu'elle n'a jamais livrée à personne, si ce n'est à la fin, tout effort devenu inutile, tout masque rejeté, une fois la mort survenue. Et si l'on pousse jusqu'au bout la pensée sous-jacente au cri « Je suis Heathcliff », ne signifierait-il pas, venant de Catherine dont le désir fut nié : je fais encore semblant de vivre à la surface de la terre, mon véritable moi est mort puisque Heathcliff me quitte, mais nous avons d'autres domaines où communiquer qui ne sont pas de la vie ?

Ce cri de Cathy : « Je suis Heathcliff », ne veut pas dire : Je désire apporter à Heathcliff ce que je suis, contribuer à son bonheur, participer à son développement (toutes choses dont deviendra capable, dans la deuxième moitié du roman, la seconde Catherine, comme si elle avait su interpréter l'expérience de sa mère) — « Je suis Heathcliff » affirme : je me reconnais en lui, je suis de la même texture, notre substance est celle d'un passé indivisible. En d'autres mots : les apparences, les nouvelles situations ne sont rien ; peu importe si j'épouse Linton, si je vis au Manoir de la Grive, si je me dissimule sous des vêtements et des châles, ce qui compte c'est ce que l'on ne voit pas de moi, mon moi caché, sombre, irréductible.

Heathcliff, miracle de la transposition et de l'imaginaire : une telle création met ce roman d'emblée au rang des chefs-d'œuvre. Loin de le tenir prisonnier d'une mode, d'un temps ou d'un pays. *Wuthering Heights* rejoint des œuvres maîtresses de la littérature universelle, notamment certain drame japonais, *Izutsu*, où deux enfants de familles voisines, élevés côte à côte comme le seraient un frère et une sœur, prennent l'habitude de voir grandir leur double reflet dans un puits. Cette image jumelle est à la fois un symbole d'amour et de narcissisme, puisque les deux enfants sont prédestinés l'un à l'autre et qu'ils grandissent en contemplant la suavité de leur avenir promis. Mais la maturité porteuse de mort les séparera. L'un d'eux va mourir, tandis que son âme fraternelle incarnera par la danse, sur la scène de théâtre, les rencontres d'autrefois, près du puits : les mots mêmes du drame reproduisent le mouvement circulaire que la margelle du puits, enserrant le reflet, symbolisait de façon éclatante.

C'est encore dans la littérature japonaise que l'on retrouve cette attention portée au spectral, ces relations si magistralement perçues dans *Wuthering Heights* entre maître et esclave, cette gourmandise des esprits affamés venant réclamer leurs morts, cette intrication dans les liens familiaux (Heathcliff amoureux d'une image sororale, puis, après la mort de celle-ci, épousant sa belle-sœur), cette sorte de mépris de la femme pour l'homme plus primitif, qu'elle doit initier à travers un rite de purification. Dans ces œuvres de civilisations différentes, la nostalgie est la même : que la voix plaintive de Catherine vienne appeler Heathcliff dans la rumeur du vent ou que la forme fantomatique de la femme vienne danser sur la scène du Nô pour ressusciter son amour d'enfance, elles appellent à la communication dans l'au-delà ; elles expriment le désir d'aimer malgré la mort, la volonté obstinée d'annuler le néant par la danse ou par les voix qui remontent des ténèbres. Danse et voix veulent nier la dissolution du corps et ôter à la mort le pouvoir qu'elle détient de tuer le désir.

Tuer la mort, telle est la volonté non pas tant romantique que métaphysique — proche de tout un courant de poésie mystique anglaise — d'un Heathcliff qui est moins un monstre infernal qu'un mauvais ange hanté par un dieu. D'ailleurs, si Emily Brontë a voulu le triomphe des forces libres et sauvages à travers Hareton, n'est-ce pas qu'elle a tenu à dépouiller Heathcliff de la stérilité de son obsession : la vengeance ? De cette fausse passion, Heathcliff était le mutilé. Cependant, quoiqu'il soit devenu un calculateur tourmenté par le patrimoine et les terres, il n'arrivera pas à détruire l'enfance revenue dans le corps de la seconde Catherine. Elle commence bien par épouser Linton, le fils de Heathcliff, mais ce n'est là qu'un court trajet infernal, un mariage-épreuve, une traversée de la douleur qui reproduit l'enfer de sa propre conception. Après la mort de l'enfant-mari, un dernier mouvement surprenant s'amorce dans un roman que l'on aurait pu croire entièrement voué aux puissances destructrices. Heathcliff devient le témoin de l'amour entre Catherine et Hareton — un amour limpide qu'il n'a pas pu vivre. Telle est sa punition, son martyre, mais aussi son pardon. Hareton n'est-il pas un autre lui-même plus jeune, tout simplement aimé ? Ce que l'hérédité, le hasard, le destin avaient vicié renaît, d'une pureté radieuse, entre les deux cousins.

Étrangement, devant cet amour, Heathcliff s'apaise peu à peu. Sa liberté prend corps en même temps que sa fin. Il peut à présent se donner à un autre univers, où la femme aimée, fantomatique mais survivante, l'appelle du tombeau. Ainsi ce qu'Emily Brontë tenait tant à nous dire nous est doublement dit, d'abord avec Heathcliff qui, contre toute attente, se laisse envahir par une transparence quasi mystique, puis avec Hareton et la jeune Catherine qui ont traversé les enfers : le triomphe absolu de la transgression. Les deux mondes interdits l'un à l'autre, Hurlevent et le Manoir de la Grive, vont enfin s'interpénétrer, et les domaines n'en faire qu'un comme fusionnent deux êtres ; les promenades, jadis interdites, auront lieu de nouveau sur cette lande où errent les âmes jumelles. La transgression s'est transformée en amour licite et lumineux, pur de tout sadisme : c'est un nouveau paradis païen qu'Emily Brontë nous donne à voir, sans lois, sans interdits, sans pères, sans propriétaire épiant ses sujets tels des marionnettes dansant au bout d'un fil, un paradis non pollué de fautes autrefois commises par autrui — un paradis d'où personne ne sera jamais plus chassé, car Satan et Dieu sont morts ensemble.

Diane de MARGERIE.

NOTICE BIOGRAPHIQUE SUR ELLIS ET ACTON BELL

Cette notice et la préface qui suit ont été écrites par Charlotte Brontë, sous son nom de plume Currer Bell, à l'occasion de la réédition, en 1850, de Wuthering Heights *et* Agnès Grey, *accompagnés d'un court choix de poèmes de ses sœurs.*

Wuthering Heights, *rappelons-le, paraît en décembre 1847, deux mois après* Jane Eyre, *couplé avec* Agnès Grey, *le court roman de Anne, pour répondre à la formule alors classique du « roman en trois volumes », et témoigner peut-être du lien si fort qui unissait les deux cadettes. Les trois romans sont signés, comme la plaquette de poèmes qui les précède, Currer, Ellis et Acton Bell, où l'initiale des prénoms et du nom vient rappeler la vérité qui se dérobe sous le masque du pseudonyme.*

La traduction est due à Pierre Leyris.

On a cru que tous les ouvrages publiés sous les noms de Currer, d'Ellis et d'Acton Bell étaient en réalité l'œuvre d'une seule personne. Cette erreur, je me suis efforcé de la rectifier par quelques mots de démenti placés en tête de la troisième édition de *Jane Eyre*. Eux non plus, apparemment, n'ont pas trouvé un crédit unanime, de sorte qu'à présent, à l'occasion d'une réimpression de *Wuthering Heights* et d'*Agnès Grey*, on me conseille d'exposer clairement ce qu'il en est.

En fait, je sens moi-même qu'il est temps de dissiper l'obscurité qui enveloppe ces deux noms d'Ellis et d'Acton. Le petit mystère, qui jadis était une source d'innocent plaisir, a perdu son intérêt; les circonstances ont changé. Il devient dès lors mon devoir d'expliquer brièvement ce qu'il en est de l'origine et de la paternité des livres écrits par Currer, Ellis et Acton Bell.

Voici environ cinq ans, mes deux sœurs et moi, après une période de séparation assez longue, nous nous trouvâmes à nouveau réunies, et cela chez nous. Habitant dans un canton retiré, où l'éducation avait fait peu de progrès, et où, en conséquence, la tentation ne s'offrait pas de rechercher des relations sociales en dehors du cercle de famille, nous dépendions entièrement de nous-mêmes et l'une de l'autre, des livres et de l'étude, pour égayer et meubler notre vie. Le plus grand stimulant ainsi que le plus vif plaisir que nous eussions connus depuis notre enfance résidaient dans nos tentatives de composition littéraire; anciennement, nous avions coutume de nous montrer les unes aux autres ce que nous écrivions, mais dans les dernières années cette habitude de communication et de consultation avait été interrompue; il s'ensuivait que nous ignorions mutuellement les progrès que chacune des autres avait pu faire.

Un jour, durant l'automne de 1845, je tombai accidentellement sur un volume de vers manuscrits de la main de ma sœur Emily. Bien entendu, je n'en fus pas surprise, sachant qu'elle était capable d'écrire, et qu'elle écrivait, des vers. J'examinai ce volume, et ce fut quelque chose de plus que de la surprise qui s'empara de moi : la conviction profonde que ce n'étaient pas là des épanchements communs, ni du tout semblables à la poésie qu'écrivent généralement les femmes. Ils me parurent denses et ramassés, vigoureux et vrais. Pour mon oreille, ils possédaient aussi une musique singulière — sauvage, mélancolique et exaltante.

Ma sœur Emily n'était pas une personne de caractère démonstratif, ni dans l'esprit et les sentiments secrets de laquelle, fût-on de ceux qui lui étaient le plus proches et le plus chers, on pouvait s'immiscer impunément sans son accord; il fallut des heures pour lui faire accepter la découverte que j'avais faite, et des jours pour la convaincre que de tels poèmes méritaient d'être publiés. Je savais, toutefois, qu'un esprit comme le sien ne pouvait être exempt de quelque étincelle cachée d'ambition honorable, et je refusai de me laisser décourager dans mes efforts pour souffler sur cette étincelle jusqu'à en faire une flamme.

Cependant ma plus jeune sœur me montra avec modestie quelques-unes de ses compositions, en observant que, puisque celles d'Emily m'avaient plu, je serais peut-être contente de jeter un coup d'œil sur les siennes. Je ne pouvais laisser d'être un juge partial, il me parut que ces poèmes avaient, eux aussi, leur pathétique attachant et sincère.

Nous avions caressé de très bonne heure le rêve de devenir un jour écrivain. Ce rêve, jamais abandonné même quand nous étions séparées par la distance et occupées par des tâches absorbantes, acquit alors, soudain, force et cohérence : il prit un caractère de résolution. Nous tombâmes d'accord pour établir un petit choix de nos poèmes, et, si possible, les faire imprimer. Ennemies de la publicité personnelle, nous voilâmes nos vrais noms sous ceux de Currer, d'Ellis et d'Acton Bell ; ce choix ambigu étant dicté par une sorte de scrupule de conscience qui nous interdisait d'adopter des prénoms franchement masculins, tout en répugnant d'autre part à nous avouer femmes, car — sans soupçonner encore, à l'époque, que notre manière d'écrire et de penser n'était pas de celles qu'on qualifie de « féminines » — nous avions vaguement l'impression que les femmes-auteurs sont susceptibles d'être considérées avec parti pris ; nous avions remarqué que les critiques utilisent parfois, pour les châtier, l'arme de leur personnalité, et, pour les récompenser, une flatterie qui n'est pas louange véritable.

Ce fut une rude besogne de faire paraître notre petit livre. Comme on pouvait s'y attendre, on n'avait nul besoin de nous ni de nos poèmes ; mais nous étions préparées à cela dès le début ; bien que nous fussions inexpérimentées par nous-mêmes, nous avions lu le récit des expériences d'autrui. Le plus grand embarras consistait dans la difficulté d'obtenir quelque réponse que ce fût des éditeurs auxquels nous nous adressions. Fort tourmentée par cet obstacle, je me risquai à écrire à

MM. Chambers, d'Édimbourg, pour leur demander un petit conseil ; ils ont pu, quant à eux, oublier le fait ; moi, cependant, je ne l'ai pas oublié, car je reçus d'eux une lettre brève et professionnelle, mais courtoise et sensée, dont nous nous inspirâmes et qui nous permit de progresser enfin.

Le livre fut imprimé : il est à peine connu, et ne mérite pas de l'être, si ce n'est pour les poèmes d'Ellis Bell. La ferme conviction que j'avais en ce temps, et que j'ai encore, de la valeur de ces poèmes, n'a guère été confirmée, à vrai dire, par des recensions favorables ; mais je ne l'en garde pas moins.

Le manque de succès ne parvint pas à nous accabler ; le simple fait de faire un effort pour réussir avait donné une merveilleuse saveur à l'existence : il fallait le poursuivre. Nous nous attaquâmes chacune à une histoire en prose : Ellis Bell produisit *Wuthering Heights*, Acton Bell *Agnès Grey* et Currer Bell écrivit aussi un récit en un volume. Ces manuscrits furent proposés avec persévérance à divers éditeurs pendant un an et demi ; en général leur destin était d'être refusés net, ignominieusement.

En fin de compte, *Wuthering Heights* et *Agnès Grey* furent acceptés dans des conditions assez préjudiciables aux deux auteurs ; le livre de Currer Bell ne rencontra aucun accueil, ni le moindre témoignage qu'il eût un mérite quelconque, si bien que quelque chose comme le froid du désespoir commença à envahir le cœur de l'auteur. En manière de geste suprême, il fit encore une tentative auprès d'une maison d'édition, celle de MM. Smith et Elder. Peu après, au bout d'un temps bien plus bref que l'expérience ne lui avait appris à s'y attendre, arriva une lettre, qu'il ouvrit avec la perspective lugubre d'y trouver deux lignes sèches et désespérantes pour lui annoncer que MM. Smith et Elder « n'étaient pas disposés à publier ce manuscrit » ; au lieu de quoi, il tira de l'enveloppe une lettre de deux pages. Il la lut en tremblant. Elle refusait, en effet, de publier le récit pour des raisons commerciales, mais elle en discutait les mérites et les démérites d'une façon si courtoise, si pleine d'égards, dans un esprit si raisonnable, avec un discernement si éclairé, que ce refus même réconforta l'auteur bien plus que ne l'eût fait une acceptation couchée en termes vulgaires. On ajoutait qu'un ouvrage en trois volumes ferait l'objet d'un examen attentif.

J'étais justement en train d'achever *Jane Eyre*, auquel j'avais travaillé cependant que le récit en un volume faisait laborieusement le tour de Londres : trois semaines plus tard, je l'envoyai ; des mains amicales et expertes le reçurent. C'était au début de septembre 1847 ; il parut avant la fin du mois d'octobre suivant, alors que *Wuthering Heights* et *Agnès Grey*, les ouvrages de mes sœurs, qui étaient déjà sous presse depuis des mois, traînaient toujours dans une autre firme.

Ils parurent enfin. Les critiques ne surent pas leur rendre justice. Les dons juvéniles, mais très réels, dont *Wuthering Heights* faisait preuve ne furent pour ainsi dire pas reconnus ; sa signification et sa nature furent incomprises ; l'identité de son auteur, interprétée faussement : on allégua qu'il s'agissait là d'une tentative plus ancienne et plus rudimentaire de la plume qui avait produit *Jane Eyre*. Erreur injuste et néfaste ! Nous commençâmes par en rire, mais aujourd'hui je la déplore amèrement. C'est ainsi qu'a pris naissance, je le crains, un préjugé contre le livre. Un écrivain capable de vouloir faire passer une œuvre inférieure et juvénile sous le couvert d'une tentative heureuse devait être indûment avide de profiter des sordides avantages secondaires du métier d'auteur, et pitoyablement indifférent à ses véritables et honorables récompenses. Si les critiques et le public ont vraiment cru cela, il n'est pas étonnant qu'ils aient regardé la supercherie d'un œil sévère.

Cependant, je ne voudrais pas qu'on pensât que je fais de ces circonstances un sujet de récrimination ou de reproche ; je n'oserais ; le respect que je porte à la mémoire de ma sœur me l'interdit. Elle aurait regardé toute manifestation chagrine de cette sorte comme une faiblesse indigne et choquante.

C'est mon devoir, aussi bien que mon plaisir, de reconnaître qu'il y eut une exception à cette règle générale de la critique. Un écrivain, doué de la vision pénétrante et des sympathies affinées du génie, discerna la véritable nature de *Wuthering Heights* et, avec une égale précision, en marqua les beautés et en releva les fautes. Trop souvent les critiques nous font songer à la foule des astrologues, des Chaldéens et des devins rassemblés devant « l'inscription sur le mur », et incapables d'en lire les caractères ou d'en donner l'interprétation. Nous sommes en droit de nous réjouir quand vient enfin un vrai voyant, un homme en qui habite un esprit supérieur et qui a reçu en partage lumière, sagesse et intelligence ; qui peut lire avec exactitude le « Mané Tekel Pharès » d'un esprit original (quels que soient l'immaturité, la culture inadéquate et le peu de développement de cet esprit) ; et qui peut dire avec confiance : « Voilà quelle est l'interprétation. »

Pourtant, l'écrivain auquel je fais allusion participe, lui aussi, à l'erreur relative à la paternité du livre, et me fait l'injustice de supposer qu'il y avait une équivoque dans ma façon de rejeter d'abord cet honneur (car c'est bien un honneur que j'y vois). Puis-je l'assurer que je dédaignerais de recourir à l'équivoque en ce cas comme en tout autre ; je crois que le langage nous a été donné pour exprimer clairement notre pensée, et non pour l'envelopper d'une ambiguïté malhonnête.

La Locataire de Wildfell Hall d'Acton Bell eut également un accueil défavorable. De cela, je ne puis m'étonner. Le choix du sujet était une erreur complète. On ne saurait rien concevoir de plus étranger à la nature de l'auteur. Les mobiles qui dictèrent ce choix étaient purs, mais, je crois, légèrement morbides. Au cours de sa vie, elle avait été appelée à contempler de près, et pendant un long temps, les terribles effets qui résultent de talents mal employés et de facultés gaspillées ; elle avait elle-même un tempérament naturellement sensible, réservé et mélancolique ; ce qu'elle avait vu s'imprima très profond dans son esprit, et lui fit du mal. A force de ruminer cette expérience, elle en vint à croire que son devoir était d'en rapporter tous les détails (avec des personnages, des situations et des incidents fictifs, bien entendu) à titre d'avertissement pour autrui. Quand on argumentait avec elle à ce sujet, elle regardait ces arguments comme un appel au laisser-aller. Il fallait qu'elle fût honnête ; qu'elle s'abstînt de polir, d'adoucir, de dissimuler. Cette résolution bien intentionnée lui valut de l'incompréhension, voire des insultes, qu'elle supporta comme elle avait coutume de supporter tout ce qui lui était désagréable, avec une douce et ferme patience. C'était une chrétienne des plus sincères et actives, mais une teinte de mélancolie religieuse jeta une ombre de tristesse sur sa vie brève et sans reproche.

Ni Ellis ni Acton ne se laissèrent accabler un seul instant par ce manque d'encouragement ; l'énergie animait l'une, la résignation soutenait l'autre. Elles étaient prêtes toutes deux à faire une nouvelle tentative ; je croirais volontiers que l'espoir et le sentiment qu'elles avaient de leurs pouvoirs étaient toujours forts en elles. Mais un grand changement était proche : le malheur arriva sous une forme qu'on ne peut prévoir sans terreur, ni se remémorer sans peine. Alors même qu'elles portaient la chaleur et le poids du jour, les ouvrières succombèrent à la tâche.

Ma sœur Emily fut la première à décliner. Les détails de sa maladie sont gravés profondément dans ma mémoire, mais il est au-dessus de mes forces de m'y appesantir en pensée ou en récit. Jamais de toute sa vie elle n'avait traîné sur une besogne placée devant elle, et cette fois elle ne traîna pas davantage. Elle s'affaiblit rapidement. Elle s'empressa de nous quitter. Cependant, tandis qu'elle dépérissait physiquement, elle devenait mentalement plus forte encore que nous ne l'avions connue. Jour après jour, quand je voyais de quel front elle accueillait la souffrance, je la considérais avec des transports angoissés d'émerveillement et d'amour. Je n'ai jamais rien vu de pareil ; mais il est vrai que je n'ai jamais vu l'équivalent de ma sœur en rien. Plus forte qu'un homme, plus simple qu'un enfant, sa nature était unique. Ce qu'il y avait de terrible, c'est que, tout en étant pleine de compassion pour autrui, elle était sans pitié pour elle-même ; l'esprit était inexorable envers la chair ; de cette main tremblante, de ces membres amaigris, de ces yeux affaiblis, elle exigeait les mêmes services que ceux qu'ils avaient rendus au temps de la santé. Assister à cela, en être témoin sans oser protester, c'était une douleur qu'aucun mot ne saurait rendre.

Deux cruels mois d'espoir et de crainte s'écoulèrent péniblement, puis enfin vint le jour où les terreurs et les souffrances de la mort devaient être subies par ce trésor, qui était devenu de plus en plus cher à nos cœurs à mesure qu'il se dilapidait sous nos yeux. Au déclin de ce jour, il ne nous resta plus rien d'Emily que sa dépouille mortelle, telle que la consomption l'avait laissée. Elle mourut le 19 décembre 1848.

Nous crûmes que c'en était assez : mais, dans notre présomption, nous nous trompions entièrement. Elle n'était pas encore ensevelie qu'Anne tomba malade. Il n'y avait pas quinze jours qu'elle était dans la tombe quand nous reçûmes le clair avertissement qu'il fallait nous préparer en esprit à voir la cadette suivre son aînée. Et en effet, elle suivit le même chemin d'un pas plus lent, mais avec une patience égale à la force d'âme de sa sœur. J'ai dit qu'elle était religieuse, et c'est en s'appuyant sur les doctrines chrétiennes auxquelles elle croyait fermement qu'elle se soutint dans son si douloureux voyage. J'ai pu constater leur efficacité dans l'épreuve suprême de son heure dernière, et je dois témoigner du paisible triomphe avec lequel elles la lui firent traverser. Elle mourut le 28 mai 1849.

Que dirai-je d'autre à leur sujet ? Je suis incapable, et il n'est pas besoin, d'en dire beaucoup plus long. Extérieurement, c'étaient deux femmes effacées ; leur vie toute retirée leur donnait des manières et des habitudes réservées. Chez Emily, semblaient s'unir une vigueur extrême et une extrême simplicité. Sous une culture sans raffinements, sous des goûts sans artifices et sous des dehors sans prétention, se cachaient une puissance et un feu secrets qui eussent été capables d'animer le cerveau et d'embraser les veines d'un héros ; mais elle n'avait pas de sagesse mondaine ; ses facultés étaient inadaptées aux affaires concrètes de la vie ; elle ne parvenait pas à défendre ses droits les plus manifestes, ni à se soucier de son avantage le plus légitime. Il aurait fallu qu'il y eût toujours un interprète entre elle et le monde. Sa volonté n'était pas très souple et s'opposait généralement à ses intérêts. Elle avait un caractère magnanime, mais ardent et brusque; une énergie absolument inflexible.

Le caractère d'Anne était plus doux et plus docile; elle n'avait pas la puissance, le feu, l'originalité de sa sœur, mais elle était richement dotée de vertus paisibles et bien à elle. Pleine d'endurance et d'abnégation, réfléchie et intelligente, elle fut mise et maintenue dans l'ombre par une réserve et une taciturnité congénitales qui recouvraient son esprit, et plus particulièrement sa sensibilité, d'une sorte de voile, qu'on eût dit de nonne, et qui se soulevait rarement. Ni Emily ni Anne n'étaient savantes; elles ne songeaient point à emplir leur cruche à la fontaine d'autres esprits; elles écrivaient toujours sous l'impulsion de la nature, sous la dictée de l'intuition, et d'après les réserves d'observation que leur expérience limitée leur avait permis d'amasser. Je puis tout résumer en disant que pour des étrangers elles n'étaient rien, pour des observateurs superficiels moins que rien, mais que, pour ceux qui les avaient connues toute leur vie dans l'intimité d'une étroite parenté, elles étaient véritablement bonnes et grandes.

Cette notice a été écrite parce que j'ai ressenti comme un devoir sacré d'épousseter leurs tombes et d'effacer de leurs chers noms toute souillure.

19 septembre 1850. Currer Bell.

PRÉFACE DE CURRER BELL

Je viens de relire *Wuthering Heights* et, pour la première fois, j'ai entrevu clairement ce qu'on appelle (quels sont peut-être seulement) les défauts de l'ouvrage ; je me suis fait une idée distincte de la façon dont il apparaît aux autres — aux étrangers qui n'ont nullement connu l'auteur ; qui ignorent les lieux où sont situées les scènes de l'histoire ; pour qui les habitants, les coutumes, les caractéristiques naturelles des collines et des hameaux écartés du Canton ouest du Yorkshire sont choses lointaines, point du tout familières.

A pareils lecteurs, *Wuthering Heights* doit apparaître comme une œuvre étrange et fruste. Les landes sauvages du Nord de l'Angleterre ne sauraient avoir d'intérêt pour eux ; le langage, les manières, les demeures mêmes et les coutumes domestiques des habitants épars de ces districts doivent leur être, dans une grande mesure, inintelligibles, et — lorsqu'ils sont intelligibles — repoussants. Les hommes et les femmes qui, doués peut-être d'un tempérament très paisible et de sentiments modérés en intensité ainsi que spécifiquement peu marqués, ont été exercés dès le berceau à observer les manières les plus égales et à user du langage le plus gardé, ne sauront que faire du parler énergique et âpre, des passions brutalement manifestées, des aversions effrénées et des engouements impétueux des rustres et des farouches hobereaux de la lande, qui ont grandi sans instruction ni réprimandes, si ce n'est du fait de mentors aussi rudes qu'eux-mêmes. Pareillement, un grand nombre de lecteurs souffriront fort de trouver dans ces pages, imprimés en toutes lettres, des mots qu'il est d'usage de ne représenter que par l'initiale et la finale — avec un tiret inexpressif pour remplir l'intervalle. Je puis aussi bien dire tout de suite que, sur ce point, je suis incapable de présenter des excuses, trouvant moi-même raisonnable d'écrire les mots tout du long. Le fait de suggérer par des lettres isolées ces explétifs dont les gens impies et violents ont coutume d'agrémenter leurs discours m'apparaît comme une pratique bien intentionnée, sans doute, mais débile et vaine. Je ne saurais dire quel bienfait elle procure, quels sentiments elle épargne, quelle horreur elle dissimule.

Quant à la rusticité de *Wuthering Heights*, j'admets qu'on l'en accuse, car je sens cette qualité en lui. Il est rustique d'un bout à l'autre. Il est landesque, sauvage et noueux comme une racine de bruyère. Et il n'eût pas été naturel qu'il en allât autrement, celle qui en fut l'auteur étant née et ayant été nourrie dans la lande. Sans aucun doute, si le destin l'avait fait vivre à la ville, ses écrits, à supposer qu'elle eût écrit, auraient eu un autre caractère. Même si le hasard ou le goût l'avait conduite à choisir un sujet similaire, elle l'aurait traité autrement. Si Ellis Bell avait été une dame ou un monsieur habitué à ce qu'on appelle « le monde », sa façon de voir une région écartée et inculte et ses habitants aurait grandement différé de celle qu'adopta en fait cette jeune fille de la campagne élevée à la maison. Sans aucun doute, cette façon de voir aurait été plus large, plus étendue : aurait-elle été plus originale et plus véridique, c'est moins certain. Touchant le décor, le lieu, elle n'aurait guère pu faire preuve d'autant de sympathie ; Ellis Bell n'a pas décrit comme quelqu'un dont l'œil et le goût seuls prenaient plaisir au paysage : ses collines natales étaient pour elle beaucoup plus qu'un spectacle, elles étaient le cadre où elle vivait et ce dont elle vivait, autant que les oiseaux sauvages, leurs occupants, et que la bruyère, leur produit. Aussi bien, ses descriptions de scènes de la nature sont-elles ce qu'elles doivent être et tout ce qu'elles doivent être.

En ce qui concerne la représentation du caractère humain, le cas est différent. Je suis contrainte d'avouer qu'elle n'avait guère plus de connaissance pratique de la paysannerie parmi laquelle elle vivait, qu'une religieuse n'en a des campagnards qui passent parfois devant les portes de son couvent. Ma sœur n'était pas d'un tempérament naturellement grégaire ; les circonstances favorisèrent et nourrirent son penchant pour la réclusion ; excepté pour aller à l'église et pour se promener sur les collines, elle franchissait rarement le seuil de la maison. Bien qu'elle eût des sentiments bienveillants à l'égard des gens du voisinage, elle ne recherchait point leur commerce et, sauf quelques rares exceptions, elle n'en eut jamais l'expérience. Cependant, elle les connaissait ; elle connaissait leurs façons, leur langage, l'histoire de leurs familles. Elle savait écouter avec intérêt ce qu'on disait d'eux, et parler d'eux en détail de façon minutieuse, pittoresque, précise. Mais *avec eux* elle échangeait rarement une parole. Aussi cè que son esprit avait recueilli de réel à leur endroit était-il trop exclusivement limité à ces traits tragiques et terribles dont, si l'on écoute les annales secrètes d'une quelconque région inculte, la mémoire est parfois contrainte de garder l'empreinte. Son imagination, qui était plus sombre qu'ensoleillée, plus puissante qu'enjouée, trouva dans pareils traits la matière dont elle façonna des créations comme Heathcliff, comme Earnshaw, comme Catherine. Ayant formé ces êtres, elle ne se rendit pas compte de ce qu'elle avait fait. Si l'auditeur de son ouvrage, lu en manuscrit, frissonnait sous l'influence écrasante de natures aussi inflexibles et aussi implacables, d'esprits aussi perdus et aussi déchus ; s'il se plaignait que la simple audition de certaines scènes frappantes et effrayantes bannissait le sommeil pendant la nuit et troublait la paix du cœur pendant le jour, Ellis Bell se demandait ce que cela signifiait et soupçonnait le plaignant d'affectation. Si seulement elle avait vécu, son esprit aurait grandi tel un arbre robuste, plus élevé, plus droit, plus étendu, et ses fruits auraient atteint une maturité plus moelleuse, un velouté plus radieux. Mais sur cet esprit seuls le temps et l'expérience pouvaient agir : à l'influence d'autres intellects, il était rebelle.

Après avoir reconnu que, sur une grande part de *Wuthering Heights*, flotte « l'horreur des profondes ténèbres [1] » ; que dans son atmosphère électrique et orageuse il nous semble parfois respirer la foudre ; qu'il me soit permis de désigner les points où un jour offusqué et un soleil éclipsé attestent pourtant leur existence. Comme spécimen de bienveillance véritable et de fidélité domestique, voyez le personnage de Nelly Dean ; comme exemple de constance et de tendresse, observez celui d'Edgar Linton. (D'aucuns estimeront que ces qualités ne brillent point avec autant d'éclat quand elles sont incarnées dans un homme qu'elles ne le feraient chez une femme, mais Ellis Bell n'a jamais pu être amenée à concevoir pareille chose : rien ne l'indignait davantage que d'entendre insinuer que la fidélité et la clémence, la longanimité et la tendre sollicitude, qui sont considérées comme des vertus chez les filles d'Ève, deviennent des faiblesses chez les fils d'Adam. Elle estimait que la miséricorde et le pardon sont les plus divins attributs de l'Être Suprême qui a fait à la fois l'homme et la femme, et que ce qui pare la Divinité dans sa gloire ne saurait disgracier dans sa faiblesse aucune forme humaine.) Il y a un humour froid et saturnien dans la peinture du vieux Joseph, et quelques touches de grâce et de gaieté animent la plus jeune des Catherine. La première héroïne de ce nom ne laisse pas elle-même d'avoir une certaine beauté étrange dans sa véhémence et une certaine honnêteté au sein de la passion pervertie et de la perversité passionnée.

Heathcliff, à la vérité, demeure irracheté ; pas une fois il ne s'écarte de la voie qui le mène en droite ligne à la perdition depuis le jour où « la petite créature brune et noiraude, aussi foncée que si elle venait du diable » est tirée pour la première fois du paquet qui l'enveloppe et plantée sur ses pieds dans la cuisine de la ferme, jusqu'à l'heure où Nelly Dean trouve le farouche et robuste cadavre couché sur le dos avec des yeux qui semblaient « se moquer de mes efforts pour les fermer, et des lèvres disjointes, et des dents pointues et blanches qui se moquaient, elles aussi ».

Heathcliff fait preuve d'un unique sentiment humain,

1. Genèse, XV, 12. *(N.d.T.)*

et ce n'est *point* son amour pour Catherine, lequel est un sentiment violent et inhumain : une passion comme il en pourrait bouillonner et rougeoyer dans l'essence maligne de quelque mauvais génie ; un feu qui pourrait former le noyau tourmenté, l'âme toujours souffrante d'un magnat du monde infernal ; et, par ses ravages irrépressibles et incessants, procéder à l'exécution du décret qui le condamne à porter l'Enfer avec lui en quelque lieu qu'il erre. Non, le seul lien qui rattache Heathcliff à l'humanité est l'intérêt — confessé de rude manière — qu'il porte à Hareton Earnshaw, le jeune homme qu'il a ruiné ; à quoi il faut ajouter son estime à demi explicite pour Nelly Dean. A part ces traits isolés, on dirait qu'il n'est pas l'enfant d'un Lascar ou d'un gitan, mais une forme humaine animée d'une vie démoniaque : une goule, un afrite.

Est-il bien, est-il recommandable de créer des êtres comme Heathcliff, je n'en sais rien : je ne le crois guère. Mais je sais ceci ; que l'écrivain qui a un don créateur possède quelque chose dont il n'est pas tout à fait maître — une force qui, parfois, a une étrange volonté et activité propre. Il peut poser des règles, formuler des principes, et elle se soumettra peut-être à ceux-ci comme à celles-là pendant des années ; et puis, sans aucun signe avertisseur de révolte, vient un temps où elle ne consent plus à « herser les vallées ou à être attelée dans le sillon » — où elle « se rit des multitudes de la ville et ne se soucie plus du cri du cocher [1] » — où, refusant absolument de continuer à faire des cordes avec le sable de la mer, il se met à tailler une statue, et vous avez un Pluton ou un Jupiter, une Tisiphone ou une Psyché, une sirène ou une madone, selon ce qu'ordonne le Destin ou l'Inspiration. Que l'œuvre soit sinistre ou resplendissante, effrayante ou divine, vous n'avez guère d'autre choix que de l'adopter docilement. Quant à vous — l'artiste nominal — toute la part que vous y avez prise a été de travailler passivement sous des directives que vous n'avez ni données ni pu mettre en question — des directives qui n'ont point été énoncées à

1. Job, XXXIX, 10 et 13. *(N.d.T.)*

votre prière ni annulées ou changées à votre caprice. Si le résultat est attrayant, le monde vous louera, vous qui méritez peu la louange ; s'il est repoussant, le monde vous blâmera, vous qui méritez presque aussi peu le blâme.

Wuthering Heights a été taillé dans un atelier rustique, avec de simples outils, des matériaux communs. Le statuaire a trouvé un bloc de granit sur une lande solitaire ; en le contemplant, il a vu comment on pouvait tirer de la roche une tête sauvage, boucanée, sinistre ; une forme qui aurait au moins un élément de grandeur : la puissance. Il a travaillé avec un ciseau rudimentaire et sans autre modèle que la vision de ses méditations. A force de temps et de labeur, la roche a pris forme humaine et elle se dresse là, colossale, sombre, sourcilleuse, mi-statue mi-rocher. En tant que statue, terrible et diabolique ; en tant que rocher, presque belle, car sa couleur est d'un gris moelleux et la mousse des landes le revêt ; et la bruyère, avec ses clochettes épanouies et son parfum embaumé, croît fidèlement au pied même du géant.

Currer Bell.

HURLEVENT DES MONTS

(Wuthering Heights)

I

1801. Je viens de rentrer d'une visite à mon propriétaire — l'unique voisin dont j'aurai à me soucier. Quel magnifique pays, vraiment ! Je ne crois pas que j'aurais pu fixer mon choix, dans toute l'Angleterre, sur un site qui fût aussi complètement à l'écart de l'agitation mondaine. C'est un vrai paradis de misanthrope ; et Mr. Heathcliff et moi sommes bien désignés pour nous partager ce désert. Quel homme admirable ! Il était loin d'imaginer quel élan de sympathie j'ai eu pour lui quand j'ai vu ses yeux noirs se retirer avec tant de suspicion sous leurs sourcils au moment où j'ai arrêté ma monture, et ses doigts s'abriter plus profond encore dans son gilet avec une résolution jalouse comme j'annonçais mon nom.

« Mr. Heathcliff ? » dis-je.

Il inclina la tête en réponse.

« Mr. Lockwood, monsieur, votre nouveau locataire. J'ai considéré comme un honneur de vous rendre visite aussitôt que possible après mon arrivée, pour vous exprimer l'espoir de ne pas vous avoir importuné par mon insistance à solliciter l'autorisation d'occuper le Manoir de la Grive. J'ai appris hier que vous aviez songé...

— Le Manoir de la Grive est à moi, interrompit-il en sursautant. Je ne me laisse importuner par personne si je puis faire autrement. Entrez ! »

Cet « entrez » était prononcé les dents serrées et exprimait « allez au diable » ; la barrière même sur laquelle il s'appuyait ne trahissait aucun mouvement qui fût en harmonie avec ses paroles ; et je crois que c'est là ce qui me détermina à accepter son invitation, intéressé que j'étais par un homme dont la réserve semblait plus outrée encore que la mienne.

Quand il vit le poitrail de mon cheval pousser franchement la barrière, il étendit tout de même la main pour enlever la chaîne, puis me précéda d'un air maussade sur la chaussée, criant, comme nous entrions dans la cour :

« Joseph, prends le cheval de Mr. Lockwood ; et apporte du vin. »

« Voilà tout le personnel domestique de la maison, je suppose », fut la réflexion que cet ordre composite me suggéra. « Point de merveille que l'herbe pousse entre les dalles et que les bestiaux soient seuls à tailler les haies. »

Joseph était un homme assez âgé, ou plutôt un vieil homme ; et peut-être même un très vieil homme, bien que robuste et noueux. « Dieu nous assiste ! » monologuait-il en sourdine d'un ton de mécontentement grognon, tout en me débarrassant de mon cheval et en me dévisageant d'un air si revêche que je conjecturai charitablement qu'il avait besoin de l'assistance divine pour digérer son dîner, et que sa pieuse exclamation ne se rapportait point à mon arrivée inopinée.

Hurlevent-des-Monts est le nom que porte l'habitation de Mr. Heathcliff. C'est un terme local expressif qui décrit le tumulte atmosphérique auquel le site est exposé quand souffle la rafale [1]. Certes, on doit être éventé là-haut en tout temps d'un air pur et vivifiant ; la force avec laquelle le vent du nord souffle par-dessus la crête se devine à l'obliquité excessive de quelques sapins rabougris qu'on voit à l'extrémité de la maison et à l'aspect d'une rangée de ronces efflanquées qui étendent toutes leurs branches du même côté, comme si elles imploraient l'aumône du soleil. Par bonheur, l'architecte a eu la prévoyance de bâtir solidement : les fenêtres étroites sont enchâssées profond dans le mur, et de grandes pierres en saillie protègent les angles.

1. Quelque chose comme notre Ventoux. *Wuthering Heights* signifie littéralement, mais sous la forme ramassée qui convient à un lieu-dit : les hauteurs où le vent fait rage. *(N.d.T.)*

Avant de passer le seuil, je m'arrêtai pour admirer un fouillis de sculptures baroques répandues à profusion sur la façade, particulièrement autour de la porte principale; au-dessus de laquelle, parmi tout un peuple de griffons dilapidés et d'impudiques marmots, je découvris une date, « 1500 », et le nom de « Hareton Earnshaw ». J'aurais bien fait quelques commentaires et demandé un bref historique des lieux à leur maussade propriétaire; mais son attitude devant la porte semblait exiger que j'entrasse rapidement ou que je disparusse radicalement, et je ne tenais pas à augmenter son impatience avant d'avoir inspecté le sanctuaire.

Une marche nous conduisit dans la salle familiale sans aucun couloir ou vestibule qui servît d'entrée. On l'appelle dans le pays « la salle » par excellence. Elle fait office, en général, de cuisine et de salon; mais je crois qu'à Hurlevent la cuisine a dû battre en retraite dans un tout autre quartier; du moins ai-je distingué dans les profondeurs un babil de langues et un cliquetis d'ustensiles de cuisine, et n'ai-je remarqué ni broches, ni marmites, ni four aux abords de l'énorme cheminée, non plus qu'aucun reflet de casserole de cuivre ou de passoire d'étain sur les murs. A une extrémité, il est vrai, la lumière et la chaleur se réfléchissaient superbement sur des rangées d'immenses plats d'étain entremêlés de cruches et de chopes d'argent, qui s'élevaient par couches successives, sur un vaste buffet de chêne, jusqu'aux combles. Ces derniers n'avaient jamais été masqués : leur anatomie entière s'offrait au regard inquisiteur, excepté là où un cadre de bois chargé de galettes d'avoine et de grappes de cuisseaux de bœuf de gigots et de jambons les cachait. Au-dessus de la cheminée étaient suspendus de vieux fusils patibulaires ainsi qu'une paire de pistolets d'arçon; et l'on avait disposé sur son manteau, en guise d'ornement, trois boîtes métalliques peintes de couleurs crues. Le sol était d'une pierre blanche et lisse; les chaises, à haut dossier, de forme primitive, peintes en vert, sauf une ou deux, massives et noires, tapies dans l'ombre. Sous le buffet arqué reposait une énorme chienne pointer couleur foie entourée d'un essaim de chiots geignards; et d'autres chiens hantaient d'autres recoins.

La pièce et le mobilier n'auraient rien eu d'extraordinaire s'ils avaient appartenu à un brave fermier du Nord à la physionomie têtue et aux membres robustes mis en valeur par des culottes et des guêtres. Vous trouverez pareil personnage assis dans son fauteuil, avec une chope d'ale moussant devant lui sur la table ronde, pour peu que vous fassiez un tour de cinq ou six milles parmi ces collines à l'heure favorable qui suit le dîner. Mais Mr. Heathcliff forme un singulier contraste avec sa demeure et son style de vie. Il a la mine d'un gitan au teint basané, avec la mise et les manières d'un homme distingué; aussi distingué, du moins, que bien des gentilshommes campagnards. Peut-être est-il un peu négligé, mais cela ne lui messied pas, car il se tient droit et a belle prestance; enfin, il est passablement morose. Certains pourraient peut-être le soupçonner d'avoir un orgueil de mauvais aloi; mais une fibre sympathisante en moi me dit qu'il n'en est rien: je sais d'instinct que sa réserve provient d'une aversion pour les étalages de sentiments — pour les démonstrations d'amabilité mutuelle. Il entend aimer aussi bien que haïr à couvert, considérant comme une sorte d'impertinence d'être aimé ou haï en retour. Non, je vais trop vite: je lui prête trop librement mes propres attributs. En gardant sa main pour lui lorsqu'il rencontre quelqu'un qui recherche son commerce, Mr. Heathcliff peut avoir des raisons toutes différentes de celles qui me font agir. Espérons que mon tempérament est presque unique: ma chère mère avait coutume de dire que je n'aurais jamais un foyer heureux; et, pas plus tard que l'été dernier, je m'en suis montré parfaitement indigne.

Comme je jouissais d'un mois de beau temps au bord de la mer, je fis connaissance de la plus fascinante des créatures: une vraie déesse à mes yeux aussi longtemps qu'elle ne fit pas attention à moi. Je « ne lui révélai jamais mon amour » de vive voix; mais, si les regards ont un langage, le premier sot venu aurait pu deviner que j'étais éperdument épris. Elle me comprit enfin et me lança en retour le plus doux de tous les regards imaginables. Que fis-je ? Je le confesse à ma honte, je me repliai glacialement en moi-même, comme un colimaçon ; à chaque regard, montrai plus d'éloignement et de froideur ; tant et si bien que la pauvre innocente finit par douter de ses sens et, accablée de confusion du fait de son erreur supposée, persuada sa maman de décamper. Ce curieux trait de caractère m'a valu une réputation d'insensibilité voulue, dont je suis seul à pouvoir mesurer l'injustice.

Je pris un siège au coin de l'âtre, opposé à celui vers lequel s'avançait mon propriétaire, et je remplis un intervalle de silence en essayant de caresser la mère chienne qui avait quitté sa progéniture et qui tournait comme une louve autour de mes mollets, les babines retroussées, ses dents blanches avides de happer. Ma caresse provoqua un long grognement guttural.

« Vous feriez mieux de laisser cette chienne tranquille, gronda à l'unisson Mr. Heatchcliff, tout en prévenant d'un coup de pied de plus furieuses démonstrations. Elle n'est pas habituée à être gâtée — ce n'est pas une chienne d'agrément. »

Puis, allant à une porte latérale, il cria de nouveau :

« Joseph ! »

Joseph grommela indistinctement dans les profondeurs de la cave, mais sans donner signe de vouloir monter ; de sorte que son maître plongea à sa recherche, me laissant en tête à tête avec cette brigande de chienne et une couple de farouches et hirsutes chiens de berger qui exerçaient avec elle une surveillance jalouse sur tous mes mouvements. Ne tenant point à entrer en contact avec leurs crocs, je restai immobile sur mon siège ; mais, me figurant qu'ils ne comprendraient guère des insultes tacites, je me permis malencontreusement de cligner de l'œil et de faire des grimaces au trio, sur quoi l'une de mes mines irrita Madame de telle sorte qu'elle entra soudain en fureur et bondit sur mes genoux. Je la repoussai et me hâtai de mettre la table entre nous. Ce geste sema l'émoi dans toute la ruche : une demi-douzaine de démons à quatre pattes, de toute taille et de tout âge, surgirent de leurs repaires cachés pour gagner le centre d'intérêt commun. Je sentis que mes talons et les basques de mon habit étaient les objectifs favoris de l'assaut, et, tout en tenant en respect de mon mieux, à l'aide du tisonnier, les combattants les plus formidables, je me vis contraint de demander à voix haute le secours de quelqu'un de la maison pour rétablir la paix.

Mr. Heathcliff et son domestique gravirent les marches de la cave avec un flegme vexatoire : je ne crois pas qu'ils aient accéléré leur montée d'une seconde, bien que l'âtre fût le siège d'une véritable tempête de coups de dents et d'abois. Heureusement, une habitante de la cuisine se montra plus expéditive : une vigoureuse commère à la robe retroussée, aux bras nus et aux joues enluminées par la flamme, se jeta au milieu de nous en brandissant une poêle à frire ; pour jouer de cette arme et de la langue avec tant de détermination que la tourmente s'apaisa comme par magie, et qu'elle demeurait seule, pantelante comme la mer après un vent violent, quand son maître est entré en scène.

« Que diable se passe-t-il ? demanda-t-il en me lorgnant d'une façon que j'eus du mal à supporter après ce traitement inhospitalier.

— Que diable en effet ! ai-je marmonné. Le troupeau de porcs possédés n'a pas pu être hanté de pires esprits que vos animaux, monsieur. Autant laisser un étranger avec une portée de tigres !

— Ils n'inquiètent pas les gens qui ne touchent à rien, observa-t-il en posant la bouteille devant moi et en remettant la table en place. Les chiens font bien d'être vigilants. Un verre de vin ?

— Non merci.

— Pas de morsure, n'est-ce pas ?

— Si j'avais été mordu, j'aurais laissé mon sceau sur le coupable. »

La physionomie de Heathcliff se détendit jusqu'à grimacer un sourire.

« Allons, allons, dit-il, vous êtes énervé, Mr. Lockwood. Tenez, prenez un peu de vin. Les visiteurs sont d'une telle rareté dans cette maison que mes chiens et moi, je ne fais pas difficulté de le reconnaître, nous ne savons guère les recevoir. A votre santé, monsieur ! »

Je m'inclinai et je répondis à son toast. Je commençais à sentir qu'il serait absurde de persister à bouder à cause de l'inconduite d'une meute de roquets ; d'ailleurs je ne tenais pas à donner à cet individu l'occasion de s'amuser plus outre à mes dépens, puisque tel était le tour qu'avait pris son humeur. Lui — mû sans doute par la prudente considération que ce serait folie d'offenser un bon locataire — se départit un peu du style laconique qui lui faisait omettre ses pronoms et ses verbes auxiliaires, et aborda un sujet qu'il pensait propre à m'intéresser en entamant un discours sur les avantages et les inconvénients de mon présent lieu de retraite. Je le trouvai fort averti des questions auxquelles nous touchâmes, et, avant de rentrer chez moi, j'allai jusqu'à proposer de renouveler ma visite le lendemain. De toute évidence, il ne désirait pas voir mon intrusion se répéter. J'irai néanmoins. C'est étonnant comme je me sens sociable par comparaison avec lui.

II

Hier, l'après-midi s'est annoncé brumeux et froid. J'avais presque envie de le passer au coin du feu, dans mon bureau, au lieu de patauger par la brande et la boue jusqu'à Hurlevent-des-Monts. En remontant après le dîner toutefois (N.B. — Je dîne entre midi et une heure ; l'intendante, une digne matrone que j'ai prise avec la maison comme un accessoire inséparable, n'a pas pu ou n'a pas voulu comprendre ma demande d'être servi à cinq heures), comme je gravissais l'escalier dans cette intention paresseuse, puis entrais dans la pièce, je vis une servante à genoux, entourée de balais et de seaux à charbon, et qui soulevait une poussière infernale en étouffant les flammes sous des monceaux de cendres. Ce spectacle me fit immédiatement reculer ; je pris mon chapeau et, après une marche de quatre milles, j'atteignis la porte du jardin de Heathcliff juste à temps pour échapper aux premiers flocons duveteux d'une rafale de neige.

Sur cette crête glaciale, la terre était durcie par une gelée noire et la froidure de l'air me fit trembler de tous mes membres. Ne parvenant pas à enlever la chaîne de la barrière, je sautai par-dessus et, courant le long de la chaussée dallée bordée çà et là de groseilliers, je frappai en vain pour me faire ouvrir jusqu'à ce que j'eusse les phalanges endolories et que les chiens se missent à hurler.

« Misérables habitants ! m'écriai-je mentalement, vous méritez d'être retranchés à jamais de votre espèce pour votre inhospitalité grossière. Vous pourriez du moins ne pas barricader votre porte pendant la journée. N'importe — j'entrerai ! »

Ayant pris cette résolution, je saisis le loquet et le secouai avec véhémence. Le visage vinaigré de Joseph parut à l'œil-de-bœuf de la grange.

« Après quoué qu'vous in avez ? cria-t-il. L'maît' s'in est allé à la bargerie. Faites le tour par l'bout de la r'mise si c'est qu'vous voulez lui parler.

— N'y a-t-il personne au-dedans pour ouvrir la porte ? clamai-je en réponse.

— Personne d'aut' qu'la maîtresse ; et elle ouvrira point, quand bin même vous feriez vot' boucan d'enfer jusqu'au souèr.

— Pourquoi ? Ne pouvez-vous pas lui dire qui je suis, Joseph ? Hein ?

— Moué ? Nenni ! J'veux point m'in mêler », grommela la tête, qui disparut.

La neige commençait à tomber dru. Je saisissais la poignée pour faire une nouvelle tentative, quand un jeune homme sans veste et qui portait une fourche sur l'épaule apparut derrière moi dans la cour. Il me cria de le suivre et, après avoir traversé une buanderie, puis une courette pavée contenant un hangar à charbon, une pompe et un pigeonnier, nous arrivâmes enfin dans l'énorme salle pleine de chaleur et de gaieté où l'on m'avait reçu précédemment. Elle chatoyait de délicieuse manière à la lueur d'un immense feu composé de charbon, de tourbe et de bois ; et près de la table, mise pour un copieux repas du soir, je fus ravi de voir « la maîtresse », personne dont, jusqu'alors, je n'avais pas soupçonné l'existence. Je m'inclinai et j'attendis, pensant qu'elle me prierait de prendre un siège. Elle me regarda, rejetée en arrière sur sa chaise, et resta immobile et muette.

« Rude temps ! remarquai-je. Je crains, Mrs. Heathcliff, que la porte n'ait à souffrir du service nonchalant de vos domestiques : j'ai eu bien du mal à me faire entendre d'eux. »

Elle n'ouvrit pas la bouche. Je la dévisageai — elle me dévisagea aussi ; en tout cas elle garda son regard fixé sur moi d'une manière froide, indifférente, excessivement embarrassante et désagréable.

« Asseyez-vous, dit le jeune homme d'un ton bourru. Il sera bientôt rentré. »

J'obéis ; puis je toussai et j'appelai cette coquine de Junon qui daigna, à cette seconde entrevue, remuer l'extrême bout de la queue en signe de reconnaissance.

« Superbe bête ! repris-je. Avez-vous l'intention de vous séparer des petits, madame ?

— Ils ne sont pas à moi, dit l'aimable hôtesse, avec plus de mauvaise grâce encore que Heathcliff n'aurait pu en mettre à cette réponse.

— Ah ! vos favoris sont-ils parmi ceux-ci ? continuai-je en me tournant vers un coussin plongé dans l'ombre où je croyais distinguer des chats.

— Étrange choix de favoris ! » observa-t-elle avec mépris.

Par malheur, c'était un amas de lapins morts. Je toussotai une fois de plus et me rapprochai de l'âtre en répétant mes commentaires sur l'inclémence du temps.

« Vous n'auriez pas dû sortir », dit-elle en se levant et en allant prendre sur la cheminée deux des boîtes peintes.

Jusqu'à présent elle avait été abritée de la lumière ; maintenant je distinguais avec netteté l'ensemble de sa silhouette et de son visage. Elle était svelte, à peine sortie de l'adolescence, semblait-il, avec un corps admirable et le plus exquis petit visage que j'aie jamais eu le plaisir de contempler ; des traits menus, très clairs de teint ; des boucles de chanvre, ou plutôt d'or, pendant librement sur son cou délicat; et des yeux qui, s'ils avaient eu une expression agréable, auraient été irrésistibles; heureusement pour mon cœur vulnérable, le seul sentiment qu'ils trahissaient oscillait entre le dédain et une sorte de farouche désespérance, qu'il paraissait singulièrement étrange de trouver là. Les boîtes étaient presque hors de sa portée; je fis un mouvement pour l'aider; elle se tourna vers moi comme pourrait le faire un avare si quelqu'un voulait l'aider à compter son or.

« Je n'ai pas besoin que vous m'aidiez, dit-elle d'un ton coupant, je peux les atteindre de moi-même.

— Excusez-moi, me hâtai-je de répondre.

— Vous a-t-on invité pour le thé? demanda-t-elle, nouant un tablier sur sa proprette robe noire et tenant une cuillerée de feuilles au-dessus de la théière.

— Je prendrai volontiers une tasse, répondis-je.

— Vous a-t-on invité? répéta-t-elle.

— Non, dis-je avec un demi-sourire. Mais n'êtes-vous pas toute désignée pour cela? »

Elle rejeta le thé, cuiller et le reste, et se rassit d'un air boudeur, le front plissé et sa lèvre inférieure vermeille tendue en avant comme celle d'un enfant prêt à pleurer.

Cependant, le jeune homme avait jeté sur sa personne une veste décidément râpée et, se dressant devant la flamme, me regardait de son haut, du coin de l'œil, d'une manière qui semblait impliquer qu'une querelle mortelle restait à vider entre nous. Je commençais à me demander si c'était ou non un domestique: sa mise et son langage étaient tous deux grossiers, entièrement dépourvus de la supériorité qu'on pouvait noter chez Mr. et Mrs. Heathcliff; ses épaisses boucles brunes étaient négligées et en désordre; ses favoris empiétaient lourdement sur ses joues, et ses mains étaient brunies comme celles d'un vulgaire laboureur; cependant il avait une attitude dégagée, presque hautaine, et rien de l'assiduité d'un domestique envers la maîtresse de la maison. En l'absence de preuves manifestes de son état, je jugeai préférable de ne pas prêter attention à sa curieuse conduite; et cinq minutes plus tard l'entrée de Heathcliff vint alléger, dans une certaine mesure, l'inconfort de ma position.

« Vous le voyez, monsieur, je suis venu comme je l'avais promis ! m'écriai-je en feignant l'enjouement, et je crains que les intempéries ne me retiennent chez vous pour une demi-heure, si vous pouvez me donner abri pendant ce temps.

— Une demi-heure ? dit-il en secouant les flocons qui parsemaient ses vêtements. Je m'étonne que vous ayez choisi le plus fort d'une tempête de neige pour vagabonder. Savez-vous que vous courez le risque de vous perdre dans les marais ? Les gens qui connaissent bien ces landes s'égarent souvent par de pareils soirs ; et je puis vous assurer qu'il n'y a pour l'instant aucun espoir que cela change.

— Peut-être trouverai-je un guide parmi vos gens ; il resterait au Manoir jusqu'au matin — pouvez-vous m'en prêter un ?

— Non, je ne puis.

— Oh ! vraiment ! Eh bien alors, je devrai m'en rapporter à ma propre sagacité.

— Hum !

— Allez-vous l'faire, le thé ? demanda l'homme à l'habit râpé en détournant de moi son regard féroce pour le porter sur la jeune femme.

— En prendra-t-il, lui ? demanda-t-elle en s'adressant à Heathcliff.

— Préparez-le, voulez-vous ? » fut la réponse, articulée d'une manière si sauvage que je tressaillis. Le ton dont les mots avaient été prononcés révélait une nature foncièrement mauvaise. Je n'avais plus envie de dire de Heathcliff que c'était un homme admirable.

Les préparatifs terminés, il m'invita d'un « Allons, monsieur, avancez votre chaise. » Nous prîmes tous place, y compris le jeune rustre, autour de la table, et nous attaquâmes notre repas dans un silence austère.

Je me dis que si c'était moi qui avais amassé ce nuage, il m'incombait de chercher à le dissiper. Il n'était pas possible que ces gens fussent tous les jours aussi renfrognés et aussi taciturnes ; que, si mauvais caractère qu'ils eussent, cet air de maussaderie unanime fût leur mine quotidienne.

« Il est étrange, commençai-je après avoir bu une tasse de thé et avant d'en avoir reçu une autre, il est étrange de voir combien l'habitude peut façonner nos goûts et nos idées : bien des gens ne sauraient concevoir qu'on puisse trouver le bonheur en menant une vie aussi complètement retirée du monde, Mr. Heathcliff ; pourtant, j'ose dire qu'entouré de votre famille et avec votre aimable épouse pour génie tutélaire de votre foyer et de votre cœur...

— Mon aimable épouse ! interrompit-il d'un air de dérision presque diabolique. Où est-elle... mon aimable épouse ?

— C'est Mrs. Heathcliff, votre femme, que je veux dire.

— Ah ! oui. Vous donnez à entendre que son esprit joue le rôle d'ange gardien et veille sur le sort de Hurlevent même une fois que son corps s'en est allé. Est-ce cela ? »

Me rendant compte que j'avais commis une bévue, j'essayai de la corriger. J'aurais dû voir qu'il y avait une trop grande disparité d'âge entre lui et elle pour qu'ils fussent vraisemblablement mari et femme. Il avait environ quarante ans, âge de robustesse mentale auquel les hommes nourrissent rarement l'illusion qu'une jeune fille puisse les épouser par amour — ce rêve étant réservé à la consolation de notre déclin. Quant à elle, elle ne paraissait pas dix-sept ans.

J'eus alors une inspiration : « Ce rustre à mon côté, qui boit son thé dans une écuelle et qui mange son pain avec des mains malpropres, doit être son mari : c'est Heathcliff junior, naturellement. Voilà à quoi on en arrive quand on s'enterre vivante : elle s'est gaspillée en se donnant à ce lourdaud, par pure et simple ignorance qu'il y eût de meilleurs partis. C'est grand dommage... il faut que je prenne garde de ne pas lui faire trop regretter son choix. » Cette dernière réflexion peut sembler prétentieuse. Elle ne l'était pas : mon voisin me donnait l'impression d'être à deux doigts du repoussant, et je me savais, par expérience, passablement séduisant.

« Mrs. Heathcliff est ma belle-fille », dit Heathcliff en confirmant ma supposition.

Tout en parlant, il tourna dans sa direction un singulier regard : un regard de haine — à moins que ses muscles faciaux ne soient faits d'une manière tout à fait anormale et ne se refusent à interpréter, comme ceux des autres hommes, le langage de son âme.

« Ah ! certainement... je vois à présent ; c'est vous qui êtes l'heureux possesseur de cette fée bienfaisante », remarquai-je en me tournant vers mon voisin.

Ce fut pire encore : le jeune homme devint cramoisi et serra le poing, avec toutes les apparences de méditer un assaut. Mais il parut bientôt se ressaisir et étouffa l'orage en marmonnant à mon adresse un juron brutal — que j'eus soin, toutefois, d'ignorer.

« Vous n'êtes pas chanceux dans vos conjectures, monsieur, observa mon hôte ; ni lui ni moi n'avons le privilège de posséder votre bonne fée ; son époux est mort. J'ai dit qu'elle était ma belle-fille : il faut donc qu'elle ait épousé mon fils.

— Et ce jeune homme...

— N'est pas mon fils, assurément. »

Heathcliff sourit à nouveau, comme si c'eût été une plaisanterie par trop forte que de lui attribuer la paternité d'un pareil ours.

« Mon nom est Hareton Earnshaw, grommela l'autre, et je vous conseille de le respecter.

— Je n'ai fait preuve d'aucun irrespect », répondis-je en riant intérieurement de la solennité avec laquelle il se présentait.

Il fixa sur moi son regard plus longtemps que je ne me souciai de le dévisager en retour, de crainte d'être tenté ou de le gifler ou de faire éclater mon hilarité. Je commençais à sentir que, de toute évidence, je n'étais pas à ma place dans ce charmant cercle de famille. La lugubre atmosphère spirituelle l'emportait sur le chaleureux bien-être qui m'environnait et faisait plus que le neutraliser. Je résolus de ne pas agir à la légère si je m'aventurais une troisième fois sous ces chevrons.

L'affaire du repas terminée et comme personne n'articulait un mot de conversation sociable, je m'approchai d'une fenêtre pour examiner le temps. C'est un affligeant spectacle qui s'offrit à moi : une nuit obscure tombant prématurément et le ciel et les collines qui ne faisaient plus qu'un dans un âpre tourbillon de vent et de neige suffocante.

« Je ne crois pas qu'il me soit possible à présent de rentrer chez moi sans guide, ne pus-je m'empêcher de m'écrier. Les routes doivent être déjà enfouies sous la neige, et quand bien même elles seraient à découvert, je verrais à peine à un pied devant moi.

— Hareton, mène-moi cette douzaine de moutons sous le porche de la grange, dit Heathcliff : ils vont être couverts de neige si on les laisse dans le parc toute la nuit. Et mets une planche devant eux.

— Que faire ? » continuai-je avec une irritation grandissante.

Ma question ne reçut pas de réponse ; quand je jetai les yeux autour de moi, je vis seulement Joseph qui apportait un seau de bouillie d'avoine pour les chiens, et Mrs. Heathcliff, penchée sur le feu, qui s'amusait à faire brûler un paquet d'allumettes tombées du manteau de la cheminée au moment où elle avait remis la boîte à thé à sa place. Quand Joseph eut déposé son fardeau, il jeta un regard critique autour de la pièce et grinça d'une voix fêlée :

« Je m'demande commint qu'vous pouvez rester là à rin faire ou à faire pis que rin quand tous les aut' sont dehors ! Mais vous êtes qu'une vaurienne, et on aura beau vous parler, vous n'vous déprindrez jamais d'vot' mauvaiseté et vous irez tout dré chez l'dièble, comme vot' mère avant vous ! »

Je me figurai un instant que ce morceau d'éloquence s'adressait à moi ; et, passablement en rage, je m'avançai vers le vieux coquin avec l'intention de l'expédier dehors à coups de pied. Mais Mrs. Heathcliff me prévint par sa réponse :

« Vieil hypocrite à langue de vipère, répliqua-t-elle. N'as-tu pas peur d'être emporté toi-même tout vif chaque fois que tu prononces le nom du diable ? Je te conseille d'éviter de m'irriter, ou je demanderai comme une faveur spéciale qu'on t'enlève. Attends, Joseph, regarde, continua-t-elle en prenant sur une étagère un livre allongé, de teinte sombre. Je te montrerai quels progrès j'ai faits en magie noire. Je serai bientôt assez compétente pour vider la maison. Ce n'est pas par hasard que la vache rousse est morte ; et ton rhumatisme ne peut guère être compté comme une faveur de la Providence !

— Oh ! impie, impie ! pantela le vieillard. Que l' Seigneur nous déliv' du mal !

— Non, mécréant ! tu es un réprouvé... va-t'en, ou je te mettrai sérieusement à mal ! Je vous modèlerai tous en cire et en glaise ; et le premier qui passe les limites que j'aurai fixées sera... je ne dirai pas ce qu'on lui fera... mais vous verrez ! Va-t'en, mon regard est sur toi ! »

La petite sorcière mit une feinte malignité dans ses beaux yeux, et Joseph, tremblant d'une sincère horreur, s'enfuit en priant et en s'écriant : « Impie ! » Je me dis qu'elle avait dû se conduire de la sorte par une espèce d'humour morose, et maintenant que nous étions seuls, j'essayai de l'intéresser à ma détresse.

« Mrs. Heathcliff, dis-je d'un ton pressant, veuillez m'excuser de vous importuner. Si j'ai cette audace, c'est qu'avec un pareil visage vous ne pouvez manquer, j'en suis sûr, d'avoir bon cœur. Indiquez-moi, je vous en prie, quelques repères qui me permettront de retrouver ma route pour rentrer chez moi : je n'ai pas plus d'idée des moyens d'y parvenir que vous n'en auriez de la façon d'atteindre Londres !

— Prenez la route par laquelle vous êtes venu, répondit-elle en s'enfonçant dans un fauteuil avec une chandelle et le livre allongé ouvert devant elle. Le conseil est bref, mais je ne puis vous en donner de meilleur.

— Ainsi donc, si vous entendez dire qu'on a découvert mon cadavre dans une fondrière ou dans une fosse pleine de neige, votre conscience ne vous soufflera pas que c'est en partie votre faute ?

— Comment cela ? Je ne peux pas vous escorter. Ils ne me laisseraient même pas aller au bout du mur du jardin.

— *Vous !* Je m'en voudrais de vous demander pour ma commodité de franchir le seuil par une nuit pareille, m'écriai-je. Je vous demande de me *dire* mon chemin, non de me le *montrer ;* ou bien de persuader Mr. Heathcliff de me donner un guide.

— Qui cela ? Il n'y a ici que lui, Earnshaw, Zillah, Joseph et moi. Qui voudriez-vous avoir ?

— N'y a-t-il pas de garçons à la ferme ?

— Non, il n'y a personne d'autre.

— Alors il s'ensuit que je suis contraint de rester.

— C'est chose à régler avec votre hôte. Cela ne me regarde pas.

— J'espère que cela vous apprendra à ne plus entreprendre des randonnées à la légère sur ces collines, cria de l'entrée de la cuisine la voix sévère de Heathcliff. Quant à rester ici, je ne suis pas préparé à loger les visiteurs. Vous devrez partager le lit de Hareton ou de Joseph si vous vous y décidez.

— Je puis passer la nuit sur un siège dans cette pièce, répondis-je.

— Non, non ! Un étranger est un étranger, qu'il soit riche ou pauvre ; il ne me convient pas de laisser à quiconque la libre disposition des lieux quand je ne suis pas sur mes gardes ! » dit le misérable malappris.

Cette insulte mit ma patience à bout. Je poussai une exclamation de dégoût et, passant à côté de lui, m'élançai dans la cour, non sans me heurter à Earnshaw dans ma hâte. Il faisait si sombre que je ne trouvais pas la sortie ; et comme je tournais en rond, j'eus un autre exemple de la civilité avec laquelle ils se comportaient entre eux. Tout d'abord le jeune homme parut disposé à se montrer aimable envers moi.

« J'irai avec lui jusqu'au parc, dit-il.

— Tu iras avec lui en enfer ! s'écria son maître, si c'est ainsi que je dois définir leur relation. Qui donc s'occupera des chevaux, alors ?

— La vie d'un homme est de plus de conséquence que le fait de négliger les chevaux pour un soir : il faut que quelqu'un y aille, murmura Mrs. Heathcliff avec plus de bonté que je ne m'y attendais.

— Pas à votre commandement ! répliqua Hareton. Si vous vous intéressez à lui, vous feriez mieux de vous tenir tranquille.

— Alors j'espère que son spectre vous hantera ; et j'espère que Mr. Heathcliff n'aura jamais d'autre locataire jusqu'au jour où le Manoir sera en ruines ! ripostat-elle vivement.

— Écoutez, écoutez, 'l'est après les maudire ! » marmonna Joseph, vers qui j'avais gouverné.

Il était assis à portée de voix, occupé à traire les vaches à la lueur d'une lanterne dont je m'emparai sans cérémonie, et, criant que je la renverrais le lendemain, je me précipitai vers la poterne la plus proche.

« Maît', maît', il vole la lanterne ! cria l'ancien en me poursuivant. Holà, Gronde-la-mort, holà, Loup Gris, ar'tez-le, ar'tez-le ! »

Comme j'ouvrais la petite porte, deux monstres velus me sautèrent à la gorge, me renversant et éteignant la lanterne, tandis qu'un bruyant éclat de rire, tant de Heathcliff que de Hareton, mettait le comble à ma rage et à mon humiliation. Par bonheur, les bêtes semblaient plus enclines à allonger les pattes, à bâiller et à agiter la queue qu'à me dévorer tout vif ; mais elles ne souffraient pas que je ressuscitasse, et je fus forcé de rester étendu jusqu'à ce qu'il plût à leurs maîtres pervers de me délivrer ; sur quoi, privé de chapeau et tremblant de colère, j'enjoignis aux mécréants de me laisser partir — je ne répondais plus de moi s'ils tardaient une minute — avec d'incohérentes menaces de représailles qui, dans l'insondable profondeur de leur virulence, faisaient songer au roi Lear.

La véhémence de mon émoi provoqua un copieux saignement de nez, et Heathcliff continuait à rire, et je continuais à tempêter. Je ne sais comment la scène se fût terminée s'il n'y avait eu dans les parages une personne plus raisonnable que moi et plus bienveillante que mon hôte. C'était Zillah, la corpulente femme de charge, qui parut enfin pour s'enquérir de la nature du tumulte. Elle croyait que l'un d'eux m'avait malmené ; et, n'osant s'en prendre à son maître, elle dirigea son artillerie vocale contre le plus jeune des coquins.

« Vraiment, Mr. Earnshaw, s'écria-t-elle, je me demande ce que vous inventerez la prochaine fois ! Allons-nous assassiner les gens au seuil de notre porte ? Je vois bien que cette maison n'est pas faite pour moi... regardez le pauvre homme, il étouffe pour de bon ! Du calme, du calme ! Il ne faut pas continuer comme ça. Entrez, je vais vous guérir ça. Allons, tenez-vous tranquille. »

A ces mots, elle me versa soudain une pinte d'eau glacée dans le cou et m'entraîna dans la cuisine. Mr. Heathcliff suivit, sa gaieté accidentelle s'éteignant rapidement pour faire place à sa morosité habituelle.

Je n'étais que nausée, vertige et faiblesse ; et par là même, je me voyais bien obligé d'accepter de loger sous son toit. Il dit à Zillah de me donner un verre d'eau-de-vie, puis passa dans la pièce intérieure ; tandis qu'elle m'exprimait sa sympathie pour mon triste état et, qu'après avoir obéi à son ordre, ce qui me revigora quelque peu, elle me conduisait vers un lit.

III

Tout en me précédant dans l'escalier, elle me recommanda de cacher la chandelle et de ne pas faire de bruit ; car son maître avait des idées bizarres sur la chambre où elle voulait me mettre, et répugnait à y loger quiconque. Je lui en demandai la raison. Elle ne la savait pas, me répondit-elle : elle n'habitait là que depuis un an ou deux ; et il s'y passait des choses si étranges qu'il valait mieux ne pas commencer à être curieuse.

Trop hébété pour être curieux moi-même, je verrouillai ma porte et cherchai le lit des yeux autour de moi. Tout l'ameublement consistait en une chaise, une armoire à linge et une grande carcasse de chêne avec, près du haut, des ouvertures carrées qui ressemblaient à des fenêtres de coche. M'étant approché de cette construction, je regardai à l'intérieur et je reconnus que c'était une singulière espèce de couche à l'ancienne mode, conçue de manière très pratique pour parer à la nécessité que chaque membre de la famille eût sa chambre à part. En fait, cela formait un petit cabinet, et le rebord d'une fenêtre, qui s'y trouvait enclose, servait de table. Je fis glisser les panneaux latéraux, entrai avec ma lumière, les refermai et me sentis à l'abri de la vigilance de Heathcliff aussi bien que de quiconque.

Le rebord où je plaçai ma chandelle portait quelques livres moisis empilés dans un coin, et des inscriptions qu'on avait faites en grattant la peinture. Ces inscriptions, toutefois, ne faisaient que répéter le même nom en toute sorte de caractères, grands et petits — *Catherine Earnshaw*, çà et là changé en *Catherine Heathcliff*, puis en *Catherine Linton*.

Dans ma morne apathie, j'appuyai la tête contre la fenêtre et continuai à épeler *Catherine Earnshaw... Heathcliff... Linton*, jusqu'au moment où mes yeux se fermèrent; mais ils n'étaient pas clos depuis cinq minutes que des lettres blanches jaillirent de l'obscurité, aussi vives que des spectres... l'air fourmillait de *Catherine*; et, en me redressant pour chasser ce nom importun, je découvris que la mèche de ma chandelle reposait sur l'un des volumes anciens et répandait dans la chambre une odeur de cuir de veau brûlé. Je la mouchai, puis, très mal à l'aise sous l'influence du froid et de la nausée persistante, je m'assis dans mon lit et ouvris le livre endommagé sur mon genou. C'était une bible en caractères maigres et qui sentait terriblement le moisi; une page de garde portait l'inscription: « Ce livre appartient à Catherine Earnshaw » avec une date remontant à un quart de siècle environ. Je le refermai, pour en prendre un autre, puis un autre, jusqu'à ce que je les eusse examinés tous. La bibliothèque de Catherine était choisie et son état de délabrement prouvait qu'elle avait amplement servi, sinon toujours de manière tout à fait légitime, car aucun chapitre, pour ainsi dire, n'avait échappé à quelque commentaire à l'encre — ou ce qui semblait l'être —

couvrant chaque parcelle de blanc laissée par l'imprimeur. Tantôt c'étaient des phrases détachées ; tantôt cela prenait la forme d'un vrai journal griffonné d'une main enfantine et malhabile. En haut d'une page blanche (un vrai trésor, sans doute, quand on l'avait découverte), je fus fort amusé de voir une excellente caricature de mon ami Joseph, dessinée d'une façon rudimentaire, mais vigoureuse. J'eus aussitôt une flambée d'intérêt pour cette Catherine inconnue, et me mis sans plus attendre à déchiffrer ses hiéroglyphes fanés.

« Quel horrible dimanche ! commençait le paragraphe tracé dessous. Je voudrais que mon père pût revenir. Hindley est un remplaçant détestable. Il se conduit d'une manière atroce envers Heathcliff. H. et moi allons nous révolter. D'ailleurs, nous avons fait un premier pas ce soir.

« La pluie est tombée à flots toute la journée ; nous n'avons pu aller à l'église, de sorte que Joseph a dû réunir l'assemblée des fidèles au grenier ; et tandis que Hindley et sa femme se rôtissaient en bas devant un bon feu — occupés à toute autre chose qu'à lire leur bible, j'en jurerais — Heathcliff, moi-même et le malheureux garçon de charrue, nous reçûmes l'ordre de prendre nos livres de prières et de monter. Nous fûmes alignés sur un sac de blé, grelottant et murmurant, et nous flattant de l'espoir que Joseph grelotterait pareillement et que, dans son propre intérêt, il écourterait son homélie. Vaine illusion ! Le service a duré exactement trois heures ; en dépit de quoi, mon frère a eu le front de s'écrier en nous voyant descendre : « Comment, c'est déjà fini ? » Naguère, on nous permettait de jouer le dimanche soir pourvu que nous ne fissions pas trop de bruit ; à présent le plus petit rire suffit à nous faire envoyer dans le coin !

« — Vous oubliez que vous avez un maître ici, dit le tyran. Je démolirai le premier qui me mettra en colère ! J'exige une tenue et un silence exemplaires. Ah ! mon garçon, c'est toi qui as fait ce bruit ? Frances, ma chérie, tire-lui les cheveux au passage : je l'ai entendu faire claquer ses doigts.

« Frances lui a tiré les cheveux de bon cœur, puis est

allée s'asseoir sur les genoux de son mari ; et ils sont restés là comme deux bébés, à s'embrasser et à dire des riens pendant des heures — nous aurions honte de débiter pareilles niaiseries. Nous nous sommes blottis aussi douillettement que possible sous l'arche du buffet. Je venais d'attacher nos tabliers ensemble et de les suspendre en guise de rideau, quand Joseph est entré en revenant de l'écurie. Il m'arrache mon ouvrage, me gifle et croasse :

« — L'maît' est tout juste in terre, l'sabbat est point terminé, l'Évangile corne encô' à vos oreilles, et vous osez vous amuser ! Honte à vous ! Asseyez-vous, méchints infints. Y a assez d'liv' édifiints si seulement vous vouliez lire ! Asseyez-vous et pinsez à vot' âme !

« Ce disant, il nous força à rectifier nos positions, afin que nous pussions recevoir du feu lointain une vague lueur qui nous permît de distinguer le texte du fatras qu'il nous imposa. Je ne pus supporter cette occupation. Je pris mon volume brunâtre par le dos et le lançai dans le chenil en protestant que je détestais les livres édifiants. Heathcliff envoya le sien au même endroit d'un coup de pied. Ce fut alors un beau remue-ménage !

« — Maît' Hindley ! hurla notre chapelain. Maît', v'nez ici ! Miss Cathy a findu l'dos du *Haume du salut* et Heathcliff a passé sa rage sus la première partie du *Large Ch'min de la Perdition !* C't une abômination d'les laisser aller d'ce train-là. Ech ! Le vieil homme, y vous les aurait rossés prop'mint... mais y s'in est allé !

« Hindley se précipita de son paradis du coin du feu et, saisissant l'un de nous au collet et l'autre par le bras, nous jeta tous les deux dans l'arrière-cuisine où, certifia Joseph, « l'vieux Nick [1] » viendrait nous chercher aussi sûr que nous étions en vie ; et, ainsi réconfortés, nous cherchâmes chacun de son côté un coin séparé pour attendre sa venue. Je pris ce livre et une bouteille d'encre sur une étagère, j'entrouvris la porte de la salle pour avoir de la lumière, et voilà vingt minutes que j'écris pour passer le temps ; mais mon compagnon est impatient : il propose de

1. Le Diable. *(N.d.T.)*

nous approprier la pèlerine de la laitière et d'aller courir la lande en nous abritant dessous. L'idée est attirante : si le vieux grognasson arrive, il pourra croire que sa prédiction s'est accomplie, nous ne saurions avoir plus froid ni être plus à l'humidité sous la pluie qu'ici. »

....

Je suppose que Catherine mit son projet à exécution car la phrase suivante touchait à un autre sujet — sur un ton larmoyant :

« J'étais bien loin de rêver que Hindley me ferait jamais tant pleurer ! écrivait-elle. J'ai si mal à la tête que je ne peux la garder sur l'oreiller, et pourtant je ne puis pas m'arrêter. Pauvre Heathcliff ! Hindley le traite de vagabond et ne veut plus le laisser s'asseoir avec nous ni manger avec nous ; il déclare que nous ne devons plus jouer ensemble et menace de le chasser de la maison si nous enfreignons ses ordres. Il a blâmé notre père (comment a-t-il osé ?) pour avoir traité H. avec trop de libéralité, et il jure qu'il le remettra à la place qui lui convient... »

....

Je commençais à dodeliner de la tête sur la page aux lignes pâlies ; mon regard erra du manuscrit à l'imprimé. Je vis un titre rouge ornementé : « Septante fois sept [1], et le Premier des septante et unièmes : pieux discours prononcé par le Révérend Jabes Branderham à la chapelle [2] de Gimmerden Sough. » Et tandis que, dans une demi-inconscience, je me torturais la cervelle pour deviner ce que Jabes Branderham pouvait bien tirer de son sujet, je retombai dans mon lit et m'endormis. Tristes effets du mauvais thé et de la mauvaise humeur : qu'est-ce autre, en effet, qui aurait pu me faire passer une aussi terrible nuit ? Je ne me souviens pas d'en avoir connu aucune autre que je puisse lui comparer depuis que je suis capable de souffrir.

Je me mis à rêver presque avant d'avoir perdu conscience de l'endroit où je me trouvais. C'était le

1. Matthieu, XVIII, 21-22. *(N.d.T.)*
2. Lieu de culte d'une Église dissidente. *(N.d.T.)*

matin, croyais-je, et je m'en retournais chez moi avec Joseph pour guide. Une neige de plusieurs coudées d'épaisseur couvrait la route ; et comme nous pataugions au travers, mon compagnon me harcelait de constants reproches pour n'avoir pas emporté un bâton de pèlerin : protestant que je ne pourrais jamais entrer dans la maison sans en avoir un et brandissant fièrement un gourdin à grosse tête qui, à ce que je compris, répondait à cette appellation. Tout d'abord, je jugeai absurde d'avoir besoin de pareille arme pour pouvoir rentrer chez moi. Puis une idée nouvelle me traversa l'esprit. Ce n'était pas chez moi que j'allais : nous nous étions mis en chemin pour aller entendre le fameux Jabes Branderham prêcher sur le texte « Septante fois sept » ; et Joseph, ou bien le prédicateur, ou encore moi-même, avait commis le « premier des septante et unièmes » et devait être publiquement dénoncé et excommunié.

Nous arrivâmes à la chapelle. Je suis véritablement passé devant deux ou trois fois au cours de mes promenades ; elle est située dans un creux entre deux collines : un creux surélevé, près d'un marais, dont la tourbe humide convient très bien, dit-on, pour embaumer les quelques cadavres déposés là. Le toit a été entretenu jusqu'à présent ; mais étant donné que le traitement du desservant n'est que de vingt livres par an, avec la jouissance d'une maison de deux pièces qui menacent de se réduire rapidement à une seule, aucun ministre ne veut accepter cette charge, d'autant plus qu'on rapporte couramment que les ouailles laisseraient mourir de faim leur pasteur plutôt que d'augmenter son revenu d'un sou de leurs poches. Dans mon rêve toutefois, Jabes avait un auditoire nourri et attentif ; et, grand Dieu ! quel sermon il prêcha : divisé en *quatre cent quatre-vingt-dix* parties, chacune au moins de la longueur d'un sermon ordinaire et chacune traitant d'un péché distinct ! Où allait-il les chercher, je ne saurais le dire. Il avait sa manière à lui d'interpréter le texte, selon laquelle il semblait nécessaire que le fidèle commît à chaque occasion des péchés différents. C'étaient des péchés fort curieux : d'étranges transgressions que je n'avais jamais imaginées.

Oh ! quelle lassitude me prit ! Comme je me tortillais, comme je bâillais, comme je somnolais, puis me réveillais ! Comme je me pinçais, me piquais, me frottais les yeux, me levais, me rasseyais, comme je poussais Joseph du coude pour savoir si le prédicateur aurait *jamais* fini ! J'étais condamné à l'entendre jusqu'au bout. Finalement il en vint au « premier des septante et unièmes ». A cet instant critique, j'eus une inspiration soudaine et me levai pour dénoncer Jabes Branderham comme ayant commis le péché que nul chrétien n'est tenu de pardonner.

« Monsieur, m'écriai-je, assis entre ces quatre murs, j'ai enduré et toléré à la file les quatre cent quatre-vingt-dix points de votre sermon. Septante fois sept fois j'ai pris mon chapeau et j'ai été sur le point de partir, septante fois sept fois vous m'avez absurdement contraint à reprendre mon siège. La quatre cent quatre-vingt-onzième fois passe les bornes. Compagnons de martyre, attaquons-le ! Tirons-le à bas et réduisons-le en atomes afin que le lieu qui le connaît ne puisse plus le connaître !

— *Tu es l'Homme !* cria Jabes après une pause solennelle, en se penchant par-dessus son coussin. Septante fois sept fois tu as distendu ton visage en bâillant, septante fois sept fois j'ai tenu conseil avec mon âme, pensant : c'est là faiblesse humaine et qui peut encore s'absoudre. Mais le premier des septante et unièmes est venu. Frères, exécutez sur sa personne le jugement qui a été écrit. Pareil honneur revient à tous ses justes ! »

A cette terrible parole, tous les fidèles, brandissant leurs bâtons de pèlerins, se précipitèrent sur moi de toutes parts ; et moi, n'ayant pas d'arme à lever pour me défendre, je me mis à me colleter avec Joseph, mon assaillant le plus proche et le plus féroce, pour lui prendre la sienne. Dans la ruée convergente de la multitude, plusieurs bâtons se croisèrent ; des coups qui m'étaient destinés tombèrent sur d'autres crânes. Bientôt toute la chapelle retentit de bâtonnades et de contre-bâtonnades : chacun portait la main sur son voisin, et Branderham, répugnant à rester oisif, déversait son zèle dans une pluie de tapes bruyantes assenées sur le bois de la chaire, qui résonnait si généreusement qu'à la fin, à mon indicible soulagement, je m'éveillai. Et qu'étais-ce qui m'avait suggéré ce terrible tumulte ? Qui avait joué le rôle de Jabes dans la bagarre ? Simplement la branche de sapin qui tapait à ma fenêtre lorsque au passage la rafale gémissante faisait crépiter ses cônes secs contre la vitre ! J'écoutai un instant, sans comprendre ; découvris le perturbateur ; puis me retournai, m'assoupis et me remis à rêver : plus désagréablement encore que devant, s'il était possible.

Cette fois je me souvenais que j'étais couché dans le cabinet de chêne et j'entendais distinctement les rafales de vent et de neige ; j'entendais aussi la branche de sapin répéter son bruit taquin et je l'attribuais à sa véritable cause ; mais il m'agaçait tellement que je résolus de le faire cesser s'il était possible ; et, comme il me sembla, je me levai et j'essayai d'ouvrir le battant. Le crochet était soudé dans la gâchette, fait que j'avais observé étant éveillé, mais oublié ensuite. « Il faut malgré tout que j'arrête ce bruit ! » murmurai-je, passant le poing à travers la vitre et allongeant un bras au-dehors pour saisir la branche importune ; à la place de laquelle, mes doigts se refermèrent sur ceux d'une petite main glacée ! L'intense horreur du cauchemar m'envahit : j'essayai de retirer mon bras, mais la main s'y cramponna et une voix profondément mélancolique sanglota : « Laissez-moi entrer... laissez-moi entrer ! — Qui êtes-vous ? » demandai-je tout en continuant à lutter pour me dégager. — Catherine Linton », répondit-elle en grelottant (pourquoi pensais-je à *Linton ?* J'avais lu *Earnshaw* vingt fois plus souvent). « Je suis revenue à la maison : je m'étais perdue sur la lande ! » Tandis qu'elle parlait, je distinguai obscurément un visage d'enfant qui regardait à travers la fenêtre. La terreur me rendit cruel ; et voyant qu'il était vain de prétendre détacher de moi cette créature, j'attirai son poignet sur la vitre brisée et l'y frottai jusqu'à ce que le sang coulât et inondât les draps du lit. Elle gémissait toujours : « Laissez-moi entrer ! » et ne desserrait pas son étreinte tenace, me rendant presque fou de terreur. « Comment le pourrais-je ? demandai-je enfin. Lâchez-moi d'abord si vous voulez que je vous fasse entrer ! » Les doigts se desserrèrent, je ramenai les miens à travers le trou, me hâtai d'empiler les livres en pyramide pour l'obstruer et me bouchai les oreilles pour cesser d'entendre la lamentable prière. Il me sembla que je les tins ainsi bouchées plus d'un quart d'heure, mais dès l'instant où je me remis à écouter, de nouveau reprit la supplication douloureuse! « Allez-vous-en! criai-je, je ne vous laisserai jamais entrer, quand bien même vous supplieriez pendant vingt ans. — Il y a vingt ans, gémit la voix endeuillée, il y a vingt ans que j'erre abandonnée. » Sur quoi un faible grattement commença à se faire entendre au-dehors, et la pile de livres remua comme si on la poussait en avant. J'essayai de me redresser dans un sursaut, mais je ne pus remuer un membre, et je me mis à hurler, en proie à une peur frénétique. A ma confusion, je m'aperçus que le hurlement n'était pas imaginaire; des pas rapides s'approchaient de la porte de ma chambre; quelqu'un la poussa d'une main vigoureuse, et une lumière brilla à travers les ouvertures carrées du haut du lit. J'étais assis, tremblant encore et essuyant la sueur qui ruisselait de mon front; l'intrus paraissait hésiter et marmonnait en lui-même. Il dit enfin dans un demi-murmure, manifestement sans attendre de réponse: « Y a-t-il quelqu'un ici? » Je jugeai qu'il valait mieux avouer ma présence, car j'avais reconnu le timbre de Heathcliff et je craignais qu'il ne poursuivît son enquête plus avant si je restais immobile. Aussi me retournai-je et ouvris-je les panneaux. Je n'oublierai pas de sitôt l'effet que produisit mon geste.

Heathcliff se tenait près de l'entrée, en pantalon et en chemise, tenant une chandelle qui lui coulait sur les doigts, et le visage aussi blanc que le mur derrière lui. Le premier craquement du chêne le fit tressaillir comme s'il avait reçu une décharge électrique! La lumière s'échappa de sa main pour tomber à plusieurs pieds de distance, et son agitation était telle qu'il put à peine la ramasser.

« Ce n'est que votre visiteur, monsieur, lui criai-je, désireux de lui épargner l'humiliation d'exhiber plus longtemps sa lâche frayeur. J'ai eu le malheur de hurler dans mon sommeil sous l'empire d'un horrible cauchemar. Je suis au regret de vous avoir dérangé.

— Oh ! Dieu vous confonde, Mr. Lockwood ! Je voudrais vous voir au..., commença mon hôte en posant la chandelle sur une chaise parce qu'il se voyait incapable de la tenir sans trembler. Et qui donc vous a introduit dans cette chambre ? continua-t-il en enfonçant ses ongles dans ses paumes et en grinçant des dents pour réprimer les convulsions de ses mâchoires. Qui ? J'ai bien envie de le jeter immédiatement à la porte.

— Votre servante Zillah, répondis-je, sautant sur le plancher et remettant rapidement mes vêtements. Je n'y verrais pas d'inconvénient, Mr. Heathcliff ; elle le mérite largement. Je suppose qu'elle a voulu se procurer à mes dépens une nouvelle preuve que la pièce est hantée. Eh bien ! elle l'est... elle grouille de fantômes et de gobelins ! Vous avez raison de la tenir fermée, je vous assure. Personne ne vous saura gré de l'avoir laissé dormir dans pareil repaire !

— Que voulez-vous dire, demanda Heathcliff, et que faites-vous ? Recouchez-vous et finissez la nuit ici, puisque vous y êtes ; mais, pour l'amour du Ciel, ne recommencez pas cet horrible vacarme : rien ne saurait l'excuser à moins qu'on ne fût en train de vous couper la gorge !

— Si la petite démone était entrée par la fenêtre, il est probable qu'elle m'aurait étranglé ! répliquai-je. Je ne tiens pas à me laisser persécuter à nouveau par vos accueillants ancêtres. Le Révérend Jabes Branderham n'est-il pas votre parent du côté maternel ? Et cette friponne de Catherine Linton, ou Earnshaw, ou je ne sais quoi — elle devait être une enfant des fées[1], la perverse petite âme ! Elle m'a dit qu'elle errait sur la terre depuis vingt ans : par un juste châtiment des péchés commis de son vivant, je n'en doute pas. »

A peine eus-je prononcé ces mots qu'ils rappelèrent à ma mémoire la façon dont le nom de Heathcliff était associé à celui de Catherine dans le livre. Je rougis de mon étourderie ; mais, sans laisser voir autrement que j'en étais conscient, je me hâtai d'ajouter : « La vérité est,

1. Un enfant-fée, que les fées substituent à un enfant humain dans son berceau et qui garde souvent toute la malignité de son origine. *(N.d.T.)*

monsieur, que j'ai passé la première partie de la nuit à... » Ici je m'arrêtai; j'allais dire: « à parcourir ces vieux volumes », mais cela eût révélé que j'avais connaissance de leur contenu manuscrit comme de leur contenu imprimé; si bien que, me reprenant, je poursuivis: « ...à épeler le nom gravé sur ce rebord de fenêtre. Occupation monotone destinée à m'endormir, comme le fait de compter, ou bien...

— Que *pouvez*-vous avoir dans la tête en me parlant de la sorte, à *moi?* tonna Heathcliff avec une sauvage véhémence. Comment, comment *osez*-vous, sous mon toit? Par Dieu, il faut être fou pour me parler ainsi! » ajouta-t-il en se frappant le front avec rage.

Je ne savais trop si je devais me montrer fâché de ce langage ou poursuivre mon explication; mais mon hôte semblait si profondément affecté que j'eus pitié de lui et que je repris la description de mes rêves; affirmant que je n'avais jamais entendu le nom de « Catherine Linton » auparavant, mais que le fait de le lire et de le relire avait produit une impression qui s'était personnifiée quand j'avais perdu le contrôle de mon imagination. Heathcliff, tandis que je parlais, s'affala graduellement sous le couvert du lit, où finalement il resta assis, presque caché à ma vue. Je devinais pourtant à sa respiration entrecoupée, irrégulière, qu'il luttait contre une violente émotion. Ne voulant pas lui laisser voir que j'avais perçu ce conflit, je continuai ma toilette assez bruyamment, regardai ma montre et monologuai sur la lenteur de la nuit:

« Pas encore trois heures! J'aurais juré qu'il en était six, le temps n'en finit pas ici: il faut que nous soyons allés au lit à huit heures!

— Toujours à neuf heures en hiver, et debout à quatre, dit mon hôte en réprimant une plainte; et je crus voir, au mouvement que fit l'ombre de son bras, qu'il essuyait une larme. Mr. Lockwood, ajouta-t-il, vous pouvez aller dans ma chambre: vous ne ferez que gêner si vous descendez de si bonne heure; et vos glapissements puérils ont envoyé le sommeil au diable en ce qui me concerne.

— Pour moi aussi, ai-je répondu. Je vais me promener dans la cour jusqu'à l'aube et puis je m'en irai. Vous n'avez pas à craindre que je renouvelle mon intrusion : je suis tout à fait guéri maintenant de songer à chercher de l'agrément dans la compagnie de mes semblables, que ce soit à la campagne ou à la ville. Un homme sensé doit trouver suffisante compagnie en soi-même.

— Délicieuse compagnie ! marmonna Heathcliff. Prenez la chandelle et allez où il vous plaira. Je vous rejoins dans un instant. Mais restez à l'écart de la cour, on a détaché les chiens ; quant à la salle, Junon y monte la garde et... non, vous ne pouvez vagabonder que dans les escaliers et les couloirs. Mais allez-vous-en ! Je viens dans deux minutes ! »

J'obéis, pour autant que je quittai la chambre ; mais, ne sachant où menait l'étroit couloir, je m'arrêtai et fus témoin, involontairement, d'un superstitieux manège de mon propriétaire qui démentait étrangement son bon-sens apparent. Il alla à la fenêtre et la força violemment pour l'ouvrir, tout en cédant à une crise de larmes irrépressibles. « Viens ! viens ! sanglotait-il. Viens, Cathy. Oh ! viens... une fois encore ! Oh ! chérie de mon cœur ! Catherine, entends-moi, entends-moi enfin ! » Le spectre eut le capricieux comportement qui est propre aux spectres : il ne donna aucun signe d'existence ; mais la neige et le vent se ruèrent en tourbillons dans la chambre, venant même jusqu'à moi et soufflant la lumière.

Il y avait une telle angoisse dans l'explosion de douleur qui accompagnait ce délire que la compassion me fit oublier sa folie, et je m'éloignai, à demi contrarié d'avoir aucunement écouté, et regrettant d'avoir raconté mon ridicule cauchemar dès lors qu'il avait provoqué ce chagrin, encore que je fusse incapable de comprendre pourquoi. Je descendis avec précaution dans les régions inférieures et débouchai dans l'arrière-cuisine, où un reste de braises rougeoyantes, ramassées en tas compact, me permit de rallumer ma chandelle. Rien ne bougeait, hormis un chat gris tacheté, qui sortit en rampant d'auprès des cendres et me salua d'un miaulement plaintif.

Deux bancs en arcs de cercle entouraient presque complètement le foyer; je m'étendis sur l'un et Matougris [1] sur l'autre. Nous avions commencé tous deux à nous assoupir quand quelqu'un envahit notre retraite: c'était Joseph qui descendait laborieusement une échelle de bois dont l'extrémité se perdait dans les combles en passant à travers une trappe: l'accès à son galetas, je suppose. Il jeta un regard sinistre à la petite flamme que j'avais persuadée de jouer dans la grille de l'âtre, chassa le chat de son perchoir et, s'adjugeant la place libre, se mit en devoir de bourrer une pipe de trois pouces. Ma présence dans son sanctuaire était évidemment considérée comme une impudence trop éhontée pour appeler une remarque: il appliqua silencieusement le tuyau à ses lèvres, se croisa les bras et se mit à fumer. Je le laissai jouir de ce délice sans le troub!er; et quand il eut émis sa dernière bouffée et poussé un profond soupir, il se leva et s'en fut aussi solennellement qu'il était venu.

Un pas plus élastique retentit ensuite dans la chambre; et j'ouvris la bouche pour un « bonjour », mais la refermai sans achever la salutation; car Hareton Earnshaw faisait ses oraisons *sotto voce*, dans une série de jurons adressés à chaque objet qu'il touchait, cependant qu'il fourrageait dans un coin à la recherche d'une bêche ou d'une pelle pour s'attaquer à la neige amoncelée. Il jeta un coup d'œil par-dessus le dossier du banc, en dilatant les narines, et il songea aussi peu à échanger des civilités avec moi qu'avec mon compagnon le chat. Je devinai à ses préparatifs que la sortie était permise et, quittant ma dure couche, je fis un mouvement pour le suivre. Il le remarqua et désigna une porte intérieure du bout de sa bêche en intimant par un son inarticulé que c'était par là que je devais aller si je voulais changer de place.

La porte donnait dans la salle, où la gent féminine était déjà à l'œuvre, Zillah envoyant des gerbes de flammes dans la cheminée avec un soufflet colossal, et Mrs. Heathcliff, agenouillée dans l'âtre, lisant un livre à la lueur du feu. Elle tenait sa main en guise d'écran entre

1. Grimalkin (ou Graymalkin) est le démon-chat dont une des sorcières entend l'appel au début de *Macbeth*. *(N.d.T.)*

la fournaise ardente et ses yeux et paraissait absorbée dans son occupation ; ne s'en détournant que pour gronder la servante qui la couvrait d'étincelles, ou, de temps à autre, repousser un chien qui avançait son museau trop effrontément contre son visage. Je fus surpris de voir que Heathcliff était là aussi. Il se tenait près du feu, me tournant le dos, et il venait juste de faire une scène violente à la pauvre Zillah qui, de temps en temps, interrompait sa besogne pour relever le coin de son tablier en poussant un gémissement indigné.

« Et vous, vous, vaurienne de..., s'écria-t-il au moment où j'entrai, en se tournant vers sa belle-fille et en employant une épithète, aussi inoffensive que canard ou mouton, mais qu'on représente généralement par un tiret, vous voilà encore à perdre votre temps à des riens, n'est-ce pas ? Les autres gagnent leur pain, et vous, vous vivez de ma charité ! Mettez-moi ces bêtises de côté et trouvez quelque chose à faire. Vous me paierez la plaie de vous avoir éternellement devant les yeux — entendez-vous, maudite drôlesse ?

— Je mettrai mes bêtises de côté parce que vous pouvez m'y forcer si je refuse, répondit la jeune demoiselle, fermant son livre et le jetant sur une chaise. Mais je ne ferai que ce qu'il me plaît, quand vous vous useriez la langue à force de jurer ! »

Heathcliff leva la main, et elle bondit pour prendre ses distances : il était manifeste qu'elle en connaissait le poids. N'ayant aucune envie d'assister à un combat de chien et chat, je m'avançai vivement, comme si j'eusse été pressé de partager la chaleur de l'âtre et parfaitement inconscient d'interrompre aucune dispute. Chacun d'eux avait assez le sentiment des convenances pour suspendre les hostilités : Heathcliff plaça ses poings, pour les soustraire à toute tentation, dans ses poches ; Mrs. Heathcliff fit la moue et gagna un siège éloigné, où elle tint sa parole en jouant la statue pendant le reste de mon séjour. Celui-ci ne se prolongea point. Je refusai de me joindre au petit déjeuner et, à la première lueur de l'aube, je saisis la première occasion de m'échapper à l'air libre, maintenant clair, calme et froid comme une glace impalpable.

Mon propriétaire me cria de m'arrêter avant que j'eusse atteint le fond du jardin et m'offrit de m'accompagner à travers la lande. Ce fut heureux, car le versant de la colline n'était qu'une blanche mer houleuse, dont les renflements et les creux ne correspondaient pas aux protubérances et aux dépressions du terrain : de nombreux fossés, en tout cas, étaient comblés à ras de terre ; et des rangées entières de buttes, provenant de déchets des carrières, étaient effacées de la carte que ma promenade de la veille avait laissée peinte dans mon esprit. J'avais remarqué d'un côté de la route, à intervalles de trois ou quatre toises, une file de pierres dressées qui courait sur toute l'étendue de la lande : elles avaient été érigées et enduites de chaux afin de servir de repères dans l'obscurité, et aussi pour le cas où une chute de neige, comme à présent, faisait un tout confus des profonds bourbiers qui s'étendaient de part et d'autre du sentier plus ferme ; mais, à l'exception d'une tache sale émergeant çà et là, toute trace de pierres avait disparu, et mon compagnon dut souvent m'avertir d'appuyer à droite ou à gauche alors que je croyais suivre correctement les sinuosités de la route.

Nous échangeâmes peu de paroles et il s'arrêta à l'entrée du parc du Manoir de la Grive en me disant que, là, je ne pouvais plus me tromper. Nos adieux se limitèrent à un salut rapide, puis je poursuivis ma route en me fiant à mes propres ressources, car la loge du gardien est encore inoccupée. La distance de la grille du parc au Manoir est de deux milles : je crois que je parvins à en faire quatre, tant en me perdant parmi les arbres qu'en enfonçant jusqu'au cou dans la neige, désagrément que seuls peuvent apprécier ceux qui en ont fait l'expérience. En tout cas, quels qu'aient été mes détours, midi sonnait lorsque j'entrai dans la maison, ce qui faisait exactement une heure pour chaque mille du parcours ordinaire à partir de Hurlevent.

Mon vivant accessoire domestique et ses satellites se précipitèrent pour m'accueillir, protestant dans un grand tumulte qu'elles avaient entièrement désespéré de moi, chacune ayant conjecturé que j'avais péri la nuit précédente et toutes étant encore à se demander comment s'y prendre pour retrouver ma dépouille. Je les priai de se tenir tranquilles dès lors qu'elles me voyaient revenu, et, transi jusqu'à la moelle des os, je me traînai en haut de l'escalier; après quoi, ayant mis des vêtements secs et marché de long en large pendant trente ou quarante minutes pour rétablir ma chaleur animale, j'ai regagné mon bureau, faible comme un chaton: presque trop faible en vérité pour jouir de la joyeuse flambée et du café fumant que la servante a préparé pour mon réconfort.

IV

Quelles pauvres girouettes nous sommes! Moi qui avais résolu de rester indépendant de tous rapports sociaux et qui bénissais mon étoile d'être tombé enfin sur un endroit où ils sont quasi impossibles — moi, dis-je, faible créature que je suis, après avoir bataillé jusqu'à la brune contre l'abattement et la solitude, j'en fus réduit finalement à baisser pavillon; et, sous prétexte de m'enquérir des besoins de mon ménage, je demandai à Mrs. Dean, quand elle apporta le souper, de s'asseoir pendant que je mangeais; espérant sincèrement que je trouverais en elle une vraie commère et que son babil ranimerait mes esprits ou m'inclinerait au sommeil.

« Vous vivez ici depuis très longtemps, commençai-je. N'avez-vous pas dit depuis seize ans?

— Dix-huit, monsieur: je suis venue quand la maîtresse s'est mariée, pour la servir; après sa mort, le maître m'a gardée comme intendante.

— Vraiment. »

Il y eut une pause. Je craignis qu'elle ne fût pas très bavarde, sauf touchant ses propres affaires, qui n'étaient guère faites pour m'intéresser. Cependant, après avoir réfléchi quelques instants, un poing sur chaque genou et un nuage de méditation sur sa physionomie vermeille, elle s'écria:

« Ah ! les temps ont bien changé depuis lors !

— Oui, remarquai-je, vous avez vu bon nombre de changements, je suppose ?

— Pour sûr, et de souffrances aussi. »

« Oh ! je vais amener la conversation sur la famille de mon propriétaire ! pensai-je. C'est une bonne entrée en matière... et d'ailleurs j'aimerais connaître l'histoire de cette jeune et jolie veuve — apprendre si elle est native de ce pays ou, comme il est plus probable, si c'est une étrangère que les maussades indigènes ne veulent pas considérer comme étant des leurs. » Dans cette intention, je demandai à Mrs. Dean pourquoi Heathcliff louait le Manoir de la Grive et préférait vivre dans un site et dans une maison qui étaient si loin de valoir cette demeure.

« N'est-il pas assez riche pour maintenir le domaine en bon ordre ? demandai-je.

— Riche, monsieur ! répondit-elle. Personne ne sait ce qu'il a d'argent, et ça augmente chaque année. Oui, oui, il est assez riche pour vivre dans une maison plus belle encore, mais il est très regardant... très serré ; et même s'il avait eu l'intention de venir s'installer au Manoir de la Grive, il n'aurait pas plutôt ouï parler d'un bon locataire qu'il n'aurait jamais pu laisser passer l'occasion de gagner quelques centaines de livres de plus. C'est étrange que les gens puissent être aussi gourmands quand ils sont seuls au monde !

— Il a eu un fils, n'est-ce pas ?

— Oui, il a eu un fils... qui est mort.

— Et cette jeune dame, Mrs. Heathcliff, est la veuve de ce fils ?

— Oui.

— D'où venait-elle à l'origine ?

— Eh bien ! monsieur, c'est la fille de mon défunt maître : Catherine Linton, tel était son nom de jeune fille. C'est moi qui l'ai nourrie, la pauvre créature ! J'aurais souhaité que Mr. Heathcliff vînt habiter ici, car en ce cas nous aurions pu être réunies à nouveau.

— Quoi ! Catherine Linton ? » m'écriai-je, surpris.

Mais une minute de réflexion me convainquit que ce n'était pas là ma fantomatique Catherine.

« Ainsi donc, repris-je, mon prédécesseur avait nom Linton ?

— Oui, c'est cela.

— Et qui est cet Earnshaw, Hareton Earnshaw, qui habite avec Mr. Heathcliff ? Sont-ils parents ?

— Non, c'est le neveu de la défunte Mrs. Linton.

— Le cousin de la jeune dame, donc ?

— Oui ; et son mari était également son cousin, l'un du côté de sa mère, l'autre du côté de son père : Heathcliff a épousé la sœur de Mr. Linton.

— Je me rappelle qu'à Hurlevent « Earnshaw » est gravé au-dessus de la porte d'entrée. Est-ce une vieille famille ?

— Une très vieille famille, monsieur ; et Hareton est le dernier d'entre eux, comme notre Miss Cathy est la dernière des nôtres... je veux dire des Linton. Vous avez été à Hurlevent ? Je vous demande pardon de vous interroger, mais je voudrais savoir comment elle va !

— Mrs. Heathcliff ? Elle paraissait fort bien portante et fort belle ; mais, je crois, pas très heureuse.

— Oh ! mon Dieu, cela ne m'étonne pas ! Et le maître, vous a-t-il plu ?

— C'est un assez rude gaillard, Mrs. Dean. N'est-ce pas ainsi qu'on peut le dépeindre ?

— Rude comme un tranchant de scie, et dur comme du silex ! Moins vous aurez affaire à lui, mieux cela vaudra.

— Il doit avoir connu des hauts et des bas dans la vie pour être devenu si hargneux. Savez-vous quelque chose de son histoire ?

— C'est celle d'un coucou, monsieur... je la connais toute, sauf que je ne sais pas où il est né, ni qui étaient ses parents, ni comment il a gagné son argent dans les débuts. Et Hareton a été jeté hors du nid comme un oisillon frais éclos ! Le malheureux est le seul de toute la paroisse à ne pas se douter de la façon dont il a été floué.

— Eh bien ! Mrs. Dean, ce serait faire œuvre charitable que de me parler un peu de mes voisins : je sens que je ne trouverai pas le repos si je vais au lit ; soyez donc assez bonne pour bavarder avec moi pendant une heure.

— Mais certainement, monsieur. Je vais seulement aller chercher de quoi coudre un brin, et puis je resterai avec vous aussi longtemps qu'il vous plaira. Mais vous avez pris froid : je vous ai vu frissonner et il vous faut un peu de gruau pour chasser ça. »

La digne femme sortit vivement et je me blottis près du feu ; j'avais la tête toute chaude et le reste de ma personne glacé : de plus j'avais les nerfs et le cerveau surexcités au point d'être à deux doigts d'extravaguer, ce qui ne me mettait pas mal à l'aise, mais me faisait craindre (comme je le crains encore) que les incidents d'aujourd'hui et d'hier n'eussent de sérieuses conséquences. Elle s'en revint bientôt avec une écuelle fumante et une corbeille à ouvrage ; et après avoir placé l'écuelle sur la plaque de la cheminée, elle rapprocha sa chaise, évidemment ravie de me trouver aussi sociable.

Avant de venir vivre ici, commença-t-elle — sans attendre que je l'invitasse de nouveau à raconter son histoire — j'étais presque toujours à Hurlevent ; car ma mère avait nourri Mr. Hindley Earnshaw, le père de Hareton, et j'avais pris l'habitude de jouer avec les enfants ; je faisais aussi les commissions, et j'aidais aux foins, et je tournais autour de la ferme, prête à faire tout ce que quiconque me demanderait. Un beau matin d'été — c'était au début de la moisson, je me rappelle — Mr. Earnshaw, le vieux maître, descendit en costume de voyage ; et après avoir prescrit à Joseph la besogne de la journée, il se tourna vers Hindley, Cathy et moi — car j'étais en train de prendre mon brouet d'avoine avec eux — et il dit, en s'adressant à son fils : « Eh bien ! mon grand gars, je m'en vais à Liverpool aujourd'hui, que faut-il te rapporter ? Tu peux choisir ce qu'il te plaît, pourvu que ce ne soit pas gros, car je ferai route à pied : soixante milles à l'aller et au retour, c'est un bon bout de chemin ! » Hindley demanda un violon, après quoi ce fut le tour de Miss Cathy ; elle avait à peine six ans, mais elle était capable de monter tous les chevaux de l'écurie et elle choisit une cravache. Le maître ne m'oublia pas, car il avait bon cœur, bien qu'il fût parfois assez sévère. Il promit de me rapporter des pommes et des poires plein sa poche, puis il embrassa ses enfants et partit.

Ils nous parurent longs à tous, les trois jours que dura son absence, et la petite Cathy nous demanda souvent quand son père rentrerait. Mrs. Earnshaw l'attendait pour souper le troisième soir et elle retarda le repas d'heure en heure; cependant rien n'annonçait son retour, et finalement les enfants se lassèrent de courir à la grille pour regarder. Puis la nuit vint; Mrs. Earnshaw aurait voulu les mettre au lit, mais ils supplièrent qu'elle leur permît de veiller; et, juste à onze heures, le loquet se leva doucement et le maître entra. Il se jeta sur une chaise, riant et geignant à la fois, et il leur enjoignit à tous de s'écarter de lui car il était à moitié mort : il ne recommencerait plus pareille marche quand on lui donnerait les trois royaumes [1].

« Et pour finir, être fourbu à en mourir! dit-il en ouvrant son manteau, qu'il tenait roulé dans ses bras. Vois, femme! Rien ne m'a jamais éreinté de la sorte, mais tu dois le prendre comme un don de Dieu, bien qu'il soit presque aussi noir que s'il venait du diable. »

Nous nous pressâmes autour de lui et, par-dessus la tête de Miss Cathy, j'aperçus un enfant malpropre, déguenillé, aux cheveux bruns; assez grand pour marcher et parler; à vrai dire, à voir son visage, il semblait plus âgé que Catherine; mais, quand il fut sur ses pieds, il se contenta de regarder autour de lui avec de grands yeux en répétant sans fin je ne sais quel baragouin que personne ne put comprendre. J'étais effrayée, et Mrs. Earnshaw était prête à le jeter dehors : de fait, elle s'emporta, demandant au maître à quoi il avait songé en apportant dans la maison cette graine de bohémien alors qu'ils avaient leurs propres enfants à nourrir et à pourvoir; ce qu'il voulait faire de lui et s'il était fou. Le maître essaya d'expliquer la chose; mais il était vraiment à demi mort de fatigue, et tout ce que je pus démêler parmi les récriminations de sa femme, c'est comment il l'avait trouvé mourant de faim, sans abri et pour ainsi dire sans voix,

1. L'Angleterre, l'Écosse et l'Irlande. *(N.d.T.)*

dans les rues de Liverpool, où il l'avait recueilli et s'était enquis de son possesseur. Pas une âme ne savait à qui il appartenait, dit-il ; et comme son temps et son argent étaient limités, il avait jugé préférable de le ramener tout de suite chez lui plutôt que de faire de vaines dépenses là-bas, car il s'était résolu à ne pas le laisser dans l'état où il l'avait trouvé. Ma foi, en fin de compte, ma maîtresse cessa de maugréer ; et Mr. Earnshaw m'enjoignit de le laver, de lui donner des effets propres et de le faire dormir avec les enfants.

Hindley et Cathy se contentèrent de regarder et d'écouter jusqu'à ce que la paix fût revenue ; puis ils se mirent l'un et l'autre à fouiller les poches de leur père pour y trouver les présents qu'il leur avait promis. Hindley était un garçon de quatorze ans, mais quand il retira ce qui avait été un violon, mis en pièces dans le manteau, il se mit à pleurer à chaudes larmes ; et Cathy, lorsqu'elle apprit que le maître avait perdu sa cravache en prenant soin de l'étranger, montra son humeur en faisant des grimaces et en crachant à l'adresse de l'absurde petite créature, s'attirant pour ses peines une bonne gifle de son père pour lui apprendre à se mieux conduire. Ils refusèrent absolument d'avoir le nouveau venu dans leur lit, ou même dans leur chambre, et je ne fus pas plus raisonnable, car je le mis sur le palier en espérant le trouver parti le lendemain. Soit hasard, soit qu'il eût été attiré par la voix de Mr. Earnshaw, il se traîna jusqu'à la porte du maître, où celui-ci le trouva en sortant de sa chambre. Il s'inquiéta de savoir comment il était venu là ; je fus forcée d'avouer, et, en récompense de ma poltronnerie et de mon inhumanité, je fus renvoyée de la maison.

C'est ainsi que Heathcliff fit son entrée dans la famille. Quand je revins quelques jours plus tard (car je ne considérais pas mon bannissement comme perpétuel) je découvris qu'on l'avait baptisé « Heathcliff » d'après un fils mort en bas âge, et depuis lors ce nom lui a servi à la fois de nom de baptême et de nom de famille. Miss Cathy et lui s'entendaient maintenant à merveille ; mais Hindley le détestait, et pour dire la vérité, je faisais de même ; nous le tracassions et le tourmentions que c'en était une honte, car je n'étais pas assez raisonnable pour avoir conscience de mon injustice, et la maîtresse ne disait jamais un mot en sa faveur quand elle voyait qu'on lui faisait tort.

C'était apparemment un enfant morose, patient; endurci, peut-être, aux mauvais traitements : il recevait les coups de Hindley sans sourciller ni répandre une larme, et mes pinçons n'avaient pour effet que de lui faire reprendre son souffle et ouvrir plus grand les yeux comme s'il se fût fait mal accidentellement et que personne ne fût à blâmer. Cette endurance mettait le vieil Earnshaw en fureur quand il surprenait son fils à persécuter le pauvre petit orphelin, comme il l'appelait. Il s'attachait étrangement à Heathcliff, croyant tout ce qu'il disait (de fait, il disait fort peu de choses, généralement la vérité) et le choyant bien plus que Cathy, qui était trop malicieuse et trop fantasque pour être sa favorite.

Ainsi donc, dès le début, l'étranger fut cause de dissensions dans la maison; et à la mort de Mrs. Earnshaw, qui survint moins de deux ans plus tard, le jeune maître avait appris à regarder son père comme un oppresseur plutôt que comme un ami, et Heathcliff comme l'usurpateur de l'affection de son père et de ses propres privilèges; et il s'aigrit à force de ruminer sur l'injustice qui lui était faite. Je sympathisai avec lui pour un temps; mais quand les enfants attrapèrent la rougeole et que je dus les soigner en assumant tout à coup les responsabilités d'une femme, je changeai d'idée. Heathcliff fut dangereusement atteint; et quand il se trouva au plus mal il voulut m'avoir constamment à son chevet; il sentait, je suppose, que je faisais beaucoup pour lui et il n'avait pas l'esprit de deviner que j'y étais contrainte. Quoi qu'il en soit, je dois reconnaître que c'était l'enfant le plus tranquille qu'on ait jamais eu à veiller. La différence que je constatai entre lui et les autres me força à être moins partiale. Cathy et son frère me harassaient terriblement, alors que lui ne se plaignait pas plus qu'un agneau — encore que ce fût sa dureté, non sa douceur, qui était cause qu'il me donnait peu de souci.

Il s'en tira, et le docteur affirma que c'était dans une

large mesure grâce à moi, me louant des soins que je lui avais prodigués. Je fus fière de ses éloges, je conçus des sentiments plus doux envers celui qui me les avait valus, et Hindley perdit son dernier allié ; malgré tout, je n'étais pas coiffée de Heathcliff, et je me demandais souvent ce que mon maître trouvait tant à admirer chez ce garçon renfermé, qui jamais, autant que je me souvienne, ne le remerciait de ses faveurs par aucun signe de gratitude. Il n'était pas insolent envers son bienfaiteur, il était simplement insensible ; bien qu'il sût parfaitement quel empire il avait sur son cœur, et qu'il n'eût qu'à parler pour que toute la maisonnée fût contrainte de se plier à ses désirs. Par exemple, je me souviens que Mr. Earnshaw acheta un jour une paire de poulains à la foire paroissiale et en donna un à chacun des deux garçons. Heathcliff prit le plus beau, mais celui-ci devint bientôt boiteux ; et quand son possesseur s'en aperçut, il dit à Hindley :

« Il faut que tu changes de cheval avec moi : je n'aime pas le mien. Si tu ne veux pas, je dirai à ton père les trois rossées que tu m'as données cette semaine et je lui montrerai mon bras, qui est noir jusqu'à l'épaule. »

Hindley lui tira la langue et le gifla.

« Tu ferais mieux d'accepter tout de suite, insista l'autre en se sauvant sous le porche (ils étaient dans l'écurie) : tu y seras forcé ; et si je parle de ces coups, ils te seront rendus avec intérêts.

— Va-t'en, chien ! cria Hindley en le menaçant d'un poids de fonte dont on se servait pour peser les pommes de terre et le foin.

— Lance-le, répliqua Heathcliff sans bouger, je raconterai comment tu t'es vanté de me jeter dehors dès que ton père mourra, et nous verrons si ce n'est pas toi qui seras jeté dehors à l'instant. »

Hindley lança le poids, l'atteignant à la poitrine, et il tomba, mais pour se redresser immédiatement, chancelant, pâle et sans plus de souffle ; et, si je ne l'en eusse empêché, il serait allé trouver le maître dans cet état, et il aurait obtenu pleine vengeance en laissant sa condition plaider pour lui et en donnant à entendre qui en était cause.

« Prends donc mon poulain, bohémien, dit alors le jeune Earnshaw, et je fais des vœux pour qu'il te rompe le cou : prends-le et va au diable, misérable intrus ! Et extorque à mon père tout ce qu'il a, pour lui montrer ensuite ce que tu es, graine de Satan... Et attrape ça : j'espère qu'il te fera sauter la cervelle d'un coup de sabot ! »

Heathcliff était allé détacher la bête pour l'amener dans sa propre stalle ; il passait derrière elle quand Hindley termina son discours en le renversant sous les pieds du poulain et, sans s'arrêter pour voir si ses espoirs se réalisaient, s'enfuit à toutes jambes. Je fus surprise de voir avec quel sang-froid l'enfant se releva et se remit à l'œuvre ; faisant l'échange des selles et de tout le reste, puis s'asseyant sur une botte de foin pour se remettre, avant de rentrer dans la maison, du malaise causé par le violent coup qu'il avait reçu. Je le persuadai aisément de me laisser attribuer au cheval la responsabilité de ses meurtrissures : il ne se souciait guère de ce qu'on racontait dès lors qu'il avait ce qu'il voulait. A vrai dire, il se plaignait si rarement de pareilles violences que je ne le croyais pas vindicatif : en quoi je me trompais du tout au tout, comme vous le verrez.

V

Avec le temps, Mr. Earnshaw commença à décliner. Il avait été actif et bien portant jusque-là, mais ses forces l'abandonnèrent soudain ; et quand il fut confiné au coin du feu, il devint péniblement irritable. Un rien le fâchait : soupçonnait-il que l'on défiait son autorité, il se mettait en rage. C'était particulièrement notable si quelqu'un cherchait à en imposer à son favori ou à le régenter : il était douloureusement inquiet à l'idée qu'on pourrait malmener Heathcliff en paroles ; semblant s'être mis en tête que, parce qu'il l'aimait, tous le haïssaient et cherchaient à lui faire un mauvais parti. Cela desservait le gamin ; car les mieux disposés d'entre nous, ne voulant pas contrarier le maître, flattaient sa partialité, et cette flatterie était un riche aliment pour l'orgueil et l'humeur farouche de l'enfant. Mais c'était devenu inévitable en quelque sorte : deux ou trois fois Hindley, en manifestant son mépris alors que son père était à portée, mit le vieillard en fureur : il saisit sa canne pour le frapper et frémit de rage de n'y point parvenir.

Enfin notre ministre (nous avions alors un ministre qui réussissait à joindre les deux bouts avec son bénéfice en donnant d'autre part des leçons aux petits Linton et aux petits Earnshaw et en cultivant lui-même son lopin de terre) conseilla d'envoyer le jeune homme à l'université ; et Mr. Earnshaw y consentit, bien qu'à contrecœur, disant que Hindley n'était bon à rien et qu'il n'arriverait jamais à rien, où qu'il allât.

J'espérais du fond du cœur que nous aurions la paix désormais. Cela me faisait mal de penser que le maître pût être rendu malheureux par la bonne action qu'il avait commise. Je me figurais que le mécontentement issu de l'âge et de la maladie provenait de ses dissentiments familiaux, comme lui-même le soutenait : en fait, monsieur, voyez-vous, c'était le déclin de ses forces qui en était cause. Les choses auraient pu aller assez bien, malgré tout, sans deux personnes, Miss Cathy et Joseph, le domestique que vous avez vu là-bas, sans doute. C'était, et très probablement c'est encore le pharisien le plus tracassier et le plus pénétré de sa bonne conscience qui ait jamais fouillé la Bible afin d'y récolter des promesses pour lui-même et des malédictions à jeter sur son prochain. A force de sermons et de pieux discours, il parvint à faire grande impression sur Mr. Earnshaw ; et plus le maître devenait débile, plus Joseph gagnait en influence. Il le tourmentait sans relâche au sujet du salut de son âme et de la nécessité d'élever ses enfants avec rigueur. Il l'encourageait à considérer Hindley comme un réprouvé et, soir après soir, il égrenait régulièrement un long chapelet de récriminations contre Heathcliff et Catherine : prenant toujours soin de flatter le faible d'Earnshaw en rejetant surtout le blâme sur la fille.

Certes, elle avait des façons d'être comme je n'en ai

jamais vu chez un enfant; et tous tant que nous étions, elle mettait notre patience à bout plus de cinquante fois par jour: depuis le moment où elle descendait le matin jusqu'à celui où elle allait se coucher, il n'y avait pas une minute où nous pussions être sûrs qu'elle n'allait pas commettre quelque méfait. Elle était toujours en ébullition, toujours à faire courir sa langue — chantant, riant et tourmentant tous ceux qui ne voulaient pas faire de même. C'était une intraitable petite friponne, mais elle avait l'œil le plus vif, le sourire le plus charmant et le pied le plus léger de la paroisse; et somme toute, je crois qu'elle n'entendait pas malice; car une fois qu'elle vous avait fait pleurer pour de bon, il était rare qu'elle ne se joignît pas à vous et qu'elle ne vous contraignît pas à vous apaiser pour être capable de la consoler. Elle était plus qu'attachée à Heathcliff. La plus grande punition que nous pussions inventer pour elle était de la séparer de lui: pourtant elle se faisait gronder plus qu'aucun de nous à cause de lui. Quand elle jouait, elle aimait énormément à faire la petite maîtresse, ayant la main leste et commandant ses compagnons: elle en usa ainsi avec moi, mais je ne pouvais pas souffrir qu'on m'en imposât et qu'on me dictât des ordres, et je le lui fis comprendre.

Or Mr. Earnshaw n'entendait pas la plaisanterie quand elle venait de ses enfants; il avait toujours été strict et grave avec eux; et Catherine, quant à elle, ne concevait pas que son père pût être plus irritable et moins patient dans son état maladif qu'il ne l'avait été au temps de sa vigueur. Ses remontrances acerbes éveillaient en elle un malicieux désir de le provoquer: elle n'était jamais aussi heureuse que lorsque nous étions tous à la gronder et qu'elle nous défiait de son regard effronté, impertinent et de sa langue alerte; tournant les pieuses malédictions de Joseph en ridicule, me harcelant, et faisant précisément ce que son père détestait le plus en prouvant que sa feinte insolence, qu'il croyait réelle, avait plus d'empire sur Heathcliff que ses propres bontés; que le jeune garçon lui obéissait, à elle, en toutes choses tandis qu'il ne lui obéissait, à lui, que lorsque cela lui plaisait. Après s'être conduite aussi mal que possible tout le long du jour, elle venait parfois cajoler son père pour faire la paix le soir. « Non, Cathy, disait le vieillard, je ne puis pas t'aimer ; tu es pire que ton frère. Va dire tes prières, mon enfant, et demande pardon à Dieu. Je crains que ta mère et moi n'ayons à nous repentir de t'avoir mise au monde ! » Cela, dans les premiers temps, la faisait pleurer ; et puis, à force d'être continuellement repoussée, elle s'endurcit, et elle riait si je la pressais de dire qu'elle regrettait ses fautes et de demander pardon.

Mais, en fin de compte, l'heure vint qui mit un terme aux tourments de Mr. Earnshaw en ce monde. Il mourut tranquillement dans son fauteuil un soir d'octobre, assis au coin du feu. Un grand vent faisait rage autour de la maison et mugissait dans la cheminée ; il faisait un temps violent et tempétueux, pas froid cependant ; et nous étions tous ensemble — moi, un peu à l'écart du foyer, occupée à tricoter, et Joseph lisant sa Bible près de la table (car les domestiques se tenaient alors dans la salle, une fois leur travail fini). Miss Cathy avait été souffrante, ce qui la rendait tranquille ; elle était appuyée contre les genoux de son père et Heathcliff était étendu à terre, la tête sur le giron de Cathy. Je me rappelle que le maître, avant de s'assoupir, a caressé les beaux cheveux de sa fille — c'était pour lui un rare plaisir que de la voir si douce — en disant : « Pourquoi ne peux-tu toujours être une bonne fille, Cathy ? » Et elle, tournant son visage vers le sien, de rire et de répondre : « Pourquoi ne pouvez-vous pas toujours être un bon papa, père ? » Mais dès qu'elle le vit de nouveau fâché, elle lui baisa la main et lui dit qu'elle allait chanter pour l'endormir. Elle se mit à chanter très bas, jusqu'au moment où les doigts du vieillard échappèrent aux siens et où sa tête tomba sur sa poitrine. Je dis alors à Cathy de se taire et de ne pas bouger, de crainte de l'éveiller. Nous restâmes tous muets comme des souris pendant une bonne demi-heure, et nous aurions continué plus longtemps encore si Joseph, ayant fini son chapitre, ne s'était levé en disant qu'il allait réveiller le maître pour la prière et le coucher. Il s'avança, l'appela par son nom et lui toucha l'épaule ; puis comme le maître ne bougeait pas, il prit la chandelle et le regarda. Je compris que quelque chose n'allait pas quand il reposa la chandelle et que, saisissant les enfants chacun par un bras, il leur chuchota de monter sans bruit et de ne pas l'attendre pour la prière ce soir-là, car il avait à faire.

« Je veux d'abort souhaiter bonne nuit à papa, dit Catherine en lui mettant les bras autour du cou avant que nous eussions pu l'arrêter. Oh ! il est mort, Heathcliff, il est mort ! » s'écria la pauvre petite, découvrant aussitôt sa perte.

Et tous deux poussèrent un cri déchirant.

Je joignis mes plaintes aux leurs, amèrement et à grand bruit ; mais Joseph demanda à quoi nous pensions en poussant de pareilles clameurs sur un saint du ciel. Il m'enjoignit de mettre ma pèlerine et de courir à Gimmerton chercher le médecin et le ministre. Je ne voyais guère de quelle utilité ils pourraient être l'un et l'autre, maintenant. Je m'en fus néanmoins à travers la pluie et le vent et ramenai l'un des deux, le médecin ; l'autre avait déclaré qu'il viendrait au matin. Laissant Joseph expliquer les choses, je courus à la chambre des enfants : leur porte était entrebâillée et je vis qu'ils ne s'étaient pas couchés, quoiqu'il fût minuit passé ; mais ils étaient plus calmes et n'avaient pas besoin de moi pour les consoler. Les petits êtres se réconfortaient l'un l'autre avec de meilleures pensées que je n'en aurais pu trouver : jamais pasteur ne dépeignit le ciel sous de plus belles couleurs qu'ils le faisaient dans leur innocent babil ; et tandis que je sanglotais en les écoutant, je ne pouvais m'empêcher de souhaiter que nous y fussions tous ensemble, en sûreté.

VI

Mr. Hindley revint pour les funérailles ; et — chose qui nous stupéfia et qui fit jaser les voisins de droite et de gauche — il amena avec lui une épouse. Qui elle était, où était-elle née, il ne nous en informa jamais : il est probable qu'elle n'avait ni fortune ni naissance pour la recommander, sans quoi il n'aurait pas caché cette union à son père.

Elle n'était pas femme à causer beaucoup de dérangement dans la maison pour son propre compte. Tout ce qu'elle vit au moment où elle franchit le seuil parut la ravir, ainsi que tout ce qui se passait autour d'elle, hormis les préparatifs de l'enterrement et la présence des deuilleurs. Je la crus à demi simple à voir sa conduite en ces moments-là : elle courut à sa chambre et m'y fit l'accompagner bien que j'eusse à habiller les enfants ; et là elle resta à trembler et à joindre les mains et à demander sans cesse : « Sont-ils partis ? » Puis elle se mit à décrire avec un émoi hystérique l'effet que lui faisait la vue du noir ; et de tressaillir et de frissonner, et, pour finir, de fondre en larmes ; et quand je lui demandai ce qui la tourmentait, elle me répondit qu'elle n'en savait rien, mais qu'elle avait si grand peur de mourir ! Elle me paraissait aussi peu menacée de mourir que moi-même. Elle était assez fluette, mais jeune, avec un teint frais et des yeux qui étincelaient comme des diamants. Je remarquai, pour sûr, que sa respiration se faisait très rapide quand elle montait l'escalier, que le moindre bruit soudain la rendait toute tremblante et qu'elle avait parfois une toux pénible ; mais je n'avais aucune idée de ce qu'annonçaient ces symptômes et n'étais pas encline à sympathiser avec elle. En général, nous ne nous attachons guère aux étrangers ici, Mr. Lockwood, à moins qu'ils ne s'attachent à nous en premier.

Le jeune Earnshaw avait considérablement changé pendant ses trois années d'absence. Il s'était amenuisé, il avait perdu ses couleurs, il parlait et s'habillait tout différemment ; et, le jour même de son retour, il nous enjoignit à Joseph et à moi de nous cantonner désormais dans la cuisine et de lui laisser la salle. En fait, il aurait voulu mettre un tapis et un papier au mur dans une petite pièce inoccupée pour en faire un salon ; mais sa femme se montra si ravie du dallage blanc, de l'énorme cheminée rougeoyante, des plats d'étain, du vaisselier, du chenil et des vastes proportions de la salle où ils se tenaient d'habitude qu'il jugea le salon inutile au bien-être de Mrs. Hindley et en abandonna le projet.

Elle se montra également ravie de trouver une sœur parmi ses nouvelles relations : elle bavardait avec Catherine et l'embrassait et courait partout avec elle et lui faisait toute sorte de présents, au moins dans les débuts. Mais son affection se lassa très vite, et, quand elle devint maussade, Hindley se fit tyrannique. Quelques mots d'elle témoignant de son antipathie pour Heathcliff suffirent pour réveiller en lui toute sa vieille haine pour le garçon. Il le chassa d'auprès d'eux en l'envoyant avec les domestiques, le priva des leçons du ministre et insista pour qu'il travaillât dehors à la place, exigeant de lui qu'il besognât aussi durement que n'importe quel autre valet de la ferme.

Heathcliff supporta assez bien sa dégradation pour commencer, parce que Cathy lui enseignait ce qu'elle apprenait, et venait travailler ou jouer avec lui dans les champs. Ils promettaient tous deux de devenir, en grandissant, de vrais sauvages, le jeune maître ne se souciant nullement de leur façon de se conduire, ni de ce qu'ils faisaient, pourvu qu'ils ne fussent pas dans ses jambes. Il n'aurait même pas veillé à ce qu'ils allassent à l'église le dimanche si Joseph et le ministre ne lui avaient reproché son insouciance lorsqu'ils restaient absents, ce qui lui remettait en tête d'ordonner qu'on fouettât Heathcliff et qu'on privât Catherine de dîner ou de souper. Mais c'était l'un de leurs plus grands amusements que d'aller courir le matin sur la lande pour y rester tout le jour, et la punition qui s'ensuivait devint pour eux un simple sujet de moquerie. Le ministre pouvait donner à Catherine autant de chapitres qu'il voulait à apprendre par cœur, et Joseph pouvait fouetter Heathcliff jusqu'à en avoir le bras endolori ; ils oubliaient tout dès l'instant qu'ils se retrouvaient ensemble, ou du moins dès qu'ils avaient combiné quelque vilain plan de vengeance ; et bien des fois j'ai pleuré à part moi de les voir devenir chaque jour plus impudents, bien que je n'osasse pas articuler une syllabe de crainte de perdre le peu d'empire que je gardais encore sur ces malheureuses créatures sans amis. Un dimanche soir, il arriva qu'ils furent bannis de la grande salle pour avoir fait du bruit ou pour quelque autre peccadille de ce genre, et quand j'allai les appeler pour le souper, je ne les trouvai nulle part. Nous fouillâmes la maison du haut en bas, ainsi que la cour et les écuries : ils étaient invisibles ; et pour finir, Hindley, qui était en fureur, nous ordonna de verrouiller les portes et jura que personne ne les laisserait entrer cette nuit-là. La maisonnée s'alla coucher ; et moi, trop inquiète pour me mettre au lit, j'ouvris ma fenêtre et passai la tête au-dehors pour écouter, bien qu'il plût — résolue que j'étais de leur ouvrir en dépit de la défense, s'ils revenaient. Quelque temps plus tard, je distinguai des pas qui approchaient sur la route, et la lumière d'une lanterne brilla à travers la grille. Je jetai un châle sur ma tête et courus pour les empêcher d'éveiller Mr. Earnshaw en frappant. C'était Heathcliff, tout seul : cela me donna un coup de le voir sans sa compagne.

« Où est Miss Catherine ? criai-je aussitôt. Pas d'accident, j'espère ?

— Au Manoir de la Grive, répondit-il ; et j'y serais aussi s'ils avaient eu assez de manières pour me demander de rester.

— Eh bien ! tu sais ce qui t'attend ! dis-je. Tu ne seras content que lorsque tu te seras fait mettre à la porte. Qu'est-ce qui a bien pu te faire vagabonder du côté du Manoir de la Grive ?

— Laisse-moi enlever mes vêtements mouillés, et je te raconterai tout, Nelly », répondit-il.

Je lui enjoignis de prendre garde de réveiller le maître et, tandis qu'il se déshabillait et que j'attendais pour éteindre la chandelle, il poursuivit :

« Cathy et moi, nous nous étions échappés par la buanderie pour vagabonder librement, et, en apercevant les lumières du Manoir, nous avons eu l'idée d'aller voir si les Linton passaient leurs soirées du dimanche à grelotter dans les coins pendant que leurs père et mère mangeaient, buvaient, chantaient et riaient en se rôtissant les yeux devant le feu. Crois-tu que c'est ce qui se passe ? Ou bien lisent-ils des sermons et se font-ils catéchiser par leur domestique et leur donne-t-on à apprendre une colonne de noms de l'Écriture s'ils ne répondent pas convenablement ?

— Probablement pas, répondis-je. Ce sont de bons enfants, sans nul doute, et qui ne méritent pas le traitement que te vaut ta mauvaise conduite.

— Ne prêche pas, Nelly, tu dis des sottises ! Nous avons couru du sommet des collines jusqu'au parc, sans nous arrêter — Catherine complètement battue à la course car elle était nu-pieds. Il te faudra aller chercher ses souliers dans le bourbier demain. Nous nous sommes glissés par un trou de haie, nous avons remonté l'allée à tâtons et nous nous sommes postés sur une plate-bande sous la fenêtre du salon. La lumière venait de là, on n'avait pas mis les volets et les rideaux n'étaient clos qu'à demi. Nous pouvions regarder tous les deux au-dedans en nous tenant sur le soubassement et en nous accrochant au rebord, et nous avons vu — ah ! c'était superbe ! — une splendide pièce avec un tapis cramoisi, des chaises et des tables couvertes aussi de cramoisi, un plafond tout blanc bordé d'or, une pluie de gouttes de verre suspendues au centre par des chaînes d'argent et toutes miroitantes de la douce lumière que répandaient de petites bougies. Les vieux parents n'étaient pas là ; Edgar et sa sœur avaient la pièce pour eux tout seuls. N'auraient-ils pas dû être heureux ? Nous nous serions crus au ciel à leur place ! Et maintenant, devine ce qu'ils faisaient, tes bons enfants. Isabelle — elle a onze ans, je crois, une année de moins que Cathy — était couchée par terre tout au bout de la chambre et elle poussait des cris comme si des sorcières l'avaient lardée d'aiguilles rougies au feu. Edgar se tenait devant l'âtre, pleurant en silence, et au milieu de la table il y avait un petit chien qui secouait sa patte en glapissant ; à entendre leurs accusations mutuelles, nous avons compris qu'ils avaient failli l'écarteler entre eux. Les idiots ! Voilà quel plaisir ils se donnaient ! Se disputer à qui tiendrait un paquet de poils chauds et puis pleurer tous les deux parce que chacun, après s'être battu pour l'avoir, refusait de le prendre. Comme nous avons ri de ces mioches gâtés ! Comme nous les avons méprisés ! Quand me surprendras-tu à souhaiter d'avoir ce que voudrait Catherine ? Quand nous trouveras-tu seuls en train de chercher à nous amuser en hurlant, en sanglotant et en nous roulant par terre, séparés par toute la largeur d'une chambre ? Je n'échangerais pour rien au monde ma condition d'ici pour celle d'Edgar Linton au Manoir de la Grive — pas même si je devais avoir le privilège de jeter Joseph du haut du pignon le plus élevé et de peindre la façade de la maison avec le sang de Hindley.

— Chut, chut! interrompis-je. Tu ne m'as toujours pas dit, Heathcliff, comment il se fait que Catherine soit restée là-bas ?

— Je t'ai dit que nous nous étions mis à rire, répondit-il. Les Linton nous ont entendus et, d'un seul mouvement, ils ont volé à la porte comme des flèches. Il y a eu un silence, puis un cri : « Oh ! maman, maman ! Oh, papa ! Venez ici. Oh, papa, oh ! » Ils ont bel et bien braillé quelque chose de ce genre. Nous avons fait un bruit terrible pour les effrayer davantage encore, puis nous nous sommes laissés tomber à terre parce que quelqu'un tirait les barres et que nous sentions qu'il valait mieux décamper. Je tenais Cathy par la main et je la pressais de se hâter, quand tout à coup elle est tombée. « Sauve-toi, Heathcliff, sauve-toi ! me souffla-t-elle. Ils ont lâché le bouledogue et il me tient ! » Ce démon l'avait saisie à la cheville, Nelly : j'entendais ses abominables reniflements. Elle n'a pas crié, non ! Elle aurait dédaigné de le faire quand elle aurait été embrochée sur les cornes d'une vache furieuse. Mais moi, j'ai crié ! J'ai vociféré assez de malédictions pour anéantir tous les démons de la chrétienté ; puis j'ai pris une pierre et je l'ai fourrée entre les mâchoires du bouledogue et j'ai essayé de toutes mes forces de la lui enfoncer dans la gorge. Une brute de domestique est arrivé en fin de compte avec une lanterne, en criant : « Tiens bon, Rôdeur, tiens bon ! » Mais il a changé de ton quand il a vu quel gibier le chien tenait ; on lui a fait lâcher prise en l'étranglant : sa langue pourpre pendait d'un demi-pied hors de sa gueule et ses babines retroussées ruisselaient de bave sanguinolente. L'homme a relevé Cathy ; elle se pâmait, non de frayeur, j'en suis sûr, mais de douleur. Il l'a portée à l'intérieur de la maison et je suivais en grommelant des imprécations et des menaces. « Quelle proie a-t-il attrapée, Robert ? a crié Linton de l'entrée. — Rôdeur a pris une petite fille, monsieur ; et voilà un garçon, ajouta-t-il en allongeant la main pour me saisir, qui a bien l'air d'un fieffé fripon. Les voleurs voulaient sans doute les faire entrer par la fenêtre pour ouvrir les portes à la bande quand tout le monde aurait été endormi, afin de pouvoir nous assassiner à leur aise. Tiens ta langue, brigand mal embouché ! Cette affaire te vaudra le gibet. Ne quittez pas votre fusil, monsieur. — Non, non, Robert, dit le vieil imbécile, les canailles savaient que j'ai touché mes loyers hier et ils pensaient m'avoir au bon moment. Entrez ; je vais leur donner une belle réception. Là, John, attache la chaîne. Donne de l'eau à Rôdeur, Jenny. Braver un magistrat dans sa place forte, et le jour du Sabbat encore ! Jusqu'où ira leur insolence ? Oh ! ma chère Mary, venez voir ! N'ayez pas peur, ce n'est qu'un gamin, mais la scélératesse se lit déjà clairement sur son visage ; ne serait-ce pas un bienfait pour le pays que de le pendre sur-le-champ avant que son naturel ne se fasse jour dans ses actes aussi bien que sur ses traits ? » Il m'attira sous le lustre, tandis que Mrs. Linton plaçait ses lunettes sur son nez, puis levait les mains avec horreur. Les poltrons d'enfants se rapprochèrent aussi, Isabelle zézayant : « L'affreuse créature ! Mettez-le à la cave, papa. Il ressemble trait pour trait au fils de la diseuse de bonne aventure qui m'a volé mon faisan apprivoisé. N'est-ce pas, Edgar ? »

Pendant qu'ils m'examinaient, Cathy revint à elle ; elle entendit ces derniers mots et elle se mit à rire. Edgar Linton, après lui avoir lancé un regard inquisiteur, reprit assez ses esprits pour la reconnaître. Ils nous voient à l'église, tu sais, bien que nous les rencontrions rarement ailleurs. « C'est Miss Earnshaw ! » chuchota-t-il à sa mère, et voyez comme Rôdeur l'a mordue... comme son pied saigne !

— Miss Earnshaw ? Impossible ! s'est écriée la dame ; Miss Earnshaw battant le pays avec un bohémien ! Et pourtant, mon ami, l'enfant est en deuil... c'est sûrement elle... et elle risque d'être estropiée pour la vie.

— Quelle coupable négligence de la part de son frère ! s'écria Mr. Linton en se détournant de moi pour regarder Catherine. Je tiens de Shielders (c'était le ministre, monsieur) qu'il la laisse grandir comme une véritable païenne. Mais quel est ce drôle ? Où a-t-elle ramassé ce compagnon ? Oh ! ce sera cette étrange acquisition que mon défunt voisin a faite lors de son voyage à Liverpool... un petit Lascar, ou encore un va-nu-pieds américain ou espagnol.

— Un vilain gamin, en tout cas, observa la vieille dame, et tout à fait déplacé dans une maison convenable ! Avez-vous remarqué son langage, Linton ? Je suis choquée que mes enfants aient dû l'entendre.

— Là-dessus, j'ai recommencé à jurer, ne te fâche pas, Nelly, et Robert a reçu l'ordre de m'emmener. J'ai refusé de m'en aller sans Cathy ; il m'a traîné dans le jardin, m'a fourré la lanterne dans la main en m'assurant que Mr. Earnshaw serait informé de ma conduite, puis il m'a enjoint de décamper sur-le-champ et il a refermé la porte. Les rideaux étaient toujours relevés dans un coin et j'ai repris mon poste d'espion ; car j'avais l'intention, si Catherine avait voulu s'en retourner, de briser leurs grandes vitres en mille morceaux pour peu qu'ils la retinssent. Elle était tranquillement assise sur le sofa. Mrs. Linton lui enleva la pèlerine grise de la laitière que nous avions empruntée pour notre excursion, tout en secouant la tête et en lui faisant des remontrances, je suppose : c'était une véritable demoiselle, et ils marquaient une différence dans leur façon de nous traiter, elle et moi. Puis la servante a apporté une cuvette d'eau chaude et lui a lavé les pieds ; après quoi Mr. Linton lui a préparé un gobelet de négus [1] et Isabelle lui a vidé une assiette de gâteaux sur les genoux, tandis qu'Edgar la regardait de loin, bouche bée. Ensuite ils ont séché et peigné ses beaux cheveux, ils lui ont donné une paire d'énormes pantoufles et ils l'ont poussée devant le feu ; sur quoi je l'ai laissée, aussi gaie

1. Vin chaud aromatisé qui porte le nom de son inventeur. *(N.d.T.)*

qu'elle pouvait l'être, en train de partager ses gâteaux avec le petit chien et Rôdeur, dont elle pinçait le museau pendant qu'il mangeait, et allumant dans les ternes yeux bleus des Linton une étincelle d'animation — vague reflet de son visage enchanteur. Je voyais qu'ils étaient pleins d'une admiration stupide; elle leur est si immensément supérieure — elle est supérieure à n'importe qui sur terre, n'est-ce pas, Nelly?

— Cette affaire aura plus de suites que tu ne crois, répondis-je en bordant son lit et en éteignant la lumière. Tu es incorrigible, Heathcliff, et Mr. Hindley sera amené à prendre des mesures extrêmes, tu le verras.

Mes paroles se révélèrent plus vraies que je ne l'aurais voulu. Cette fâcheuse aventure mit Earnshaw en fureur. Puis Mr. Linton, pour arranger les choses, nous rendit visite en personne le lendemain et fit au jeune maître une telle harangue sur la voie où il engageait sa famille qu'il se décida à s'occuper sérieusement de ce qui se passait autour de lui. Heathcliff ne fut pas fouetté, mais averti qu'au premier mot qu'il adresserait à Miss Catherine, il serait chassé; et Mrs. Earnshaw entreprit de maintenir la conduite de sa belle-sœur dans de justes limites quand elle fut rentrée à la maison; en usant d'adresse, non de force: la force ne l'eût menée à rien.

VII

Catherine resta au Manoir de la Grive cinq semaines: jusqu'à Noël. Sa cheville était alors tout à fait guérie et ses manières avaient beaucoup gagné. La maîtresse alla souvent la voir pendant cette période, et s'attaqua à la réforme qu'elle méditait en s'efforçant d'éveiller son amour-propre à l'aide de jolis vêtements et de flatteries, qu'elle accepta volontiers; de sorte qu'au lieu d'une intraitable petite sauvagesse sans coiffure entrant d'un bond dans la maison et se précipitant pour nous serrer tous dans ses bras à nous couper le souffle, nous vîmes descendre d'un beau poney noir une fort digne personne aux boucles brunes tombant de sous un castor à plumes, et portant un long habit de drap qu'elle fut obligée de relever des deux mains pour faire gracieusement son entrée. Hindley l'enleva de son cheval en s'écriant d'un air ravi :

« Ma foi, Cathy, te voilà devenue une vraie beauté ! C'est à peine si je t'aurais reconnue : tu as l'air d'une dame à présent. Isabelle Linton ne saurait se comparer à elle, n'est-ce pas, Frances ?

— Isabelle n'a pas les mêmes avantages naturels, répondit sa femme ; mais il faut que Catherine prenne garde à ne pas redevenir une sauvagesse ici. Ellen, aidez Miss Catherine à se dévêtir... attendez, ma chère, vous allez déranger vos boucles... laissez-moi dénouer votre chapeau. »

Je la débarrassai de son costume, et l'on vit apparaître une superbe robe de soie écossaise, un pantalon blanc et des souliers vernis ; et bien que ses yeux étincelassent de joie quand les chiens bondirent autour d'elle pour lui faire fête, elle osa à peine les toucher de crainte qu'ils ne gâtassent ses superbes atours. Elle m'embrassa délicatement — j'étais tout enfarinée car j'étais après faire le gâteau de Noël, et ça n'aurait pas été indiqué de me prendre dans ses bras — puis elle chercha des yeux Heathcliff autour d'elle. Mr. et Mrs. Earnshaw guettaient anxieusement leur rencontre ; pensant qu'elle leur permettrait de juger dans une certaine mesure s'ils pouvaient nourrir quelque espoir de séparer les deux amis.

On eut d'abord du mal à découvrir Heathcliff. S'il avait été négligent, et négligé de tous, avant l'absence de Catherine, il l'était devenu dix fois plus depuis lors. Personne d'autre que moi n'avait même la bonté de lui dire qu'il était sale et de lui enjoindre de se laver une fois la semaine ; et les enfants de son âge ont rarement un penchant naturel pour le savon et l'eau. Aussi, pour ne rien dire de ses vêtements qui avaient fait trois mois de service dans la boue et la poussière, ni de ses épais cheveux en désordre, l'aspect de son visage et de ses mains s'était-il fâcheusement obscurci. Il pouvait bien se tapir derrière le dossier de la banquette en voyant entrer dans la maison une resplendissante et gracieuse demoiselle, au lieu, comme il s'y était attendu, d'une réplique hirsute de sa propre personne.

« Heathcliff n'est-il pas là ? demanda-t-elle en ôtant ses gants et en montrant des doigts prodigieusement blanchis par l'oisiveté et la réclusion.

— Heathcliff, tu peux t'avancer, cria Mr. Hindley, jouissant de sa déconfiture et enchanté de voir qu'il allait être contraint de se présenter comme un jeune vaurien repoussant. Tu peux venir souhaiter la bienvenue à Miss Catherine comme les autres domestiques. »

Cathy, apercevant son ami dans sa cachette, courut à lui pour l'embrasser; en une seconde, elle lui appliqua sept ou huit baisers sur chaque joue, puis s'arrêta, recula d'un pas et éclata de rire en s'écriant :

« Comme tu as l'air sombre et de mauvaise humeur ! et... et que tu es farouche et comique ! Mais c'est que je suis habituée à Edgar et à Isabelle Linton. Eh bien ! Heathcliff, m'as-tu oubliée ? »

Elle avait sujet de lui poser cette question, car la honte et l'orgueil jetaient leurs deux ombres sur sa physionomie et le rendaient immobile.

« Serre-lui la main, Heathcliff, dit Mr. Earnshaw d'un ton condescendant; pour une fois, cela t'est permis.

— Non, répondit le jeune garçon en retrouvant enfin sa langue. Je ne resterai pas ici pour qu'on rie de moi. Je ne le souffrirai pas ! »

Et il se serait échappé du cercle si Miss Cathy ne l'avait saisi de nouveau.

« Je ne voulais pas rire de toi, Heathcliff, mais je n'ai pas pu m'en empêcher. Heathcliff, tends-moi au moins la main ! Pourquoi boudes-tu ? C'est seulement que tu avais une mine bizarre. Si tu te laves la figure et que tu te brosses les cheveux, tout ira bien; mais tu es si sale ! »

Elle regarda d'un air attristé les doigts douteux qu'elle tenait dans les siens, et aussi ses propres vêtements qui, craignait-elle, n'avaient pas gagné à entrer en contact avec ceux de Heathcliff.

« Tu n'avais pas besoin de me toucher ! répondit-il en

suivant son regard et en lui arrachant sa main. Je serai aussi sale qu'il me plaît : j'aime être sale et je serai sale. »

Là-dessus il s'enfuit de la pièce tête baissée au milieu des rires du maître et de la maîtresse, et au sérieux émoi de Catherine qui ne comprenait pas comment ses remarques avaient pu susciter un pareil étalage de mauvaise humeur.

Après avoir joué à la femme de chambre auprès de la nouvelle venue, mis mes gâteaux au four et égayé la salle et la cuisine avec de grands feux comme il convenait à la veille de Noël, je me préparai à m'asseoir et à me distraire en chantant des noëls, toute seule, sans me soucier des protestations de Joseph pour qui les airs allègres que je choisissais étaient presque des chansonnettes. Il s'était retiré pour faire ses dévotions en privé dans sa chambre, et Mr. et Mrs. Earnshaw occupaient l'attention de ma petite Miss en lui montrant quelques plaisantes bagatelles achetées pour qu'elle les offrît aux petits Linton en reconnaissance de leur bonté. Ils les avaient invités à passer la journée du lendemain à Hurlevent, et l'invitation avait été acceptée à une seule condition : Mrs. Linton demandait que ses chéris fussent soigneusement tenus à l'écart de « ce méchant garçon qui jurait ».

Dans ces conditions, je demeurai seule. Je humai la riche senteur des épices qui chauffaient ; j'admirai la batterie de cuisine étincelante, l'horloge polie ornée de houx, les timbales d'argent rangées sur un plateau en attendant d'être remplies d'ale chaude épicée pour le souper ; et, par-dessus tout, la propreté immaculée de ce qui était l'objet de mon soin jaloux — le dallage récuré et bien balayé. J'accordai à chaque objet l'applaudissement intérieur qu'il méritait ; puis je me souvins que le vieil Earnshaw avait coutume d'entrer dans la salle quand tout avait été nettoyé, et de me dire que j'étais bien dégourdie et de me glisser un shilling dans la main comme étrennes ; après quoi j'en vins à penser à sa tendresse pour Heathcliff et à sa crainte que l'enfant ne souffrît d'abandon quand lui-même ne serait plus là ; et cela m'amena naturellement à considérer la situation présente du pauvre garçon, et je passai du chant aux larmes. Il me vint bientôt à l'idée, toutefois, qu'il serait plus sensé de tâcher de réparer quelques-uns des torts dont il souffrait que de verser sur eux des larmes : je me levai et m'en fus dans la cour pour le chercher. Il n'était pas loin ; je le trouvai en train de lisser le pelage luisant du nouveau poney dans l'écurie, et de donner à manger aux autres bêtes, comme à l'accoutumée.

« Dépêche-toi, Heathcliff ! lui dis-je, il fait si bon dans la cuisine, et Joseph est en haut. Dépêche-toi et laisse-moi te faire beau avant que Miss Cathy paraisse ; et alors vous pourrez rester ensemble, et vous aurez toute la cheminée à vous, et vous bavarderez à loisir jusqu'à l'heure du coucher. »

Il poursuivit sa besogne sans même tourner la tête de mon côté.

« Allons... viens-tu ? repris-je. Il y aura un petit gâteau pour chacun de vous, ils sont presque à point, et il te faudra une demi-heure pour t'apprêter. »

J'attendis cinq minutes, mais n'obtenant pas de réponse, je le quittai... Catherine soupa avec son frère et sa belle-sœur ; Joseph et moi partageâmes un repas peu amical, assaisonné de reproches d'un côté et d'impertinences de l'autre. Son gâteau et son fromage restèrent toute la nuit sur la table à la disposition des fées. Il fit en sorte de continuer à travailler jusqu'à neuf heures, puis s'en fut dignement, morose et muet, à sa chambre. Cathy veilla tard, ayant mille choses à ordonner pour la réception de ses nouveaux amis ; quant à son ancien ami, elle vint une fois dans la cuisine pour lui parler, mais il n'était pas là et elle ne resta que le temps de demander ce qu'il avait, puis se retira. Au matin, il se leva de bonne heure, et, comme c'était jour de fête, il alla promener sa mauvaise humeur sur la lande, ne reparaissant qu'une fois que la famille fut partie pour l'église. Le jeûne et la réflexion semblaient l'avoir mis dans de meilleures dispositions. Il tourna autour de moi pour un temps, puis, ayant rassemblé son courage, il s'écria brusquement :

« Nelly, fais-moi comme il faut, je serai sage.

— Il est grand temps, Heathcliff, dis-je. Tu as fait une

vraie peine à Catherine : elle regrette d'être jamais revenue à la maison, j'en suis sûre ! On dirait que tu l'envies parce qu'on s'occupe d'elle davantage que de toi. »

L'idée d'*envier* Catherine lui était inconcevable, mais celle de lui faire de la peine était bien claire pour lui.

« A-t-elle dit qu'elle était peinée ? demanda-t-il avec beaucoup de gravité.

— Elle a pleuré quand je lui ai dit que tu étais encore parti ce matin.

— Eh bien ! moi aussi, j'ai pleuré la nuit dernière et j'avais pour cela plus de raisons qu'elle.

— Oui, cette raison que tu étais allé te coucher l'orgueil au cœur et l'estomac vide, dis-je. Les orgueilleux s'attirent de cruels tourments. Mais si tu as honte d'avoir été susceptible, ne manque pas de lui demander pardon quand elle rentrera. Tu iras à elle, tu lui offriras de l'embrasser et tu lui diras... tu sais mieux que moi ce que tu as à lui dire ; seulement, fais-le de bon cœur, pas comme si tu pensais que ses beaux habits l'ont transformée en étrangère. Et maintenant, j'ai beau avoir le dîner à préparer, je vais dérober un moment pour t'accoutrer de telle sorte qu'Edgar Linton aura tout l'air d'une poupée à côté de toi — ce qui est le cas, à vrai dire. Tu es plus jeune, et pourtant je gagerais que tu es plus grand et deux fois aussi large d'épaules : tu pourrais le jeter à terre en un clin d'œil, ne t'en sens-tu pas capable ? »

Le visage de Heathcliff s'éclaira un moment, puis se rembrunit à nouveau, et il soupira.

« Mais, Nelly, je le jetterais vingt fois à terre que ça ne le rendrait pas moins beau, ni moi plus beau. Je voudrais tant avoir les cheveux blonds et le teint clair, d'aussi beaux habits et d'aussi belles manières, et une chance d'être aussi riche qu'il le sera !

— Et appeler ta maman à tout bout de champ, ajoutai-je, et trembler quand un villageois lève le poing sur toi, et rester à la maison toute la journée à cause d'une averse. Oh ! Heathcliff, tu montres bien peu de caractère ! Viens devant la glace et je te ferai voir ce que tu devrais souhaiter. Aperçois-tu ces deux plis entre tes yeux ; et ces épais sourcils qui, au lieu de s'arquer vers le haut, s'affaissent au milieu ; et cette paire de noirs démons, enfouis si profonds, qui jamais n'ouvrent hardiment leurs fenêtres, mais luisent subrepticement en dessous, comme des espions du diable ? Aspire et apprends à effacer ces rides revêches, à lever franchement les paupières, et change ces démons en anges confiants et innocents, libres de soupçon et de doute, et qui verront toujours des amis là où ils ne sont pas sûrs de voir des ennemis. Ne prends pas l'expression d'un méchant roquet qui a l'air de savoir que les coups de pied qu'il attrape sont mérités, et qui pourtant étend sa haine de celui qui l'a frappé à tout le monde à cause de ce qu'il souffre.

— En d'autres termes, je dois souhaiter d'avoir les grands yeux bleus et le front lisse d'Edgar Linton, répliqua-t-il. C'est ce que je fais — mais ça ne m'aide pas à les avoir.

— Un bon cœur t'aidera à avoir un beau visage, mon garçon, repris-je, quand bien même tu serais un vrai nègre ; et un mauvais cœur rendra le plus beau visage pis que laid. Et maintenant que nous avons fini de nous laver, de nous peigner et de bouder, dis-moi si tu ne te trouves pas assez beau garçon ? C'est l'effet que tu me fais à moi, je te le dis. Tu pourrais être un prince déguisé. Qui sait si ton père n'était pas empereur de Chine et ta mère reine des Indes, lui comme elle capables d'acheter avec leur revenu d'une semaine à la fois Hurlevent et le Manoir de la Grive ? Tu as été enlevé par de méchants marins et amené en Angleterre. A ta place je me ferais une haute idée de ma naissance ; et la pensée de ce que je suis me donnerait du courage et de la dignité pour supporter les tracasseries d'un petit fermier ! »

Je continuai sur ce ton ; et Heathcliff perdait par degrés son air sourcilleux et commençait à prendre une mine tout à fait avenante, quand tout à coup notre conversation fut interrompue par un bruit de roues qui s'en venait sur la route et qui entra dans la cour. Il courut à la fenêtre et moi à la porte, juste à temps pour voir les deux Linton descendre de la voiture familiale, emmitouflés dans des manteaux et des fourrures, et les Earnshaw descendre de cheval — ils allaient souvent à l'église à cheval en hiver.

Catherine prit les deux enfants par la main, les emmena dans la maison et les installa devant le feu, ce qui mit vite des couleurs sur leurs visages blêmes.

Je pressai mon compagnon d'aller vite se montrer aimable, et il m'obéit volontiers; mais la malchance voulut qu'au moment où il ouvrait d'un côté la porte de la cuisine, Hindley l'ouvrît de l'autre. Ils se trouvèrent face à face, et le maître, mécontent de le voir propre et joyeux, ou peut-être soucieux de tenir la promesse qu'il avait faite à Mrs. Linton, le repoussa d'un geste brusque et ordonna d'un ton irrité à Joseph « d'interdire à ce garçon l'accès de la pièce et de l'envoyer au galetas jusqu'à ce que le dîner soit fini : il va fourrer ses doigts dans les tartes et voler les fruits si on le laisse seul avec eux une minute ».

« Nenni, monsieur, ne pus-je m'empêcher de répondre, ce n'est pas lui qui toucherait à rien; et il doit avoir tout comme nous sa part de friandises, je suppose.

— Il aura sa part de taloches si je le surprends en bas d'ici à la brune, s'écria Hindley. Déguerpis, vagabond! Quoi! Tu essaies de faire le joli cœur? Attends un peu que je les attrape, ces élégantes boucles, tu verras si je ne saurai pas les allonger.

— Elles sont déjà assez longues comme ça, observa maître Linton en jetant un coup d'œil du seuil de la porte. Je m'étonne qu'elles ne lui donnent pas la migraine : c'est une crinière de poulain qu'il a au-dessus des yeux! »

Il avait fait cette remarque sans intention insultante; mais le naturel violent de Heathcliff n'était pas prêt à supporter un semblant d'impertinence de la part de quelqu'un qu'il paraissait déjà haïr comme un rival. Il saisit une terrine de compote de pommes toute chaude (la première chose qui lui fût tombée sous la main) et la lança en plein dans la figure et dans le cou de maître Linton — lequel éclata aussitôt en lamentations qui firent survenir précipitamment sur les lieux Isabelle et Catherine. Mr. Earnshaw appréhenda immédiatement le coupable et le mena dans sa chambre; où, sans nul doute, il lui administra un remède brutal pour calmer son accès de colère, car il reparut rouge et hors d'haleine. Je pris un torchon et frottai assez rudement le nez et la bouche d'Edgar en déclarant que ça lui apprendrait à se mêler de ce qui ne le regardait pas. Sa sœur se mit à pleurer et à demander de rentrer à la maison ; et Cathy se tenait là interdite, rougissant de tout cela.

« Vous n'auriez pas dû lui parler ! dit-elle d'un ton de reproche à maître Linton. Il était de mauvaise humeur et maintenant vous avez gâté votre visite. Il va être fouetté : je déteste qu'on le fouette ! Je ne pourrai rien manger. Pourquoi lui avoir parlé, Edgar ?

— Je n'en ai rien fait, sanglota le jeune homme en s'échappant de mes mains et en achevant de se purifier avec son mouchoir de batiste. J'avais promis à maman de ne pas lui dire un mot, et j'ai tenu parole.

— Voyons, ne pleurez pas, répondit dédaigneusement Catherine. Vous n'êtes pas mort. Ne faites plus le vilain ; voici mon frère : tenez-vous tranquille ! Et vous aussi, cessez, Isabelle ! Qui donc vous a fait du mal, à vous ?

— Allons, allons, les enfants — à vos places ! s'écria Hindley, entrant en coup de vent. Cette petite brute m'a joliment échauffé. La prochaine fois, maître Edgar, faites la loi avec vos propres poings — cela vous mettra en appétit. »

Le petit groupe recouvra son égalité d'humeur à voir et à humer le festin. Ils avaient faim après leur randonnée, et ils se consolèrent d'autant plus aisément qu'il n'avaient souffert aucun mal réel. Mr. Earnshaw découpa de généreuses portions et la maîtresse égaya les convives par sa conversation animée. Je me tenais derrière sa chaise et je fus peinée de voir Catherine, les yeux secs et l'air indifférent, se mettre à découper l'aile d'oie qui était devant elle. « L'insensible enfant ! pensai-je, comme elle chasse légèrement de son esprit les infortunes de son ancien compagnon de jeux. Je n'aurais jamais imaginé qu'elle pût être si égoïste. » Elle porta une bouchée à ses lèvres, puis la reposa : ses joues s'empourprèrent et soudain ruisselèrent de larmes. Elle fit tomber sa fourchette à terre et plongea vivement sous la nappe pour cacher son émoi. Je cessai bientôt de la qualifier d'insensible, car je vis qu'elle était en purgatoire tout le long du jour, et qu'elle cherchait sans cesse à trouver moyen d'être seule, ou d'aller voir Heathcliff, qui avait été enfermé par le maître, comme je le découvris en essayant de lui apporter des victuailles en cachette.

Le soir on dansa. Cathy demanda alors qu'on libérât le prisonnier, puisque Isabelle Linton n'avait pas de partenaire. Ses supplications demeurèrent vaines, et ce fut moi qu'on désigna pour combler le manque. Nous nous affranchîmes de toute tristesse dans l'excitation de l'exercice, et notre plaisir s'accrut à l'arrivée de la fanfare de Gimmerton, qui comprenait quinze membres : une trompette, un trombone, des clarinettes, des bassons, des cors et un violoncelle, ainsi que des chanteurs. Ils font le tour de toutes les maisons respectables et reçoivent des cachets à chaque Noël, et nous considérions comme un régal de choix de les entendre. Après les carols habituels, nous réclamâmes des chansons profanes et des canons. Mrs. Earnshaw aimait cette musique et ils nous en donnèrent à profusion.

Catherine l'aimait aussi, mais elle déclara qu'il serait plus agréable encore de l'entendre du haut de l'escalier, et elle monta dans le noir ; je la suivis. On ferma la porte de la salle, en bas, sans remarquer notre absence tant il y avait de monde. Catherine ne s'arrêta pas sur le palier, mais monta jusqu'au galetas où Heathcliff s'était confiné, et l'appela. Pendant quelque temps, il persista obstinément à ne pas répondre ; mais elle persévéra et finit par le persuader de communiquer avec elle à travers les planches de la cloison. Je laissai les pauvres enfants converser sans les déranger, jusqu'au moment où il me parut que les chants étaient sur le point de cesser et que les chanteurs allaient prendre des rafraîchissements ; je grimpai alors à l'échelle pour avertir Catherine. Au lieu de la trouver hors du galetas, j'entendis sa voix au-dedans. Elle s'était glissée comme un singe par une lucarne, puis, longeant le toit, elle était descendue par une autre lucarne, et j'eus la plus grande difficulté à la persuader de revenir. Quand elle revint enfin, Heathcliff l'accompagnait, et elle insista pour que je l'emmenasse à la cuisine, puisque Joseph s'en était allé chez un voisin pour échapper aux accents de notre « psa'modie du dièble » comme il se plaisait à l'appeler. Je leur dis que je n'avais nullement l'intention d'encourager leurs manigances; mais que, vu que le prisonnier jeûnait depuis le dîner de la veille, je fermerais les yeux pour cette fois sur cette tromperie à l'égard de Mr. Hindley. Il descendit; je lui mis un tabouret devant le feu et lui offris une foule de bonnes choses; mais il se sentait mal, ne put guère manger, et repoussa mes tentatives pour le régaler. Il appuya ses deux coudes sur ses genoux, son menton dans ses mains, et se plongea dans une méditation silencieuse. Quand je m'enquis du sujet de ses pensées, il répondit gravement :

« Je cherche comment je pourrai rendre à Hindley la monnaie de sa pièce. Peu m'importe combien de temps j'aurai à attendre, pourvu que j'y parvienne enfin. J'espère qu'il ne mourra pas avant !

— Tu devrais avoir honte, Heathcliff ! dis-je. C'est à Dieu de punir les méchants ; nous devons apprendre à pardonner.

— Non, Dieu n'en retirerait pas la même satisfaction que moi, répliqua-t-il. Je voudrais seulement trouver le meilleur moyen ! Laisse-moi tranquille, que j'échafaude mes plans. Quand je pense à ça, je ne souffre pas. »

Mais, Mr. Lockwood, j'oublie que ces récits ne peuvent guère vous divertir. Je suis confuse de m'être laissée aller à bavarder aussi longtemps ; et voilà votre gruau froid, et vous tombez de sommeil ! J'aurais pu vous conter l'histoire de Heathcliff, pour ce que vous avez besoin d'en savoir, en une demi-douzaine de mots.

S'interrompant ainsi, l'intendante se leva et se mit à ranger son ouvrage ; mais je me sentais incapable de m'éloigner du feu, et très loin d'avoir sommeil.

« Restez assise, Mrs. Dean, m'écriai-je, je vous en prie, restez encore assise une demi-heure ! Vous avez eu tout à fait raison de prendre votre temps en me racontant l'histoire. C'est la méthode que j'aime, et il faut que vous la finissiez dans le même style. Tous les personnages dont vous avez fait mention m'intéressent à quelque degré.

— L'horloge va sonner onze heures, monsieur.

— Peu importe... je n'ai pas l'habitude de me coucher avant que les heures repartent à zéro. Une ou deux heures du matin, c'est bien assez tôt pour quelqu'un qui reste au lit jusqu'à dix.

— Vous ne devriez pas rester au lit jusqu'à dix heures. Le meilleur de la matinée est passé depuis longtemps à ce moment-là. Une personne qui n'a pas fait la moitié de son travail de la journée à dix heures risque de laisser l'autre moitié à demi inachevée.

— Néanmoins, Mrs. Dean, reprenez votre siège; car demain je me propose de prolonger la nuit jusqu'à l'après-midi. Je me prédis à moi-même un rhume opiniâtre, pour le moins.

— J'espère que non, monsieur. Eh bien! vous me permettrez de sauter quelque trois ans; pendant cette période, Mrs. Earnshaw...

— Non, non, je ne permettrai rien de pareil! Connaissez-vous cette humeur dans laquelle, si vous êtes seule et si le chat est en train de lécher son chaton sur le tapis devant vous, vous observez l'opération avec tant d'intérêt qu'il suffit que le chat néglige une oreille pour vous mettre sérieusement en colère?

— Une humeur terriblement paresseuse, à mon avis.

— Au contraire, incommodément active. C'est la mienne pour le présent; en conséquence, poursuivez par le menu. Je m'aperçois que les habitants de cette région ont sur ceux des villes la même supériorité que l'araignée d'un cachot a sur celle d'une maisonnette aux yeux de leurs occupants respectifs; et pourtant le surcroît d'attrait n'est pas dû entièrement à la situation de l'observateur. Les gens d'ici vivent vraiment de façon plus intense, plus intérieure, et moins en butte aux changements de surface et aux frivolités extérieures. Je pourrais concevoir qu'un amour pour la vie soit, ici, presque possible; et jusqu'à présent, j'étais déterminé à ne pas croire qu'un amour pût durer un an. L'état des uns ressemble à celui d'un homme affamé qu'on place devant un plat unique sur lequel il peut concentrer tout son appétit et auquel il fait honneur; l'état des autres, à celui d'un homme qu'on mène devant une table préparée par des cuisiniers français: il tirera peut-être autant de plaisir de l'ensemble du repas, mais chaque mets n'aura qu'une place infime dans son intérêt et son souvenir.

— Oh ! nous sommes les mêmes ici que partout ailleurs une fois qu'on est venu à nous connaître, observa Mrs. Dean, quelque peu déconcertée par mon discours.

— Excusez-moi, répondis-je. Vous-même, ma bonne amie, vous êtes une preuve frappante qu'il n'en est rien. Hormis quelques provincialismes sans conséquence, vous n'avez pas trace des façons que j'ai coutume de regarder comme caractéristiques de votre classe. Je suis sûr que vous avez réfléchi beaucoup plus que la généralité des domestiques. Vous avez été forcée de cultiver vos facultés méditatives faute d'occasions de gaspiller votre vie en menus riens. »

Mrs. Dean se mit à rire.

« Je me considère certainement comme quelqu'un de posé et de raisonnable, dit-elle. Ce n'est pas exactement parce que je vis au milieu des montagnes et que je vois la même collection de visages et la même série de gestes d'un bout de l'année à l'autre ; mais j'ai été soumise à une stricte discipline, qui m'a enseigné la sagesse ; et puis j'ai lu plus que vous ne croiriez, Mr. Lockwood. On ne saurait ouvrir un livre de cette bibliothèque où je n'aie jeté un coup d'œil et dont je n'aie tiré quelque chose — excepté cette rangée de Grecs et de Latins, et ce rayon de livres français ; encore sais-je les distinguer les uns des autres, et vous ne sauriez en attendre davantage de la fille d'un pauvre homme. Mais si je dois poursuivre mon histoire à la façon d'une vraie commère, je ferai mieux de continuer ; et au lieu de sauter trois ans, je me contenterai de passer à l'été suivant — c'est-à-dire à l'été de 1778, ce qui nous ramène à près de vingt-trois ans en arrière. »

VIII

C'est par un beau matin de juin que naquit mon beau premier petit nourrisson, le dernier de l'ancienne souche des Earnshaw. Nous étions occupés à faire les foins dans un pré éloigné, quand la fille qui nous apportait d'habitude notre casse-croûte du matin arriva une heure d'avance en courant, à travers la prairie puis le long du chemin, et tout en courant elle m'appelait.

« Oh ! c'est un merveilleux bébé ! cria-t-elle haletante. Le plus fier petit gars qui ait jamais vu le jour. Mais le docteur dit que la maîtresse ne vivra pas, que depuis des mois déjà elle s'en va de la poitrine. Je l'ai entendu prévenir Mr. Hindley ; et maintenant qu'elle n'a plus rien pour lui maintenir le corps en vie, elle sera morte avant l'hiver. Il faut que vous veniez tout de suite à la maison. C'est toi qui l'élèveras, Nelly ; qui le nourriras de sucre et de lait et qui prendras soin de lui jour et nuit. Je voudrais bien être à ta place, tu l'auras tout entier à toi quand la maîtresse ne sera plus là !

— Est-elle donc si malade ? demandai-je, jetant mon râteau et nouant mon chapeau.

— Je crois que oui ; pourtant elle a l'air vaillant, répondit la fille, et elle parle comme si elle pensait vivre assez pour le voir devenir un homme. Elle est folle de joie : il est si beau ! Si j'étais elle, je suis certaine que je ne mourrais pas : j'irais mieux rien qu'à le regarder, en dépit de Kenneth. Celui-là, il m'a rendue folle furieuse. La mère Archer a descendu le chérubin à son père dans la salle et le visage du maître a commencé à s'éclairer, et puis voilà le vieux corbeau de malheur qui s'avance et qui lui dit : « Earnshaw, c'est une bénédiction que les jours de votre femme aient été épargnés assez longtemps pour qu'elle vous laisse ce fils. Quand elle est arrivée ici, j'ai eu la conviction que nous ne la garderions pas longtemps ; et maintenant, il faut que je vous le dise, elle ne passera sans doute pas l'hiver. Ne vous tourmentez pas, ne vous désolez pas outre mesure : c'est inévitable. Aussi, qu'avez-vous été prendre pour femme un pareil roseau !

— Et qu'a répondu le maître ? demandai-je.

— Je crois bien qu'il a répondu par un juron ; mais je ne faisais pas attention à lui, car je n'avais d'yeux que pour le bébé. »

Et elle se remit à le décrire avec ravissement. Sur quoi, aussi enthousiaste qu'elle, je courus en hâte à la maison afin d'admirer pour mon compte ; tout en étant très triste quand je songeais à Hindley. Il n'avait de place dans son cœur que pour deux idoles — sa femme et lui-même — qu'il chérissait l'une et l'autre, mais en adorant la première, et je ne pouvais concevoir comment il supporterait cette perte.

Quand nous arrivâmes à Hurlevent, nous le trouvâmes sur le seuil de la porte ; et, en entrant, je lui demandai comment allait le bébé.

« Bientôt prêt à courir, Nell, répondit-il avec un joyeux sourire.

— Et la maîtresse ? hasardai-je. Le docteur dit qu'elle... »

Il m'interrompit, s'empourprant :

« Au diable le docteur ! Frances va tout à fait bien ; elle sera parfaitement rétablie d'ici une semaine. Vous montez ? Voulez-vous lui dire que je viendrai si elle promet de ne pas parler. Je l'ai quittée parce qu'elle ne voulait pas tenir sa langue tranquille ; et pourtant il le faut : dites-lui que Mr. Kenneth a recommandé le repos. »

Je transmis ce message à Mrs. Earnshaw ; elle paraissait d'humeur espiègle et elle me répondit gaiement :

« C'est à peine si j'ai dit un mot, Ellen, et, deux fois de suite, il est sorti en pleurant. Allons, dites-lui que je promets de ne pas parler : mais je ne m'engage pas pour autant à ne pas lui rire au nez ! »

La pauvre âme ! Jusqu'à la semaine d'avant sa mort, cette gaieté de cœur ne lui fit jamais défaut, et son mari persista opiniâtrement, furieusement même, à affirmer que sa santé s'améliorait de jour en jour. Quand Kenneth l'avertit que ses médecines ne servaient plus à rien à ce stade de la maladie et qu'il était inutile de lui faire faire de nouvelles dépenses pour la soigner, il répondit :

« Je sais bien que c'est inutile — elle va bien — elle n'a plus besoin de vos soins ! Elle n'a jamais été atteinte de consomption. C'était une fièvre, qui maintenant est passée ; son pouls est aussi lent que le mien, et sa joue aussi fraîche que la mienne. »

Il continua cette chanson auprès de sa femme, et elle parut le croire ; mais une nuit qu'appuyée sur son épaule, elle était en train de lui dire qu'elle pensait être en condition de se lever le lendemain, elle fut prise d'un accès de toux — un accès très bénin — et il la souleva dans ses bras ; elle lui mit les deux mains autour du cou, son visage changea : elle était morte.

Comme la jeune servante l'avait prévu, le petit Hareton tomba entièrement entre mes mains. Mr. Earnshaw, pourvu qu'il le vît en bonne santé et qu'il ne l'entendît jamais crier, était satisfait en ce qui le concernait. Quant à lui-même, il s'abandonna au désespoir ; son chagrin était de ceux qui refusent de se traduire en lamentations ; il ne pleurait ni ne priait : il se répandait en malédictions et en défis, vouant à l'exécration Dieu et les hommes, et s'abandonnant à une dissipation effrénée. Les domestiques ne purent pas supporter longtemps sa tyrannie et son inconduite : Joseph et moi, nous fûmes les deux seuls à bien vouloir rester. Je n'avais pas le cœur de quitter le petit dont j'avais la charge ; de surcroît, j'avais été, comme vous le savez, la sœur de lait de Mr. Earnshaw et j'étais plus encline à excuser sa conduite qu'une étrangère. Joseph resta pour faire la loi aux fermiers et aux journaliers, et parce que c'était sa vocation d'être là où il y avait force iniquité à réprouver.

La mauvaise conduite du maître et la mauvaise compagnie qu'il se donnait étaient un joli exemple pour Catherine et pour Heathcliff. La façon dont il traitait ce dernier eût suffi à faire un démon d'un saint. Et en vérité, on aurait dit à cette époque que le garçon était bel et bien possédé. Il se délectait à voir Hindley se dégrader au-delà de toute rémission ; et de jour en jour s'accusaient davantage sa maussaderie farouche et sa férocité. Je ne saurais vous dire, même à demi, quelle maison infernale nous avions. Le ministre cessa de venir en fin de compte, et plus personne de convenable ne s'approcha de nous, si l'on excepte les visites d'Edgar Linton à Miss Cathy. A quinze ans, c'était la reine de la contrée ; elle n'avait pas sa pareille ; et elle était devenue une créature hautaine, volontaire ! J'avoue que je ne l'aimai guère une fois qu'elle fut sortie de l'enfance, et je la contrariais souvent en essayant de rabattre son arrogance : elle ne s'est jamais prise d'aversion pour moi cependant. Elle était merveilleusement fidèle à ses attachements anciens : même Heathcliff gardait sur ses affections un empire que rien ne pouvait changer ; et le jeune Linton, avec toutes ses supériorités, avait du mal à faire sur elle une impression aussi profonde. Il fut, de son vivant, mon maître : c'est son portrait que vous voyez là au-dessus de la cheminée. Ce portrait, donc, était jadis accroché d'un côté, et celui de sa femme de l'autre ; ce dernier, on l'a enlevé, sans quoi vous auriez pu vous faire une idée de ce qu'elle était.

Mrs. Dean éleva la chandelle et je discernai un visage aux traits pleins de douceur, ressemblant extrêmement à la jeune femme de Hurlevent, mais d'une expression plus pensive et plus aimable. C'était un charmant portrait. Les longs cheveux blonds ondulaient légèrement sur les tempes ; les yeux étaient grands et empreints de gravité ; la physionomie, presque trop gracieuse. Je ne m'étonnai point que Catherine Earnshaw eût pu oublier son premier ami pour quelqu'un comme cela. Mais je m'étonnai fort, par contre, que lui, pour peu que son esprit correspondît à sa personne, eût pu s'éprendre de Catherine Earnshaw telle que je me la représentais.

« C'est un très agréable portrait, dis-je à la gouvernante. Est-il ressemblant ?

— Oui, répondit-elle ; mais il avait meilleur air quand il s'animait ; c'est là sa physionomie de tous les jours : il manquait d'entrain en général. »

Catherine était restée en relations avec les Linton depuis son séjour de cinq semaines parmi eux ; et comme elle n'était pas tentée de montrer son côté rude en leur compagnie, et qu'elle aurait été honteuse d'être grossière alors qu'on lui témoignait une invariable courtoisie, elle gagna sans y penser la vieille dame et le vieux monsieur par sa cordialité spontanée, tout en conquérant l'admiration d'Isabelle ainsi que le cœur et l'âme de son frère : ces succès la flattèrent dès le début, car elle était pleine d'ambition, et la conduisirent à jouer un double rôle sans avoir l'intention précise de tromper personne. Là où elle entendait traiter Heathcliff de « vulgaire petit gredin » et de « pire qu'une brute », elle prenait soin de ne pas se comporter comme lui; mais, à la maison, elle était peu encline à user d'une politesse dont on n'aurait fait que rire, et à refréner sa nature rebelle quand cela ne lui aurait valu ni crédit ni louange.

Mr. Edgar avait rarement le courage de venir ouvertement en visite à Hurlevent. La réputation d'Earnshaw le terrifiait et il reculait devant une rencontre; pourtant nous le recevions toujours avec autant de civilité que nous pouvions; le maître lui-même évitait de l'offenser, sachant le pourquoi de sa venue, et, s'il ne pouvait prendre sur lui d'être gracieux, restait à l'écart. Je croirais volontiers que Catherine détestait qu'il fît apparition chez nous: elle était sans artifices, elle ne jouait jamais la coquette, et toute rencontre entre ses deux amis lui causait un déplaisir manifeste; car, lorsque Heathcliff exprimait son mépris pour Linton en présence de ce dernier, elle ne pouvait pas approuver à moitié comme elle faisait en son absence; et lorsque Linton montrait son dégoût et son antipathie pour Heathcliff, elle n'osait pas traiter pareils sentiments avec indifférence comme s'il ne lui eût pas importé qu'on dénigrât son compagnon de jeux. J'ai ri plus d'une fois de ses perplexités et de ses embarras inavoués, qu'elle s'efforçait en vain de dérober à mes railleries. Cela semble le fait d'un méchant naturel; mais elle était si fière qu'il devenait vraiment impossible de prendre ses malheurs en pitié avant qu'elle eût appris à être plus humble. Elle finit cependant par avouer et par se confier à moi : j'était le seul être dont elle pût se faire un conseiller.

Un après-midi que Mr. Hindley était sorti, Heathcliff pensa pouvoir en profiter pour se donner congé. Il avait alors atteint ses seize ans, je crois, et, sans avoir de vilains traits ni manquer d'intelligence, il faisait en sorte de dégager, tant du dedans que du dehors, quelque chose de repoussant dont son apparence présente ne garde pas trace. En premier lieu, il avait perdu à cette époque le bénéfice de son éducation première: un rude labeur incessant, commencé tôt et terminé tard, avait étouffé toute la curiosité qu'il avait pu avoir jadis de se cultiver, comme tout amour des livres et du savoir. Le sentiment de supériorité que les faveurs du vieux Mr. Earnshaw lui avaient inspiré dans son enfance s'était évanoui. Il lutta longtemps pour rester à égalité avec Catherine dans ses études, puis y renonça avec un regret poignant, quoique silencieux ; cette renonciation fut complète ; et rien ne put le convaincre de faire un pas pour s'élever quand il eut découvert qu'il devait choir fatalement au-dessous de son ancien niveau. Alors son aspect extérieur se mit en harmonie avec sa déchéance mentale : il acquit une démarche traînante et des dehors abjects ; sa réserve naturelle s'exagéra jusqu'à tomber dans un excès presque idiot d'insociabilité morose ; et il prit apparemment un plaisir farouche à exciter l'aversion plutôt que l'estime de ses rares connaissances.

Catherine et lui continuaient d'être toujours ensemble quand son travail lui laissait quelque répit ; mais il avait cessé de lui exprimer sa tendresse en paroles, et il reculait avec une méfiance coléreuse devant ses caresses enfantines, comme s'il avait conscience qu'elle ne pouvait éprouver aucun plaisir à lui prodiguer de telles marques d'affection. La fois dont j'ai parlé plus haut, il entra dans la salle en annonçant son intention de ne rien faire, tandis que j'aidais Miss Cathy à terminer sa toilette. Elle n'avait pas escompté qu'il se mettrait en tête de chômer : se figurant qu'elle aurait toute la maison pour elle, elle avait trouvé moyen d'informer Mr. Edgar de l'absence de son frère, et se préparait maintenant à le recevoir.

« Cathy, es-tu occupée cet après-midi ? demanda Heathcliff. Vas-tu quelque part ?

— Non, il pleut, répondit-elle.

— Pourquoi donc as-tu mis cette robe de soie ? Personne ne vient ici, j'espère ?

— Pas que je sache, balbutia Miss. Mais tu devrais être aux champs, Heathcliff : il y a une heure que le dîner est fini. Je te croyais parti.

— Hindley ne nous débarrasse pas souvent de sa maudite présence, observa-t-il. Je ne travaillerai plus aujourd'hui : je reste avec toi.

— Oh ! mais Joseph rapportera, objecta-t-elle. Tu ferais mieux de partir.

— Joseph est après charger de la chaux de l'autre côté de Penniston Crag ; ça lui prendra jusqu'à la nuit, et il n'en saura rien. »

Ce disant, il alla nonchalamment vers le feu, et s'assit. Catherine réfléchit un instant, les sourcils froncés — jugeant nécessaire de préparer le terrain pour la visite attendue.

« Isabelle et Edgar Linton ont parlé de venir cet après-midi, dit-elle après une minute de silence. Comme il pleut, je ne les attends guère ; mais ils peuvent venir et en ce cas tu courras le risque d'être grondé pour rien.

— Qu'Ellen aille leur dire que tu es occupée, Cathy, insista-t-il. Ne m'éconduis pas pour ces niais, ces pitoyables amis que tu t'es faits ! Je suis parfois sur le point de me plaindre qu'ils… mais je ne veux pas…

— Qu'ils quoi ? s'écria Catherine en le regardant d'un air troublé. Oh ! Nelly, ajouta-t-elle vivement en dégageant sa tête de mes mains, tu m'as peignée tout de travers ! Ça suffit ; laisse-moi. De quoi es-tu sur le point de te plaindre, Heathcliff ?

— De rien… regarde seulement l'almanach qui est au mur, dit-il en montrant une feuille encadrée suspendue près de la fenêtre. Les croix sont pour les soirées que tu as passées avec les Linton, les points pour celles que tu as passées avec moi. Vois-tu ? J'ai marqué chaque jour.

— Oui… c'est bien sot ; comme si j'y prêtais attention ! répondit Catherine d'un ton piqué. Et à quoi cela rime-t-il ?

— A montrer que moi, j'y prête attention, dit Heathcliff.

— Devrais-je donc te tenir toujours compagnie ? demanda-t-elle avec une irritation croissante. Quel profit est-ce que j'en retire ? De quoi parles-tu ? Tu pourrais aussi bien être muet, ou être un bébé, si on considère ce que tu dis pour m'amuser, et ce que tu fais, aussi !

— Tu ne m'as encore jamais dit que je parlais trop peu ou que tu détestais ma compagnie, Cathy ! s'écria Heathcliff en proie à une grande agitation.

— On ne peut parler de compagnie quand les gens ne savent rien et ne disent rien », murmura-t-elle.

Son compagnon se leva, mais il n'eut pas le temps de continuer à exprimer ses sentiments, car un pas de cheval sonna sur les pavés et, après avoir frappé discrètement, le jeune Linton entra, le visage rayonnant de joie à cause de cette convocation inattendue. Catherine ne put laisser de remarquer la différence entre ses deux amis tandis que l'un entrait et que l'autre sortait. Le contraste ressemblait à celui que l'on perçoit quand on échange un pays minier âpre et mouvementé contre une belle vallée fertile ; et la voix comme les salutations de Linton soulignèrent encore l'opposition. Il parlait avec douceur, sans hausser le ton, et prononçait ses mots comme vous, c'est-à-dire avec moins de rudesse et de façon plus délicate que nous ne faisons ici.

« Je ne suis pas venu trop tôt, n'est-ce pas ? » demanda-t-il en me jetant un regard.

Je m'étais mise à essuyer l'argenterie et à ranger les tiroirs du buffet au fond de la pièce.

« Non, répondit Catherine. Que fais-tu là, Nelly ?

— Mon ouvrage, Miss », repartis-je (Mr. Hindley m'avait donné l'ordre d'être toujours en tiers dans ces visites privées de Linton).

Elle s'avança derrière moi et chuchota avec humeur :

« Va-t'en avec tes torchons. Quand il y a des visiteurs dans la salle, les domestiques ne se mettent pas à nettoyer et à astiquer à côté d'eux !

— C'est une bonne occasion maintenant que le maître est sorti, répondis-je à haute voix. Il déteste que je m'affaire ainsi en sa présence. Je suis sûre que Mr. Edgar m'excusera.

— Et moi je déteste que tu t'affaires en *ma* présence, s'écria impérieusement la jeune demoiselle sans laisser à son hôte le temps de parler : elle n'avait pas repris son calme depuis sa petite dispute avec Heathcliff.

— Je le regrette, Miss Catherine », répondis-je en poursuivant mon occupation avec assiduité.

Elle, croyant qu'Edgar ne la voyait pas, m'arracha le chiffon des mains et me pinça le bras avec rage en prolongeant la torsion. Je vous ai dit que je ne l'aimais pas et que je prenais un certain plaisir à mortifier sa vanité de temps à autre. De plus, elle m'avait fait extrêmement mal ; si bien que je me relevai vivement, car j'étais à genoux, et m'écriai :

« Oh ! Miss, quelle méchanceté ! Vous n'avez pas le droit de me pincer et je ne le souffrirai pas.

— Je ne t'ai pas touchée, mensongère créature ! » s'écria-t-elle.

Les doigts lui démangeaient de répéter son geste, et ses oreilles étaient rouges de fureur. Elle a toujours été incapable de cacher sa colère, et tout son visage devint pourpre.

« Qu'est-ce que cela, alors ? » répliquai-je en montrant une marque violacée pour la confondre.

Elle tapa du pied, hésita un instant, puis irrésistiblement poussée par l'esprit malin qui était en elle, me donna une gifle cuisante qui m'emplit les yeux de larmes.

« Catherine, ma chère ! Catherine ! s'écria Linton, fort choqué du double péché de mensonge et de violence que son idole avait commis.

— Sors d'ici, Ellen ! » répéta-t-elle en tremblant de tous ses membres.

Le petit Hareton, qui me suivait partout et qui était assis près de moi sur le plancher, commença à pleurer lui aussi quand il vit mes larmes et se répandit en plaintes entrecoupées à l'adresse de la « méchante tante Cathy », ce qui attira la fureur de celle-ci sur sa malheureuse petite personne : elle le saisit par les épaules et le secoua jusqu'au moment où le pauvre enfant devint blême et où Edgar prit spontanément les mains de la jeune fille pour le délivrer. L'instant d'après, l'une des mains se dégagea et le jeune homme étonné la sentit frapper son oreille d'une telle manière que la chose ne pouvait pas passer pour une plaisanterie. Il recula consterné. Je pris Hareton dans mes bras et l'emmenai dans la cuisine, tout en laissant la porte de communication ouverte, car j'étais curieuse de voir comment ils régleraient leur différend. Le visiteur insulté alla à l'endroit où il avait posé son chapeau. Il était pâle et sa lèvre tremblait.

« Très bien ! me dis-je. Tenez-vous pour averti et partez ! C'est une faveur que de vous avoir laissé entrevoir son vrai caractère.

— Où allez-vous ? » demanda Catherine en s'avançant vers la porte.

Il fit un crochet et tenta de passer.

« Ne partez pas ! s'écria-t-elle avec énergie.

— Je dois partir et je partirai ! répondit-il d'une voix contenue.

— Non, reprit-elle avec insistance en s'emparant de la poignée. Pas encore, Edgar Linton. Asseyez-vous. Vous ne me laisserez pas dans cet état. Je serai malheureuse toute la nuit et je ne veux pas être malheureuse à cause de vous !

— Puis-je rester alors que vous m'avez frappé ? » demanda Linton.

Catherine se tut.

« Vous avez fait en sorte que j'aie peur et honte de vous, continua-t-il. Je ne reviendrai plus ici. »

Les yeux de Catherine commencèrent à briller, et ses paupières à battre.

« Et vous avez menti délibérément ! dit-il.

— Non, cria-t-elle, recouvrant la parole. Je n'ai rien fait délibérément. Eh bien, partez si vous voulez — allez-vous-en ! Et maintenant je vais pleurer — pleurer à m'en rendre malade ! »

Elle tomba à genoux près d'une chaise et se mit à pleurer pour tout de bon. Edgar persévéra dans sa résolution jusque dans la cour ; là il hésita. Je résolus de l'encourager.

« Miss est terriblement capricieuse, lui criai-je. Aussi méchante que peut l'être une enfant gâtée. Vous feriez mieux de rentrer chez vous, sans quoi elle se rendra malade à seule fin de vous tourmenter. »

Le faible garçon jeta un regard de biais vers la fenêtre : il était aussi peu capable de partir qu'un chat de laisser une souris à moitié tuée ou un oiseau à moitié dévoré. Ah ! pensai-je, rien ne saurait le sauver : il est condamné et il vole à son destin ! C'est ce qui arriva : il se retourna brusquement, rentra avec précipitation dans la salle, fermant la porte derrière lui ; et quelque temps après, quand je vins les prévenir qu'Earnshaw était rentré dans un état d'ivresse furieuse et prêt à faire tout voler en l'air autour de nous (sa disposition habituelle quand il était dans cet état), je vis que la querelle n'avait fait que resserrer leur intimité — brisant les barrières de la timidité juvénile et leur permettant de rejeter le déguisement de l'amitié pour s'avouer leur amour.

La nouvelle de l'arrivée de Mr. Hindley fit fuir aussitôt Linton vers son cheval et Catherine dans sa chambre. J'allai cacher le petit Hareton et décharger la carabine du maître, car il aimait à jouer avec elle dans sa folle excitation, pour le péril mortel de ceux qui suscitaient ou simplement qui attiraient trop son attention ; et j'avais décidé d'enlever la balle pour qu'il fît moins de dégâts s'il allait jusqu'à tirer.

IX

Il entra, vociférant d'effroyables jurons, et me surprit au moment où je dissimulais son fils dans le buffet de la cuisine. Hareton avait une terreur salutaire de subir aussi bien les féroces accès de tendresse de son père que sa fureur de dément ; car dans un cas il courait le risque d'être étouffé sous son étreinte et ses baisers, et dans l'autre celui d'être jeté dans le feu ou précipité contre le mur ; et le pauvre petit se tenait parfaitement coi où qu'il me vînt en tête de le mettre.

« Ah ! je le trouve enfin, s'écria Hindley en me tirant en arrière par la peau du cou, comme un chien. Par le ciel et l'enfer, vous avez juré entre vous de tuer cet enfant ! Je comprends maintenant comment il se fait que je ne le rencontre jamais. Mais, avec l'aide de Satan, je te ferai avaler le couteau à découper, Nelly ! Tu n'as pas lieu de rire, car je viens de fourrer Kenneth la tête la première dans le marais du Cheval Noir : aussi bien deux qu'un — d'ailleurs j'ai envie de tuer quelques-uns d'entre vous, je n'aurai pas de repos que ça ne soit fait !

— Le couteau à découper ne me dit rien, Mr. Hindley, répondis-je. Il vient de fendre des harengs saurs. Je préférerais être fusillée, ne vous en déplaise.

— Tu préférerais être damnée ! reprit-il, et tu le seras. Aucune loi en Angleterre ne peut empêcher un homme d'avoir une maison décente, et la mienne est abominable ! Ouvre la bouche. »

Il avait le couteau à la main, et il m'en enfonça la pointe entre les dents ; mais quant à moi, je n'ai jamais eu très peur de ses extravagances. Je me mis à cracher en déclarant qu'il avait un goût détestable — que je n'en voulais à aucun prix.

« Oh ! dit-il en me lâchant, je vois que cet affreux petit coquin n'est pas Hareton. Je te demande pardon, Nell. Si c'est lui, il mérite d'être écorché vif pour ne pas être accouru à ma rencontre et pour glapir comme si j'étais un gobelin. Viens ici, chiot dénaturé ! Je t'apprendrai à tromper un père qui se laisse abuser dans la bonté de son cœur. Dis-moi, ne crois-tu pas que ce gamin aurait meilleur air si on lui coupait les oreilles ? Cela rend les chiens plus féroces, et j'aime qu'on soit féroce — donne-moi des ciseaux — féroce et soigné ! D'ailleurs, c'est une affectation infernale, une vanité diabolique que de tenir à ses oreilles : nous sommes assez ânes sans elles. Paix, enfant, paix ! Voyons donc, mon chéri ! Allons, essuie tes yeux... tu es un trésor : embrasse-moi. Comment ! Tu ne veux pas ? Embrasse-moi, Hareton ! Sacredieu, embrasse-moi ! Pardieu, comme si j'allais élever pareil monstre ! Aussi sûr que je vis, je vais casser le cou à ce môme-là ! »

Le pauvre Hareton braillait et se débattait de toutes ses forces dans les bras de son père, et il redoubla de hurlements quand celui-ci l'emporta en haut de l'escalier et le haussa par-dessus la rampe. Je lui criai qu'il allait donner des convulsions à l'enfant et me précipitai pour le sauver. Comme je les rejoignais, Hindley se pencha sur la rampe pour écouter un bruit qui montait d'en bas, oubliant presque ce qu'il tenait dans ses mains.

« Qui est là ? » demanda-t-il en entendant quelqu'un

s'approcher du pied de l'escalier. Je me penchai aussi, afin de faire signe à Heathcliff, dont j'avais reconnu le pas, de ne point avancer; et à l'instant où je quittai Hareton du regard, l'enfant eut un sursaut brusque, se dégagea des mains négligentes qui le retenaient, et tomba.

A peine eûmes-nous le temps de frissonner d'horreur avant de voir que le pauvre petit était sain et sauf. Heathcliff était arrivé au-dessous de lui juste au moment critique; d'un geste instinctif, il l'attrapa au vol, le remit sur ses pieds et leva les yeux pour découvrir l'auteur de l'accident. Un avare qui s'est défait d'un billet de loterie gagnant pour cinq shillings, et qui découvre le lendemain qu'il a perdu cinq mille livres à ce marché, n'aurait pas l'air plus décontenancé que lui quand il aperçut en haut la silhouette de Mr. Earnshaw. Sa physionomie exprimait, plus clairement qu'aucunes paroles n'auraient pu le faire, l'intense dépit d'avoir contrecarré lui-même sa vengeance. S'il avait fait sombre, je crois qu'il aurait essayé de remédier à son erreur en fracassant le crâne de Hareton sur les marches; mais nous avions été témoins du sauvetage; et je fus bientôt en bas, serrant contre mon cœur la précieuse vie confiée à ma garde. Hindley descendit plus lentement, dégrisé et confus.

« C'est de ta faute, Ellen, dit-il. Tu aurais dû le dérober à ma vue; tu aurais dû me l'enlever! Est-il blessé quelque part?

— Blessé, m'écriai-je avec colère. S'il n'est pas blessé, il restera idiot! Oh! je m'étonne que sa mère ne surgisse pas de sa tombe à voir comment vous en usez avec lui. Vous êtes pire qu'un païen... traiter de cette manière votre chair et votre sang! »

Il essaya de toucher l'enfant qui, dès qu'il s'était trouvé avec moi, avait interrompu ses sanglots de terreur. Au premier doigt que son père posa sur lui, il recommença à crier de plus belle comme s'il allait entrer en convulsions.

« Laissez-le tranquille! dis-je. Il vous déteste — tout le monde vous déteste — voilà la vérité. Vous avez là une heureuse famille et vous vous êtes mis dans un joli état!

— J'en viendrai à un état plus joli encore, Nelly, ricana l'égaré en recouvrant sa dureté. A présent, va-t'en et emporte-le. Quant à toi, Heathcliff, écoute-moi ! Débarrasse le plancher, toi aussi, reste hors de ma portée et loin de mes oreilles. Je ne voudrais pas te tuer cette nuit — à moins que je ne mette d'aventure le feu à la maison : cela dépendra de ma fantaisie. »

Ce disant, il saisit une pinte d'eau-de-vie dans le buffet et s'en versa un grand verre.

« Non ! suppliai-je. Je vous en prie, Mr. Hindley, prenez garde. Ayez pitié de ce malheureux enfant si vous n'avez pas souci de vous-même !

— N'importe qui lui sera d'un meilleur secours, répondit-il.

— Ayez pitié de votre âme ! dis-je, en essayant de lui enlever le verre de la main.

— Moi ! Au contraire, j'aurai grand plaisir à l'envoyer à la perdition pour punir son Créateur, blasphéma-t-il. Je bois de tout cœur à sa damnation ! »

Il avala l'alcool et nous ordonna impatiemment de déguerpir, en terminant son injonction par une série d'horribles imprécations, trop affreuses pour qu'on les répète ou qu'on se les rappelle.

« C'est dommage qu'il ne puisse pas se tuer de boisson, observa Heathcliff, murmurant des malédictions en écho quand la porte se fut refermée. Il fait de son mieux ; mais sa constitution lui tient tête. Mr. Kenneth déclare qu'il gagerait sa jument qu'il survivra à quiconque de ce côté-ci de Gimmerton et qu'il ne descendra dans la tombe avec ses péchés que le chef blanc — à moins de quelque heureux hasard hors du commun. »

J'allai dans la cuisine et je m'assis pour bercer mon agnelet. Je crus que Heathcliff s'en allait à la grange. Il apparut plus tard qu'il avait seulement fait le tour de la banquette et qu'il s'était jeté sur un banc, contre le mur, à l'écart du feu, en gardant le silence.

Je berçais Hareton sur mes genoux en fredonnant une chanson qui commençait ainsi :

Au mitan de la nuit les petiots ont gémi
Et dans sa tombe la maman les entendit.

quand Miss Cathy, qui, de sa chambre, avait écouté le tintamarre, passa la tête et murmura :

« Es-tu seule, Nelly ?

— Oui, Miss », répondis-je.

Elle entra et s'approcha de l'âtre. Moi, supposant qu'elle allait dire quelque chose, je levai les yeux. Sa physionomie semblait troublée et anxieuse. Elle avait les lèvres entr'ouvertes, comme si elle voulait parler, et elle retint son souffle ; mais pour l'exhaler dans un soupir au lieu d'une phrase. Je me remis à chanter, n'ayant pas oublié sa conduite récente.

« Où est Heathcliff ? demanda-t-elle, m'interrompant.

— Dans l'écurie, à son travail », répondis-je.

Il ne me contredit pas ; peut-être était-il assoupi. Un autre long silence suivit, pendant lequel je vis une larme ou deux couler de la joue de Catherine sur les dalles. Regrette-t-elle sa honteuse conduite ? me demandai-je. Ce serait du nouveau ; bah ! qu'elle en vienne au fait comme elle voudra : je ne l'aiderai pas ! Mais non, elle ne se souciait de rien en dehors de ce qui l'intéressait personnellement.

« Hélas ! s'écria-t-elle enfin, je suis bien malheureuse !

— C'est dommage, observai-je. Vous êtes difficile à contenter : tant d'amis, si peu de soucis, et pourtant pas satisfaite !

— Nelly, me garderas-tu un secret ? poursuivit-elle, s'agenouillant près de moi et levant ses yeux enjôleurs vers mon visage avec cette sorte de regard qui chasse la mauvaise humeur même lorsqu'on a toutes les raisons du monde de s'y abandonner.

— Vaut-il la peine d'être gardé ? demandai-je d'un ton moins revêche.

— Oui, et il me tracasse et il faut que je m'en décharge ! Je veux savoir ce que je dois faire. Edgar Linton m'a demandé aujourd'hui de l'épouser, et je lui ai donné ma réponse. Maintenant, avant que je te dise si elle fut un consentement ou un refus, dis-moi, toi, ce qu'elle aurait dû être.

— Vraiment, Miss Catherine, comment le saurais-je? répondis-je. A coup sûr, étant donné le spectacle que vous lui avez offert cet après-midi, je dirais qu'il serait sage de refuser: dès lors qu'il vous a fait sa demande après ça, il doit être d'une stupidité sans espoir ou d'une folle témérité.

— Si tu parles ainsi, je ne dirai plus rien, repartit-elle, piquée, en se relevant. J'ai accepté, Nelly. Dis-moi vite si j'ai eu tort.

— Vous avez accepté! Alors à quoi bon discuter? Vous avez donné votre parole, vous ne pouvez plus vous en dédire.

— Mais dis-moi si j'ai bien fait... dis-le-moi! s'écria-t-elle d'un ton irrité en frottant ses mains l'une contre l'autre et en fronçant les sourcils.

— Il y a bien des choses à considérer avant de pouvoir répondre à cette question comme il convient, dis-je sentencieusement. Avant tout et surtout, aimez-vous Mr. Edgar?

— Qui ne l'aimerait? Naturellement que je l'aime», répondit-elle.

Sur quoi je la fis passer par le catéchisme qui suit — assez judicieux pour une fille de vingt-deux ans.

«Pourquoi l'aimez-vous, Miss Cathy?

— Sottise! Je l'aime... ça suffit.

— Pas du tout; il faut dire pourquoi.

— Eh bien! parce qu'il est beau et d'agréable compagnie.

— Mauvaise raison! fut mon commentaire.

— Et parce qu'il est jeune et joyeux.

— Mauvaise raison encore.

— Et parce qu'il m'aime.

— Cela ne compte guère, vu le rang qu'il occupe dans vos raisons.

— Et il sera riche, et je serai contente d'être la plus grande dame du voisinage, et je serai fière d'avoir un pareil mari.

— Pis que tout. Et maintenant dites-moi comment vous l'aimez?

— Comme tout le monde aime. Tu es sotte, Nelly.

— Pas du tout : répondez.

— J'aime le sol qu'il foule, l'air qui l'entoure et tout ce qu'il touche et tout ce qu'il dit. J'aime toutes ses expressions et tous ses gestes, je l'aime entièrement et complètement. Voilà !

— Et pourquoi ?

— Non, tu tournes la chose en plaisanterie ; c'est excessivement cruel ! Ce n'est pas une plaisanterie pour moi ! dit la jeune demoiselle, se renfrognant et tournant son visage vers le feu.

— Je suis très loin de plaisanter, Miss Catherine, répondis-je. Vous aimez Mr. Edgar parce qu'il est beau, qu'il est jeune, et joyeux, et riche, et qu'il vous aime. La dernière raison, toutefois, ne compte pas : vous l'aimeriez sans cela, probablement ; et, avec cela, vous ne l'aimeriez pas, s'il ne possédait les quatre premiers attraits.

— Non, assurément pas : j'aurais seulement pitié de lui — peut-être même le détesterais-je s'il était laid et si c'était un rustre.

— Mais il y a d'autres beaux et riches jeunes gens de par le monde : peut-être même y en a-t-il de plus beaux et plus riches que lui. Qu'est-ce qui vous empêcherait de les aimer?

— S'il y en a, ils sont restés en dehors de mon chemin ! Je n'en ai vu aucun qui fût comme Edgar.

— Vous en verrez peut-être ; et lui ne sera pas toujours aussi beau ni aussi jeune, il pourra même n'être pas toujours riche.

— Il l'est pour l'instant, et je n'ai affaire qu'au présent. J'aimerais que tu parles raison.

— Eh bien ! cela tranche la question : si vous n'avez affaire qu'au présent, épousez Mr. Linton.

— Je n'ai pas besoin de ta permission pour cela : je l'épouserai. Et pourtant tu ne m'as pas dit si j'ai raison.

— Parfaitement raison, si les gens ont raison de ne se marier que pour le présent. Et maintenant, voyons un peu ce qui vous rend chagrine. Votre frère sera content ; le vieux monsieur et la vieille dame ne feront pas de difficultés, je crois ; vous troquerez une maison où règnent le désordre et l'inconfort pour une maison riche et respectable ; et vous aimez Edgar, et Edgar vous aime. Tout paraît simple et facile : où est l'obstacle ?

— *Ici !* et *Ici !* répondit Catherine en se frappant le front d'une main et la poitrine de l'autre. Où qu'habite l'âme. En mon âme et conscience, je suis convaincue que j'ai tort !

— C'est bien étrange ! Je ne saisis pas.

— C'est mon secret. Pourtant, si tu t'abstiens de te moquer de moi, je te l'expliquerai. Je ne puis pas le faire très nettement, mais je te ferai un peu sentir ce que je sens. »

Elle se rassit près de moi. Sa physionomie se fit plus triste et plus grave, et ses mains jointes se mirent à trembler.

« Nelly, n'as-tu jamais de rêves bizarres ? demanda-t-elle soudain après quelques minutes de réflexion.

— Si, de temps en temps, répondis-je.

— Moi aussi. J'ai fait dans ma vie des rêves qui me sont toujours restés présents dans la suite et qui ont transformé mes idées. Ils se sont mêlés à moi, comme le vin à l'eau, et ils ont changé la couleur de mon esprit. En voici un : je vais te le raconter — mais garde-toi de rire à aucun moment.

— Oh ! non, Miss Catherine, n'en faites rien, m'écriai-je. Nous sommes assez sombres comme ça sans évoquer des visions et des fantômes pour nous troubler. Allons, allons, soyez joyeuse, soyez vous-même ! Regardez le petit Hareton ! Il ne rêve à rien de lugubre, lui. Comme il sourit suavement dans son sommeil !

— Oui ; et comme son père jure suavement dans sa solitude ! Tu te souviens de lui, sûrement, quand il était tout pareil à ce petit être potelé — presque aussi jeune et aussi innocent. Quoi qu'il en soit, Nelly, je te forcerai à m'écouter ; ce ne sera pas long, et je suis incapable d'être gaie ce soir.

— Je ne veux pas entendre, je ne veux pas entendre », répétai-je vivement.

J'avais la superstition des rêves en ce temps-là, et je l'ai encore. D'ailleurs il y avait chez Catherine une veine sombre inaccoutumée qui me faisait craindre d'entendre quelque chose dont je pourrais faire un présage et l'annonce d'une redoutable catastrophe. Elle fut contrariée, mais elle ne continua pas. Abordant en apparence un autre sujet, elle reprit bientôt :

« Si j'étais au Ciel, Nelly, je serais extrêmement malheureuse.

— C'est que vous n'êtes pas faite pour y aller, répondis-je. Tous les pécheurs seraient malheureux au Ciel.

— Ce n'est pas cela. J'ai rêvé une fois que j'y étais.

— Je vous dis que je ne veux pas écouter vos rêves, Miss Catherine ! Je vais aller au lit », protestai-je à nouveau.

Elle rit et me retint, car j'avais fait un mouvement pour quitter ma chaise.

« Mais ce n'est rien ! s'écria-t-elle. J'allais seulement dire que le Ciel ne m'est pas apparu comme mon chez-moi ; et je pleurais à cœur fendre du désir de retourner sur la terre ; et les anges étaient si en colère qu'ils me précipitèrent en pleine lande au faîte de Hurlevent — où je me réveillai en sanglotant de joie. Ce n'est pas plus mon affaire d'épouser Edgar Linton que ce ne l'est d'être au Ciel ; et si le méchant homme qui est là n'avait pas avili Heathcliff comme il l'a fait, je n'y aurais pas songé. Ce serait me dégrader que d'épouser maintenant Heathcliff ; aussi ne saura-t-il jamais combien je l'aime, et cela non parce qu'il est beau, Nelly, mais parce qu'il est davantage moi-même que je ne le suis. De quoi que soient faites nos âmes, la sienne et la mienne sont pareilles, et celle de Linton est aussi différente d'elles qu'un rayon de lune d'un éclair ou le gel du feu. »

Avant que ce discours fût terminé, je me rendis compte que Heathcliff était là. Ayant entendu un léger mouvement, je tournai la tête, et je le vis se lever de son banc et se glisser sans bruit au-dehors. Il avait écouté jusqu'au moment où il avait entendu Catherine dire qu'elle se dégraderait en l'épousant, après quoi il n'était pas resté pour en entendre davantage. Le dossier de la banquette empêcha ma compagne, assise sur le sol, de remarquer sa présence ou son départ ; mais je tressaillis et lui fis signe de baisser la voix.

« Pourquoi ? demanda-t-elle en regardant nerveusement autour d'elle.

— Joseph est là, répondis-je, car j'avais perçu opportunément le roulement de sa charrette sur la route, et Heathcliff va rentrer avec lui. Je ne suis pas sûre qu'il n'était pas près de la porte il y a un instant.

— Oh ! il ne pourrait pas m'entendre de là porte ! dit-elle. Donne-moi Hareton pendant que tu prépareras le souper et, quand ce sera prêt, invite-moi à souper avec toi. Je veux tromper ma conscience troublée et me persuader que Heathcliff n'a aucune notion de ces choses. C'est vrai, n'est-ce pas ? Il ne sait pas ce que c'est que d'être amoureux ?

— Je ne vois pas de raison pour qu'il ne le sache pas aussi bien que vous, répondis-je ; et si c'est vous qu'il a choisie, il sera la créature la plus infortunée qui ait jamais vu le jour ! Dès l'instant que vous devenez Mrs. Linton, il perd son amie, son amour, tout ! Vous êtes-vous demandé comment vous supporterez la séparation et comment il supportera, lui, d'être entièrement abandonné en ce monde. Car, Miss Catherine...

— Lui entièrement abandonné ! Nous séparés ! s'écria-t-elle avec un accent d'indignation. Qui nous séparera, je te prie ? Celui qui le tenterait aurait le sort de Milon de Crotone ! Il n'en sera rien tant que je vivrai, Ellen ; pas pour qui que ce soit en ce monde. Tous les Linton de la terre pourraient se réduire à néant avant que je consente à abandonner Heathcliff. Oh ! Ce n'est pas là mon intention, ce n'est pas là ma pensée ! Je ne serais pas Mrs. Linton si l'on exigeait de moi pareil prix ! Il restera pour moi toute sa vie ce qu'il a été. Edgar devra se défaire de son antipathie et, tout au moins, le tolérer. C'est ce qu'il fera quand il saura ce que sont mes véritables sentiments à l'égard de Heathcliff. Nelly, je le vois maintenant, tu me tiens pour une misérable égoïste ; mais ne t'est-il jamais venu à l'esprit que si nous nous mariions, Heathcliff et moi, nous serions des gueux ? Tandis que, si j'épouse Linton, je puis aider Heathcliff à se relever et le soustraire au pouvoir de mon frère.

— Avec l'argent de votre mari, Miss Catherine ? demandai-je. Vous ne le trouverez pas aussi souple que vous l'escomptez ; et bien qu'il ne m'appartienne guère d'en juger, je crois que c'est là le plus mauvais motif que vous ayez encore invoqué pour épouser le jeune Linton.

— Mais non, répliqua-t-elle, c'est le meilleur ! Les autres tendaient à satisfaire mes penchants, ou bien se rapportaient à Edgar et à sa propre satisfaction. Mais celui-ci se rapporte à quelqu'un qui réunit dans sa personne ce que je ressens pour Edgar et pour moi-même. C'est quelque chose que je ne parviens pas à exprimer ; mais tu as sûrement l'idée, comme tout le monde, qu'il y a ou qu'il devrait y avoir une existence pour toi au-delà de toi-même. A quoi servirait-il que j'aie été créée si j'étais contenue toute ici-bas ? Mes grandes souffrances en ce monde ont été les souffrances de Heathcliff, je les ai toutes observées et ressenties dès le début : ma grande pensée dans la vie, c'est lui-même. Si tout le reste périssait et qu'il demeurât, lui, je continuerais d'être, moi aussi, et si tout le reste demeurait et que lui fût anéanti, l'univers me deviendrait formidablement étranger : je ne semblerais plus en faire partie. Mon amour pour Linton est comme le feuillage des bois : le temps le changera, je m'en rends bien compte, comme l'hiver change les arbres. Mon amour pour Heathcliff ressemble aux rocs éternels du sous-sol : source de peu de joie visible, mais nécessaires. Nelly, je *suis* Heathcliff ! Il m'est toujours, toujours présent à l'esprit : non comme un plaisir, pas plus que je ne suis toujours un plaisir pour moi-même, mais comme mon propre être. Ainsi donc, ne parle plus de notre séparation : elle est impossible, et... »

Elle s'arrêta et cacha son visage dans les plis de ma robe ; mais je la repoussai avec force. Sa folie mettait ma patience à bout !

« Si je puis tirer un sens de ce fatras insensé, Miss, répondis-je, il ne sert qu'à me convaincre que vous êtes ignorante des devoirs auxquels on s'engage en se mariant, ou bien que vous êtes une fille perverse, sans principes. Mais ne m'embarrassez plus d'autres secrets. Je ne promets pas de les garder.

— Tu garderas celui-ci ? demanda-t-elle vivement.

— Non, je ne promets rien », répétai-je.

Elle allait insister, quand l'entrée de Joseph mit un terme à notre conversation. Sur quoi Catherine transporta sa chaise dans un coin et se mit à bercer Hareton pendant que je faisais le souper. Quand il fut prêt, nous commençâmes à nous quereller, Joseph et moi, pour savoir qui apporterait sa part à Mr. Hindley ; et nous ne tranchâmes pas la question avant que tout eût refroidi. Nous convînmes alors d'attendre qu'il appelât lui-même s'il voulait quelque chose ; car nous redoutions particulièrement d'aller le trouver quand il était resté quelque temps seul.

« Commint c'vaurin est-y pas rev'nu des chimps à c't'heure ? Qué qu'y fait encore, c'grand feignint ? demanda le vieil homme en cherchant Heathcliff du regard.

— Je vais l'appeler, répondis-je. Il est sans doute dans la grange. »

J'allai l'appeler, mais je n'obtins pas de réponse. A mon retour, je chuchotai à Catherine qu'il avait sûrement entendu une bonne part de ce qu'elle avait dit ; et je lui rapportai que je l'avais vu quitter la cuisine au moment même où elle se plaignait du comportement de son frère envers lui. Elle bondit de frayeur, jeta Hareton sur la banquette et courut chercher son ami, sans prendre le temps de se demander pourquoi elle était si troublée ni comment ses paroles avaient pu l'affecter. Elle resta si longtemps absente que Joseph proposa de ne plus attendre. Il conjectura finement qu'ils restaient à l'écart pour éviter d'entendre son interminable bénédicité. Ils étaient « assez meuvais pour avouère les plus vilaines manières », affirma-t-il. Et, à leur intention, il ajouta ce soir-là une prière spéciale à l'habituelle imploration d'un quart d'heure qui précédait chaque repas ; il en aurait même cousu une autre au bout du bénédicité si sa jeune maîtresse n'avait fait irruption tout à coup en lui enjoignant précipitamment de courir sur la route pour trouver Heathcliff, où qu'il s'en fût allé vagabonder, et de le faire rentrer sur-le-champ.

« Je veux lui parler, il *faut* que je lui parle avant de monter, dit-elle. Et la grille est ouverte : il est quelque part où il ne peut pas m'entendre ; car il n'a pas répondu, bien que j'aie crié de toutes mes forces en haut du parc à moutons. »

Joseph fit tout d'abord des difficultés ; mais elle prenait la chose trop à cœur pour souffrir la contradiction ; de sorte qu'il finit par mettre son chapeau sur sa tête et par sortir en grommelant. Cependant, Catherine marchait de long en large en s'exclamant :

« Je me demande où il est... Je me demande où il peut bien être ? Qu'est-ce que j'ai dit, Nelly ? J'ai oublié. A-t-il été blessé par ma mauvaise humeur de l'après-midi ? Mon Dieu ! Dis-moi ce que j'ai fait pour le peiner. Comme je voudrais, comme je voudrais qu'il revienne !

— Voilà bien du bruit pour rien ! m'écriai-je, quoique je fusse moi-même assez inquiète. Vous vous effrayez d'une bagatelle ! Sûrement, ce n'est pas un grand sujet d'alarme que Heathcliff fasse une promenade au clair de lune sur la lande, ou même qu'il soit allé se tapir dans le grenier à foin et qu'il boude trop pour nous parler. Je parie qu'il est caché là. Vous allez voir si je ne le déniche pas ! »

Je partis pour reprendre mes recherches ; mais leur résultat fut décevant, et la quête de Joseph se termina de la même manière.

« C'gars-là, y d'vient d'pire in pire ! observa-t-il en rentrant. Il a laissé la grille grinde ouverte, et l'poney de Miss a piétiné deux rings d'blé en passint au travers pour s'in aller tout dret dins l'pré. C'est sûr que l'maît'f'ra un raffut du dièble d'main matin et il aura raison. Il est la patiince même avec des créatures aussi sans soin et abominab' — la patiince même ! Mais il le s'ra point toujours, vous l'verrez, tous tint qu'vous êtes. Vous lui aurez pas fait perdre la tête pour rin !

— As-tu trouvé Heathcliff, âne que tu es ? dit Catherine, coupant court à sa tirade. L'as-tu cherché comme je t'en avais donné l'ordre ?

— J'aurais plutôt été chercher le ch'val, répondit-il. Ça aurait plus d'sins. Mais on peut chercher ni ch'val ni homme par une nuit pareille — il fait nouère comme dans une cheminée! Et Heathcliff est pas un gars à venir quand c'est moué qui siffle. P't'êt' bin qu'y s'ra moins dur d'oreille si c'est vous qui sifflez!»

C'était en effet une soirée bien sombre pour l'été: les nuages semblaient annoncer l'orage, et je déclarai que ce que nous avions de mieux à faire était de rester tranquillement assis; car la pluie qui menaçait ramènerait sûrement Heathcliff à la maison sans que nous prissions plus de peine. Catherine, toutefois, ne se laissa point calmer pour autant. Elle continua d'aller et venir de la grille à la porte, en proie à une agitation qui ne lui permettait de s'accorder aucun repos; en fin de compte, elle se posta de façon permanente près du mur, au bord de la route; et elle resta là, sans se soucier de mes remontrances non plus que du tonnerre qui grondait et des grosses gouttes qui commençaient à s'écraser autour d'elle, appelant par intervalles, puis écoutant, puis pleurant à chaudes larmes. Quand elle avait une bonne crise de larmes passionnée, elle l'emportait en cela sur Hareton et sur n'importe quel enfant.

Vers minuit, comme nous continuions à veiller, l'orage se déchaîna sur Hurlevent de toute sa fureur. La bourrasque faisait rage autant que le tonnerre, et l'un ou l'autre fendit un arbre à l'angle de la maison: une énorme branche tomba en travers du toit et abattit une partie de la cheminée de l'est, en envoyant une pluie de pierres et de suie dans le feu de la cuisine. Nous crûmes que la foudre était tombée au milieu de nous, et Joseph s'affaissa sur les genoux en implorant le Seigneur de se souvenir des patriarches Noé et Loth et, comme dans l'ancien temps, d'épargner les justes tout en frappant les impies. J'avais, moi aussi, le sentiment que ce devait être là un jugement à nos dépens. Le Jonas, dans mon esprit, était Mr. Earnshaw; et je secouai le bouton de porte de son repaire pour reconnaître s'il vivait encore. Il répondit d'une voix passablement distincte et d'une manière qui amena mon compagnon à vociférer plus bruyamment que jamais, en plaidant pour qu'une ligne de partage fût nettement tracée entre les justes comme lui-même et les pécheurs comme son maître. Mais le tumulte s'apaisa en vingt minutes, nous laissant tous indemnes, — excepté Cathy qui fut complètement trempée du fait de son obstination à refuser de se mettre à l'abri, et à rester dehors sans chapeau ni fichu pour avoir les cheveux et les vêtements imprégnés d'autant d'eau que possible. Elle rentra et s'étendit sur la banquette, ruisselante comme elle l'était, le visage tourné vers le dossier et enfoui dans ses mains.

« Eh bien ! Miss, m'écriai-je en lui touchant l'épaule, seriez-vous décidée à attraper la mort ? Savez-vous quelle heure il est ? Minuit et demi. Allons, venez au lit ! Il ne sert à rien d'attendre plus longtemps ce ridicule garçon : il sera allé à Gimmerton et maintenant il y restera. Il doit penser que nous ne l'avons pas attendu jusqu'à cette heure tardive, ou du moins il doit se dire que Mr. Hindley seul est debout ; et il ne tient sans doute pas à se voir ouvrir la porte par le maître.

— Non, non, il est point à Gimmerton ! dit Joseph. Y aurait rin d'étonnint qu'y souet au fin fond d'une fondrière. C'te visitation du Ciel a point été pour rin, et je vous conseille de prindre garde, miss — ça s'ra votre tour la prochaine foué. Le Ciel soye loué en toutes choses ! Tout conspire au bien d'ceux qu'il a choisis et triés d'avec la mauvaise graine ! Vous savez c'que dit l'Écriture. »

Et il se mit à citer divers textes, en nous référant aux chapitres et aux versets où nous pourrions les trouver.

Après avoir vainement supplié l'entêtée de se lever et de retirer ses vêtements mouillés, je les laissai, lui prêchant et elle grelottant, et m'en fus au lit avec le petit Hareton qui dormait d'aussi bon cœur que si tout le monde avait fait de même autour de lui. J'entendis Joseph continuer à pérorer quelque temps ; puis je distinguai son pas lent sur l'échelle, et je tombai endormie.

En descendant un peu plus tard que de coutume, je vis, à la lueur des rayons du soleil qui filtraient à travers les fentes des volets, Miss Catherine toujours assise auprès de l'âtre. La porte de la salle était entr'ouverte et la lumière entrait par ses fenêtres, que personne n'avait fermées; Hindley était sorti de sa chambre et se tenait devant la cheminée de la cuisine, hagard et somnolent.

« Qu'est-ce que tu as, Cathy? était-il en train de dire quand j'entrai. Tu as l'air aussi pitoyable qu'un chiot noyé. Pourquoi es-tu si mouillée et si pâle, petite?

— J'ai été trempée, répondit-elle comme à regret, et j'ai froid, c'est tout.

— Oh! elle est intraitable! m'écriai-je, voyant que le maître était suffisamment dégrisé. Elle s'est fait percer jusqu'aux os par l'averse d'hier soir et elle a passé toute la nuit ici sans que j'aie pu la faire bouger. »

Mr. Earnshaw nous regarda avec surprise.

« Toute la nuit, répéta-t-il. Qu'est-ce qui l'a fait rester debout? Pas la peur de l'orage, sûrement: il y a des heures qu'il a cessé. »

Ni elle ni moi ne tenions à mentionner l'absence de Heathcliff aussi longtemps que nous pouvions la cacher; aussi répondis-je que je ne savais pourquoi elle s'était mise en tête de rester debout, et elle ne dit rien. L'air du matin était vif et frais. J'ouvris la fenêtre, et la pièce s'emplit des suaves odeurs du jardin; mais Catherine m'interpella d'un ton chagrin: « Ellen, ferme la fenêtre, je suis transie! » Et elle claqua des dents tout en se pelotonnant près des braises presque éteintes.

« Elle est malade, dit Hindley en lui prenant le poignet. C'est pour cela, je suppose, qu'elle n'a pas voulu se coucher. Sacredié! Je ne tiens pas à être tracassé encore ici par la maladie. Pourquoi t'es-tu fourrée sous la pluie?

— Pour courir après les gars, comme d'habitude, croassa Joseph, profitant de notre hésitation pour faire intervenir sa mauvaise langue. Si j'étais d'vous, maît', je leur claquerais la porte au nez à tous, qu'y soyent des messieurs ou rin d'tel. Vous pouvez pas vous absinter un jour sans qu'ce chat d'Linton y vienne s'glisser ici; et Miss Nelly, en v'la une fière péronnelle! Elle vous guette de la cuisine; sitôt qu'vous intrez par une porte, Linton sort par l'autre; et alors not' grande dame s'en va fréquinter pour son compte! C't une belle conduite d'aller traîner par les chimps à minuit passé avec c't affreux bohémien, ce fieffé démon de Heathcliff! Ils croient que je suis aveugle moué; nenni, je n'suis rin de la sorte! J'ai vu l'jeune Linton s'in v'nir et s'in aller, et j'vous ai vue, vous (il s'adressait à moi), vaurienne, répugninte sorcière, bondir de vot'chaise et vous encourir dans la salle, dès qu'vous avez intindu les sabots du ch'val du maître claquer sur la route.

— Silence, écouteur aux portes! s'écria Catherine. Je ne veux pas entendre tes insolences! Edgar Linton est venu hier par hasard, Hindley, et c'est *moi* qui lui ai dit de s'en aller, parce que je savais que tu n'aimerais pas à le rencontrer dans l'état où tu étais.

— Tu mens, Cathy, sans aucun doute, répondit son frère, et tu es une maudite sotte! Mais peu importe Linton pour le présent. Dis-moi, n'étais-tu pas avec Heathcliff la nuit dernière? La vérité, cette fois! Tu n'as pas à craindre de lui nuire, car il m'a rendu service récemment et j'aurais scrupule à lui rompre le cou. Pour ne pas risquer de le faire, je l'expédierai à son travail ce matin même; et quand il sera parti, je vous conseille à tous d'être sur vos gardes: je n'en aurai que plus de mauvaise humeur à décharger sur vous.

— Je n'ai pas vu Heathcliff de toute la nuit dernière, répondit Catherine en commençant à sangloter amèrement, et si tu le mets à la porte, je m'en irai avec lui. Mais peut-être n'en auras-tu pas l'occasion... peut-être qu'il est parti. »

Ici elle cessa de pouvoir réprimer son chagrin et le reste de ses paroles ne fut que sons inarticulés.

Hindley déversa sur elle un torrent d'insultes méprisantes et l'enjoignit d'aller immédiatement dans sa chambre si elle ne voulait pas avoir une meilleure raison de pleurer! Je la forçai à obéir; et je n'oublierai jamais la scène qu'elle fit quand nous atteignîmes sa chambre: j'en fus terrifiée. Je crus qu'elle devenait folle et je suppliai Joseph de courir chercher le docteur. C'était, comme il apparut, un commencement de délire. Mr. Kenneth, dès qu'il la vit, la déclara dangereusement malade; elle avait une fièvre cérébrale. Il la saigna et m'ordonna de ne lui donner que de l'eau de gruau et du petit lait, et de prendre garde qu'elle ne se jetât dans la cage de l'escalier ou par la fenêtre. Puis il partit, car il avait passablement à faire dans la paroisse, où les habitations étaient distantes en general de deux ou trois milles.

Je ne puis prétendre avoir été une garde-malade douce, et ni Joseph ni le maître ne valaient mieux à cet égard; malgré cela, et bien que notre patiente fût aussi difficile et obstinée qu'une patiente peut l'être, elle s'en tira. La vieille Mrs. Linton nous fit plusieurs visites, bien sûr, et prétendit tout redresser et nous semonça et nous donna à tous des instructions; et quand Catherine fut entrée en convalescence, elle insista pour l'emmener au Manoir de la Grive, délivrance dont nous lui fûmes très reconnaissants. Mais la pauvre dame eut sujet de regretter sa bonté: elle et son mari prirent tous deux la fièvre et moururent à quelques jours d'intervalle.

Notre jeune demoiselle nous revint plus insolente, plus emportée et plus hautaine que jamais. Nous n'avions jamais eu de nouvelles de Heathcliff depuis le soir de l'orage; et un jour qu'elle avait mis ma patience à bout, j'eus le malheur de la rendre responsable de sa disparition, ce qui était la pure vérité, comme elle le savait bien. A dater de cet instant, pendant plusieurs mois de temps, elle cessa toutes relations avec moi hors celles qu'on a avec une simple servante. Joseph lui aussi fut frappé d'interdit: il persistait à vouloir lui dire ce qu'il pensait et à la sermonner comme si elle eût été une petite fille, alors qu'elle se considérait comme une femme et comme notre maîtresse, et qu'elle estimait que sa récente maladie lui donnait droit à des égards. D'ailleurs, le docteur avait dit qu'elle ne supporterait pas d'être contrariée; on devait lui laisser faire ses quatre volontés; et ce n'était rien de moins qu'un meurtre, à ses yeux, que de lui tenir tête et de la contredire. Elle se tenait à l'écart de Mr. Earnshaw et de ses compagnons; et son frère, mis en garde par Kenneth et par les sérieuses menaces de crise qui accompagnaient souvent ses colères, lui accordait tout ce qu'il lui plaisait d'exiger, et évitait en général d'exaspérer son tempérament fougueux. Il était plutôt trop indulgent à ses caprices; non par affection, mais par orgueil: il désirait vivement la voir conférer du crédit à la famille par une alliance avec les Linton, et, aussi longtemps qu'elle le laissait tranquille, elle pouvait bien nous fouler aux pieds comme des esclaves, il s'en moquait! Edgar Linton, comme bien des gens l'ont été avant lui et le seront après lui, était fou d'elle; et il se crut l'homme le plus heureux du monde le jour où il la conduisit à la chapelle de Gimmerton, trois ans après la mort de son père.

Ce fut bien à contrecœur que je me laissai persuader de quitter Hurlevent pour l'accompagner ici. Le petit Hareton allait sur ses cinq ans, et je venais de commencer à lui apprendre ses lettres. Nous nous séparâmes tristement; mais les larmes de Catherine eurent plus de pouvoir que les nôtres. Quand je refusai de partir, et quand elle vit que ses supplications ne m'ébranlaient pas, elle alla se lamenter auprès de son mari et de son frère. Celui-ci m'offrit des gages magnifiques; celui-là m'ordonna de faire mes paquets: il n'avait plus besoin de femmes dans la maison, disait-il, maintenant qu'il n'y avait plus de maîtresse; et quant à Hareton, le ministre ne tarderait pas à le prendre en main. Il ne me restait donc qu'un parti à prendre: celui de faire ce qu'on m'ordonnait. Je dis à mon maître qu'il ne se débarrassait de tous les gens convenables que pour courir plus vite à la ruine; j'embrassai Hareton; et depuis lors il est devenu pour moi un étranger: c'est bien étrange à penser, mais je ne doute pas qu'il ait perdu tout souvenir d'Ellen Dean et du temps où il était pour elle plus que le monde entier, comme elle pour lui!

Mon intendante en était là de son récit quand elle est venue à jeter un coup d'œil sur la pendule de la cheminée; et elle a été stupéfaite de voir les aiguilles marquer une heure et demie. Elle n'a pas voulu entendre parler de rester une seconde de plus: à vrai dire, j'inclinais moi-même à remettre la suite de l'histoire à plus tard. Et maintenant qu'elle a disparu pour aller se reposer, et que j'ai passé encore une heure ou deux à méditer, je vais faire appel à tout mon courage pour m'aller coucher moi aussi, en dépit d'un douloureux engourdissement de la tête et des membres.

X

Charmante introduction à la vie d'ermite ! Quatre semaines de torture, d'agitation, de maladie ! Oh ! ces vents glacés et ces incléments ciels du Nord et ces routes impraticables et ces médecins de campagne qui se font toujours attendre ! Oh ! cette absence de physionomies humaines ! Et pis que tout, le terrible avertissement de Kenneth que je ne devais pas m'attendre à sortir avant le printemps !

Mr. Heathcliff vient de m'honorer d'une visite. Voici une huitaine, il m'a envoyé une couple de coqs de bruyère, les derniers de la saison. Le gredin ! Il n'est pas tout à fait innocent de ma maladie, et cela, j'avais bien envie de le lui dire. Mais, mon Dieu, comment offenser un homme assez charitable pour passer une bonne heure à mon chevet et parler d'autre chose que de pilules et de potions, de vésicatoires et de sangsues ? Je connais une période de détente. Je suis trop faible pour lire, mais je sens que j'aurais plaisir à écouter un récit intéressant. Pourquoi ne pas faire monter Mrs. Dean pour qu'elle finisse son histoire ? Je m'en rappelle les principaux incidents jusqu'au point où elle en était arrivée. Oui, je me souviens que son héros s'était enfui et qu'on n'avait pas entendu parler de lui pendant trois ans ; et aussi que l'héroïne s'était mariée. Je vais sonner : elle sera enchantée de me trouver en état de causer gaiement.

Mrs. Dean est venue :

« Vous ne devez prendre votre médecine que dans vingt minutes, monsieur, a-t-elle commencé.

— Au diable la médecine ! répliquai-je. Je désire que...

— Le docteur dit que vous devez arrêter les poudres.

— De tout mon cœur ! Ne m'interrompez pas. Venez vous asseoir ici. Laissez tranquille cette détestable phalange de fioles. Tirez votre tricot de votre poche — c'est cela — et maintenant continuez l'histoire de Mr. Heathcliff depuis le moment où vous l'avez laissée jusqu'à ce jour. A-t-il terminé son éducation sur le continent pour revenir un gentleman? A-t-il eu une bourse d'étudiant dans un collège d'université? S'est-il enfui en Amérique, puis couvert de distinctions en versant le sang de ses compatriotes? Ou bien a-t-il fait fortune de manière plus expéditive sur les grands chemins d'Angleterre?

— Il a pu faire un peu de tous ces métiers-là, Mr. Lockwood, mais je ne saurais me porter garante d'aucun d'eux. J'ai déjà dit que je ne savais pas comment il avait acquis sa fortune; tout comme j'ignore par quels moyens il a tiré son esprit de la sauvage ignorance où il était tombé; mais, avec votre permission, je vais procéder à ma manière, si vous croyez que cela vous distraira sans vous fatiguer. Vous sentez-vous mieux ce matin?

— Beaucoup mieux.

— Voilà une bonne nouvelle. Je partis donc avec Miss Catherine pour le Manoir de la Grive; et, à mon agréable surprise, elle se conduisit infiniment mieux que je n'osais l'espérer. Elle semblait presque trop éprise de Mr. Linton; et témoignait même beaucoup d'affection à sa belle-sœur. Assurément, ils étaient tous deux très attentifs à son bien-être. Ce n'était pas la ronce ployant devant les chèvrefeuilles, mais les chèvrefeuilles embrassant la ronce. Il n'y avait pas de concessions mutuelles; l'une restait sans fléchir, et les autres cédaient. Comment pourrait-on être d'humeur méchante et agressive quand on ne rencontre ni opposition ni indifférence? J'observai que Mr. Edgar avait une crainte profonde de la heurter. Il s'en cachait à elle, mais si jamais il m'entendait lui répondre sèchement ou s'il voyait un autre domestique se rembrunir en recevant d'elle un ordre impérieux, il montrait son trouble par un froncement de sourcils qui ne lui venait jamais quand lui seul était en cause. A maintes reprises il me parla sévèrement de mon impertinence, affirmant qu'un coup de couteau n'aurait pu lui infliger pire douleur que celle qu'il ressentait à voir contrarier sa femme. Pour éviter de faire de la peine à un bon maître, j'appris à être moins susceptible; et pendant l'espace d'une demi-année, la poudre fut aussi inoffensive que du sable, parce qu'aucune flamme ne s'en approcha pour la faire exploser. Catherine avait de temps en temps des périodes d'humeur sombre et taciturne, respectées avec une sympathie silencieuse par son mari, qui les attribuait à une altération physiologique due à sa grave maladie, car elle n'avait jamais été sujette à des accès de dépression auparavant. Le retour du soleil chez elle était accueilli par un soleil correspondant chez lui. Je crois pouvoir dire qu'ils étaient vraiment en possession d'un bonheur profond, qui ne faisait que s'accroître.

Cela eut une fin. Voyez-vous, nous en venons fatalement à penser à nous-mêmes à la longue ; les cœurs doux et généreux mettent seulement plus de justice dans leur égoïsme que les natures dominatrices. Cela eut une fin quand les circonstances leur firent sentir à tous deux que l'intérêt de l'un n'était pas le souci majeur des pensées de l'autre. Un doux soir de septembre, je revenais du jardin avec un lourd panier de pommes que je venais de cueillir. La nuit était tombée, et la lune pointait par-dessus le grand mur de la cour, jetant des ombres indéfinissables dans les angles formés par les nombreuses saillies de la maison. Je déposai mon fardeau sur les marches, près de la porte de la cuisine, et restai là un moment à me reposer en aspirant encore quelques bouffées de cet air doux et parfumé ; je regardais la lune et tournais le dos à l'entrée, quand j'entendis derrière moi une voix qui disait :

« C'est vous, Nelly ? »

C'était une voix grave, d'intonation étrangère ; pourtant elle avait dans la manière de prononcer mon nom quelque chose qui rendait un son familier. Je me retournai pour reconnaître qui avait parlé ; non sans crainte, car les portes étaient fermées et je n'avais vu personne en m'approchant des marches. Quelque chose bougea sous le porche ; et, en m'avançant, je distinguai un homme de haute taille aux vêtements foncés, comme étaient foncés son visage et ses cheveux. Il s'appuyait au chambranle et tenait les doigts sur le loquet comme s'il se proposait d'ouvrir lui-même. « Qui cela peut-il être ? pensai-je. Mr. Earnshaw ? Oh ! non : sa voix est tout autre. »

« Il y a une heure que j'attends ici, reprit-il tandis que

je continuais à le dévisager, et tout est resté silencieux comme la mort. Je n'ai pas osé entrer. Vous ne me reconnaissez pas ! Regardez, je ne suis pas un inconnu ! »

Un rayon de lune tomba sur ses traits ; les joues étaient plombées et couvertes à demi de favoris noirs ; les sourcils tombants, les yeux enchâssés profond et singuliers. Je reconnus les yeux.

« Quoi ! m'écriai-je, ne sachant trop si je devais le regarder comme un visiteur de ce monde ; et l'étonnement me fit lever les mains. Quoi ! Vous revenu ? Est-ce vous ? Est-ce bien vous ?

— Oui, c'est Heathcliff, répondit-il en détournant de moi son regard pour l'élever vers les fenêtres, qui reflétaient une vingtaine de lunes étincelantes sans révéler aucune lumière au-dedans. Sont-ils à la maison ? Où est-elle ? Nelly, vous n'êtes pas contente ! Vous n'avez pas lieu d'être si troublée. Est-elle ici ? Parlez ! Je veux lui dire un mot — dire un mot à votre maîtresse. Allez la prévenir que quelqu'un de Gimmerton désire la voir.

— Comment va-t-elle prendre la chose ? m'écriai-je. Que va-t-elle faire ? La surprise me confond — cela va la rendre folle ! Oui, vous êtes bien Heathcliff ! Mais changé ! C'est à n'y rien comprendre. Avez-vous été soldat ?

— Allez porter mon message, répliqua-t-il impatiemment. Tant que ce ne sera pas fait, je suis en enfer ! »

Il leva le loquet, et j'entrai ; mais quand j'atteignis le salon où se trouvaient Mr. et Mrs. Linton, je ne pus me résoudre à avancer. Enfin je me décidai à prendre pour prétexte de leur demander s'ils voulaient qu'on allumât les bougies, et j'ouvris la porte.

Ils étaient assis tous deux dans l'embrasure d'une fenêtre dont le battant était repoussé contre le mur, découvrant, par-delà les arbres du jardin et le grand parc sauvage, la vallée de Gimmerton avec une longue traînée de brouillard qui montait en ondulant presque jusqu'à son extrémité (car sitôt passé la chapelle, comme vous avez pu le remarquer, l'eau qui s'écoule des marais par une tranchée rejoint un ru qui suit la courbe du val). Nos hauteurs s'élevaient au-dessus de cette vapeur argentée, mais notre vieille maison était invisible, car elle est plutôt sur l'autre versant. La pièce et ses occupants, ainsi que la scène qu'ils contemplaient, semblaient merveilleusement paisibles. J'éprouvais une vive répugnance à m'acquitter de ma mission; et j'étais vraiment sur le point de partir, après avoir posé ma question au sujet des bougies, quand le sentiment de ma sottise me fit revenir sur mes pas et murmurer :

« Quelqu'un de Gimmerton désire vous voir, madame.

— Que veut-il? demanda Mrs. Linton.

— Je ne le lui ai pas demandé, répondis-je.

— Eh bien! ferme les rideaux, Nelly, dit-elle; et apporte-nous le thé. Je reviens tout de suite. »

Elle quitta la pièce; Mr. Edgar demanda d'un ton indifférent de qui il s'agissait.

« C'est quelqu'un que notre maîtresse n'attend pas, répondis-je. Ce Heathcliff — vous vous le rappelez, monsieur — qui vivait chez Mr. Earnshaw.

— Quoi! le bohémien... le garçon de charrue? s'écria-t-il. Pourquoi ne l'avez-vous pas dit à Catherine?

— Chut! dis-je. Il ne faut pas lui donner ces noms-là, maître. Elle serait très peinée de vous entendre. Elle a failli avoir le cœur brisé quand il s'est enfui. M'est avis que son retour sera une fête pour elle. »

Mr. Linton traversa la pièce pour aller à une fenêtre qui donnait sur la cour. Il l'ouvrit et se pencha au-dehors. Je suppose qu'ils étaient en dessous, car il s'écria aussitôt :

« Ne restez pas là, ma chérie! Faites entrer le visiteur. Si c'est quelqu'un qui a lieu d'être introduit. »

J'entendis bientôt le cliquetis du loquet, et Catherine monta en courant, pantelante et effarée; trop excitée pour montrer sa joie : en vérité, à voir son visage, on aurait plutôt cru à un terrible malheur.

« Oh! Edgar, Edgar! s'écria-t-elle d'une voix haletante en lui jetant les bras autour du cou. Oh! Edgar chéri, Heathcliff est revenu... il est là. »

Et elle l'étreignait à l'étouffer.

« Allons, allons, dit avec humeur son mari, ne m'étranglez pas pour cela! Il ne m'a jamais fait l'impression d'être un si merveilleux trésor. Nulle raison de vous mettre dans tous vos états!

— Je sais que vous ne l'aimiez pas, répondit-elle en atténuant un peu l'intensité de sa joie. Mais, pour l'amour de moi, vous devez être amis à présent. Lui dirai-je de monter?

— Ici? demanda-t-il. Au salon?

— Où donc sinon?» demanda-t-elle.

Il avait l'air contrarié et il suggéra la cuisine comme un endroit plus approprié au visiteur. Mrs. Linton le regarda avec une expression drolatique — mi-fâchée, mi-riant de son formalisme.

« Non, ajouta-t-elle après un temps, je ne peux pas me tenir dans la cuisine. Dresse deux tables ici, Ellen : l'une pour ton maître et Miss Isabella, c'est-à-dire pour la classe supérieure, l'autre pour Heathcliff et moi, c'est-à-dire pour la classe inférieure. Cela vous conviendra-t-il, cher? Ou bien dois-je faire allumer du feu ailleurs? En ce cas, donnez des instructions. Je cours chercher mon hôte. J'ai peur que cette joie ne soit trop grande pour être réelle!»

Elle était sur le point de s'élancer de nouveau, quand Edgar l'arrêta.

« Allez le prier de monter, dit-il en s'adressant à moi. Et vous, Catherine, tâchez d'être contente sans être absurde! Ce n'est pas la peine que toute la maisonnée vous voie accueillir comme un frère un domestique qui s'est enfui. »

Je descendis et trouvai Heathcliff qui attendait sous le porche, comptant évidemment qu'on l'invitât à entrer. Il me suivit sans vaines paroles, et je l'introduisis en présence de mon maître et de ma maîtresse, dont les joues enflammées dénotaient qu'ils avaient eu un entretien très animé. Mais celles de Catherine s'embrasèrent d'un autre sentiment quand son ami apparut à la porte : elle bondit à sa rencontre, lui prit les deux mains et le mena vers Linton; puis elle saisit les doigts de celui-ci, bien qu'ils cherchassent à se dérober, et les mit de force dans ceux de Heathcliff. Maintenant que je le voyais en plein à la lueur des bougies, j'étais plus stupéfaite encore de la transformation qu'il avait subie. C'était à présent un homme de haute taille, bien fait, athlétique, auprès duquel mon maître paraissait grêle et juvénile. Il se tenait très droit, ce qui éveillait l'idée qu'il avait servi dans l'armée. L'expression et le décision de ses traits lui donnaient une physionomie beaucoup plus âgée que celle de Mr. Linton; une physionomie intelligente et qui ne gardait pas trace de sa déchéance passée. Une férocité à demi sauvage semblait encore tapie dans les sourcils bas et les yeux pleins d'un feu sombre, mais elle était contenue; et ses manières étaient même dignes: entièrement dépourvues de rudesse, quoique trop sévères pour être gracieuses. La surprise de mon maître égala ou dépassa la mienne: il resta une minute à se demander comment il s'adresserait au garçon de charrue, comme il l'avait appelé. Heathcliff lâcha sa main gracile et le regarda froidement, attendant qu'il parlât.

« Asseyez-vous, monsieur, dit-il enfin. Mrs. Linton, en souvenir des temps anciens, a voulu que je vous reçusse cordialement; et, bien entendu, je suis heureux de tout ce qui peut lui faire plaisir.

— Moi aussi, répondit Heathcliff, surtout s'il s'agit d'une chose à laquelle j'ai part. Je resterai volontiers une heure ou deux. »

Il prit un siège en face de Catherine, qui gardait ses yeux fixés sur lui, de crainte qu'il ne disparût, eût-on dit, si elle les détournait. Quant à lui, il ne levait pas souvent les siens vers elle: un regard rapide de temps à autre suffisait; mais ce regard reflétait dans un éclair, chaque fois avec plus de confiance, le ravissement avoué qu'il buvait dans le sien. Ils étaient trop absorbés dans leur joie mutuelle pour éprouver de la gêne. Non point Mr. Edgar: il pâlissait de pure contrariété, et ce sentiment atteignit à son comble quand sa femme se leva et traversa le tapis pour saisir encore les mains de Heathcliff en riant comme hors d'elle-même.

« Je me dirai demain que c'est un rêve! s'écria-t-elle. Je ne pourrai croire que je t'ai vu, que je t'ai touché, que je t'ai parlé à nouveau. Et pourtant, cruel Heathcliff, tu ne mérites pas cet accueil. Rester absent et silencieux pendant trois ans, sans jamais penser à moi !

— Un peu plus que tu n'as pensé à moi, murmura-t-il. J'ai appris voici peu ton mariage, Cathy ; et pendant que j'attendais en bas dans la cour, je méditais ce projet : entrevoir ton visage, y lire la surprise, peut-être, et un feint plaisir ; ensuite, régler mon compte avec Hindley ; et puis devancer la loi en me faisant justice. Ton accueil a balayé ces idées de mon esprit ; mais prends garde de ne pas me recevoir d'un autre air la prochaine fois ! Mais non, tu ne me chasseras plus. Tu as eu vraiment du regret à cause de moi, n'est-ce pas ? Eh bien ! il y avait de quoi. Je me suis âprement débattu depuis que j'ai entendu ta voix pour la dernière fois ; et il faut que tu me pardonnes, car je n'ai lutté que pour toi !

— Catherine, venez à la table, je vous prie, ou bien le thé sera froid, interrompit Linton en s'efforçant de garder son ton de voix ordinaire et un degré de politesse suffisant. Mr. Heathcliff a une longue route à fournir, où qu'il loge cette nuit ; et j'ai soif. »

Elle prit son poste devant la fontaine à thé ; et Miss Isabella parut, appelée par la cloche ; sur quoi, ayant avancé les chaises, je quittai la pièce. C'est à peine si le repas dura dix minutes. La tasse de Catherine resta vide ; elle ne pouvait ni boire ni manger. Edgar avait inondé sa soucoupe et avalé à peine une bouchée. Leur hôte ne prolongea pas sa visite plus d'une heure ce soir-là. Je lui demandai, lorsqu'il partit, s'il allait à Gimmerton.

« Non, à Hurlevent, me répondit-il. Mr. Earnshaw m'a invité ce matin lorsque je suis allé le voir. »

Mr. Earnshaw l'avait invité, lui ! Et il était allé voir, lui, Mr. Earnshaw ! Je retournai laborieusement cette phrase dans ma tête après son départ. Est-il devenu un brin hypocrite et s'en vient-il au pays pour faire du grabuge sous le manteau ? me demandai-je : au fond de mon cœur, j'avais le pressentiment qu'il eût mieux fait de rester au loin.

Vers le milieu de la nuit, je fus arrachée à mon premier sommeil par Mrs. Linton qui, se glissant dans ma chambre, prit un siège à mon chevet et me tira les cheveux pour me réveiller.

« Je ne puis pas dormir, Ellen, me dit-elle en manière d'excuse. Et j'ai besoin d'une créature vivante pour me tenir compagnie dans mon bonheur ! Edgar est bougon parce que je suis heureuse d'une chose qui ne l'intéresse pas : il refuse d'ouvrir la bouche, si ce n'est pour tenir des propos maussades et sots ; et il m'a déclaré que j'étais cruelle et égoïste de vouloir lui parler alors qu'il se sentait souffrant et qu'il avait sommeil. Il trouve toujours moyen d'être souffrant à la moindre contrariété ! J'ai eu quelques phrases élogieuses pour Heathcliff, et lui, que ce fût par migraine ou par envie, il s'est mis à pleurer : alors je me suis levée et je l'ai quitté.

— A quoi bon lui faire l'éloge de Heathcliff ? répondis-je. Quand ils étaient enfants, ils se détestaient, et Heathcliff répugnerait tout autant à l'entendre louer. La nature humaine est ainsi. N'importunez pas Mr. Linton à son sujet si vous ne voulez pas qu'il y ait entre eux une querelle ouverte.

— Mais cela ne dénote-t-il pas beaucoup de faiblesse ? Je ne suis pas envieuse, moi : je ne me sens jamais blessée par l'éclatante blondeur d'Isabella, ni par la blancheur de sa peau, ni par son élégance recherchée, ni par l'affection que toute la famille lui témoigne. Même toi, Nelly, si nous avons une dispute elle et moi, tu soutiens aussitôt Isabella ; et je cède comme une mère déraisonnable ; je l'appelle : ma chérie, et la flatte pour qu'elle retrouve sa bonne humeur. Cela fait plaisir à son frère de nous voir en bonne entente, ce dont je suis heureuse à mon tour. Mais ils se ressemblent beaucoup : ce sont des enfants gâtés, ils se figurent que le monde a été fait pour leur commodité ; et j'ai beau les ménager, je crois qu'une bonne correction leur ferait du bien, tout de même.

— Vous vous trompez, Mrs. Linton, dis-je. Ce sont eux qui vous ménagent. Je sais quel tracas nous aurions s'ils n'en faisaient rien. Vous pouvez bien souffrir leurs caprices passagers aussi longtemps qu'ils ont soin de devancer tous vos désirs. Vous risquez toutefois de finir par vous heurter à quelque chose qui sera d'égale importance pour les deux partis, et en ce cas ceux que vous traitez de faibles sont très capables de se montrer aussi obstinés que vous.

— Alors nous nous battrons à mort, n'est-ce pas, Nelly? répondit-elle en riant. Non, je te le dis, j'ai une telle foi en l'amour de Linton que je crois que je pourrais tenter de le tuer sans éveiller en lui un désir de vengeance.»

Je lui conseillai de ne l'estimer que davantage pour l'affection qu'il lui portait.

«C'est ce que je fais, répondit-elle; mais qu'a-t-il besoin de pleurnicher pour des riens? C'est puéril; et au lieu de fondre en larmes parce que j'ai dit que Heathcliff était digne à présent du respect d'un chacun, et que ce serait un honneur pour le premier gentilhomme du pays d'être son ami, il aurait dû le dire à ma place et se réjouir par sympathie pour moi. Il devra s'accoutumer à lui, il ferait donc mieux de l'aimer; si l'on considère toutes les raisons qu'a Heathcliff de lui être hostile, on peut dire qu'il s'est conduit admirablement!

— Que pensez-vous de sa visite à Hurlevent? demandai-je. Il s'est amendé à tous égards, apparemment; le voilà excellent chrétien: il tend la main droite de l'amitié à tous ses ennemis à la ronde.

— Il m'a expliqué cela, répondit-elle. Je m'en étonnais autant que toi. Il m'a dit qu'il était allé là-bas pour s'enquérir de moi auprès de toi, croyant que tu y habitais toujours; et Joseph est allé avertir Hindley, qui est sorti de la maison et qui s'est mis à lui demander ce qu'il avait fait et comment il avait vécu, l'invitant en fin de compte à entrer. Il y avait là plusieurs individus qui jouaient aux cartes; Heathcliff s'est joint à eux; mon frère a perdu quelque argent contre lui, et, le trouvant abondamment pourvu, lui a demandé de revenir le soir: à quoi il a consenti. Hindley est trop insouciant pour choisir ses relations avec prudence: il ne s'inquiète pas des raisons qu'il pourrait avoir de se méfier de quelqu'un qu'il a bassement outragé. Mais Heathcliff affirme que son principal motif pour renouer connaissance avec son ancien persécuteur est son désir de s'installer à portée du Manoir et son attachement à la maison où nous avons vécu ensemble, ainsi que l'espoir que j'aurais plus d'occasions de l'y voir que s'il s'était fixé à Gimmerton. Il a l'intention d'offrir une large somme pour payer son logement à Hurlevent, et je ne doute pas que la cupidité de mon frère ne le pousse à accepter ces conditions. Il a toujours été avide ; encore que, ce qu'il saisit d'une main, il le gaspille de l'autre.

— Jolie résidence pour un jeune homme, dis-je. N'avez-vous pas peur des conséquences, Mrs. Linton ?

— Pour mon ami, nullement, répondit-elle : sa forte tête le préservera de tout danger ; un peu pour Hindley : mais moralement, rien ne saurait le rendre pire ; et physiquement, je suis là pour le garder de tout mal. Ce qui s'est passé ce soir m'a réconciliée avec Dieu et l'humanité ! Je m'étais révoltée avec colère contre la Providence. Oh ! j'ai souffert amère, amère détresse, Nelly ! Si cet homme savait combien elle a été amère, il aurait honte d'en assombrir la disparition en se montrant sottement irascible. C'est par bonté pour lui que je l'ai endurée seule : si j'avais exprimé l'angoisse que j'éprouvais souvent, il aurait appris à désirer aussi ardemment que moi qu'elle fût apaisée. Mais c'est fini, et je ne me vengerai pas de sa folie : je suis capable de souffrir n'importe quoi désormais ! Quand la créature la plus mesquine du monde me frapperait sur la joue, non seulement je tendrais l'autre, mais je demanderais pardon d'avoir provoqué le coup ; et, pour preuve, je vais faire la paix instantanément avec Edgar. Bonne nuit ! Je suis un ange ! »

C'est en proie à cette complaisante conviction qu'elle me quitta ; et le succès de la démarche qu'elle avait résolu de faire fut manifeste le lendemain : non seulement Mr. Linton s'était départi de son humeur maussade (bien que ses esprits parussent toujours subjugués par l'exubérante vivacité de Catherine), mais il ne s'opposa nullement à ce qu'elle emmenât Isabella à Hurlevent l'après-midi ; et elle l'en récompensa par un tel été de douceur et d'affection que la maison fut un paradis pendant plusieurs jours ; tous, maître et serviteurs, profitant d'un perpétuel soleil.

Heathcliff — Mr. Heathcliff, devrai-je dire dorénavant — usa d'abord avec circonspection de la liberté qui lui était offerte de venir en visite au Manoir de la Grive : il semblait supputer jusqu'à quel point le maître de céans souffrirait son intrusion. Catherine, elle aussi, estima judicieux de modérer ses transports en le recevant ; et il établit peu à peu son droit à être attendu. Il gardait une grande part de la réserve qui l'avait caractérisé dans son adolescence ; ce qui lui permettait de réprimer toute démonstration de sentiments excessive. L'inquiétude de mon maître connut une accalmie, et de nouvelles circonstances lui imprimèrent une autre direction pour un temps.

Sa nouvelle source d'anxiété jaillit de l'infortune inattendue qui fit qu'Isabella Linton manifestât un penchant soudain et irrésistible pour le visiteur qu'il tolérait. C'était à cette époque une charmante jeune demoiselle de dix-huit ans ; enfantine de manières, bien qu'en possession d'un esprit vif, de sentiments vifs et d'un caractère qui ne l'était pas moins quand on l'irritait. Son frère, qui l'aimait tendrement, fut horrifié de cette prédilection extravagante. Indépendamment de la déchéance qu'impliquait une alliance avec un homme sans nom, et de la possibilité que ses biens, à défaut d'héritiers mâles, passassent entre de telles mains, il était assez pénétrant pour comprendre le tempérament de Heathcliff : pour savoir que, si ses dehors étaient changés, son esprit était inaltérable et inaltéré. Et il redoutait cet esprit : il en était révolté : il reculait instinctivement devant l'idée de confier Isabella à sa garde. Son recul n'eût été que plus prononcé s'il avait su que l'attachement de la jeune fille n'avait pas été sollicité et n'éveillait aucun sentiment réciproque ; dès l'instant qu'il en découvrit l'existence, il en jeta le blâme sur un dessein délibéré de Heathcliff.

Nous avions tous remarqué depuis quelque temps que Miss Linton était tourmentée et qu'elle soupirait après quelque chose. Elle devenait de méchante humeur et difficile à vivre ; prenant à partie et taquinant sans cesse Catherine, au risque imminent d'épuiser sa patience limitée. Nous l'excusions jusqu'à un certain point en raison de sa mauvaise santé : car elle languissait et dépérissait à vue d'œil. Mais, un jour qu'elle s'était montrée particulièrement capricieuse, repoussant son petit déjeuner, se plaignant que les domestiques ne fissent pas ce qu'elle leur disait, que la maîtresse ne lui permît de jouer aucun rôle dans la maison et qu'Edgar la négligeât, qu'elle eût pris froid parce que les portes étaient restées ouvertes et que nous eussions laissé s'éteindre le feu du salon afin de la contrarier, avec cent autres accusations plus frivoles encore, Mrs. Linton insista d'un ton péremptoire pour qu'elle se mît au lit; et, après l'avoir vivement morigénée, menaça d'envoyer chercher le docteur. A la mention de Kenneth, Isabella s'écria instantanément qu'elle était en parfaite santé et que seule la dureté de Catherine la rendait malheureuse.

« Comment pouvez-vous dire que je suis dure, méchante enfant gâtée ? s'écria la maîtresse, stupéfaite de cette déraisonnable assertion. Assurément, vous perdez la raison. Quand ai-je été dure, dites-moi ?

— Hier, sanglota Isabella, et à présent !

— Hier ! dit sa belle-sœur. A quelle occasion ?

— Pendant notre promenade sur la lande : vous m'avez dit de m'en aller où bon me semblait pendant que vous erriez de-ci de-là avec Mr. Heathcliff.

— Et c'est là l'idée que vous vous faites de la dureté ? dit Catherine en riant. Je ne voulais pas insinuer que votre compagnie était superflue : peu nous importait que vous fussiez ou non avec nous; je pensais simplement que la conversation de Heathcliff n'aurait rien de divertissant pour vos oreilles.

— Oh ! non, gémit la jeune demoiselle; vous vouliez m'envoyer au loin parce que vous saviez que j'avais plaisir à être là !

— Est-elle dans son bon sens ? demanda Mrs. Linton en s'adressant à moi. Je répéterai notre conversation mot pour mot, Isabella; et vous m'indiquerez au passage les charmes qu'elle aurait pu avoir pour vous.

— Je ne me soucie pas de la conversation, dit-elle. Je voulais être avec...

— Eh bien ? demanda Catherine, voyant qu'elle hésitait à terminer la phrase.

— Avec lui. Et je ne me laisserai pas toujours renvoyer, continua-t-elle en s'animant. Vous êtes comme le chien du jardinier [1], Cathy, vous voulez qu'on n'aime que vous !

— L'impertinente petite guenon ! s'écria Mrs. Linton avec étonnement. Mais je ne croirai pas cette bêtise ! Il est impossible que vous puissiez convoiter l'admiration de Heathcliff — que vous le considériez comme quelqu'un d'agréable. J'espère que je vous ai mal comprise, Isabella ?

— Point du tout, dit la jeune fille emportée par sa passion. Je l'aime plus que vous n'avez jamais aimé Edgar, et il pourrait m'aimer si vous le laissiez faire !

— Je ne voudrais pas être à votre place pour un empire en ce cas ! déclara Catherine avec force, et elle semblait parler sincèrement. Nelly, aide-moi à la convaincre de sa folie. Dis-lui ce qu'est Heathcliff : une créature en friche, sans raffinement, sans culture ; un aride désert d'ajoncs et de pierraille. Je mettrais ce petit canari dans le parc un jour d'hiver plutôt que de vous conseiller de lui accorder votre cœur ! C'est une déplorable ignorance de son caractère, mon enfant, et rien d'autre, qui vous a mis ce rêve en tête. De grâce, ne vous imaginez pas qu'il cache des profondeurs de bienveillance et d'affection sous des dehors sévères. Ce n'est pas un diamant brut, une huître sauvage qui contient une perle ; c'est un homme rude, farouche, impitoyable, un loup. Je ne lui dis jamais : « Laissez tranquille tel ou tel ennemi parce que ce serait manquer de générosité ou vous montrer cruel de lui faire du mal », je lui dis : « Laissez-les tranquilles parce que je détesterais qu'on leur fît du tort » ; et il vous écraserait comme un œuf de moineau, Isabella, s'il trouvait en vous un fardeau encombrant. Je sais qu'il ne pourrait aimer une Linton ; et pourtant il serait tout à fait capable d'épouser votre fortune et vos espé-

1. Qui ne mange point de choux et n'en laisse pas manger aux autres. *(N.d.T.)*

rances ! L'avarice est en train de devenir chez lui un péché dominant. Voilà le portrait que je trace de lui ; et je suis son amie — tellement son amie que, s'il avait pensé sérieusement à vous attraper, j'aurais peut-être tenu ma langue pour vous laisser choir dans son piège. »

Miss Linton regarda sa belle-sœur avec indignation.

« C'est une honte ! Une honte ! répéta-t-elle avec colère. Vous êtes pire que vingt ennemis, venimeuse amie !

— Ah ! vous ne me croyez donc pas ? dit Catherine. Vous croyez que c'est l'égoïsme et la méchanceté qui me font parler ?

— J'en suis certaine, répondit Isabella, et vous me faites horreur !

— Bon ! s'écria l'autre. Essayez par vous-même, si le cœur vous en dit. J'ai fini de parler, et je laisse le champ libre à votre insolence effrontée.

— Et je dois souffrir à cause de son égoïsme ! sanglota Isabella tandis que Mrs. Linton quittait la pièce. Tout, tout est contre moi ; elle a flétri ma seule consolation. Mais ce qu'elle a dit est faux, n'est-ce pas ? Mr. Heathcliff n'est pas un démon : il a l'âme honnête et fidèle ; autrement, comment aurait-il pu se souvenir d'elle ?

— Chassez-le de vos pensées, miss, dis-je. C'est un oiseau de mauvais augure : pas un parti pour vous. Mrs. Linton a parlé durement, mais je ne saurais la contredire. Elle connaît son cœur mieux que moi ou que quiconque ; et elle ne le donnerait jamais pour pire qu'il n'est. Les honnêtes gens ne cachent pas leurs actions. Comment a-t-il vécu ? Comment s'est-il enrichi ? Pourquoi habite-t-il à Hurlevent, chez un homme qu'il abhorre ? On dit que Mr. Earnshaw est dans un état pire, bien pire, depuis son arrivée. Ils passent continuellement toute la nuit ensemble, et Hindley — qui a emprunté de l'argent sur ses terres — ne fait que jouer et boire. J'ai appris cela il n'y a pas plus d'une semaine — c'est Joseph qui me l'a dit quand je l'ai rencontré à Gimmerton : « Nelly, m'a-t-il dit, nous allons bientôt avouère une inquête du crainer[1] sur ceux d'cheu nous. Il y en a un qu'a eu l'doué quasiment arraché en r'tenant l'autre de s'saigner comme un viau. C'est l'maît', vous savez, qui pourrait bin aller d'vint les assises. Il craint point l'binc des juges, ni Paul, ni Pierre, ni Jin, ni Matthieu, ni personne, lui! Ça lui plairait bin, y s'languit d'leur tenir tête avec impudince! Et ce fier gars d'Heathcliff, y en a pas beaucoup comme lui, je vous l'dis. Y peut ricaner comme pas un en f'sant eune plaisinterie diabolique. C'est-y qu'y n'vous raconte jamais rin d'la belle vie qu'il mène parmi nous quand y va au Manouère? V'la c'qu'il in est: levé quind l'soleil se couche; dés, eau-d'vie, volets fermés et chindelles allumées jusqu'au lindemain midi; alors l'imbécile y s'in va à sa chambre jurint et délirint, tant et si bin qu'les honnêtes gins s'bouchent les oreilles de honte; et l'coquin, il sait bin compter ses sous, et minger, et dormir, et pis aller in conter à la fème de son prochain. Sans doute qu'y raconte à Dame Catherine commint qu'l'argint d'son père passe dans sa poche et commint l'fils de son père y galope dans la vouée d'pardition pendant qu'lui, y file d'vint pour ouvrir les barrières?» Eh bien! Miss Linton, Joseph est un vieux sacripant, mais pas un menteur, et si ce qu'il rapporte de la conduite de Heathcliff est vrai, vous ne songerez pas à désirer pareil mari, n'est-ce pas?

— Vous êtes liguée avec les autres, Ellen! répondit-elle. Je n'écouterai pas vos calomnies. Comment pouvez-vous être assez méchante pour vouloir me convaincre qu'il n'y a pas de bonheur en ce monde?»

Serait-elle revenue de cette chimère si on l'avait laissée à elle-même, ou aurait-elle continué à la nourrir perpétuellement, je ne saurais le dire: elle eut peu de temps pour réfléchir. Le jour suivant, il y avait une assemblée de juges de paix à la ville voisine; mon maître fut obligé d'y assister; et Mr. Heathcliff, averti de son absence, vint plus tôt que d'habitude. Catherine et Isabella se tenaient dans la bibliothèque, en termes hostiles, mais silencieu-

1. Coroner, officier de justice chargé de faire une enquête dans les cas de violence ou de mort douteuse. *(N.d.T)*

ses. Celle-ci alarmée de sa récente indiscrétion et d'avoir révélé ses sentiments intimes dans un accès de colère; celle-là, après mûre réflexion, se tenant pour réellement offensée par sa compagne, et, quoique riant encore de son effronterie, encline à faire en sorte qu'*elle* n'eût pas lieu d'en rire. Elle-même rit tout de bon quand elle vit Heathcliff passer devant la fenêtre. J'étais en train de balayer le foyer et je notai qu'elle avait un sourire méchant sur les lèvres. Isabella, absorbée dans ses méditations, ou dans un livre, resta immobile jusqu'à ce que la porte s'ouvrît: il était trop tard pour tenter de s'enfuir, comme elle l'aurait fait volontiers si c'eût été possible.

« Entre, tu tombes bien! s'écria gaiement la maîtresse en avançant une chaise près du feu. Tu vois ici deux personnes qui ont bien besoin d'une troisième pour rompre la glace entre elles; et tu es celle-là même que nous aurions choisie toutes deux. Heathcliff, je suis fière de pouvoir te montrer enfin quelqu'un qui raffole de toi plus que moi-même. Je pense que tu te sentiras flatté. Non, ce n'est pas Nelly; ne la regarde pas! Ma pauvre petite belle-sœur est en train de se briser le cœur du simple fait qu'elle est perdue dans la contemplation de ta beauté physique et morale. Si tu veux être le frère d'Edgar, la chose est en ton pouvoir! Non, non, Isabella, vous ne vous sauverez pas, continua-t-elle en arrêtant avec un feint enjouement la jeune fille confondue qui s'était levée avec indignation. Nous nous querellions à ton sujet comme des chattes, Heathcliff; et j'étais bel et bien battue par ses protestations de dévotion et d'admiration. Qui plus est, j'ai été informée que, si seulement j'avais assez de manières pour me tenir à l'écart, ma rivale, comme elle se flatte de l'être, te percerait le cœur d'une flèche qui te clouerait à jamais et qui bannirait mon image dans un oubli éternel!

— Catherine! dit Isabella en faisant appel à sa dignité et en dédaignant de se débattre pour échapper à l'étreinte qui la retenait fermement, je vous serais reconnaissante de vous en tenir à la vérité et de ne pas me calomnier, fût-ce en manière de plaisanterie! Mr. Heathcliff, soyez assez bon pour demander à votre amie de me lâcher; elle oublie que nous ne sommes pas, vous et moi, des intimes; et ce qui l'amuse est pénible pour moi au-delà de toute expression. »

Comme le visiteur prenait un siège sans répondre, parfaitement indifférent, semblait-il, aux sentiments qu'elle pouvait éprouver pour lui, elle se tourna vers sa tortionnaire en murmurant un pressant appel pour qu'elle lui rendît la liberté.

« Jamais de la vie ! s'écria Mrs. Linton. Je ne veux pas qu'on me traite encore de chien du jardinier. Vous resterez. Allons, Heathcliff, pourquoi ne témoignes-tu pas de satisfaction à ces agréables nouvelles ? Isabella jure que l'amour qu'Edgar me porte n'est rien auprès de celui qu'elle nourrit pour toi. Je suis sûre qu'elle a dit quelque chose comme cela... n'est-il pas vrai, Ellen ? Et elle a jeûné depuis notre promenade d'avant-hier, de chagrin et de rage que je l'aie écartée de ta société dans l'illusion que celle-ci n'était pas faite pour lui plaire.

— Je crois que tu te trompes sur ses sentiments, dit Heathcliff en tournant sa chaise pour leur faire face. Elle désire en tout cas être débarrassée de ma société en ce moment ! »

Et il regarda fixement celle qui était l'objet de la conversation, comme on regarderait un animal étrange et repoussant, un mille-pattes des Indes, par exemple, que la curiosité vous pousse à examiner en dépit de l'aversion qu'il inspire. La pauvre créature ne put supporter ce regard : elle pâlit, puis rougit en quelques instants, et tandis que des larmes perlaient à ses cils, elle appliqua toute la force de ses doigts menus à desserrer la ferme étreinte de Catherine ; mais voyant qu'aussitôt qu'elle écartait l'un des doigts de son bras un autre se refermait sur lui, et qu'elle ne pouvait les détacher tous ensemble, elle se mit à user de ses ongles ; dont les pointes parèrent bientôt de croissants rouges celle qui la retenait.

« Quelle tigresse ! s'écria Mrs. Linton en la relâchant et en agitant sa main de douleur. Allez-vous-en, pour l'amour de Dieu, et cachez votre visage de harpie ! Quelle folie de lui révéler ces griffes-là à lui ! Ne pouvez-vous imaginer les conclusions qu'il en tirera? Regarde, Heathcliff, ce sont là des instruments de supplice — prends garde à tes yeux.

— Je les lui arracherais des doigts si seulement ils me menaçaient, répondit-il brutalement quand la porte se fut refermée sur elle. Mais à quoi pensais-tu en taquinant ainsi cette créature, Cathy? Tu ne disais pas la vérité, je suppose?

— Je t'assure que si, répondit-elle. Voilà des semaines qu'elle languit d'amour pour toi; et ce matin encore elle délirait à ton propos et déversait sur moi un déluge d'injures parce que je lui exposais clairement tes défauts afin de modérer son adoration. Mais ne fais plus attention à cela: je voulais punir son insolence, voilà tout. Je l'aime trop, mon cher Heathcliff, pour permettre que tu t'empares d'elle bel et bien et que tu la dévores.

— Et je l'aime trop peu pour le tenter, dit-il, à moins que ce ne soit à la façon d'une goule. Tu entendrais dire d'étranges choses si je vivais seul avec cette insipide figure de cire: les plus communes seraient que j'ai peint sa blancheur aux couleurs de l'arc-en-ciel et teinté ses yeux bleus de noir un jour sur deux : ils ressemblent d'une manière détestable à ceux de Linton.

— D'une manière délectable! observa Catherine. Ce sont des yeux de colombe... d'ange!

— Elle héritera de son frère, n'est-ce pas? demanda-t-il après un court silence.

— Je serais désolée de le croire, répondit-elle. Une demi-douzaine de neveux la débouteront, plaise à Dieu! Détourne tes pensées de ce sujet pour le présent: tu es trop enclin à convoiter les biens du prochain; souviens-toi que les biens du prochain en question sont à moi.

— S'ils étaient à moi, ils n'en seraient pas moins à toi, dit Heathcliff; mais, bien qu'Isabella Linton puisse être sotte, elle n'est pas folle; écartons donc le sujet, comme tu le conseilles.»

Ils l'écartèrent en effet de leurs propos; et Catherine, sans doute aussi de ses pensées. Quant à Heathcliff, j'eus la certitude qu'il y revenait souvent en esprit au cours de la soirée. Je le vis sourire à part lui — ricaner plutôt — et tomber dans une rêverie de mauvais augure chaque fois que Mrs. Linton eut l'occasion de quitter la pièce.

Je résolus d'épier ses mouvements. Mon cœur épousait d'instinct la cause de mon maître, de préférence à celle de Catherine : avec raison, me disais-je, car il est bon, loyal et homme d'honneur; alors qu'elle... on ne pouvait pas dire qu'elle fût précisément l'opposé, mais elle semblait se permettre tant de latitude que j'avais peu de foi dans ses principes et moins de sympathie encore pour ses sentiments. Je souhaitais qu'il survînt quelque chose qui eût pour effet de débarrasser sans fracas tant Hurlevent que le Manoir de Mr. Heathcliff et de nous laisser comme nous étions avant son arrivée. Ses visites étaient pour moi un perpétuel cauchemar; et je soupçonnais qu'elles l'étaient également pour mon maître. Le fait qu'il demeurait à Hurlevent me causait une oppression indéfinissable. Je sentais que Dieu avait abandonné là la brebis égarée à ses errements pervers, et qu'une méchante bête rôdait entre elle et le bercail, attendant son heure pour bondir et faire des ravages.

XI

Parfois, comme je méditais sur ces choses dans la solitude, je me levais, prise d'une terreur soudaine, et je mettais mon chapeau pour aller voir comment les choses se passaient à la ferme. Je persuadais ma conscience que c'était un devoir d'avertir Hindley de la façon dont les gens parlaient de sa conduite; et puis je me rappelais ses mauvaises habitudes invétérées, et, désespérant de lui être d'aucun secours, je renonçais à entrer de nouveau dans la lugubre maison — doutant d'ailleurs de pouvoir supporter qu'on me prît au mot.

Une fois, je franchis la vieille grille, me détournant de mon chemin comme j'allais à Gimmerton. C'était environ le temps que mon récit a rejoint; par un clair après-midi de gel; le sol était nu, la route dure et sèche.

J'atteignis une borne devant laquelle la grand-route bifurque à main gauche en direction de la lande : une grossière colonne de grès portant gravées les lettres H. sur sa face nord, G. à l'est, et M.G. au sud-ouest. Elle sert de poteau indicateur pour Hurlevent, le Manoir et le village. Le soleil coiffait sa tête grise d'une lueur jaune qui me rappela l'été ; et, je ne saurais dire pourquoi, un flot de sensations enfantines jaillit tout à coup dans mon cœur. Ç'avait été un endroit favori, vingt ans plus tôt, pour Hindley et moi. Je contemplai longuement le bloc battu des vents, puis, en me penchant, j'aperçus au pied un trou encore plein de coquilles d'escargot et de cailloux, que nous aimions à entreposer là avec des choses plus périssables ; et, aussi vrai que nature, je crus voir mon ancien compagnon de jeu assis sur l'herbe flétrie : sa tête brune et carrée penchée en avant et sa petite main creusant la terre avec un morceau d'ardoise. « Pauvre Hindley ! » m'écriai-je involontairement. Je tressaillis : mes yeux corporels furent abusés jusqu'à croire un instant que l'enfant levait son visage et me regardait en face ! Il disparut en un clin d'œil ; mais j'éprouvai immédiatement le désir irrésistible d'être à Hurlevent. La superstition me pressait de céder à cette impulsion : s'il était mort ! pensai-je — ou s'il allait bientôt mourir ! — si c'était un présage de mort ! Plus j'approchais de la maison, plus mon agitation croissait ; et quand je l'aperçus, je tremblai de tous mes membres. L'apparition m'avait devancée ; elle regardait à travers la grille. Telle fut ma première pensée en observant un petit garçon aux yeux bruns, aux cheveux emmêlés de nœuds d'elfe qui appuyait son visage vermeil contre les barreaux. En fin de compte, la réflexion me suggéra que ce devait être Hareton, *mon* Hareton, pas très changé depuis que je l'avais quitté, dix mois plus tôt.

« Dieu te bénisse, mon chéri ! m'écriai-je, oubliant instantanément mes sottes craintes. Hareton, c'est Nelly ! Nelly, ta nourrice. »

Il battit en retraite hors de portée de mon bras, et ramassa un gros silex.

« Je suis venu voir ton père, Hareton », ajoutai-je, devinant à ce geste que Nelly, si elle vivait aucunement dans sa mémoire, ne s'identifiait pas avec moi à ses yeux.

Il leva son projectile pour le lancer ; je commençai un discours apaisant, mais ne pus arrêter sa main : la pierre frappa mon chapeau ; après quoi, des lèvres balbutiantes du petit bonhomme s'échappa un chapelet d'injures, qu'il lançait — qu'il les comprît ou non — avec l'entrain d'un praticien expérimenté, et qui imprimaient à ses traits enfantins une révoltante expression de méchanceté. Vous pouvez être certain que j'en fus plus affligée qu'irritée. Prête à pleurer, je tirai une orange de ma poche et la lui offris pour l'amadouer. Il hésita, puis la déroba vivement, comme s'il se figurait que je voulais seulement le tenter et le décevoir. Je lui en montrai une autre tout en la tenant hors de sa portée.

« Qui t'a appris ces jolis mots, mon petit ? demandai-je. Le vicaire ?

— Au diable le vicaire, et toi avec ! Donne-moi ça, répondit-il.

— Dis-nous où tu as appris tes leçons, et tu l'auras, dis-je. Qui est ton maître ?

— Mon diable de papa, fut sa réponse.

— Et qu'apprends-tu de papa ? » repris-je.

Il sauta pour attraper le fruit. Je l'élevai plus haut.

« Que t'apprend-il ? demandai-je.

— Rien, dit-il, sauf à ne pas me trouver dans ses jambes. Papa peut pas me souffrir, parce que je jure après lui.

— Ah ! et c'est le diable qui t'apprend à jurer après papa ? demandai-je.

— Euh... non, dit-il en traînant la voix.

— Qui alors ?

— Heathcliff. »

Je lui demandai s'il aimait Mr. Heathcliff.

« Oui ! » répondit-il.

M'enquérant des raisons qu'il avait de l'aimer, je ne pus tirer de lui que ces phrases :

« Je ne sais pas... Il rembourse à papa ce que papa me donne... Il maudit papa parce que papa me maudit... Il dit que je dois faire ce que je veux.

— Et le vicaire, il ne t'apprend donc pas à lire et à écrire ? repris-je.

— Non, on m'a dit que le vicaire aurait ses sacrées dents enfoncées dans sa sacrée gorge s'il passait le seuil... C'est Heathcliff qui a promis ça ! »

Je lui mis l'orange dans la main et lui dis d'avertir son père qu'une femme du nom de Nelly Dean l'attendait près de la grille du jardin pour lui parler. Il remonta l'allée et entra dans la maison ; mais au lieu de Hindley, ce fut Heathcliff qui apparut sur les pierres du seuil ; aussitôt je tournai les talons et me mis à dévaler la route aussi fort que je pus, ne m'arrêtant que lorsque j'eus atteint la borne, et aussi effrayée que si j'avais fait lever un gobelin. Cet incident n'a pas grand lien avec l'affaire de Miss Isabella, si ce n'est qu'il me détermina à monter une garde vigilante et à faire tous mes efforts pour empêcher une aussi mauvaise influence de se propager au Manoir, quand bien même je soulèverais une tempête domestique en allant à l'encontre des désirs de Mrs. Linton.

La première fois que Heathcliff revint, ma jeune demoiselle était en train de nourrir les pigeons dans la cour. Elle n'avait pas dit un mot à sa belle-sœur depuis trois jours ; mais elle avait également cessé ses récriminations et ses plaintes, pour notre grand soulagement. Heathcliff n'avait pas coutume d'accorder à Miss Linton la moindre civilité superflue, je le savais. Or cette fois, dès qu'il l'eut aperçue, sa première précaution fut d'inspecter du regard la façade de la maison. Je me trouvais à la fenêtre de la cuisine, mais je me dérobai à sa vue. Il traversa le pavement de la cour pour aller à elle, et lui dit quelque chose : elle parut embarrassée et désireuse de s'en aller ; pour l'en empêcher, il mit la main sur son bras. Elle détourna le visage : il avait dû lui poser une question à laquelle elle ne voulait pas répondre. Il lança un nouveau regard rapide sur la maison, puis, croyant qu'on ne le voyait pas, le gredin eut l'impudence de lui passer le bras autour de la taille.

« Judas ! Traître ! m'écriai-je. Tu es donc un hypocrite, de surcroît ! Un imposteur délibéré !

— Qui cela, Nelly ? dit la voix de Catherine à mon

côté, car j'avais été trop attentive à observer le couple au-dehors pour remarquer son entrée.

— Votre indigne ami ! répondis-je avec chaleur. L'insidieux gredin qui est là-bas. Ah ! il nous a aperçues — il vient ! Je me demande s'il aura l'art de trouver une excuse plausible pour faire la cour à Miss après vous avoir dit qu'il la haïssait. »

Mrs. Linton vit Isabella se dégager et s'enfuir dans le jardin ; une minute plus tard, Heathcliff ouvrait la porte. Je ne pus m'empêcher de montrer quelque indignation ; mais Catherine m'enjoignit avec irritation de me taire, menaçant de me chasser de la cuisine si j'avais encore l'audace de jouer insolemment de la langue.

« A t'entendre, on croirait que tu es la maîtresse ! s'écria-t-elle. Tu as besoin qu'on te remette à ta place ! Heathcliff, à quoi penses-tu en soulevant ce tapage ? Je t'ai dit de laisser Isabella tranquille ! Et je te prie de le faire, à moins que tu ne sois las d'être reçu ici et que tu ne souhaites que Linton te barre la porte !

— Dieu le préserve d'essayer ! répondit le noir scélérat. (Ah ! comme je le détestai à cet instant !) Dieu lui conserve sa douceur et sa patience ! Chaque jour il me démange de plus en plus de l'expédier au Ciel !

— Chut ! dit Catherine en fermant la porte de la pièce. Ne me contrarie pas. Pourquoi n'as-tu pas tenu compte de ma requête ? S'est-elle placée délibérément sur ton chemin ?

— Que t'importe ? grommela-t-il. J'ai le droit de l'embrasser si cela lui plaît ; et tu n'as aucun droit, toi, à t'y opposer. Je ne suis pas ton mari : tu n'as pas à être jalouse de moi !

— Je ne suis pas jalouse *de* toi, je suis jalouse *pour* toi. Déride-toi : ne me regarde pas méchamment ! Si Isabella te plaît, tu l'épouseras. Mais te plaît-elle ? Dis la vérité, Heathcliff ! Tu vois, tu ne veux pas répondre. Je suis certaine qu'elle ne te plaît pas !

— Mr. Linton approuverait-il le mariage de sa sœur avec cet homme ? demandai-je.

— Mr. Linton devrait l'approuver, répondit ma maîtresse d'un ton décisif.

— Il pourrait s'en épargner la peine, dit Heathcliff : je me passerais tout aussi bien de son approbation. Quant à toi, Catherine, j'ai envie de te dire quelques mots, pendant que nous y sommes. Je veux que tu t'en rendes bien compte, je *sais* que tu m'as traité d'une manière infernale — infernale ! entends-tu ? Et si tu te flattes que je n'en ai pas conscience, tu es une sotte ; et si tu crois qu'on peut me consoler par des paroles douceâtres, tu es une idiote ; et si tu te figures que je souffrirai sans me venger, je te convaincrai du contraire d'ici très peu de temps ! En attendant, merci de m'avoir révélé le secret de ta belle-sœur : je jure que j'en tirerai le meilleur parti possible. Et ne t'en mêle pas !

— Quelle nouvelle face de son caractère est-ce là ? s'écria avec stupéfaction Mrs. Linton. Je t'ai traité de manière infernale — et tu te vengeras ! Comment te vengeras-tu, brute ingrate ? En quoi t'ai-je traité de manière infernale ?

— Je ne cherche pas à me venger de toi, répondit Heathcliff avec moins de véhémence. Ce n'est pas là mon dessein. Le tyran opprime ses esclaves, mais ils ne se retournent pas contre lui : ils écrasent ceux qui sont au-dessous d'eux. Tu peux bien me torturer à mort pour ton amusement, seulement permets-moi de m'amuser un peu dans le même style, et abstiens-toi de m'insulter autant que tu en es capable. Après avoir rasé mon palais, n'érige pas une cabane et n'admire pas ta charité à me la donner pour logis. Si je m'imaginais que tu souhaites vraiment me voir épouser Isabella, je me couperais la gorge !

— Oh ! le mal vient de ce que je ne suis pas jalouse, n'est-ce pas ? s'écria Catherine. Eh bien ! je ne renouvellerai pas mon offre d'une épouse : c'est aussi mal que d'offrir à Satan une âme perdue. Ton bonheur, comme le sien, est de faire souffrir. Tu le prouves. Edgar est guéri de la mauvaise humeur qu'il a manifestée à ton arrivée ; je commence à être en sécurité et en paix ; et toi, mécontent de nous savoir en repos, tu sembles résolu à susciter une querelle. Querelle-toi avec Edgar si cela te plaît, Heathcliff, et dupe sa sœur : tu trouveras là précisément la manière la plus efficace de te venger de moi. »

La conversation tomba. Mrs. Linton s'assit près du feu, enfiévrée et sombre. L'ardeur qui l'animait devenait intraitable : elle ne pouvait ni l'apaiser ni la gouverner. Heathcliff se tenait devant l'âtre les bras croisés, ruminant ses mauvaises pensées ; et c'est dans cette posture que je les laissai pour aller chercher le maître, qui se demandait pourquoi Catherine restait en bas si longtemps.

« Ellen, dit-il quand j'entrai, avez-vous vu votre maîtresse ?

— Oui, monsieur, elle est dans la cuisine, répondis-je. Elle est très chagrinée de la conduite de Mr. Heathcliff ; et, à vrai dire, je crois qu'il est temps de mettre ses visites sur un autre pied. Il est dangereux d'être trop doux, et maintenant que nous en sommes venus là... »

Je lui contai la scène de la cour, et, d'aussi près que je l'osai, toute la dispute qui l'avait suivie. Je pensais, ce faisant, ne pas pouvoir porter grand préjudice à Mrs. Linton, à moins qu'elle ne vînt à se nuire à elle-même en prenant la défense de son hôte. Edgar Linton eut peine à m'écouter jusqu'au bout. Ses premiers mots révélèrent qu'il n'exemptait pas sa femme de tout blâme.

« C'est insupportable ! s'écria-t-il. C'est une honte qu'elle le reconnaisse pour son ami et qu'elle m'impose sa compagnie. Faites-moi venir deux hommes de l'office, Ellen. Catherine ne s'attardera pas plus longtemps à discuter avec ce vil gredin — j'ai été assez patient comme cela avec elle. »

Il descendit et, ordonnant aux domestiques d'attendre dans le corridor, il gagna, moi le suivant, la cuisine. Ses occupants avaient repris leur discussion coléreuse : Mrs. Linton, du moins, grondait avec un renouveau de vigueur ; Heathcliff était allé à la fenêtre et gardait la tête basse, un peu démonté, apparemment, par sa violente semonce. Il fut le premier à voir le maître et il eut un geste rapide pour la faire taire : elle obéit brusquement en découvrant pourquoi il lui avait fait signe.

« Qu'est-ce à dire ? demanda Linton en s'adressant à elle. Quelle notion pouvez-vous avoir des convenances pour rester ici, après le langage que vous a tenu ce gredin? Je suppose que vous en faites peu de cas parce que c'est là sa façon ordinaire de s'exprimer; vous êtes habituée à sa bassesse et vous vous imaginez peut-être que je m'y habituerai moi aussi!

— Avez-vous écouté à la porte, Edgar?» demanda la maîtresse, d'un ton particulièrement calculé pour provoquer son mari, car il impliquait à la fois qu'elle ne se souciait guère de son irritation et qu'elle la dédaignait. Heathcliff, qui avait levé les yeux en entendant les paroles d'Edgar, salua celles-ci d'un rire moqueur, afin, semblait-il, d'appeler sur lui l'attention de Mr. Linton. Il y parvint; mais Edgar n'avait pas l'intention de lui donner le spectacle de grands transports de colère.

«J'ai été jusqu'ici tolérant à votre égard, monsieur, dit-il tranquillement; non que je fusse ignorant de votre caractère misérable et dépravé, mais parce que je sentais que vous n'en étiez que partiellement responsable; et, Catherine désirant garder des relations avec vous, j'ai acquiescé — sottement. Votre présence est un poison moral qui contaminerait les plus vertueux: pour cette raison, et pour prévenir de pires conséquences, je vous interdis désormais l'accès de cette maison, et vous signifie maintenant que j'exige votre départ immédiat. Trois minutes de délai le rendraient involontaire et ignominieux.»

Heathcliff mesura la taille et la carrure de l'orateur d'un œil plein de dérision.

«Cathy, ton agneau menace comme un taureau! dit-il. Il est en danger de se fendre le crâne contre mes poings. Pardieu, Mr. Linton, je regrette profondément que vous ne valiez pas la peine qu'on vous assomme!»

Mon maître jeta un regard vers le corridor et me fit signe d'aller chercher ses gens, car il ne se souciait pas de courir le risque d'un combat singulier. J'obéis; mais Mrs. Linton, soupçonnant quelque chose, me suivit; et quand je voulus les appeler, elle me tira en arrière, claqua la porte et tourna la clef.

«Beaux procédés! dit-elle en réponse au regard de surprise et de colère que lui avait jeté son mari. Si vous n'avez pas le cœur de l'attaquer, faites-lui des excuses, ou tenez-vous pour battu. Cela vous guérira de feindre plus de valeur que vous n'en avez. Non, j'avalerai la clef avant que vous ne vous en saisissiez! Je suis délicieusement récompensée de ma bonté envers chacun de vous! Après une constante indulgence pour la faible nature de l'un et la mauvaise nature de l'autre, je reçois en guise de remerciements deux échantillons d'aveugle ingratitude, stupides jusqu'à l'absurdité! Edgar, j'étais en train de vous défendre, vous et les vôtres; et je voudrais que Heathcliff vous rossât à vous en rendre malade pour vous être permis une mauvaise pensée à mon sujet!»

Point n'était besoin d'une rossée pour produire cet effet sur mon maître. Il tenta d'arracher la clef à Catherine, et, pour plus de sécurité, elle la jeta au plus ardent du feu; sur quoi Mr. Edgar fut pris d'un tremblement nerveux et devint d'une pâleur mortelle. Quand sa vie en eût dépendu, il n'aurait pu réprimer cet accès d'émotion; l'angoisse et l'humiliation mêlées l'accablaient complètement. Il s'appuya au dossier d'une chaise et se couvrit le visage.

«Oh! Ciel, au temps jadis, voilà qui vous aurait armé chevalier! s'écria Mrs. Linton. Nous sommes vaincu! Nous sommes vaincu! Heathcliff ne lèverait pas plus un doigt contre vous qu'un roi ne lancerait son armée contre une colonie de souris. Reprenez courage! On ne vous fera pas de mal! Ce n'est pas un agneau qui est votre emblème, c'est un levraut à la mamelle.

— Je te souhaite bien du plaisir, Cathy, avec ce lâche aux veines remplies de lait! dit son ami. Mes compliments pour ton bon goût. Voilà l'individu grelottant et salivant que tu m'as préféré! Je ne voudrais pas le frapper du poing, mais j'aurais une considérable satisfaction à le frapper du pied. Pleure-t-il ou va-t-il s'évanouir de frayeur?»

Il s'approcha et imprima une secousse à la chaise sur laquelle Linton s'appuyait. Il aurait mieux fait de rester à distance; mon maître se redressa vivement et lui porta en pleine gorge un coup qui aurait terrassé un homme moins robuste. Il en eut la respiration coupée pendant une minute; et pendant qu'il suffoquait, Mr. Linton sortit par la porte de derrière dans la cour, puis gagna l'entrée de la façade.

« Voilà ! C'en est fait de tes visites ici ! s'écria Catherine. Va-t'en maintenant ; il va revenir avec une paire de pistolets et une demi-douzaine d'hommes de renfort. S'il nous a entendus, il va de soi qu'il ne te pardonnera jamais. Tu m'as joué un méchant tour, Heathcliff. Mais pars — dépêche-toi ! J'aimerais mieux voir Edgar aux abois que toi.

— Crois-tu donc que je vais partir avec ce coup qui me brûle la gorge ? tonna-t-il. Non, par l'enfer ! Je lui défoncerai les côtes comme une noisette pourrie avant de passer le seuil ! Si je ne le jette pas à terre maintenant, je le tuerai une autre fois ; ainsi donc, si tu tiens à ce qu'il vive, laisse-moi l'atteindre.

— Il ne vient pas, interrompis-je en faisant un petit mensonge. Voilà le cocher et les deux jardiniers ; vous n'allez bien sûr pas attendre qu'ils vous jettent sur la route ! Ils ont chacun un gourdin ; et le maître va sans doute se poster aux fenêtres du salon pour voir si l'on exécute ses ordres. »

Les jardiniers et le cocher étaient bien là ; mais Linton les accompagnait. Ils étaient déjà dans la cour. Heathcliff, à la réflexion, résolut d'éviter une échauffourée avec trois subalternes ; il saisit le tisonnier, fit sauter la serrure de la porte et se sauva au moment où ils entraient.

Mrs. Linton, qui était fort agitée, me dit de l'accompagner au premier. Elle ne savait pas quelle part j'avais prise au déclenchement de ce branle-bas, et tout mon désir était de la laisser dans l'ignorance.

« Je suis presque folle, Nelly ! s'écria-t-elle en se jetant sur le sofa. Mille marteaux de forgeron battent dans ma tête ! Dis à Isabella de rester à l'écart ; tout ce tumulte est de sa faute ; et si elle, ou qui que ce soit d'autre, aggravait maintenant ma colère, je deviendrais folle furieuse. Et puis, Nelly, dis à Edgar, si tu le revois ce soir, que je suis en danger d'être sérieusement malade. Je souhaite qu'il en soit ainsi. Il m'a alarmée et bouleversée d'horrible façon ! Je veux l'effrayer. D'ailleurs, il pourrait bien venir m'égrener un chapelet de plaintes et de reproches ;

naturellement, je récriminerais, et Dieu sait où cela finirait ! Veux-tu faire cela, ma bonne Nelly ? Tu sais que je ne suis blâmable en rien dans cette affaire. Quel démon l'a poussé à écouter aux portes ? Heathcliff a parlé d'une manière outrageante quand tu nous as eu quittés ; pourtant je l'aurais bientôt détourné d'Isabella, et le reste était sans conséquence. Maintenant tout est sens dessus dessous à cause de cette sotte envie d'entendre dire du mal de soi dont certaines gens sont possédés ! Si Edgar n'avait pas surpris notre conversation, il ne s'en serait pas plus mal trouvé. Vraiment, quand il m'a interpellée sur ce ton de mécontentement déraisonnable, alors que je venais de rabrouer Heathcliff à cause de lui jusqu'à en être enrouée, je ne me souciais guère de ce qu'ils pouvaient se faire l'un à l'autre ; d'autant plus que, je le sentais, de quelque manière que la scène dût se terminer, nous allions être tous séparés pour je ne sais combien de temps ! Eh bien ! si je ne puis pas garder Heathcliff pour ami, si Edgar tient à être mesquin et jaloux, j'essaierai de leur briser le cœur en brisant le mien. Ce sera une prompte manière d'en finir si l'on me pousse à bout. Mais c'est un parti à garder en réserve pour le cas où tout espoir serait perdu : à cet égard, je ne prendrai pas Linton par surprise. Jusqu'à présent il a craint sagement de me provoquer ; tu dois lui représenter le péril qu'il y aurait à abandonner cette politique, et lui rappeler mon tempérament passionné qui, lorsqu'on l'enflamme, est à deux doigts de la fureur. Je voudrais que tu pusses chasser cette apathie de ton visage et que tu eusses l'air un peu plus inquiète à mon sujet. »

L'impassibilité avec laquelle je recevais ces instructions était, sans nul doute, assez exaspérante : car elles venaient d'une parfaite sincérité ; mais je me disais qu'une personne qui pouvait projeter de tirer parti de ses accès de colère pourrait également parvenir, pour peu qu'elle exerçât sa volonté, à se dominer suffisamment, même lorsqu'elle serait sous leur influence ; je n'avais donc aucun désir d'« effrayer » son mari, comme elle disait, ni d'accroître les soucis de Mr. Linton pour servir son égoïsme à elle. C'est pourquoi je me tus quand je rencontrai le maître qui s'en allait vers le salon ; mais je pris la liberté de rebrousser chemin pour écouter s'ils reprendraient leur querelle. C'est lui qui parla le premier.

« Restez où vous êtes, Catherine, dit-il sans aucune colère dans la voix, mais avec beaucoup d'accablement et d'affliction. Je ne m'attarderai pas. Je ne suis venu ni pour lutter de mots ni pour me réconcilier; mais je veux seulement savoir si, après les événements de ce soir, vous avez l'intention de persévérer dans votre intimité avec...

— Oh! par pitié, interrompit la maîtresse en frappant du pied, par pitié, ne parlons plus de cela pour l'instant! Votre sang que rien n'échauffe ignore la fièvre: vos veines sont remplies d'eau glacée; mais les miennes sont en ébullition et la vue d'une pareille froideur les met en danse.

— Répondez à ma question pour vous débarrasser de moi, insista Mr. Linton. Il *faut* que vous me répondiez; et cette violence ne m'alarme pas. J'ai découvert que vous pouvez être aussi stoïque que quiconque quand vous le voulez. Voulez-vous renoncer désormais à Heathcliff ou voulez-vous renoncer à moi? Il vous est impossible d'être en même temps mon amie et la sienne. Et j'*exige* absolument de savoir qui vous choisissez.

— J'exige, moi, qu'on me laisse tranquille! s'écria Catherine avec fureur. Je l'exige formellement! Ne voyez-vous pas que je puis à peine me tenir debout? Edgar, laissez-moi... laissez-moi! »

Elle tira le cordon de la sonnette de telle sorte qu'il se rompit bruyamment; j'entrai sans me presser. C'en était assez pour mettre à l'épreuve la patience d'un saint que des rages aussi insensées, aussi perverses! Elle était étendue, heurtant de la tête le bras du sofa, et grinçant des dents à croire qu'elle allait les mettre en miettes! Mr. Linton, debout, la regardait, pris soudain de remords et de crainte. Il me dit d'aller chercher de l'eau. Elle n'avait plus assez de souffle pour parler. J'apportai un verre plein; et, comme elle refusait de boire, je lui aspergeai le visage. Quelques secondes après, elle devint toute raide, et ses yeux se révulsèrent, tandis que ses joues, tout à coup décolorées et livides, prenaient l'aspect de la mort. Linton paraissait terrifié.

« Il n'y a pas lieu de s'inquiéter du tout », murmurai-je. Je ne voulais pas qu'il cédât, quoique je ne pusse m'empêcher d'être effrayée au fond de moi-même.

« Elle a du sang sur les lèvres ! dit-il en frissonnant.

— Peu importe ! » répondis-je sèchement.

Et je lui rapportai qu'elle avait résolu, avant son arrivée, de donner le spectacle d'une crise de nerfs. J'eus l'imprudence de le lui dire tout haut, et elle m'entendit ; car elle se redressa tout à coup, les cheveux épars sur les épaules, les yeux flamboyants, les muscles du cou et des bras saillant d'une manière anormale. Je m'attendais à avoir des os brisés, pour le moins ; mais elle se contenta de promener un regard fixe autour d'elle, puis se précipita hors de la pièce. Le maître m'ordonna de la suivre ; ce que je fis, jusqu'à la porte de sa chambre : elle m'empêcha d'aller plus loin en la verrouillant.

Le lendemain matin, comme elle ne faisait pas mine de descendre déjeuner, j'allai lui demander si elle désirait qu'on lui montât quelque chose. « Non ! » répondit-elle d'un ton péremptoire. La même question fut répétée au dîner et au thé, et de nouveau le jour suivant, pour recevoir même réponse. Mr. Linton, de son côté, passa son temps dans la bibliothèque sans s'informer des occupations de sa femme. Isabella et lui eurent un entretien d'une heure, pendant lequel il s'efforça de découvrir en elle, relativement aux avances de Heathcliff, un sentiment d'horreur appropriée ; mais il ne put rien tirer de ses réponses évasives et fut obligé de terminer l'interrogatoire sans avoir obtenu satisfaction ; ajoutant toutefois l'avertissement solennel que, si elle était assez insensée pour encourager cet indigne prétendant, tout lien de parenté entre elle et lui en serait rompu.

XII

Tandis que Miss Linton errait en broyant du noir dans le parc et le jardin, toujours en silence et presque toujours en larmes ; tandis que son frère s'enfermait avec des livres qu'il n'ouvrait jamais, consumé, me disais-je, de la vague et continuelle attente que Catherine, se repentant de sa conduite, vînt de son propre mouvement lui demander pardon et quêter une réconciliation ; tandis qu'elle-même, enfin, s'entêtait à jeûner, dans l'idée, sans doute, qu'à chaque repas Edgar était sur le point d'étouffer à cause de son absence, et que seul l'orgueil le retenait d'aller se jeter à ses pieds ; je continuais, quant à moi, à vaquer aux soins du ménage, convaincue que Le Manoir ne renfermait dans ses murs qu'une âme sensée et que cette âme était logée dans mon corps. Je ne prodiguai ni consolations à Miss ni remontrances à ma maîtresse, et je ne prêtai guère attention aux soupirs de mon maître, qui se languissait du désir d'entendre le nom de sa femme dès lors qu'il ne pouvait entendre sa voix. Je résolus de les laisser se raccommoder comme ils voudraient ; et bien que ce fût là une lente et fastidieuse méthode, je finis par apercevoir avec joie poindre faiblement le succès — du moins, à ce que je crus tout d'abord.

Mrs. Linton déverrouilla sa porte le troisième jour, et comme elle avait épuisé l'eau de sa cruche et de son flacon, elle en demanda une nouvelle provision, ainsi qu'une écuelle de gruau, car elle avait le sentiment qu'elle allait mourir. Je tins cela pour un discours destiné aux oreilles d'Edgar ; et, n'en croyant pas un mot, je le gardai pour moi, me contentant de lui apporter du thé et du pain grillé. Elle mangea et but avidement ; puis retomba sur l'oreiller en se tordant les mains et en gémissant.

« Oh ! je veux mourir, s'écria-t-elle, puisque personne ne se soucie de moi. Je regrette d'avoir pris cela. »

Et, un long moment après, je l'entendis murmurer :

« Non, je ne veux pas mourir... il en serait heureux... il ne m'aime nullement... je ne lui manquerais pas !

— Désirez-vous quelque chose, madame ? demandai-je, conservant toujours une apparence de calme en dépit de son expression hagarde et de l'étrange outrance de ses manières.

— Que fait cet être apathique ? demanda-t-elle en

écartant de son visage amaigri ses épaisses boucles emmêlées. Est-il tombé en léthargie ou est-il mort?

— Ni l'un ni l'autre, répondis-je, si vous voulez parler de Mr. Linton. Il se porte assez bien, je crois, encore que ses études l'occupent plus qu'elles ne devraient : il passe tout son temps avec ses livres puisqu'il n'a pas d'autre société. »

Je n'aurais pas parlé ainsi si j'avais connu son véritable état; mais je ne pouvais me défaire de l'idée que sa maladie était jouée en partie.

« Avec ses livres ! s'écria-t-elle, confondue. Et moi qui suis mourante ! Moi qui suis au bord de la tombe ! Mon Dieu ! Sait-il combien je suis changée ? continua-t-elle en regardant son reflet dans un miroir pendu au mur en face d'elle. Est-ce là Catherine Linton ? Il croit que je boude, que je joue la comédie, peut-être. Peux-tu lui faire comprendre que c'est terriblement sérieux ? Nelly, si ce n'est pas trop tard, dès que je saurai ce qu'il ressent, je choisirai entre ces deux partis : ou bien me laisser mourir de faim tout de suite — mais ce ne serait pas une punition pour lui, s'il n'a pas de cœur — ou bien guérir et quitter le pays. Dis-tu la vérité à son sujet ? Prends garde. Se peut-il que ma vie lui soit si totalement indifférente ?

— Ma foi, madame, répondis-je, le maître ne se doute nullement que vous êtes indisposée; et, naturellement, il ne redoute pas que vous vous laissiez mourir de faim.

— Tu ne le crois pas ? Ne peux-tu lui dire que je le ferai ? répondit-elle. Persuade-le ! Parle selon ta propre conviction : dis que tu es certaine que je le ferai !

— Vous oubliez, Mrs. Linton, suggérai-je, que vous avez pris quelque nourriture avec plaisir ce soir, et que demain vous en sentirez les bons effets.

— Si seulement j'étais sûre que cela le tuerait, interrompit-elle, je me tuerais moi-même sur-le-champ. Ces trois affreuses nuits, je n'ai pas fermé un instant les paupières, et oh ! comme j'ai été torturée ! Comme j'ai été hantée, Nelly ! Mais je commence à croire que tu ne m'aimes pas. Comme c'est étrange ! Je m'imaginais, bien qu'ils se haïssent et se méprisent tous les uns les autres, qu'ils ne pouvaient s'empêcher de m'aimer. Et ils sont tous devenus mes ennemis en quelques heures. Oui, ils le sont tous devenus ici-même, j'en suis certaine. Quelle horreur que d'affronter la mort, entourée de ces froids visages ! Isabella, pleine de terreur et de répulsion, ayant peur d'entrer dans la chambre : ce serait si affreux de voir Catherine disparaître ! Et Edgar se tenant solennellement à mon côté pour assister à ma fin, puis offrant à Dieu des actions de grâce pour avoir rendu la paix à son foyer, et retournant à ses *livres !* Au nom de tout être doué de sentiment, qu'a-t-il à faire de *livres* quand je me meurs ? »

Elle ne pouvait supporter l'idée, que je lui avais mise en tête, de la résignation philosophique de Mr. Linton. A force de s'agiter, elle mua son égarement fébrile en frénésie et se mit à déchirer l'oreiller de ses dents ; puis se redressant, toute brûlante, elle voulut que j'ouvrisse la fenêtre. Nous étions en plein hiver, le vent soufflait avec force du nord-est, et je m'y refusai. Les expressions qui se succédaient rapidement sur son visage, ainsi que ses sautes d'humeur, commençaient à m'alarmer terriblement, et me rappelaient son ancienne maladie ainsi que la recommandation qu'avait faite le docteur de ne pas la contrarier. Une minute plus tôt, elle était toute violence ; maintenant, appuyée sur un bras et ne prenant pas garde à mon refus de lui obéir, elle semblait trouver un amusement enfantin à tirer les plumes par les déchirures qu'elle venait de faire et à les ranger sur le drap selon leur espèce : son esprit vagabondait ailleurs.

« Voici une plume de dindon, murmura-t-elle à part elle ; et en voici une de canard sauvage ; et une de pigeon. Ah ! on met des plumes de pigeon dans les oreillers — ce n'est pas étonnant que je n'aie pas pu mourir ! Il faut que je prenne soin de la jeter à terre quand je me recoucherai. Et en voilà une de lagopède ; et celle-ci — je la reconnaîtrais entre mille — c'est une plume de vanneau. Ce gracieux oiseau, qui tournoie au-dessus de nos têtes au milieu de la lande. Il voulait regagner son nid, car les nuages effleuraient les hauteurs et il sentait venir la pluie. Cette plume a été ramassée dans la bruyère, sans qu'on ait abattu l'oiseau : nous avons vu son nid cet hiver, plein de petits squelettes. Heathcliff a posé un piège dessus, et les parents n'osent plus venir. Je lui ai fait promettre après cela qu'il ne tirerait plus un vanneau, et il m'a obéi. Oui, en voici d'autres. A-t-il tué mes vanneaux, Nelly ? Y a-t-il du rouge sur l'une des plumes ? Laisse-moi voir.

— Cessez ce jeu d'enfant ! interrompis-je, lui enlevant l'oreiller et tournant les trous vers le matelas, car elle en retirait le contenu à poignées. Recouchez-vous et fermez les yeux : vous délirez. Quel gâchis ! Le duvet vole partout comme de la neige. »

J'allais le ramassant çà et là.

« Je vois en toi, Nelly, continua-t-elle rêveusement, une femme âgée : tu as les cheveux gris et les épaules voûtées. Ce lit, c'est la grotte des fées sous le Roc de Penistone, et tu ramasses des carreaux-d'elfe [1] pour blesser nos génisses, tout en prétendant, quand je suis près de toi, que ce sont seulement des flocons de laine. Voilà à quoi tu en viendras dans cinquante ans. Je sais que tu n'es pas comme cela à présent. Je ne délire pas : tu te trompes, sans quoi je croirais que tu es réellement cette sorcière flétrie et que je suis moi-même sous le Roc de Penistone ; pourtant je sais bien qu'il fait nuit et qu'il y a sur la table deux bougies qui font briller comme du jais l'armoire noire.

— L'armoire noire ? Où est-elle ? demandai-je. Vous parlez dans votre sommeil.

— Contre le mur, comme toujours, répondit-elle. Elle a l'air bien bizarre — j'y vois un visage !

— Il n'y a pas d'armoire dans la chambre et il n'y en a jamais eu, dis-je, reprenant mon siège et remettant le rideau du lit dans son embrasse pour pouvoir l'observer.

— Ne vois-tu pas ce visage, toi ? » demanda-t-elle en regardant le miroir avec insistance.

J'eus beau parler, je ne parvins pas à lui faire comprendre que c'était le sien ; alors je me levai et le couvris d'un châle.

« Il est toujours là derrière ! reprit-elle avec anxiété. Et

1. Silex taillés en têtes de flèche, ou simplement pointus, dont les elfes se servaient, pensait-on, pour blesser le bétail. *(N.d.T.)*

il a bougé. Qui est-ce? J'espère qu'il ne va pas surgir quand tu seras partie. Oh! Nelly, la chambre est hantée! J'ai peur de me trouver seule! »

Je pris sa main dans la mienne et la pressai de se calmer, car son corps était secoué de tressaillements convulsifs et elle persistait à regarder fixement le miroir.

« Il n'y a personne ici! insistai-je. C'était vous-même, Mrs. Linton: vous le saviez bien tout à l'heure.

— Moi-même! dit-elle avec horreur. Et voilà minuit qui sonne! C'est donc vrai! C'est affreux! »

Ses doigts agrippèrent les draps et les ramenèrent sur ses yeux. J'essayai de me glisser vers la porte avec l'intention d'appeler son mari, mais un cri perçant me fit revenir — le châle était tombé du cadre.

« Eh bien! qu'y a-t-il donc? m'écriai-je. Qui fait la poltronne à présent? Réveillez-vous. C'est la glace — le miroir, Mrs. Linton; vous vous y voyez, et je suis là, à côté de vous. »

Tremblante et égarée, elle se cramponnait à moi; mais l'horreur s'effaça peu à peu de son visage, dont la pâleur fit place au rouge de la honte.

« Oh! mon Dieu! Je me croyais à la maison, soupira-t-elle. Je croyais que j'étais dans ma chambre à Hurlevent. La faiblesse m'a troublé la cervelle, et j'ai crié inconsciemment. Ne dis rien; mais reste avec moi. J'ai peur de dormir: mes rêves m'épouvantent.

— Un bon somme vous ferait du bien, madame, répondis-je; et ce que vous endurez maintenant vous empêchera, j'espère, de recommencer à vouloir mourir de faim.

— Oh! si seulement j'étais dans mon lit à moi, dans la vieille maison! continua-t-elle amèrement en se tordant les mains. Et ce vent qui chante dans les sapins près de la fenêtre. Laisse-moi le sentir... il vient droit de la lande... rien qu'une bouffée! »

Pour l'apaiser, j'entrouvris la fenêtre pendant quelques secondes. Une rafale glacée fit irruption dans la pièce. Je refermai et retournai à mon poste. Elle était couchée à présent, immobile, le visage baigné de larmes. L'épuisement de son corps avait complètement maîtrisé le feu de son âme : notre ardente Catherine n'était plus qu'une enfant gémissante.

« Depuis combien de temps me suis-je enfermée ici ? demanda-t-elle, se ranimant soudain.

— C'était lundi soir, répondis-je, et nous sommes jeudi soir, ou plutôt vendredi matin, à présent.

— Quoi ! de la même semaine ? s'écria-t-elle. Cela fait si peu de temps ?

— C'est un assez long temps à ne vivre que d'eau froide et de mauvaise humeur, observai-je.

— Je ne sais pas, murmura-t-elle d'un air de doute, il me semble à moi qu'il s'est écoulé une infinité d'heures. Cela doit faire plus longtemps. Je me souviens que j'étais au salon après leur querelle, et qu'Edgar m'a cruellement provoquée, si bien que je me suis enfuie dans cette chambre, au désespoir. Dès que j'ai eu verrouillé la porte, j'ai été enveloppée de ténèbres et je suis tombée par terre. Je n'avais pas pu faire comprendre à Edgar que j'étais certaine d'avoir une attaque ou de devenir folle furieuse s'il persistait à me tourmenter ! Je n'étais plus maîtresse de ma langue ni de mon cerveau, et peut-être ne devina-t-il pas quelle agonie je souffrais : elle me laissait juste assez de moyens pour tenter de lui échapper et d'échapper à sa voix. Avant que je fusse suffisamment revenue à moi pour voir et pour entendre, il se mit à faire jour et, Nelly, je vais te dire ce que j'ai pensé alors et ce qui revenait et revenait sans cesse dans mon esprit au point que je craignais pour ma raison. J'ai pensé, tandis que je gisais là, la tête contre ce pied de table et mes yeux distinguant confusément le carré gris de la fenêtre, que j'étais à la maison, enfermée dans le lit aux panneaux de chêne ; et mon cœur souffrait de quelque grand chagrin qu'en m'éveillant je n'ai pas pu me rappeler. Je réfléchis et me tourmentai pour découvrir ce que ce pouvait être et, très étrangement, les sept dernières années de ma vie s'évanouirent entièrement ! Je ne me souvenais pas qu'elles eussent seulement existé. J'étais une enfant ; mon père venait d'être enterré, et ma détresse était due à la séparation décidée par Hindley entre Heathcliff et moi. On me coucha seule, pour la première fois, et, en sortant d'un triste sommeil après une nuit de larmes, je levai la main pour écarter les panneaux : elle heurta le dessus de la table ! Je la passai sur le tapis et alors la mémoire me revint tout à coup : mon angoisse récente s'engloutit dans un paroxysme de désespoir. Je ne saurais dire pourquoi je me sentis si affreusement misérable : ce dut être un moment de folie passagère, car il n'y a guère de raison pour cela. Mais suppose qu'à douze ans j'aie été arrachée à Hurlevent et à mon milieu ancien et à ce qui était tout pour moi, comme Heathcliff l'était en ce temps-là, pour être convertie d'un seul coup en Mrs. Linton, la maîtresse du Manoir de la Grive et la femme d'un étranger — une exilée, dorénavant proscrite de tout ce qui avait été mon univers, tu auras un aperçu de l'abîme où je gisais ! Secoue la tête tant que tu voudras, Nelly, tu as contribué toi-même à mon égarement ! Tu aurais dû parler à Edgar, oui vraiment tu l'aurais dû, et le contraindre à me laisser en repos ! Oh ! je suis brûlante ! Si je pouvais être dehors ! Si je pouvais redevenir une petite fille, à demi sauvage et intrépide et libre ; et riant des injures souffertes au lieu d'en devenir folle ! Pourquoi suis-je tellement changée ? Pourquoi mon sang se jette-t-il dans une danse infernale à cause de quelques mots ? Je suis sûre que je redeviendrais moi-même si je me retrouvais dans la bruyère sur ces collines. Rouvre la fenêtre toute grande ; et maintiens-la ouverte ! Vite ! Pourquoi ne bouges-tu pas ?

— Parce que je ne veux pas vous faire attraper la mort, répondis-je.

— Dis plutôt que tu ne veux pas me donner une chance de vivre, répliqua-t-elle d'un ton fâché. Mais je ne suis pas encore impotente : Je l'ouvrirai moi-même. »

Et se glissant à bas du lit avant que je pusse l'en empêcher, elle traversa la chambre d'un pas très incertain, repoussa le châssis de la fenêtre et se pencha au-dehors, sans souci de l'air glacé qui lui coupait les épaules comme un couteau. Je la suppliai, et finalement tentai de la contraindre à battre en retraite. Mais je découvris bientôt que la force de son délire surpassait de beaucoup la mienne (car elle délirait vraiment, comme ses gestes et ses divagations allaient m'en convaincre). Il n'y avait pas de lune et, au-dessous de nous, tout était enveloppé de brumeuses ténèbres : nulle lumière ne brillait dans aucune maison, proche ou lointaine — toutes étaient éteintes depuis longtemps, et l'on ne voyait jamais celles de Hurlevent ; elle soutint pourtant qu'elle en voyait la lueur.

« Regarde ! s'écria-t-elle vivement, voilà ma chambre avec sa chandelle, et les arbres qui se balancent devant ; et l'autre chandelle, c'est celle du grenier de Joseph. Joseph veille tard, n'est-ce pas ? Il attend que je revienne à la maison pour pouvoir fermer la grille. Eh bien ! il attendra encore un peu. Le parcours est rude et c'est un cœur bien gros qui l'accomplit ; et il faut passer par l'église de Gimmerton en chemin ! Nous avons souvent bravé ses fantômes ensemble en nous défiant l'un l'autre de rester au milieu des tombes pour les évoquer. Mais, Heathcliff, si je te mets au défi à présent, t'y hasarderas-tu ? Si tu l'oses, je te garderai avec moi. Je ne veux pas être couchée là toute seule : on peut m'enfouir à douze pieds de profondeur et abattre l'église sur moi, je ne serai pas en repos que tu ne sois avec moi. Non, jamais ! »

Elle s'arrêta, puis reprit avec un étrange sourire :

« Il réfléchit... il aimerait mieux que j'allasse à lui ! Trouve un chemin, alors ! Pas par le cimetière. Que tu es lent ! Ne te plains pas, tu m'as toujours suivie ! »

Voyant qu'il était vain de lutter contre sa démence, je me demandais comment je pourrais atteindre de quoi l'envelopper sans cesser de la tenir (car je ne pouvais pas la laisser seule près de cette fenêtre béante) lorsque, à ma consternation, j'entendis cliqueter la poignée de la porte, et Mr. Linton entra. Il venait de la bibliothèque et, en longeant le couloir, il nous avait entendues parler ; sur quoi, la curiosité ou la crainte l'avait incité à venir voir ce que cela signifiait à cette heure tardive.

« Oh ! monsieur, m'écriai-je, arrêtant l'exclamation qui montait à ses lèvres devant le spectacle offert à sa vue et l'atmosphère glaciale de la chambre. Ma pauvre maîtresse est malade, et elle est plus forte que moi : je ne puis rien faire d'elle. Je vous en prie, venez la persuader de se mettre au lit. Oubliez votre colère, car elle est difficile à mener, elle n'en veut faire qu'à sa tête.

— Catherine malade? dit-il en s'élançant vers nous. Fermez la fenêtre, Ellen! Catherine! pourquoi... »

Il se tut, frappé de mutisme par la physionomie hagarde de Mrs. Linton, et ne pouvant que nous regarder tour à tour avec une stupéfaction horrifiée.

« Elle est restée ici à se ronger, repris-je, sans manger pour ainsi dire et sans se plaindre; elle n'a voulu laisser entrer aucun de nous jusqu'à ce soir, et nous n'avons pas pu vous informer de son état puisque nous l'ignorions nous-mêmes; mais ce n'est rien. »

Je sentis que je m'expliquais avec gaucherie. Le maître fronça le sourcil :

« Ce n'est rien, vraiment, Ellen Dean? dit-il avec sévérité. Vous devrez vous justifier plus clairement de m'avoir tenu dans l'ignorance! »

Et il prit sa femme dans ses bras en la regardant avec angoisse.

Tout d'abord elle ne parut pas le reconnaître : il était invisible à son regard absent. Son délire, toutefois, n'était pas permanent; ayant détourné ses regards des ténèbres du dehors, elle concentra peu à peu son attention sur lui et reconnut qui la tenait dans ses bras.

« Ah! vous êtes donc venu, Edgar Linton, dit-elle d'un ton animé et courroucé. Vous êtes de ces êtres qu'on trouve toujours quand on ne les veut pas, et qu'on ne trouve jamais quand on a besoin d'eux! Je suppose que nous allons avoir force lamentations à présent — je vois cela venir — mais rien ne pourra m'empêcher d'atteindre mon étroit logis de là-bas — le lieu de repos que je dois rejoindre avant que le printemps n'ait passé! Pas parmi les Linton, notez-le bien, pas sous le toit de la chapelle, mais en plein air, avec une pierre tombale; et vous verrez s'il vous plaît d'aller les retrouver ou de venir à moi!

— Catherine, qu'avez-vous fait? commença le maître. Ne suis-je donc plus rien pour vous? Aimez-vous ce misérable Heath...

— Taisez-vous! s'écria Mrs. Linton, taisez-vous à l'instant! Si vous mentionnez ce nom, je termine l'affaire instantanément en me jetant par la fenêtre ! Ce que vous touchez à présent est à vous ; mais mon âme sera au sommet de cette colline avant que vous portiez à nouveau les mains sur moi. Je n'ai pas besoin de vous, Edgar : j'ai fini d'avoir besoin de vous. Retournez à vos livres. Je suis contente que vous ayez une consolation, car toutes celles que vous trouviez en moi se sont évanouies.

— Elle divague, monsieur, interrompis-je. Elle a passé toute la soirée à dire des folies ; mais qu'elle ait de la tranquillité et des soins appropriés, et elle se remettra. Nous devons prendre garde de ne pas la contrarier désormais.

— Je n'ai plus que faire de vos conseils, répondit Mr. Linton. Connaissant la nature de votre maîtresse, vous m'avez encouragé à l'exaspérer. Et pas une seule allusion à l'état dans lequel elle est depuis trois jours ! Quel manque de cœur ! Des mois de maladie n'auraient pas causé pareil changement ! »

Je commençai à me défendre, trouvant par trop injuste d'être blâmée à cause de l'entêtement pervers d'une autre :

« Je savais que Mrs. Linton était volontaire et impérieuse de nature, m'écriai-je, mais je ne savais pas que vous vouliez encourager ses violences de caractère ! Je ne savais pas que, pour lui complaire, je devais fermer les yeux sur Mr. Heathcliff. J'ai rempli mon devoir de fidèle servante en vous avertissant, et voilà le salaire que je reçois ! Eh bien ! cela m'apprendra à être plus prudente une autre fois. Une autre fois, vous pourrez vous procurer vos informations par vous-même !

— La prochaine fois que vous me ferez des racontars, vous quitterez mon service, Ellen Dean, répondit-il.

— Vous préféreriez n'en rien apprendre, je suppose, Mr. Linton ? dis-je. Heathcliff a votre permission de venir faire la cour à Miss et de profiter de toutes vos absences pour jeter un venin dans l'esprit de ma maîtresse à vos dépens ? »

Si troublée que fût Catherine, elle eut l'esprit assez alerte pour saisir notre conversation.

« Ah ! Nelly a trahi ! s'écria-t-elle avec emportement.

Nelly est ma secrète ennemie. Sorcière ! Ainsi donc, tu cherches vraiment des carreaux-d'elfe pour nous blesser ! Lâchez-moi, je l'en ferai repentir ! Je la ferai hurler et se rétracter ! »

Une rage démente s'alluma dans ses yeux ; elle lutta désespérément pour se dégager des bras de Linton. Je ne tins pas à voir la suite ; et, décidant d'aller chercher le secours d'un médecin de mon propre chef, je quittai la chambre.

En passant par le jardin pour atteindre la route, là où il y a un crochet fiché dans le mur pour qu'on y passe les brides, je vis quelque chose de blanc qui s'agitait de façon irrégulière, évidemment sous l'effet d'un autre agent que le vent. En dépit de ma hâte, je m'arrêtai pour l'examiner, afin de ne pas laisser s'implanter ensuite dans ma tête la conviction que j'avais vu là une créature d'un autre monde. Grandes furent ma surprise et ma perplexité de reconnaître, au toucher plutôt qu'à la vue, l'épagneule de Miss Isabella, Fanny, pendue par un mouchoir et sur le point de rendre le dernier soupir. Je me hâtai de délivrer la bête et la déposai dans le jardin. Je l'avais vue suivre sa maîtresse en haut quand celle-ci était allée se coucher, et je me demandai avec surprise comment elle avait bien pu venir là et qui avait eu la méchanceté de la traiter de la sorte. Tandis que je défaisais le nœud serré autour du crochet, il me sembla percevoir à plusieurs reprises le bruit d'un cheval galopant à quelque distance ; mais il y avait tant de choses pour occuper mes réflexions que c'est à peine si j'accordai à cela une pensée, encore que ce fût un son étrange à entendre en cet endroit à deux heures du matin.

Par bonheur, Mr. Kenneth sortait justement de chez lui pour aller voir un malade au village quand je remontai sa rue ; et la description que je lui fis de la maladie de Catherine Linton l'incita à m'accompagner immédiatement. C'était un homme franc et rude ; et il ne se fit pas scrupule de dire qu'il doutait qu'elle survécût à cette seconde attaque, si elle ne se montrait pas plus docile à ses instructions que précédemment.

« Nelly Dean, me dit-il, je ne peux pas m'empêcher de

penser qu'il y a encore une autre cause à cela. Que s'est-il passé au Manoir ? D'étranges bruits ont couru par ici. Une forte et courageuse fille comme Catherine ne tombe pas malade pour une bagatelle ; et d'ailleurs cela ne devrait pas arriver à des tempéraments comme le sien : c'est un rude travail, ensuite, que de les tirer de pareilles fièvres et autres mauvais pas de ce genre. Comment cela a-t-il commencé ?

— Le maître vous renseignera, répondis-je, mais vous connaissez le naturel violent des Earnshaw, et Mrs. Linton les bat tous. Je puis vous dire une chose : cela a commencé par une querelle. Elle a été prise, dans une rafale de colère, d'une espèce d'attaque. C'est du moins ce qu'elle rapporte ; car elle s'est enfuie au plus fort de la scène et s'est enfermée. Ensuite, elle a refusé de manger, et maintenant elle délire ou bien elle reste perdue dans un demi-rêve ; elle reconnaît ceux qui l'entourent, mais elle a la tête farcie de toutes sortes d'idées étranges et d'illusions.

— Mr. Linton sera sans doute très affecté ? observa Kenneth d'un ton interrogateur.

— Affecté ? Il aura le cœur brisé s'il arrive quelque chose ! répondis-je. Ne l'alarmez pas plus qu'il n'est nécessaire.

— Ma foi, je l'avais prévenu de prendre garde, dit-il ; et s'il a négligé mes avertissements, il devra en supporter les conséquences ! N'a-t-il pas fréquenté beaucoup Mr. Heathcliff récemment ?

— Mr. Heathcliff fait de fréquentes visites au Manoir, répondis-je, mais bien plus en s'autorisant du fait que la maîtresse l'a connu dans son enfance, que parce que le maître apprécie sa compagnie. A présent, il est dispensé de prendre la peine de venir, à cause de certaines aspirations présomptueuses qu'il a manifestées à l'égard de Miss Linton. Je serais surprise qu'on le reçût encore.

— Et Miss Linton lui a-t-elle battu froid ? demanda alors le docteur.

— Je ne suis pas dans sa confidence, répondis-je, répugnant à poursuivre le sujet.

— Non, c'est une futée, remarqua-t-il en hochant la

tête. Elle ne prend conseil que d'elle-même! Mais c'est une vraie petite folle. Je tiens de bonne source que, la nuit dernière (et c'était une jolie nuit!) elle et Heathcliff se sont promenés plus de deux heures durant dans le bosquet de derrière votre maison; et il la pressait de ne pas rentrer, mais de bel et bien monter en croupe sur son cheval et de s'enfuir avec lui! Mon informateur m'a dit qu'elle n'avait pu se défaire de lui qu'en lui donnant sa parole d'honneur qu'elle serait prête à le suivre à leur prochain rendez-vous: quand celui-ci devait-il avoir lieu, il ne l'a pas entendu; mais vous pouvez recommander à Mr. Linton d'ouvrir l'œil!»

Ces nouvelles m'emplirent de craintes nouvelles; je devançai Kenneth et courus la plus grande partie du chemin. La petite chienne jappait toujours dans le jardin. Je perdis une minute pour lui ouvrir la grille, mais au lieu d'aller vers la porte, elle courut çà et là, reniflant l'herbe, et elle se fût échappée sur la route si je ne l'avais saisie et emportée dans la maison. En montant à la chambre d'Isabella, mes soupçons se confirmèrent: elle était vide. Si j'étais venue quelques heures plus tôt, la maladie de Mrs. Linton aurait pu empêcher son geste insensé. Mais que faire à présent? Peut-être y avait-il une petite chance de les rattraper si l'on se mettait instantanément à leur poursuite. Mais ce n'était pas moi qui pouvais les poursuivre, et je n'osai pas réveiller la famille ni jeter le trouble dans la maison; moins encore révéler l'affaire à mon maître, occupé comme il l'était de son présent malheur et sans courage de reste pour une seconde peine! Je ne vis pas d'autre parti à prendre que de tenir ma langue et de laisser les choses suivre leur cours; et, quand Kenneth arriva, j'allai l'annoncer avec une contenance mal assurée. Catherine dormait d'un sommeil troublé; son mari était parvenu à calmer sa frénésie: il était penché sur son oreiller, épiant chaque nuance et chaque changement d'expression sur ses traits douloureux.

Le docteur, après avoir examiné la malade, déclara à Mr. Linton qu'il gardait l'espoir d'une issue favorable si nous pouvions maintenir autour d'elle une tranquillité parfaite et constante. A moi il signifia que le danger qui menaçait n'était pas tant la mort qu'une aliénation mentale permanente.

Je ne fermai pas l'œil cette nuit-là, non plus que Mr. Linton : en fait, nous ne nous couchâmes pas ; et les domestiques se levèrent tous longtemps avant l'heure habituelle, pour circuler à travers la maison d'un pas furtif, échangeant des paroles à mi-voix quand ils se rencontraient dans leurs occupations. Tout le monde s'affairait, sauf Miss Isabella ; et l'on commença à remarquer qu'elle dormait bien profondément ; son frère, lui aussi, demanda si elle était levée, et parut impatient de la voir paraître, ainsi que blessé du peu d'inquiétude qu'elle montrait à l'égard de sa belle-sœur. Je tremblais qu'il ne m'envoyât l'appeler ; mais il me fut épargné d'être la première à annoncer sa fuite. L'une des servantes, une étourdie qui avait été faire une commission de bon matin à Gimmerton, arriva en haut de l'escalier bouche bée, hors d'haleine, et se précipita dans la chambre en criant :

« Oh ! mon Dieu, mon Dieu ! Qu'est-ce qui va encore arriver ? Maître, maître, not'jeune damselle...

— Pas tant de vacarme ! m'écriai-je vivement, mise en fureur par ses façons tapageuses.

— Parlez plus bas, Mary — qu'y a-t-il ? demanda Mr. Linton. Qu'arrive-t-il à votre jeune demoiselle ?

— Elle est partie, elle est partie ! Ce Heathcliff s'est ensauvé avec elle ! haleta la fille.

— Ce n'est pas vrai ! s'écria Linton en se levant avec agitation. Ce ne peut être ! Comment cette idée vous est-elle entrée dans la tête ? Ellen Dean, allez la chercher. C'est incroyable. Ce ne peut être. »

Tout en parlant, il conduisit la servante vers la porte, puis il lui redemanda quelles raisons elle avait de soutenir pareille chose.

« Eh bien ! j'ai rencontré en route un gars qui vient chercher du lait ici, balbutia-t-elle, et il m'a demandé si on n'avait pas des tracas au Manoir. J'ai cru qu'il voulait parler de la maladie de madame, et j'ai répondu oui. Alors il a dit : « Y a quelqu'un qu'est à leurs trousses, j'suppose ? » J'ai ouvert de grands yeux. Il a vu que je ne savais rien, et il m'a raconté comme quoi un monsieur et une dame s'étaient arrêtés pour faire remettre un fer à un cheval dans une forge à deux milles de Gimmerton, peu après minuit! et comme quoi la fille du forgeron, qui s'était levée pour voir à la dérobée qui c'était, les avait reconnus tout de suite. Et elle a remarqué que l'homme — c'était Heathcliff, elle en est sûre, du reste personne ne pourrait le prendre pour un autre — mettait un souverain en paiement dans la main de son père. La dame avait le visage enveloppé dans son manteau; mais quand elle a eu demandé une gorgée d'eau, et qu'elle a bu, le manteau est retombé et la fille du forgeron l'a très bien vue. Heathcliff tenait les rênes des deux chevaux quand ils partirent, et ils ont tourné le dos au village pour s'en aller aussi grand train que les mauvaises routes le leur permettaient. La fille n'a rien dit à son père, mais elle a raconté l'histoire dans tout Gimmerton ce matin. »

Je courus jeter un regard, pour la forme, dans la chambre d'Isabella; confirmant à mon retour les dires de la servante. Mr. Linton avait repris sa place au chevet du lit; quand je rentrai, il leva les yeux, lut ce qu'il en était sur mon visage interdit, et les baissa de nouveau sans donner un ordre ni articuler un mot.

« Faut-il prendre des mesures pour tenter de les rattraper et de la ramener? demandai-je. Que devons-nous faire?

— Elle est partie de son propre gré, répondit le maître; elle a le droit d'aller où il lui plaît. Ne m'importunez plus à son sujet. Elle n'est plus ma sœur que de nom désormais: non que je la désavoue, c'est elle qui m'a désavoué. »

Et ce fut tout ce qu'il dit à ce propos: il ne posa plus aucune question, ni ne fit aucune allusion à elle, si ce n'est pour me commander d'envoyer ce qui lui appartenait dans la maison à sa nouvelle demeure, où que ce fût, quand je viendrais à la connaître.

XIII

Les fugitifs restèrent absents deux mois; pendant lesquels Mrs. Linton subit et surmonta le pire accès de ce qu'on dénommait une fièvre cérébrale. Nulle mère n'aurait pu soigner son unique enfant avec plus de dévouement qu'Edgar ne lui en montra. Jour et nuit il veillait, endurant patiemment toutes les vexations que pouvaient infliger des nerfs irritables et une raison ébranlée; et bien que Kenneth observât que celle qu'il sauvait de la tombe ne récompenserait sa sollicitude qu'en devenant une source d'anxiété constante dans l'avenir — qu'en fait il sacrifiait sa santé et ses forces pour conserver une simple ruine humaine — sa gratitude et sa joie ne connurent pas de bornes quand la vie de Catherine fut déclarée hors de danger. Heure après heure, il restait assis auprès d'elle, guettant son retour graduel à la santé du corps, et se berçant trop ardemment de l'illusion que son esprit retrouverait également son équilibre, qu'elle serait bientôt tout à fait elle-même.

Elle quitta sa chambre pour la première fois au début du mois de mars suivant. Mr. Linton avait posé sur son oreiller, au matin, une poignée de crocus dorés; son regard, étranger depuis longtemps à toute lueur de plaisir, les rencontra au réveil et eut un éclair ravi tandis qu'elle les rassemblait avec empressement.

« Ce sont les toutes premières fleurs à Hurlevent, s'écria-t-elle. Elles me rappellent les tièdes brises de dégel et le chaud soleil et la neige presque fondue. Edgar, le vent ne souffle-t-il pas du sud, et la neige n'a-t-elle pas disparu presque toute ?

— La neige a tout à fait disparu d'ici, ma chérie, répondit son mari; et je ne vois que deux taches blanches sur toute l'étendue de la lande: le ciel est bleu, les alouettes chantent, tous les ruisseaux et les torrents coulent à pleins bords. Catherine, au printemps dernier, à pareille époque, j'aspirais à vous avoir sous ce toit; à présent, je voudrais vous voir à un mille ou deux, sur ces collines : l'air y est si doux qu'il vous guérirait, je le sens.

— Je n'irai plus là-bas qu'une seule fois, dit l'invalide ; et cette fois-là vous m'y laisserez et j'y resterai pour toujours. Au printemps prochain, vous aspirerez encore à m'avoir sous ce toit, vous regarderez en arrière et vous vous direz que vous étiez heureux aujourd'hui. »

Linton lui prodigua les plus tendres caresses et tenta de la réconforter par les paroles les plus affectueuses ; mais elle, jetant sur les fleurs un regard vague, laissait les larmes s'accumuler sur ses cils et ruisseler sur ses joues sans qu'elle y prît garde. Nous savions qu'en fait elle allait mieux, et nous décidâmes en conséquence que c'était sa réclusion prolongée en un même lieu qui contribuait surtout à cet abattement, et qu'un changement de scène pourrait l'alléger quelque peu. Le maître m'ordonna d'allumer du feu dans le salon déserté depuis tant de semaines et de placer une chaise-longue au soleil près de la fenêtre ; puis il porta Catherine en bas, et elle resta longtemps à jouir de la bienfaisante chaleur, ranimée, comme nous nous y attendions, par la vue des objets qui l'entouraient et qui, bien que familiers, étaient exempts des associations attristantes de sa chambre de malade détestée. Vers le soir, elle parut fort épuisée ; mais aucun argument ne put la convaincre de regagner cet appartement, et je dus lui faire un lit sur le sofa du salon jusqu'à ce qu'on eût préparé une autre chambre. Pour lui éviter la fatigue de monter et de descendre l'escalier, nous préparâmes celle-ci, où vous couchez à présent, qui est au même étage que le salon ; et ma maîtresse ne tarda pas à être assez forte pour aller de l'une à l'autre en s'appuyant au bras d'Edgar. Ah ! je me disais moi-même qu'elle retrouverait peut-être la santé, soignée comme elle l'était. Et il y avait lieu de le souhaiter doublement, car de son existence en dépendait une autre : nous nourrissions l'espoir que, dans peu de temps, Mr. Linton aurait le cœur réjoui et verrait ses terres soustraites à la griffe d'un étranger par la naissance d'un héritier.

Je dois mentionner qu'Isabella envoya à son frère, quelque six semaines après son départ, un court billet annonçant son mariage avec Heathcliff. Billet apparemment sec et froid ; mais, en bas, étaient ajoutées au crayon d'obscures excuses, et la prière qu'il se souvînt d'elle avec bonté et se réconciliât avec elle si sa conduite l'avait offensé : assurant qu'elle n'avait pas pu agir autrement alors, et que, maintenant que la chose était faite, il n'était pas en son pouvoir de la défaire. Linton ne lui répondit pas, je crois ; et, quinze jours plus tard, je reçus une longue lettre qui me parut étrange, venant de la plume d'une jeune mariée qui sortait à peine de sa lune de miel. Je vais vous la lire, car je l'ai gardée. Toute relique des morts est précieuse quand on a fait cas d'eux de leur vivant.

« Chère Ellen (commençait-elle),

« Je suis arrivée hier soir à Hurlevent, et j'ai appris, pour la première fois, que Catherine avait été, et est encore, très malade. Je suppose que je ne dois pas lui écrire, et que mon frère est, soit trop fâché, soit trop en détresse pour répondre à la lettre que je lui ai envoyée. Il faut pourtant que j'écrive à quelqu'un, et je n'ai pas d'autre choix que de m'adresser à vous.

« Dites à Edgar que je donnerais l'univers pour revoir son visage — que mon cœur est revenu au Manoir vingt-quatre heures après mon départ, et qu'il s'y trouve en ce moment même, plein de sentiments chaleureux pour lui et pour Catherine ! *Je ne puis pas le suivre, cependant* (ces mots sont soulignés) ; qu'on ne m'y attende pas et qu'on tire de ma conduite les conclusions qu'on voudra, pourvu qu'on se garde d'incriminer la faiblesse de ma volonté ou la déficience de mon affection.

« Le reste de cette lettre est pour vous seule. Je voudrais vous poser deux questions. Tout d'abord, comment êtes-vous parvenue à conserver, quand vous habitiez ici, les sympathies qui sont le lot commun de la nature humaine ? Je ne puis découvrir aucun sentiment à partager avec ceux qui m'entourent.

« La seconde question revêt un grand intérêt à mes yeux. C'est celle-ci : Mr. Heathcliff est-il un homme ? Si oui, est-il fou ? Et sinon, est-ce un démon ? Je ne vous dirai pas les raisons que j'ai de poser cette question ; mais je vous supplie de m'expliquer, si vous le pouvez, quelle sorte d'être j'ai épousé ; cela, quand vous viendrez me voir ; car il faut que vous veniez me voir, Ellen, très prochainement. N'écrivez pas, venez et apportez-moi un message d'Edgar.

« Vous allez apprendre maintenant comment j'ai été reçue dans ma nouvelle demeure, puisque c'est là, j'imagine, ce que doit être Hurlevent. C'est pour m'amuser que je m'arrête à des sujets comme l'absence de moyens de confort : ils n'occupent jamais mes pensées, si ce n'est au moment précis où ils me font défaut. Je rirais et danserais de joie si je découvrais que leur manque fait la somme de mes malheurs et que le reste n'est qu'un rêve irréel !

« Le soleil se couchait derrière le Manoir quand nous débouchâmes sur la lande ; je jugeai par là qu'il était six heures ; mais mon compagnon s'arrêta une demi-heure pour inspecter le parc et les jardins et probablement la maison elle-même, autant qu'il put ; de sorte qu'il faisait nuit quand nous mîmes pied à terre dans la cour pavée de la ferme, et que votre vieux compagnon de service, Joseph, sortit pour nous recevoir à la lueur d'une chandelle à la baguette. Il s'en acquitta avec une courtoisie qui lui faisait honneur. Son premier geste fut d'élever sa lumière à la hauteur de mon visage, de loucher méchamment, d'avancer sa lèvre inférieure, et de se détourner. Puis il prit les chevaux et les mena à l'écurie, revenant ensuite fermer la grille extérieure comme si nous vivions dans un ancien château fort.

« Heathcliff resta pour lui parler, et j'entrai quant à moi dans la cuisine — un trou noirâtre et mal tenu ; je crois que vous ne la reconnaîtriez pas tant elle est changée depuis le temps où vous en aviez la charge. Près du feu se tenait un enfant à l'air canaille, bien découplé et malproprement vêtu, avec quelque chose de Catherine dans la bouche et dans les yeux.

« C'est légalement le neveu d'Edgar, me dis-je ; le mien en quelque sorte ; il faut que je lui serre la main et...

oui, il faut que je l'embrasse. Il convient d'instaurer la bonne entente dès le début.

« Je m'approchai et, tentant de saisir sa main potelée, je lui demandai :

« — Bonjour, mon petit, comment vas-tu ?

« Il répondit dans un jargon que je ne compris pas.

« — Serons-nous amis toi et moi, Hareton ? fut ma nouvelle tentative.

« Un juron et la menace de lâcher Tueur sur moi si je ne « filais pas », récompensèrent ma persévérance.

« — Ici, Tueur ! chuchota le petit drôle en faisant surgir un bouledogue métissé de l'encoignure qui lui servait de repaire. Tu vas-t'y t'en aller, maintenant ? me demanda-t-il d'un ton impérieux.

« Si je tenais à la vie, il fallait que je cédasse ; je repassai le seuil pour attendre l'arrivée des autres. Mr. Heathcliff demeurait invisible ; et Joseph, que je suivis à l'écurie et priai de m'accompagner dans la maison, après avoir ouvert de grands yeux et marmonné entre ses dents, plissa son nez et répondit :

« Mum, mum, mum ! Qué chrétien a jamais intindu rin d'tel ? Ça mâchonne et ça mâchonne ! Commint que j'pourrais savouère c'que vous dites ?

« — Je vous dis que je désire que vous veniez avec moi dans la maison ! m'écriai-je, croyant qu'il était sourd, mais révoltée de sa grossièreté.

« — Moué ? Nenni ! J'ai aut' chose à faire, répondit-il.

« Et il se remit à son ouvrage, en remuant ses joues creuses et en inspectant ma mise et ma mine (celle-là beaucoup trop raffinée à ses yeux, mais celle-ci aussi triste, j'en suis sûre, qu'il pouvait le désirer) avec un souverain mépris.

« Je fis le tour de la cour, et gagnai par un portillon une autre porte, à laquelle je pris la liberté de frapper, dans l'espoir qu'un autre serviteur plus civil se montrerait. Après un bref délai, elle fut ouverte par un homme de haute taille, émacié, sans foulard et de toutes manières extrêmement négligé ; ses traits étaient perdus dans une masse de cheveux hirsutes qui retombaient sur ses épaules; et ses yeux, à lui aussi, étaient comme ceux d'une spectrale Catherine dont toute la beauté eût disparu.

« — Que venez-vous faire ici? demanda-t-il farouchement. Qui êtes-vous?

« — Mon nom *était* Isabella Linton, répondis-je. Vous m'avez déjà rencontrée, monsieur. J'ai épousé dernièrement Mr. Heathcliff, et il m'a amenée ici... avec votre permission, je suppose.

« — Il est donc revenu? demanda l'ermite avec un regard de loup affamé.

« — Oui... nous venons d'arriver, dis-je; mais il m'a laissée près de la porte de la cuisine; et, quand j'ai voulu entrer, votre petit garçon a joué les sentinelles et m'a fait fuir en me menaçant d'un bouledogue.

« — L'infernal gredin a eu raison de tenir parole! » grommela mon futur hôte en fouillant l'obscurité derrière moi pour chercher à y découvrir Heathcliff.

« Puis il se lança dans un soliloque d'imprécations et de menaces touchant ce qu'il aurait fait si le « démon » l'avait trompé.

« Je me repentis d'avoir fait l'essai de cette seconde entrée et j'avais presque envie de m'esquiver sans attendre qu'il eût fini de jurer, mais avant que je pusse mettre mon projet à exécution, il m'enjoignit d'entrer, puis referma et verrouilla la porte. Il y avait un grand feu, seule lumière dans l'immense pièce dont le sol était devenu d'un gris uniforme; et les plats d'étain jadis brillants, qui attiraient mon regard dans mon enfance, m'apparaissaient pareillement obscurcis, ternis et poussiéreux comme ils l'étaient. Je demandai si je pouvais appeler la femme de chambre et me faire conduire dans une chambre à coucher. Mr. Earnshaw ne daigna pas répondre. Il marchait de long en large, les mains dans les poches, parfaitement oublieux, semblait-il, de ma présence; et, de toute évidence, il était perdu si profondément dans cet oubli, son aspect général dénotait tant de misanthropie, que je répugnai à le déranger de nouveau.

« Vous ne serez pas surprise, Ellen, que je me sois sentie particulièrement abattue, assise à ce foyer inhospitalier, dans une condition pire que la solitude, et me rappelant qu'à quatre milles de là se trouvait mon exquise demeure, avec les seuls êtres que j'aimais sur la terre : autant eût valu que l'Atlantique nous séparât, car ces quatre milles, je ne pouvais les franchir ! Je me demandais en moi-même où me tourner pour trouver un réconfort, et — gardez-vous d'en rien dire à Edgar ou à Catherine — le chagrin qui, chez moi, l'emportait de loin sur tout autre était le désespoir de n'avoir personne qui pût ou qui voulût être mon allié contre Heathcliff ! J'avais été presque heureuse de trouver refuge à Hurlevent, parce que cela m'évitait de vivre seule avec lui, mais il connaissait les gens parmi lesquels nous venions, et ne craignait pas qu'ils se mêlassent de nos affaires.

« Je restai là, abîmée dans de tristes méditations : la pendule sonna huit heures, puis neuf, et mon compagnon continuait à faire les cent pas, la tête penchée sur sa poitrine, parfaitement silencieux si ce n'est pour un grognement ou une exclamation amère qui lui échappait par intervalles. Je tendis l'oreille pour tâcher de percevoir une voix de femme dans la maison, et m'abandonnai ce faisant à de lancinants regrets et à de lugubres prévisions qui, pour finir, s'exprimèrent distinctement, quoi que j'en eusse, en soupirs et en sanglots. Je ne savais pas que je me désolais si ouvertement, lorsque Earnshaw interrompit en face de moi sa marche régulière et me lança un regard de surprise. Profitant de l'attention qu'il m'octroyait à nouveau, je m'écriai :

« Le voyage m'a fatiguée et je voudrais aller me coucher. Où est la servante ? Menez-moi vers elle, puisqu'elle ne vient pas vers moi !

« — Nous n'en avons pas, répondit-il. Il faudra vous servir vous-même !

« — Où dois-je coucher, alors ? » sanglotai-je.

« J'avais perdu tout respect humain, accablée que j'étais de fatigue et de détresse.

« — Joseph vous montrera la chambre de Heathcliff, dit-il ; ouvrez cette porte : il est là. »

« J'allais obéir quand il m'arrêta soudain, ajoutant du ton le plus singulier :

« — Ayez la bonté de tourner la clef de votre porte et de tirer le verrou : n'y manquez pas !

« — Soit, dis-je. Mais pourquoi cela, Mr. Earnshaw ? »

« L'idée de m'enfermer délibérément avec Heathcliff ne me ravissait pas.

« — Regardez ! répondit-il en tirant de son gilet un pistolet de fabrique curieuse, avec un couteau à ressort et à double tranchant attaché au canon. C'est là une grande tentation pour un homme à bout, n'est-il pas vrai ? Je ne peux pas m'empêcher de monter chaque nuit avec cette arme et d'essayer sa porte. Si jamais je la trouve ouverte, c'en est fait de lui ! Je fais cela invariablement, même si une minute plus tôt je me suis rappelé que j'avais cent raisons de m'abstenir : il y a quelque démon qui me pousse à brouiller mes propres projets en le tuant. Combattez ce démon pour l'amour de lui aussi longtemps que vous pourrez ; quand l'heure sera venue, tous les anges du ciel ne le sauveraient pas ! »

« Je regardai l'arme avec curiosité. Une idée affreuse me vint : comme je serais forte si je possédais un tel instrument ! Je le lui pris des mains et caressai la lame. Il parut surpris de l'expression qui passa sur mon visage pendant une brève seconde : ce n'était pas de l'horreur, c'était de la convoitise. Il se ressaisit jalousement du pistolet, ferma le couteau et le remit dans sa cachette.

« — Peu m'importe que vous le lui disiez, reprit-il. Mettez-le en garde et veillez sur lui. Vous savez dans quels termes nous sommes, je le vois : le danger qu'il court ne vous émeut pas.

« — Que vous a fait Heathcliff ? demandai-je. Quel tort a-t-il eu envers vous, pour justifier cette effrayante haine ? Ne serait-il pas plus sage de lui enjoindre de quitter la maison ?

« — Non ! tonna Earnshaw. S'il fait mine de me quitter, c'est un homme mort : persuadez-le de le tenter, et vous êtes une meurtrière ! Dois-je donc perdre *tout* sans avoir aucune chance de rien recouvrer ? Hareton doit-il être un mendiant ? Oh ! damnation ! Je *veux* reprendre mon bien ; et avoir *son* or aussi ; et ensuite son sang ; et puis l'enfer aura son âme ! Avec pareil pensionnaire il sera dix fois plus noir qu'il ne l'a jamais été ! »

« Vous m'aviez rapporté, Ellen, les habitudes de votre ancien maître. Il est évidemment au bord de la folie : du moins y était-il la nuit dernière. Je frissonnais à l'idée de son voisinage et, par comparaison, la grossièreté revêche de son domestique me paraissait aimable. Il reprit sa marche taciturne, et, moi, soulevant le loquet, je me sauvai dans la cuisine. Joseph était penché sur le feu, surveillant un grand poêlon qui se balançait au-dessus ; et un bol de bois plein de farine d'avoine était posé sur le banc à côté. Le contenu dû poêlon commença à bouillir et il se tourna pour plonger sa main dans le bol ; je conjecturai que ces préparatifs étaient destinés à notre souper, et, comme j'avais faim, je décidai que le plat serait mangeable ; sur quoi je m'écriai vivement : « C'est moi qui vais faire le porridge ! », mis le poêlon hors de son atteinte et me débarrassai de mon chapeau ainsi que de mon amazone.

« — Mr. Earnshaw, continuai-je, m'invite à me servir moi-même : c'est ce que je vais faire. Je ne me propose pas de jouer à la grande dame parmi vous ; j'aurais peur de mourir de faim.

« — Doux Seigneu' ! marmonna-t-il en s'asseyant et en frottant ses bas côtelés du genou à la cheville. S'y doué y avouère d'nouveaux ordres juste quind j'viens de m'faire à deux maîtres, si j'dois mét'nint avouère eune *maîtresse* su'l'dos, c'est timps d'déguerpir. J'pinsais point vouère jamais l'jour où j'devrais quitter c'vieux logis, mais j'ai idée que le v'là proche. »

« Sans prendre garde à ces lamentations, je me mis vivement à l'œuvre, en évoquant avec un soupir le temps où je n'aurais fait cela que pour m'amuser ; mais je fus contrainte de chasser bien vite ce souvenir : le rappel du bonheur passé me torturait, et plus j'étais en péril d'en voir surgir l'image, plus vite tournait la cuiller à pot et plus rapidement les poignées de farine tombaient dans l'eau. Joseph contemplait mon style culinaire avec une indignation grandissante.

« — C'est ça ! s'exclama-t-il. Hareton, t'auras point d'porridge ce souère : rin qu'des grumeaux gros comme mon poing. Allez donc ! Je flinqu'rais d'dans l'bol et tout si j'étais que d'vous. Allez, queurvez l'poêlon et ça y s'ra. Bing, bing ! C'est une merci que l'fond du poêlon soye point percé ! »

« C'était en effet un brouet assez grossier, je l'avoue, une fois versé dans les écuelles. On en avait préparé quatre, et apporté de la laiterie un gallon de lait frais, dont Hareton s'empara et qu'il se mit à boire, non sans en répandre à terre, par le bec évasé du pot. Je protestai et j'insistai pour qu'il versât le sien dans une timbale, déclarant que je ne pourrais pas goûter à un liquide qui avait été traité aussi malproprement. Le vieux cynique jugea bon de se montrer fort offensé de cette délicatesse, répétant plusieurs fois de suite que « le p'tit gars » me « valait bin » et qu'il était « aussi sain » que moi « des pieds à la tête », et s'étonnant que je pusse être aussi infatuée. Pendant ce temps, le gredin en herbe continuait à biberonner et me regardait d'un air de défi tout en bavant dans le pot.

« — Je prendrai mon souper dans une autre pièce, dis-je. N'avez-vous pas un endroit que vous appelez un salon ?

« — Un *salon !* répéta-t-il en écho avec dérision. Un *salon !* Nenni, on n'a point d'salons. Si not' compagnie vous plaît point, y a celle du maît', et si celle du maît' vous plaît point, y a la nôt'.

« — Alors je monterai au premier, répondis-je. Montrez-moi une chambre. »

« Je posai mon écuelle sur un plateau et j'allai chercher moi-même d'autre lait. Le vieil homme se leva avec force grognements et me précéda dans ma montée ; nous allâmes jusqu'aux mansardes ; lui, ouvrant de temps en temps une porte pour jeter un coup d'œil dans les pièces au passage.

« — V'là eune chimb', dit-il enfin en repoussant rudement sur ses gonds un vantail branlant. Elle est bin assez bonne pour qu'on y minge un peu d'brouet. Y a un tas d'blé, là dans l'coin, qu'est tout propret ; si vous avez crainte d'gâter vot'belle robe de souée, étindez d'sus un mouchouer. »

« La « chimb' » était une espèce de débarras qui sentait fortement le malt et le grain : on en voyait d'ailleurs divers sacs, empilés à la ronde, et laissant un large espace libre au milieu.

« — Voyons ! m'exclamai-je en me tournant vers lui avec irritation, ce n'est pas là un endroit pour dormir. Je veux voir ma chambre à coucher.

« — Vot' *chimb' à coucher !* répéta-t-il d'un ton moqueur. Vous avez vu toutes les chimb' à coucher qu'y a ici. V'là la mienne. »

« Il désigna un second galetas, qui ne différait guère du premier, si ce n'est que ses murs étaient plus nus et qu'il contenait à un bout un grand lit bas, sans rideaux, avec un couvre-pied indigo.

« — Qu'ai-je à faire de la vôtre ? répliquai-je. Mr. Heathcliff ne loge pas sous les combles, je suppose ?

« — Oh ! c'est celle de M'sieur *Haithcliff* qu'vous voulez ! s'écria-t-il comme s'il venait de faire une découverte. Vous pouviez-t-y pas l'dire tout d'suite ? J'vous aurais dit, sans prind' toute c'te peine, qu'c'est justemint celle qu'vous pouvez point vouère, vu qu'y la tient toujours bouclée, et qu'parsonne y intre jamais sauf lui.

« — Vous avez là une jolie maison, Joseph, ne pus-je m'empêcher d'observer, et d'agréables habitants ; je crois que la quintessence de toute la folie du monde s'est logée dans ma cervelle le jour où j'ai lié mon destin au leur ! Mais il ne s'agit pas de cela pour le présent. Il y a d'autres chambres. Pour l'amour du Ciel, faites vite, que je m'installe quelque part ! »

« Il ne répondit pas à cette adjuration ; se contentant de descendre les marches de bois d'un pas lourd et d'un air morose, pour faire halte devant une chambre dont je présumai à cause de cette halte et de la qualité supérieure de son ameublement, que c'était la meilleure. Il y avait là un tapis — un bon tapis, bien que le motif en fût enfoui sous la poussière ; une cheminée tendue de papier ajouré qui tombait en lambeaux ; un beau lit pourvu d'amples rideaux cramoisis d'une étoffe assez riche et de façon moderne, mais qui, de toute évidence, avaient été rudement malmenés : les lambrequins pendaient en festons, arrachés de leurs anneaux, et la tringle de fer qui les portait était ployée en arc d'un côté, laissant la draperie traîner sur le sol. les sièges également étaient endommagés, beaucoup d'entre eux sérieusement ; et de profondes entailles dégradaient les lambris. Je m'efforçais de rassembler tout mon courage pour entrer dans la pièce et en prendre possession, quand mon imbécile de guide annonça : « C't'ici la chimb' du maît'. » Mon souper, cependant, était froid, mon appétit évanoui et ma patience à bout. J'insistai pour qu'on me donnât instantanément un lieu de refuge et les moyens de me reposer.

« — Où dièb' ? commença le pieux ancien. L'Seigneu' nous bénisse ! L'Seigneu' nous pardonne ! Où *dièb'* c'est-y qu'vous voulez aller ? Gâtée comme vous êtes, vous feriez perd' patiince à un saint ! Vous avez tout vu, hormis l'bout d'chimb' de Hareton. Y a pus un aut' trou où coucher dins la maison ! »

« J'étais tellement hors de moi que je jetai à terre mon plateau et son contenu ; puis je m'assis en haut de l'escalier, me cachai le visage dans les mains et me mis à pleurer.

« — Arr ! Arr ! s'écria Joseph. En v'là du beau, Miss Cathy ! En v'là du beau, Miss Cathy [1] ! Le maît' va v'nir trébucher sur c'te vaisselle cassée, et c't'alors qu'on intindra queuq'chose ; c't'alors qu'on verra c'qui s'passera. Folle et prop' à rin ! Vous méritez d'êt' en durance jusqu'à Noël, pour ch'ter à terre les précieux dons d'Dieu dans vos rages démintes ! Mais ou je m'trompe fort, ou l'vice que vous avez au corps, vous l'montrerez point longtimps. Pinsez-vous que Haithcliff, y va supporter ces belles manières ? J'voudrais seulemint qu'y vous y prenne à ce p'tit jeu. J'voudrais seulemint qu'y vous y prenne ! »

« Grondant ainsi, il redescendit à sa tanière en emportant la chandelle ; et je restai dans le noir. Le temps de réflexion qui succéda à mon geste absurde me contraignit à reconnaître la nécessité d'étouffer mon orgueil et ma

1. Est-ce un lapsus de Joseph ou un lapsus d'Emily ? *(N.d.T.)*.

colère et de me hâter d'en faire disparaître les effets. Une aide inattendue se présenta soudain sous la forme de Tueur, en qui je reconnus alors un fils de notre vieux Rôdeur: il avait grandi au Manoir et mon père l'avait donné à Mr. Hindley. Je crois qu'il me reconnut lui aussi : il frotta son museau contre mon nez en manière de salut, puis s'empressa de dévorer le brouet, tandis que je tâtonnais de marche en marche, ramassant les éclats de faïence et essuyant les éclaboussures de lait sur la rampe avec mon mouchoir. A peine avions-nous terminé notre besogne que j'entendis le pas d'Earnshaw dans le corridor; mon acolyte baissa la queue et s'aplatit contre le mur; je me glissai dans l'embrasure de porte la plus proche. L'effort du chien pour passer inaperçu fut infructueux comme le révéla un bruit de dégringolade dans l'escalier, suivi d'un gémissement pitoyable et prolongé. J'eus plus de chance! Earnshaw passa, entra dans sa chambre et ferma la porte. Tout de suite après, Joseph monta avec Hareton pour mettre celui-ci au lit. Je m'étais réfugiée dans la chambre de Hareton, et le vieil homme dit en me voyant :

« — Y a d'la place pour vous et vot' orgueil dans la salle à c't'heure. Elle est vide; vous pouvez l'avouère tout entière pour vous et pour ç'ui qu'est toujours en tiers quand y a eun' aussi mauvaise compagnie ! »

« C'est avec joie que je profitai de cet avis; et à l'instant même où je me jetai dans un fauteuil au coin du feu, je dodelinai de la tête et m'endormis. Mon sommeil fut profond et doux, bien que trop vite terminé. Mr. Heathcliff me réveilla; il venait de rentrer, et il demanda, à sa charmante manière, ce que je faisais là. Je lui dis que, si je veillais si tard, c'était parce qu'il avait la clef de notre chambre dans sa poche. L'adjectif *notre* l'offensa mortellement. Il jura que ce n'était pas, que ce ne serait jamais, la mienne; et qu'il... mais je ne répéterai pas son langage, non plus que je ne décrirai sa conduite habituelle : il est d'une ingéniosité inlassable dans ses efforts pour s'attirer ma haine ! L'étonnement qu'il m'inspire parfois est si intense que j'en oublie ma crainte : et pourtant je vous assure qu'un tigre ou un serpent venimeux ne pourrait me causer autant de terreur que celle qu'il éveille en moi. Il m'a parlé de la maladie de Catherine, accusant mon frère de l'avoir provoquée, et promettant de me faire souffrir à la place d'Edgar avant qu'il ne puisse mettre la main sur lui.

« Je le hais — je suis bien malheureuse — j'ai été folle ! Gardez-vous de souffler un mot de ceci à quiconque au Manoir. Je vous attendrai chaque jour — ne me décevez pas.

« Isabella. »

XIV

Dès que j'eus achevé cette épître, j'allai trouver le maître pour lui apprendre que sa sœur était arrivée à Hurlevent et qu'elle m'avait écrit en m'exprimant son chagrin de l'état de Mrs. Linton et son ardent désir de le voir, ainsi que le souhait qu'il voulût bien lui faire parvenir aussitôt que possible, par mon entremise, un gage de pardon.

« De pardon ! dit Linton. Je n'ai rien à lui pardonner, Ellen. Vous pouvez aller à Hurlevent cet après-midi, si vous voulez, et lui dire que je ne suis pas *fâché* contre elle, mais *peiné* de l'avoir perdue ; d'autant plus que je ne puis croire qu'elle soit jamais heureuse. Il ne saurait être question, toutefois, que j'aille la voir : nous sommes séparés pour toujours ; et, si elle désire vraiment m'obliger, qu'elle persuade le gredin qu'elle a épousé de quitter le pays.

— Vous ne lui écrirez pas un petit mot, monsieur ? demandai-je d'une voix suppliante.

— Non ! dit-il. C'est inutile. Mes relations avec la famille de Heathcliff seront aussi restreintes que les siennes avec la mienne : elles n'existeront pas. »

La froideur de Mr. Edgar me découragea extrêmement ; et, tout le long du chemin, je me creusai la cervelle afin de pouvoir mettre plus d'affection dans ce qu'il avait dit quand je le répéterais, et d'adoucir son refus d'envoyer ne fût-ce que quelques lignes pour consoler Isabella. J'ose dire qu'elle me guettait depuis le matin : je la vis qui regardait à la fenêtre treillissée tandis que je remontais l'allée dallée du jardin, et je lui fis un signe de tête ; mais elle se retira, comme si elle avait craint d'être observée. J'entrai sans frapper. Rien de plus affreux, de plus lugubre que l'aspect de cette salle autrefois si riante ! Je dois avouer que, si j'avais été à la place de la jeune dame, j'aurais au moins balayé l'âtre et passé un chiffon sur les tables. Mais elle était déjà imprégnée de l'esprit de négligence qui l'environnait. Son joli visage était blafard et apathique ; ses cheveux, défrisés ; quelques mèches pendaient, aplaties, d'autres étaient nouées sans soin autour de sa tête. Elle n'avait pas dû toucher à ses vêtements depuis la veille au soir. Hindley n'était pas là. Mr. Heathcliff était assis à une table, feuilletant quelques papiers de son portefeuille ; mais il se leva quand j'entrai, me demanda fort amicalement comment j'allais, et m'offrit un siège. Il était le seul être qui parût décent en ce lieu, et il me sembla n'avoir jamais eu meilleur air. Les circonstances avaient modifié de telle sorte leurs positions à tous deux, qu'un étranger l'aurait certainement considéré comme un gentilhomme de naissance et d'éducation, et sa femme comme une vraie petite souillon ! Elle s'avança vivement à ma rencontre, et tendit une main pour prendre la lettre attendue. Je secouai la tête. Elle ne voulut pas comprendre mon geste, me suivit jusqu'à la desserte sur laquelle j'allai déposer mon chapeau, et me pressa dans un murmure de lui donner tout de suite ce que j'avais apporté. Heathcliff devina le sens de ses manœuvres et me dit :

« Si vous avez quoi que ce soit pour Isabella (comme c'est sans doute le cas, Nelly) donnez-le-lui. Vous n'avez pas lieu d'en faire un secret ! Nous n'avons pas de secrets l'un pour l'autre.

— Mais je n'ai rien ! répondis-je, jugeant qu'il valait mieux dire la vérité tout de suite. Mon maître m'a chargée de dire à sa sœur qu'elle ne devait attendre de lui pour le présent ni lettre ni visite. Il vous envoie ses affections, madame, et ses souhaits de bonheur, et son pardon pour le chagrin que vous lui avez causé ; mais il considère que sa maison et cette maison-ci devraient suspendre désormais leurs relations, car il n'en saurait résulter rien de bon. »

La lèvre de Mrs. Heathcliff trembla légèrement, et elle retourna s'asseoir à la fenêtre. Son mari se posta sur la pierre du foyer, près de moi, et se mit à me questionner sur Catherine. Je lui dis de sa maladie ce que je jugeais convenable de lui en faire connaître, et il m'extorqua, par un feu croisé de questions, la plupart des faits relatifs à son origine. Je blâmai Catherine, comme elle le méritait, de se l'être attirée ; et terminai en exprimant l'espoir qu'il suivrait l'exemple de Mr. Linton et qu'il s'abstiendrait à l'avenir de toute intervention, que ce fût à bonne ou à mauvaise fin, dans sa famille.

« Mrs. Linton vient juste d'entrer en convalescence, dis-je ; elle ne sera plus jamais ce qu'elle a été, mais sa vie est sauve ; et si vous avez vraiment de l'affection pour elle, vous éviterez de vous retrouver sur son chemin : bien plus, vous quitterez tout à fait le pays ; et afin que vous ne le regrettiez pas, je vous informe que Catherine Linton est à présent aussi différente de votre ancienne amie Catherine Earnshaw que cette jeune dame est différente de moi. Sa physionomie est considérablement changée ; son caractère, bien plus encore ; et celui qui est contraint, par la nécessité, d'être son compagnon n'aura désormais pour soutenir son affection que le souvenir de ce qu'elle fut jadis, la simple humanité et le sentiment du devoir.

— C'est fort possible, remarqua Heathcliff en se forçant à paraître calme, c'est fort possible que votre maître n'ait pour soutien que la simple humanité et le sentiment du devoir. Mais vous figurez-vous que je vais abandonner Catherine à son *devoir* et à son *humanité ?* Et pouvez-vous comparer mes sentiments à l'égard de Catherine aux siens ? Avant que vous ne quittiez cette maison, il faut que j'obtienne de vous la promesse que vous me ménagerez une entrevue avec elle : que vous y consentiez ou non, je *veux* la voir. Qu'en dites-vous ?

— Je dis, Mr. Heathcliff, répondis-je, qu'il ne faut

pas que vous la voyiez ; et que vous ne la verrez jamais par mon entremise. Une nouvelle rencontre entre vous et le maître achèverait de la tuer.

— Avec votre aide, cela peut être évité, reprit-il ; et si pareil danger était à redouter, — si votre maître devait être cause d'un seul souci de plus dans l'existence de Catherine — eh bien ! je crois que j'aurais le droit d'en venir aux extrêmes ! Je voudrais que vous fussiez assez sincère pour me dire si Catherine souffrirait beaucoup de le perdre : la crainte qu'il en soit ainsi me retient. Et vous voyez là en quoi mes sentiments diffèrent des siens : s'il avait été à ma place, et moi à la sienne, quoique je l'eusse haï d'une haine qui eût changé ma vie en fiel, je n'aurais jamais levé la main sur lui. Ayez l'air incrédule tant qu'il vous plaira, je ne l'aurais jamais banni de la société de Catherine aussi longtemps qu'elle aurait désiré avoir la sienne. Dès l'instant où elle aurait cessé de se soucier de lui, je lui aurais arraché le cœur et me serais abreuvé de son sang ! Mais auparavant — si vous ne me croyez pas, c'est que vous ne me connaissez pas — je serais mort à petit feu plutôt que de toucher à un cheveu de sa tête !

— Et pourtant, interrompis-je, vous n'avez pas scrupule à ruiner de fond en comble tout espoir de guérison complète pour elle en vous imposant à son souvenir, alors qu'elle vous a presque oublié, et en la jetant dans un nouveau chaos de discorde et de détresse.

— Vous croyez qu'elle m'a presque oublié ? dit-il. Oh ! Nelly, vous savez bien que non ! Vous savez aussi bien que moi que, pour une pensée qu'elle accorde à Linton, elle m'en accorde mille à moi ! A une époque particulièrement misérable de ma vie, j'ai eu pareille idée : elle m'a hanté quand je suis revenu dans le voisinage l'été dernier, mais il faudrait que Catherine m'en donnât elle-même l'assurance pour que je nourrisse à nouveau cet horrible fantasme. En ce cas, Linton ne me serait plus rien, ni Hindley, ni tous les rêves que j'ai jamais rêvés. Mon avenir serait contenu dans deux mots : *mort* et *enfer :* l'existence, elle perdue, serait un enfer. Mais j'ai été un sot d'imaginer un moment qu'elle attachait plus de prix à l'affection d'Edgar Linton qu'à la mienne. Quand il l'aimerait de toutes les forces de son être chétif, il ne pourrait aimer autant en quatre-vingts ans que moi en un jour. Et Catherine a le cœur aussi profond que moi : cette auge pourrait aussi bien contenir la mer que Linton avoir le monopole de son affection ! Peuh ! C'est à peine s'il lui est plus cher que son chien ou son cheval. Il n'a pas en lui de quoi être aimé comme moi : comment pourrait-elle aimer en lui ce qu'il n'a pas ?

— Catherine et Edgar sont aussi attachés l'un à l'autre que cela est possible à deux êtres, s'écria Isabella avec une vivacité soudaine. Personne n'a le droit de parler ainsi, et je ne laisserai pas dénigrer mon frère sans rien dire !

— Votre frère vous est aussi prodigieusement attaché, n'est-ce pas ? observa Heathcliff avec dédain. Il vous envoie à la dérive par le monde avec une surprenante alacrité.

— Il ne sait pas ce que je souffre, répondit-elle. Je ne le lui ai pas dit.

— C'est donc que vous lui avez dit quelque chose : vous avez écrit, n'est-ce pas ?

— Pour dire que j'étais mariée, oui, j'ai écrit — vous avez vu le billet.

— Et rien depuis lors ?

— Non.

— Ma jeune dame paraît avoir tristement pâti de son changement de condition, remarquai-je. Il est clair que l'affection de quelqu'un lui fait défaut : celle de qui, je puis le deviner. Mais peut-être vaut-il mieux que je ne le dise pas.

— J'ai idée, moi, que c'est celle qu'elle se porte à elle-même, dit Heathcliff. Elle dégénère jusqu'à devenir une vraie souillon ! Elle se lasse étonnamment tôt de chercher à me plaire. Vous auriez peine à le croire, mais le lendemain même de notre mariage, elle pleurait pour rentrer chez elle. Néanmoins, elle n'en conviendra que mieux à cette maison si elle n'est pas trop raffinée, et je veillerai à ce qu'elle ne me fasse pas honte en vagabondant à la ronde.

— Ma foi, monsieur, répondis-je, vous tiendrez

compte, j'espère, du fait que Mrs. Heathcliff a l'habitude qu'on prenne soin d'elle et qu'on la serve, et de ce qu'elle a été élevée comme une fille unique, que chacun était prêt à servir. Vous devez lui permettre d'avoir une femme de chambre qui entretienne la propreté autour d'elle, et vous devez la traiter avec bonté. Quelque idée que vous vous fassiez de Mr. Edgar, vous ne sauriez douter qu'elle ne soit capable, quant à elle, de mettre beaucoup de force dans ses attachements, sans quoi elle n'eût pas abandonné les élégances, les commodités et les cœurs aimants de son ancien chez-soi pour s'établir avec vous de son plein gré dans un pareil désert.

— Elle les a abandonnés par illusion, répondit-il, voyant en moi un héros de roman et attendant des complaisances sans limites de ma chevaleresque dévotion. Je puis à peine la regarder comme une créature raisonnable, étant donné l'obstination qu'elle a mise à se faire de mon personnage une idée fabuleuse et à agir d'après les fantasmes qu'elle nourrissait. Mais je crois qu'elle commence enfin à me connaître : je ne vois plus les sourires niais et les grimaces imbéciles qui m'exaspéraient au début ; ni cette incapacité insensée de comprendre que j'étais sérieux quand je lui faisais part de mon opinion sur son engouement et sur elle-même. Il lui a fallu faire un prodigieux effort de perspicacité pour découvrir que je ne l'aimais pas. J'ai cru à un moment qu'aucunes leçons ne pourraient le lui apprendre ! D'ailleurs, elle ne le sait pas encore très bien : ce matin, elle m'a annoncé comme une nouvelle bouleversante que j'étais réellement parvenu à me faire haïr d'elle ! Un vrai travail d'Hercule, je vous assure ! S'il est accompli, j'ai lieu d'en rendre grâces. Puis-je me fier à votre assertion, Isabella ? Êtes-vous sûre de me haïr ? Si je vous laisse seule pendant une demi-journée, n'allez-vous pas venir encore à moi avec des soupirs et des cajoleries ? Je gage qu'elle eût préféré que je me montrasse toute tendresse devant vous : cela blesse sa vanité que la vérité se fasse jour. Mais peu m'importe qu'on sache que la passion était toute du même côté ; et à ce propos je ne lui ai jamais menti. Elle ne peut pas m'accuser d'avoir montré la moindre douceur trompeuse.

La première chose qu'elle m'a vu faire, en sortant du Manoir, fut de pendre sa petite chienne, et quand elle a plaidé pour elle, les premiers mots que j'ai prononcés ont été pour dire que je souhaitais pendre toutes les créatures de son entourage, à l'exception d'une seule; peut-être a-t-elle cru que cette exception la concernait elle-même. Mais aucune brutalité ne l'a rebutée : je suppose qu'elle en a l'admiration innée, pourvu seulement que sa précieuse personne n'ait pas à en pâtir! Voyons, n'était-ce pas un abîme d'absurdité, de pure idiotie de la part de cette pitoyable chienne servile et mesquine, que de rêver que je pourrais l'aimer? Dites à votre maître, Nelly, que de ma vie je n'ai rencontré créature aussi abjecte. Elle déshonore jusqu'au nom de Linton; et parfois je ne me suis arrêté que parce que j'étais à court d'invention, dans mes expériences pour voir ce qu'elle pourrait endurer en continuant à ramper honteusement à mes pieds! Mais dites-lui aussi, pour mettre à l'aise son cœur de frère et de magistrat [1], que je me tiens strictement dans les limites de la loi. J'ai évité jusqu'ici de lui donner le moindre droit à réclamer une séparation; au demeurant, elle ne serait reconnaissante à personne de l'éloigner de moi. Si elle désirait s'en aller, elle le pourrait : l'ennui que me cause sa présence l'emporte sur la satisfaction que je puis avoir à la tourmenter.

— Mr. Heathcliff, dis-je, c'est là le langage d'un fou, et très probablement, votre femme est convaincue que vous l'êtes : c'est pour cela qu'elle vous a supporté jusqu'ici; mais à présent que vous lui dites qu'elle peut partir, elle profitera sans doute de la permission. Vous n'êtes pas ensorcelée, madame, je suppose, au point de rester avec lui de votre propre gré?

— Prenez garde, Ellen! répondit Isabella, les yeux étincelants de fureur (on ne pouvait douter, à voir leur expression, que son partenaire eût pleinement réussi dans ses efforts pour se faire détester). Ne croyez pas un seul mot de ce qu'il dit. C'est un démon plein de mensonge!

1. Linton exerçait au besoin des fonctions de juge en tant que principal propriétaire terrien du pays. *(N.d.T.)*

Un monstre et non un être humain! Je me suis déjà entendu dire que je pouvais le quitter: j'en ai fait la tentative, et je n'ose pas la répéter! Promettez-moi seulement, Ellen, que vous ne rapporterez pas une syllabe de ses infâmes propos à mon frère ou à Catherine. Quoi qu'il puisse prétendre, il veut pousser mon frère à bout: il déclare qu'il m'a épousée afin d'avoir prise sur lui; et il n'y parviendra pas — je mourrais plutôt! J'espère seulement — je le demande dans mes prières — qu'il oubliera sa prudence diabolique et qu'il me tuera! Le seul plaisir que je puisse concevoir est de mourir ou de le voir mort!

— Bon, cela suffit pour le présent! dit Heathcliff. Si vous êtes citée devant un tribunal, Nelly, vous vous rappellerez son langage. Et regardez bien sa mine: elle en est presque arrivée au point qui me satisferait. Non; vous n'êtes pas en état de vous garder vous-même à présent, Isabella; et moi, en tant que votre protecteur légal, je dois vous tenir sous ma surveillance, quelque désagréable que soit cette obligation. Montez: j'ai quelque chose à dire à Ellen Dean en privé. Pas par là: en haut, vous dis-je! Allons, c'est par là qu'on monte, ma petite!»

Il la saisit et la jeta hors de la pièce; puis revint en marmonnant:

«Je suis sans pitié! Je suis sans pitié! Plus les vers se tordent, plus j'aie envie de leur écraser les entrailles. C'est une rage de dents morale; et je les broie avec d'autant plus d'énergie que la douleur est plus vive.

— Comprenez-vous ce que veut dire le mot pitié? demandai-je en me hâtant de remettre mon chapeau. En avez-vous ressenti le moindre frisson dans votre vie?

— Déposez-moi ça! interrompit-il en voyant que j'avais l'intention de m'en aller. Vous ne partez pas encore. Venez ici, Nelly. Que je vous en persuade ou que je vous y force, il faut que vous m'aidiez à exécuter le dessein que j'ai formé de voir Catherine, et cela sans délai. Je jure que je ne médite rien de mal: je ne désire causer aucun désordre non plus qu'exaspérer ou insulter Mr. Linton; je désire seulement apprendre d'elle-même comment elle va, et pourquoi elle est tombée malade; lui demander, aussi, si je puis faire quoi que ce soit pour elle. La nuit dernière, je suis resté six heures dans le jardin du Manoir, et j'y retournerai cette nuit; et je hanterai les lieux nuit et jour jusqu'à ce que je trouve l'occasion d'entrer. Si je rencontre Edgar Linton, je n'hésiterais pas à le jeter à terre, en y mettant assez d'énergie pour être sûr qu'il se tiendra tranquille tout le temps que je resterai là. Si ses domestiques me font obstruction, je les chasserai sous la menace de ces pistolets. Mais ne vaudrait-il pas mieux éviter que j'entre en contact avec eux ou avec leur maître? Cela serait si facile pour vous. Je vous préviendrais de ma venue, vous me feriez entrer en cachette dès qu'elle serait seule et vous monteriez la garde jusqu'à mon départ, la conscience parfaitement en repos car vous empêcheriez par là un malheur. »

Je protestai contre le rôle perfide que je jouerais ainsi dans la maison de mon maître; et j'insistai en outre sur la cruauté et l'égoïsme qui le faisaient ruiner la paix de Mrs. Linton pour sa propre satisfaction:

« Le moindre incident l'agite péniblement, dis-je. Elle n'est que nerfs, et je suis sûre qu'elle ne supporterait pas le choc de la surprise. N'insistez pas, monsieur! Ou bien je serai obligée d'informer mon maître de vos desseins, et il prendra des mesures pour protéger sa maison et ses habitants contre toute intrusion injustifiable!

— En ce cas, c'est moi qui prendrai des mesures pour m'assurer de vous! s'écria Heathcliff. Vous ne quitterez pas Hurlevent avant demain matin. C'est une sottise de prétendre que Catherine ne pourrait pas supporter ma vue; quant à la surprendre, je ne le désire point: vous devrez la préparer — lui demander si je peux venir. Vous dites qu'elle ne mentionne jamais mon nom, et qu'on ne le mentionne jamais devant elle. A qui parlerait-elle de moi si je suis un sujet interdit dans la maison? Elle vous considère tous comme des espions à la solde de son mari. Oh! je ne doute pas qu'elle soit en enfer parmi vous! Son silence me révèle, aussi bien que n'importe quoi d'autre, ce qu'elle ressent. Vous dites qu'elle est souvent inquiète, qu'elle a l'air troublée: est-ce là une preuve de tranquillité? Vous dites qu'elle a l'esprit dérangé: comment diable pourrait-il en être autrement dans l'effroyable isolement où elle se trouve? Et cette insipide, cette mesquine créature, qui la soigne par *devoir* et par *humanité!* Par *pitié* et par *charité!* Il pourrait aussi bien planter un chêne dans un pot de fleur et s'attendre à le voir prospérer qu'imaginer qu'il va la rendre à la santé en l'entourant de ses soins dérisoires! Réglons les choses à l'instant: voulez-vous rester ici, et dois-je me frayer un chemin jusqu'à Catherine en me battant avec Linton et ses valets? Ou voulez-vous être mon amie, comme vous l'avez été jusqu'ici, et faire ce que je demande? Décidez-vous! parce qu'il n'y a pas de raison pour que je m'attarde une minute de plus si vous persistez à vous entêter méchamment. »

Eh bien! Mr. Lockwood, j'ai discuté, je me suis récriée et j'ai refusé net cinquante fois; mais en fin de compte il me força à donner mon accord. Je m'engageai à porter une lettre de lui à ma maîtresse; et, si elle était consentante, je lui promis de l'avertir la prochaine fois que Linton s'absenterait, afin qu'il pût venir et se glisser dans la maison: je ne serais pas là et les autres serviteurs seraient également à l'écart. Était-ce bien ou mal? Je crains que ce ne fût mal, bien qu'expédient. Je pensais prévenir un nouvel éclat par ma complaisance; et je pensais aussi que cela pourrait susciter une crise favorable dans la maladie mentale de Catherine; puis je me rappelais avec quelle dureté Mr. Edgar m'avait reproché de lui rapporter des histoires; enfin, j'essayai d'apaiser tous mes scrupules en affirmant à maintes reprises que cet abus de confiance, si cela méritait un nom aussi sévère, serait le dernier. Néanmoins, je fis le trajet de retour plus tristement que celui de l'aller; et j'eus bien des hésitations avant de pouvoir me décider à mettre la lettre dans la main de Mrs. Linton.

Mais voici Kenneth; je vais descendre lui dire combien vous allez mieux. Mon histoire est longuette, comme nous disons, elle vous fera passer le temps un autre matin.

« Longuette et lugubre », me disais-je, tandis que la brave femme descendait pour recevoir le docteur; et pas exactement de la sorte que j'aurais choisie pour me divertir. Mais n'importe ! J'extrairai de bienfaisantes médecines des herbes amères de Mrs. Dean. Ce qu'il faut surtout, c'est que je prenne garde à la fascination qui se cache dans les yeux brillants de Catherine Heathcliff. Je me mettrais dans un étrange cas si je livrais mon cœur à cette jeune personne, et si la fille se trouvait être une seconde édition de la mère !

XV

Encore une semaine passée : me voilà plus proche d'autant de la santé et du printemps ! J'ai entendu maintenant toute l'histoire de mon voisin, en diverses séances, selon le loisir que l'intendante pouvait soustraire à des occupations plus importantes. J'en vais poursuivre le récit dans ses propres termes, un peu condensés seulement. Elle est, en somme, fort bonne conteuse, et je ne me crois pas capable d'améliorer son style.

Le soir, dit-elle, le soir de ma visite à Hurlevent, j'eus la certitude, comme si je l'avais vu, que Mr. Heathcliff était dans les parages ; et j'évitai de sortir parce que j'avais toujours sa lettre dans ma poche, et que je ne tenais pas à être menacée et harcelée de nouveau. J'avais décidé de ne pas la remettre avant que mon maître s'en fût allé, car je ne pouvais prévoir comment Catherine en serait affectée. La conséquence en fut qu'elle ne la reçut qu'au bout de trois jours. Le quatrième était un dimanche, et je la lui apportai dans sa chambre quand toute la maisonnée fut partie pour l'église. Il ne restait qu'un valet pour garder la maison avec moi, et nous avions l'habitude de fermer les portes à clef pendant les heures du service religieux ; mais en l'occurrence il faisait un temps si doux et si agréable que je les ouvris toutes grandes ; et, pour tenir ma promesse, sachant qui devait venir, je dis à mon compagnon que la maîtresse avait grande envie d'avoir des oranges et qu'il devait courir au village en chercher quelques-unes, qu'on paierait le lendemain. Il partit et je montai.

Mrs. Linton était assise comme de coutume dans l'embrasure de la fenêtre ouverte, vêtue d'une robe blanche flottante et les épaules couvertes d'un châle léger. Son épaisse et longue chevelure avait été coupée en partie au début de sa maladie, et maintenant elle la portait simplement coiffée en tresses naturelles sur les tempes et sur la nuque. Sa physionomie était changée, comme je l'avais dit à Heathcliff; mais lorsqu'elle était calme, elle revêtait, dans ce changement, comme une beauté surnaturelle. L'éclat des yeux avait fait place à une douceur rêveuse et mélancolique; ils ne donnaient plus l'impression de se poser sur les objets qui l'environnaient, mais semblaient regarder par-delà, très loin par-delà — hors de ce monde, eût-on dit. Puis la pâleur de son visage — dont l'aspect hagard avait disparu à mesure qu'elle reprenait chair — ainsi que l'expression particulière qui provenait de son état mental, tout en évoquant douloureusement son origine, ajoutaient au touchant intérêt qu'elle éveillait; et — pour moi, invariablement, mais aussi pour quiconque la voyait, je pense — réfutaient les preuves plus tangibles de sa convalescence en lui imprimant le sceau d'un dépérissement fatal.

Un livre était ouvert devant elle sur l'appui de la fenêtre, et une brise presque imperceptible en venait par intervalles agiter les feuillets. Je crois que c'est Linton qui l'avait posé là; car elle ne cherchait jamais de divertissement dans la lecture ni dans aucune autre occupation, et il passait des heures à s'efforcer d'attirer son attention sur quelque sujet dont, jadis, elle avait fait son amusement. Elle était consciente du but qu'il poursuivait, et, dans ses meilleurs moments, elle supportait placidement ses efforts, montrant seulement leur vanité en réprimant de temps à autre un sourire las, et l'arrêtant enfin du plus triste des sourires ou des baisers. D'autres fois, elle se détournait vivement et se cachait le visage dans les mains ou même repoussait Linton avec colère; sur quoi il avait soin de la laisser seule, car il était certain de ne lui faire aucun bien.

Les cloches de la chapelle de Gimmerton sonnaient encore, et le chuchotement nourri et moelleux du ruisseau de la vallée venait caresser l'oreille : douce compensation pour le murmure, encore absent, des frondaisons d'été qui noyaient cette musique autour du Manoir quand les arbres avaient leur feuillage. A Hurlevent, elle résonnait toujours par les jours calmes qui suivaient un grand dégel ou dans une période de pluie continue. Et c'est à Hurlevent que Catherine pensait en l'écoutant ; si toutefois elle pensait ou écoutait aucunement, car elle avait ce regard vague et lointain dont j'ai fait mention, qui n'exprimait aucune reconnaissance des choses matérielles par l'oreille ou par les yeux.

« Voici une lettre pour vous, Mrs. Linton, dis-je en la lui plaçant doucement dans la main qui reposait sur son genou. Il faut que vous la lisiez tout de suite, car elle demande une réponse. Briserai-je le cachet ?

— Oui », répondit-elle sans modifier la direction de son regard.

Je l'ouvris : elle était très brève.

« Maintenant, repris-je, lisez-la. »

Elle retira sa main et laissa choir la lettre.

Je la replaçai sur ses genoux et j'attendis qu'il lui plût d'y faire tomber son regard ; mais elle tarda si longtemps que je repris enfin :

« Dois-je la lire, madame ? Elle est de Mr. Heathcliff. »

Elle tressaillit, eut une lueur de mémoire inquiète, et lutta pour mettre ses idées en ordre. Elle éleva la lettre et parut la parcourir ; quand elle en vint à la signature, elle soupira ; cependant je vis qu'elle n'en avait pas saisi la teneur, car lorsque je lui demandai sa réponse, elle se contenta de désigner le nom et tourna vers moi un regard chargé d'une interrogation ardente et désolée.

« Eh bien ! il désire vous voir, dis-je, devinant qu'elle avait besoin d'une interprète. Il est au jardin à présent, impatient de savoir quelle réponse je vais lui apporter. »

Tout en parlant, je vis un grand chien, couché au soleil sur l'herbe, dresser ses oreilles comme s'il allait aboyer, puis les coucher de nouveau, et annoncer en remuant la queue l'approche de quelqu'un qu'il ne considérait pas comme un étranger. Mrs. Linton se pencha en avant et écouta, haletante. Une minute après, un pas sonna dans le vestibule ; la maison ouverte était une tentation trop forte pour que Heathcliff résistât au désir d'y entrer. Il avait très probablement supposé que j'étais encline à éluder ma promesse, et s'était décidé en conséquence à se fier à son audace. Le regard de Catherine était ardemment tendu vers la porte de sa chambre. Il ne tomba pas tout de suite sur la pièce qu'il fallait et Catherine me fit signe de lui ouvrir, mais je n'avais pas atteint la porte qu'il la trouva : en quelques enjambées il fut à son côté, et il la serra dans ses bras.

Il ne parla ni ne desserra son étreinte pendant quelque chose comme cinq minutes, mais pendant ce temps il lui prodigua plus de baisers qu'il n'en avait donné, je crois, de toute sa vie : il est vrai que ma maîtresse l'avait embrassé la première, et je voyais clairement que c'était pour lui une véritable agonie, à peine supportable, de regarder son visage ! Il avait été saisi comme moi, dès l'instant qu'il l'avait vue, de la conviction qu'il n'y avait plus d'espoir de guérison pour elle — qu'elle était condamnée, irrévocablement.

« Oh ! Cathy ! Oh ! ma vie ! Comment souffrir cela ? » fut la première phrase qu'il prononça, d'un ton qui ne cherchait pas à déguiser son désespoir.

Puis il la contempla si ardemment qu'il me sembla que l'intensité de son regard allait lui faire monter les larmes aux yeux ; mais ils brûlaient d'angoisse et ils restèrent secs.

« Qu'est-ce encore ? dit Catherine en se renversant dans son fauteuil avec un front soudain rembruni, car son humeur était une vraie girouette au vent de ses caprices toujours changeants. Toi et Edgar, vous m'avez brisé le cœur, Heathcliff ! Et vous venez tous deux vous en lamenter, comme si c'était vous qui étiez à plaindre. Je ne te plaindrai certainement pas. Tu m'as tuée — et cela te réussit, je crois : comme tu es robuste ! Combien d'années comptes-tu vivre une fois que je n'y serai plus ? »

Heathcliff avait mis un genou en terre pour l'embrasser ; il tenta de se relever, mais elle le prit par les cheveux et le maintint dans la même posture.

« Je voudrais pouvoir te retenir, continua-t-elle, jusqu'à ce que nous fussions morts tous deux ! Peu m'importe ce que tu souffrirais. Je ne me soucie pas de tes souffrances. Pourquoi ne souffrirais-tu pas ? Je souffre bien, moi ! M'oublieras-tu ? Seras-tu heureux quand je serai dans la terre ? Diras-tu dans vingt ans d'ici : « Voilà la tombe de Catherine Earnshaw. Je l'ai aimée autrefois et j'ai été très malheureux de la perdre ; mais cela est passé. J'en ai aimé bien d'autres depuis lors ; mes enfants me sont plus chers qu'elle ne m'était chère ; et quand je mourrai, je ne me réjouirai pas d'aller la retrouver, je m'affligerai de devoir les quitter ! » Diras-tu cela, Heathcliff ?

— Ne me torture pas jusqu'à me rendre aussi fou que toi », s'écria-t-il en dégageant violemment sa tête et en grinçant des dents.

Ils formaient, pour un spectateur de sang-froid, un tableau étrange et terrible. Catherine avait bien lieu de penser que le ciel serait pour elle une terre d'exil si elle ne se dépouillait pas de son caractère moral en même temps que de son corps mortel. Sa joue blême était empreinte d'une fureur vindicative, sa lèvre exsangue, ses yeux étincelants ; et elle gardait dans ses doigts crispés quelques mèches de cheveux qu'elle avait étreintes. Quant à son compagnon, tout en s'aidant d'une main pour se relever, il lui avait saisi le bras de l'autre ; et la douceur dont il disposait était si peu en rapport avec ce qu'exigeait l'état de la malade, que, quand il la lâcha, je vis distinctement quatre marques bleues imprimées sur la peau livide.

« Es-tu possédée, poursuivit-il sauvagement, pour me parler de la sorte alors que tu es mourante ? Songes-tu que toutes ces paroles seront marquées au fer dans ma mémoire et me rongeront éternellement quand tu m'auras quitté ? Tu sais que tu mens en disant que je t'ai tuée ; et tu sais aussi, Catherine que, plutôt que de t'oublier, j'oublierais mon existence ! Ne suffit-il pas à ton infernal égoïsme que je me torde dans les tourments de l'enfer alors que tu seras en paix ?

— Je ne serai pas en paix », gémit Catherine, rappelée au sentiment de sa faiblesse physique par les palpitations violentes et irrégulières de son cœur qui, dans l'excès de son émoi, battait de manière perceptible au regard et à l'oreille.

Elle attendit que la crise fût calmée, puis reprit avec plus de douceur :

« Je ne te souhaite pas de plus grands tourments que les miens, Heathcliff. Je souhaite seulement que nous ne soyons jamais séparés : et si un mot de moi devait faire ta désolation plus tard, pense que je ressens la même désolation sous terre, et, pour l'amour de moi, pardonne-moi ! Viens ici, agenouille-toi encore. Tu ne m'as jamais fait de mal de ta vie. Sache-le, si tu me gardes rancune, cela te fera un pire souvenir que mes dures paroles ! Ne veux-tu pas revenir ici ? Reviens ! »

Heathcliff s'approcha du dossier de sa chaise, et se pencha par-dessus, mais pas assez avant pour lui laisser voir son visage, qui était livide d'émotion. Elle se retourna pour le regarder ; il ne voulut point le lui permettre : se détournant brusquement, il alla à la cheminée, devant laquelle il se tint en silence, le dos tourné. Le regard de Mrs. Linton le suivit avec une expression soupçonneuse : chacun de ses mouvements éveillait un nouveau sentiment en elle. Après une pause, pendant laquelle elle le considéra longuement, elle reprit en s'adressant à moi sur un ton de déception indignée :

« Oh ! tu le vois, Nelly, il ne se laisserait pas fléchir un moment pour me garder de la tombe. *Voilà* comme je suis aimée ! Eh bien ! n'importe. Ce n'est pas *mon* Heathcliff. Le mien, je l'aimerai toujours, et je l'emporterai avec moi : il est dans mon âme. Et, ajouta-t-elle pensivement, la chose qui m'est le plus à charge en fin de compte, c'est cette prison délabrée. Je suis lasse, lasse d'y être enfermée. Il me tarde de m'évader dans ce monde resplendissant, pour y rester à jamais ; de ne plus le voir confusément à travers mes larmes, en soupirant après lui derrière les parois d'un cœur dolent, mais d'être vraiment avec lui et en lui. Nelly, tu te crois mieux portante et plus heureuse que moi ; en pleine santé et en pleine vigueur : tu me plains — mais sous peu cela changera. Ce sera mon tour de te plaindre. Je serai incomparablement au-delà et au-dessus de vous tous. Je suis toute surprise qu'il ne veuille pas être près de moi ! continua-t-elle en se parlant à elle-même. Je croyais qu'il le désirait. *Cher* Heathcliff, ne boude plus ! Viens près de moi, Heathcliff. »

Dans son ardeur elle se leva et s'appuya au bras du fauteuil. A ce pressant appel, il se tourna vers elle d'un air absolument désespéré. Ses yeux dilatés, enfin humides, lui lançaient des éclairs farouches, sa poitrine haletait convulsivement. Un instant, ils se tinrent à distance l'un de l'autre, puis c'est à peine si je vis comment ils se rejoignirent, mais Catherine fit un bond, et il la saisit dans ses bras, et ils se nouèrent dans une étreinte dont je crus que ma maîtresse ne sortirait pas vivante : en fait, il me parut qu'elle perdait aussitôt le sentiment. Il se jeta sur le siège le plus proche, et, comme j'accourais précipitamment pour voir si elle était évanouie, il grinça des dents à mon adresse en écumant comme un chien enragé et l'attira à lui avec une jalousie vorace. J'avais l'impression d'être en compagnie d'une créature qui n'était pas de ma propre espèce : il me semblait qu'il ne comprendrait pas si je lui parlais ; aussi restai-je à l'écart, et gardai-je le silence, en proie à une grande perplexité.

Un mouvement que fit Catherine me rassura un peu : elle leva une main pour enlacer le cou de Heathcliff et rapprocher sa joue de la sienne ; tandis qu'il la couvrait de caresses en retour et disait d'une voix éperdue :

« Tu me fais comprendre maintenant combien tu as été cruelle — cruelle et perfide. *Pourquoi* m'as-tu méprisé ? *Pourquoi* avoir trahi ton propre cœur, Cathy ? Je n'ai pas un mot de réconfort à t'adresser. Tu mérites cela. Tu t'es tuée toi-même. Oui, tu peux m'embrasser et pleurer ; et m'arracher des baisers et des larmes : ils te flétriront — ils te damneront. Tu m'aimais — quel *droit* avais-tu donc de m'abandonner ? Quel droit te donnait — réponds ! — ton pauvre engouement pour Linton ? Alors que ni la misère et la dégradation, ni la mort, ni rien de ce que Dieu ou Satan pouvait nous infliger ne nous eût séparés, tu l'as fait, *toi*, de ton propre gré. Ce n'est pas moi qui t'ai brisé le cœur — c'est *toi*; et, en le brisant, tu as brisé le mien. C'est d'autant pire pour moi que je suis robuste. Est-ce que je veux vivre? Quelle existence aurai-je quand tu... oh! Dieu, aimerais-tu vivre avec ton âme dans la tombe?

— Laisse-moi, laisse-moi, sanglota Catherine. Si j'ai mal agi, je suis en train d'en mourir. Cela suffit! Toi aussi, tu m'as abandonnée. Mais je ne te ferai pas de reproches! Je te pardonne. Pardonne-moi!

— C'est difficile de pardonner quand on regarde ces yeux et qu'on sent ces mains émaciées, répondit-il. Embrasse-moi encore, et que je ne voie pas tes yeux! Je pardonne ce que tu m'as fait. J'aime mon meurtrier — mais le *tien!* Comment le pourrais-je?»

Ils se turent — leurs visages blottis l'un contre l'autre et baignés de leurs larmes à tous deux. Je suppose du moins qu'ils pleuraient l'un et l'autre: il semblait que Heathcliff fût capable de pleurer dans une grande circonstance comme celle-là.

Cependant, je devenais très inquiète; car l'après-midi s'écoulait rapidement, le domestique que j'avais envoyé en course était revenu, et je pouvais distinguer, vers l'ouest, à la lumière du soleil qui éclairait le haut de la vallée, un groupe de gens qui allait s'épaississant devant le porche de la chapelle de Gimmerton.

« Le service est terminé, annonçai-je. Mon maître sera ici dans une demi-heure.»

Heathcliff grommela une imprécation et serra plus étroitement Catherine: elle ne bougea pas.

J'aperçus bientôt quelques-uns des domestiques qui remontaient la route en se dirigeant vers l'aile des cuisines. Mr. Linton n'était pas loin derrière; il ouvrit lui-même la grille et s'avança lentement, goûtant sans doute la douceur de cet exquis après-midi, suave comme un jour d'été.

«Il est là! m'écriai-je. Pour l'amour du Ciel, descendez vite! Vous ne rencontrerez personne dans le grand escalier. Dépêchez-vous, et restez au milieu des arbres jusqu'à ce qu'il soit bien rentré.

— Il faut que je parte, Cathy, dit Heathcliff en cherchant à se dégager des bras de sa compagne. Mais si je vis, je te reverrai avant que tu ne sois endormie. Je ne m'écarterai pas d'une toise de ta fenêtre.

— Il ne faut pas t'en aller! répondit-elle en le retenant aussi fermement que ses forces le lui permettaient. Tu ne t'en iras pas, te dis-je!

— Pour une heure, plaida-t-il instamment.

— Pas pour une minute, répondit-elle.

— Il le *faut*, Linton va être en haut à l'instant », insista l'intrus alarmé.

Il cherchait à se lever, et par là même à dénouer son étreinte — mais elle se cramponnait, haletante : une folle résolution était empreinte sur son visage.

« Non! cria-t-elle. Oh! ne pars pas, ne pars pas. C'est la dernière fois! Edgar ne te fera pas de mal. Heathcliff, je mourrai, je mourrai!

— Au diable l'imbécile! Le voilà, s'écria Heathcliff en se renversant sur son siège. Chut, ma chérie! Chut, chut, Catherine. Je resterai. S'il me tire dessus tel que je suis à présent, j'expirerai avec une bénédiction sur les lèvres. »

Ils s'étreignirent à nouveau. J'entendis mon maître monter l'escalier — une sueur froide me coula sur le front : j'étais horrifiée.

« Allez-vous écouter ses divagations? demandai-je avec fureur. Elle ne sait pas ce qu'elle dit. Voulez-vous la perdre, parce qu'elle n'a pas assez de sens pour se sauver elle-même? Levez-vous! Vous pourriez vous libérer instantanément. Vous n'avez jamais rien fait d'aussi diabolique. Nous sommes tous perdus — maître, maîtresse et servante. »

Je me tordais les bras en criant; et Mr. Linton pressa le pas à ce bruit. Au milieu de mon agitation, je fus sincèrement heureuse de voir que les bras de Catherine avaient relâché leur étreinte et que sa tête était retombée.

« Elle est évanouie ou morte, pensai-je : tant mieux. Il vaut beaucoup mieux qu'elle soit morte que de continuer à languir en étant un fardeau et une source de malheur pour tous ceux qui l'entourent. »

Edgar bondit vers le visiteur ininvité, blême de stupéfaction et de rage. Que voulait-il faire, je ne saurais le dire ; quoi qu'il en fût, l'autre arrêta aussitôt toute démonstration en plaçant la forme apparemment sans vie dans ses bras.

« Regardez ! dit-il. A moins que d'être un démon, soignez-la d'abord — vous me parlerez après ! »

Il passa au salon et s'assit. Mr. Linton m'appela ; avec beaucoup de difficultés et après avoir recouru à des moyens divers, nous parvînmes à la faire revenir à elle ; mais elle était tout égarée ; elle soupirait et gémissait, et ne reconnaissait personne. Edgar, dans son anxiété pour elle, oublia l'individu abhorré qu'elle avait pour ami. Moi, non. Je saisis la première occasion pour aller le supplier de partir ; affirmant que Catherine allait mieux, et qu'il apprendrait de moi au matin comment elle avait passé la nuit.

« Je ne refuse pas de sortir de la maison, répondit-il, mais je resterai au jardin, et, Nelly, ayez soin de tenir votre parole demain. Je serai sous ces mélèzes. Attention ! ou je renouvellerai ma visite, que Linton soit là ou non. »

Il jeta un coup d'œil rapide par la porte entrouverte de la chambre, et, s'assurant que mes dires paraissaient exacts, il délivra la maison de sa funeste présence.

XVI

Vers minuit, cette nuit-là, naquit la Catherine que vous avez vue à Hurlevent : une enfant chétive venue à sept mois ; et, deux heures plus tard, la mère mourait sans avoir repris suffisamment connaissance pour s'aviser de l'absence de Heathcliff ou de la présence d'Edgar. L'égarement dans lequel son deuil jeta celui-ci est un sujet trop pénible pour que j'y insiste ; les effets ultérieurs montrèrent toute la profondeur de son chagrin. Une circonstance fort aggravante à mes yeux était le fait qu'il restait sans héritier. Je m'en affligeais en regardant la faible orpheline, et je reprochais en esprit au vieux Linton (quoique ce ne fût là que l'effet d'une partialité naturelle) d'avoir légué ses biens à sa fille et non à la fille de son fils. Elle fut bien mal accueillie, la pauvre petite! Elle aurait pu se tuer à force de gémir sans que personne y prît garde pendant ses premières heures de vie. Nous rachetâmes ensuite notre négligence; mais ses débuts furent autant frustrés d'affection que sa fin risque de l'être.

Le matin suivant — brillant et joyeux au-dehors — se glissa, tamisé, à travers les stores de la chambre silencieuse, baignant la couche et son occupante d'une lueur chaude et tendre. Edgar Linton avait la tête posée sur l'oreiller, et les yeux clos. Ses beaux traits juvéniles étaient presque aussi cadavériques que ceux de la dépouille qui gisait près de lui, et presque aussi rigides; mais l'immobilité était, chez lui, celle de la souffrance épuisée, et, chez elle, celle de la paix parfaite. Nul ange du ciel n'aurait pu être plus beau qu'elle avec son front lisse, ses paupières closes, ses lèvres empreintes d'une expression souriante. Et je participai au calme infini dans lequel elle reposait: jamais je n'ai eu l'esprit dans des dispositions plus saintes qu'en contemplant cette paisible image de divine sérénité. Je répétai instinctivement les mots qu'elle avait prononcés quelques heures auparavant: « Incomparablement au-delà et au-dessus de nous tous! Qu'elle soit encore sur la terre ou déjà au ciel, son esprit est auprès de Dieu! »

Je ne sais si cela m'est particulier, mais il est rare que je ne sois pas heureuse quand je veille dans une chambre mortuaire, pourvu que personne de frénétique ou de désespéré ne partage avec moi ce devoir. Je vois là un repos que ni la terre ni l'enfer ne peuvent troubler, et j'éprouve la certitude d'un au-delà sans terme et sans ombres — l'Éternité gagnée — où la vie est sans limites dans sa durée, comme l'amour dans sa sympathie, comme la joie dans sa plénitude. Je remarquai à cette occasion combien il entre d'égoïsme, même dans un amour comme celui de

Mr. Linton, que rendait si éploré la bienheureuse délivrance de Catherine. Sans doute aurait-on pu douter, après l'existence capricieuse et emportée qu'elle avait menée, qu'elle eût mérité de trouver enfin un havre de paix. On en pouvait douter aux heures de froide réflexion ; mais non point alors, en présence de son cadavre. Il affirmait sa propre tranquillité, et semblait garantir par là une égale quiétude pour celle qui l'avait habité.

Croyez-vous que des gens comme cela soient heureux dans l'autre monde, monsieur ? Je donnerais beaucoup pour le savoir.

J'évitai de répondre à la question de Mrs. Dean, qui me parut quelque peu hétérodoxe. Elle poursuivit :

Quand nous revenons sur la carrière de Catherine Linton, je crains que nous n'ayons pas le droit de le croire ; mais nous la laisserons avec son Créateur.

Le maître paraissait endormi, et je me hasardai peu après l'aube à quitter la chambre pour me glisser dehors, à l'air pur et vivifiant. Les domestiques pensèrent que j'allais secouer l'engourdissement de ma veille prolongée ; en réalité, mon principal motif était de voir Mr. Heathcliff. S'il était resté toute la nuit parmi les mélèzes, il n'avait rien dû entendre du branle-bas du Manoir ; à moins qu'il n'eût perçu, peut-être, le galop du messager en route pour Gimmerton. S'il s'était rapproché, il avait dû se rendre compte, à cause des lumières qui couraient çà et là, et des portes qu'on ouvrait et qu'on refermait, que tout n'allait pas pour le mieux dans la maison. Je souhaitais, et pourtant je redoutais, de le trouver. Je sentais qu'il fallait lui annoncer la terrible nouvelle, et il me tardait que ce fût chose faite ; mais *comment* m'y prendre, je n'en savais rien. Il était là — à quelques toises de distance dans le parc ; appuyé contre un vieux frêne, nu-tête, les cheveux trempés par la rosée qui s'était accumulée sur les branches bourgeonnantes et qui tombait à grosses gouttes autour de lui. Il avait dû rester longtemps dans cette position, car je vis un couple de merles passer et repasser à peine à trois pieds de lui, occupés à construire leur nid, sans lui prêter plus d'attention qu'à une pièce de charpente. Ils s'envolèrent à mon approche, et lui, levant les yeux, parla :

« Elle est morte ! dit-il. Je ne vous ai pas attendue pour le savoir. Faites disparaître ce mouchoir — ne pleurnichez pas devant moi. Dieu vous damne, elle n'a pas besoin de *vos* larmes. »

Je pleurais autant pour lui que pour elle ; nous accordons parfois notre pitié à des créatures qui n'éprouvent pareil sentiment ni pour eux-mêmes ni pour les autres ; dès que j'avais vu son visage, j'avais compris qu'il était au fait de la catastrophe ; et l'idée folle m'était venue que son cœur était dompté et qu'il priait, parce que ses lèvres remuaient et que son regard était tourné vers le sol.

« Oui, elle est morte ! répondis-je, réprimant mes sanglots et m'essuyant les joues. Montée au ciel, j'espère ; où nous pourrons la rejoindre, tous tant que nous sommes, si nous prenons garde à l'avertissement et quittons la mauvaise voie pour la bonne !

— A-t-elle pris garde à l'avertissement, *elle ?* demanda Heathcliff en s'efforçant de ricaner. Est-elle morte en sainte ? Allons, faites-moi un rapport fidèle de l'événement. Comment... »

Il essaya de prononcer son nom, mais ne put y parvenir ; et, serrant les lèvres, il livra combat en silence à son agonie intérieure, tout en défiant ma sympathie d'un regard inflexible, féroce.

« Comment est-elle morte ? reprit-il enfin — contraint, malgré son courage inébranlable, de chercher appui derrière lui ; car après la lutte, il tremblait, en dépit de lui-même, jusqu'au bout des ongles.

Pauvre malheureux ! pensai-je ; tu as un cœur et des nerfs tout comme tes semblables ! Pourquoi vouloir à toute force les cacher ? Ton orgueil ne peut aveugler Dieu ! Tu L'invites à les torturer jusqu'à ce qu'Il t'arrache un cri humilié.

— Aussi doucement qu'un agneau ! répondis-je à haute voix. Elle a poussé un soupir, elle s'est étirée comme un enfant qui revient à lui, puis qui retombe dans le sommeil ; cinq minutes après, j'ai senti un seul petit battement dans son cœur, et ce fut tout !

— Et... a-t-elle prononcé mon nom? demanda-t-il avec hésitation, comme s'il craignait que la réponse à sa question n'amenât des détails qu'il ne pourrait supporter d'entendre.

— Elle n'a jamais repris conscience; elle n'a reconnu personne après que vous l'avez quittée, dis-je. Elle repose avec un doux sourire sur le visage; et ses dernières pensées ont fait retour vers les heureux jours de jadis. Sa vie s'est achevée dans un rêve paisible — puisse son réveil dans l'autre monde être aussi doux!

— Puisse-t-elle se réveiller dans les tourments! cria-t-il avec une véhémence terrible, frappant du pied et gémissant sous l'empire d'une fureur irrésistible, d'emblée au paroxysme. Elle aura donc menti jusqu'au bout! Où est-elle? Pas *là-bas*... pas au ciel... pas dans le néant... Où? Oh! tu m'as dit que tu ne te souciais pas de mes souffrances! Et moi je fais une prière... je la répéterai jusqu'à ce que ma langue se raidisse... Catherine Earnshaw, puisses-tu ne jamais connaître le repos aussi longtemps que je vivrai! Tu m'as dit que je t'avais tuée... alors hante-moi! Les victimes hantent bien leurs meurtriers. Je crois, je sais, que des fantômes ont vraiment erré sur la terre. Sois toujours avec moi... prends n'importe quelle forme... rends-moi fou! Mais ne me laisse pas dans cet abîme où je ne puis te trouver! Oh! Dieu! c'est indicible! Je ne *peux pas* vivre sans ma vie! Je ne *peux pas* vivre sans mon âme! »

Il se cogna la tête contre le tronc noueux; et, levant les yeux, il se mit à hurler, non comme un homme, mais comme une bête sauvage percée à mort de couteaux et d'épieux. Je remarquai plusieurs éclaboussures de sang sur l'écorce, — et sa main ainsi que son front en étaient également maculés; sans doute la scène dont j'étais témoin ne faisait-elle que répéter d'autres scènes pareilles de la nuit. J'en eus moins de compassion que d'épouvante: néanmoins, je répugnais à le quitter ainsi. Mais dès qu'il se ressaisit assez pour se rendre compte que je l'observais, il m'ordonna d'une voix tonnante de partir, et j'obéis. Il était au-delà de mon pouvoir de le calmer et de le consoler.

Les obsèques de Mrs. Linton furent fixées au vendredi qui suivit sa mort ; et jusque-là son cercueil resta ouvert, parsemé de fleurs et de feuilles odoriférantes, dans le grand salon. Linton passait là ses jours et ses nuits, en veilleur qui ignorait le sommeil ; et — circonstance que j'étais seule à savoir — Heathcliff passait ses nuits, à tout le moins, au-dehors de la maison, sans connaître non plus aucun repos. Je ne communiquai pas avec lui, mais j'avais conscience qu'il avait l'intention d'entrer s'il le pouvait ; et le mardi, peu après la tombée du jour, comme mon maître, dans l'excès de sa fatigue, avait été contraint de se retirer une couple d'heures, j'allai ouvrir une des fenêtres ; car j'étais émue de sa persévérance et je voulais lui donner une chance d'adresser à l'image flétrie de son idole un ultime adieu. Il ne manqua pas de mettre l'occasion à profit, prudemment et brièvement : trop prudemment pour trahir sa présence par le moindre bruit. En fait, je n'aurais pas découvert qu'il était entré, n'eût été que la draperie qui entourait le visage de la morte était dérangée, et qu'une mèche blonde nouée d'un fil d'argent gisait sur le plancher : je reconnus à l'examen qu'elle venait d'un médaillon suspendu au cou de Catherine. Heathcliff l'avait ouvert et en avait jeté le contenu pour mettre à la place une mèche noire de ses propres cheveux. Je tressai les deux mèches et les renfermai ensemble.

Mr. Earnshaw fut naturellement invité à accompagner les restes de sa sœur jusqu'à sa tombe ; il n'envoya aucune excuse, et ne vint pas ; de sorte que, en dehors du mari, le cortège se composait uniquement de fermiers et de domestiques. Isabella ne fut pas priée.

Catherine, à l'étonnement des villageois, ne fut inhumée ni dans la chapelle, sous le monument sculpté des Linton, ni même en dehors, près des tombes de ses propres parents. Sa fosse fut creusée sur une pente verdoyante dans un angle du cimetière, là où le mur est si bas que la bruyère et l'airelle de la lande ont fini par grimper par-dessus, et qu'il est presque enfoui dans un humus tourbeux. Son mari repose maintenant au même endroit ; et ils n'ont l'un et l'autre, pour marquer leurs tombes, qu'une simple pierre dressée près d'une dalle grise unie.

XVII

Ce vendredi fut, pour un mois, le dernier de nos beaux jours. Dans la soirée, le temps se gâta : le vent tourna du sud au nord-est, amenant d'abord la pluie, puis le grésil et la neige. Le lendemain, on avait peine à croire qu'il y avait eu trois semaines d'été : les primevères et les crocus étaient cachés sous des congères hivernales ; les alouettes se taisaient, les jeunes pousses des arbres précoces étaient pincées par le froid et noircies. Comme il s'annonça lugubre et glacial et sinistre, ce lendemain ! Mon maître garda la chambre ; je pris possession du petit salon solitaire pour le convertir en chambre d'enfant : et j'étais là, avec, sur les genoux, cette petite poupée gémissante que je berçais tout en regardant les flocons qui tombaient toujours et qui s'amoncelaient devant la fenêtre — quand la porte s'ouvrit et quelqu'un entra, hors d'haleine et riant ! Pendant une minute, ma colère l'emporta sur ma surprise. Je crus que c'était une des servantes et je criai :

« Finissez ! Comment osez-vous montrer votre étourderie ici ? Que dirait Mr. Linton s'il vous entendait ?

— Excusez-moi ! répondit une voix familière ; mais je sais qu'Edgar est au lit, et je ne peux pas m'arrêter. »

Sur quoi, celle qui venait de me répondre s'avança vers le feu, haletante et pressant de la main son côté.

« J'ai couru tout le long du chemin depuis Hurlevent ! continua-t-elle après une pause ; excepté quand j'ai volé. Je ne pourrais pas compter les chutes que j'ai faites. Oh ! j'ai mal partout ! Ne vous alarmez pas ! Vous aurez une explication dès que je serai en état de vous la donner ; ayez seulement la bonté d'aller demander qu'on prépare la voiture pour m'emmener à Gimmerton et de dire à une servante de me chercher quelques vêtements dans ma garde-robe. »

L'intruse était Mrs. Heathcliff. Elle n'était certes pas dans un état qui prêtait à rire : ses cheveux flottaient sur ses épaules, ruisselants de neige et d'eau ; elle avait le costume juvénile qu'elle portait communément, et qui convenait mieux à son âge qu'à sa position : une robe décolletée à manches courtes, sans rien sur la tête ni sur le cou. La robe, de soie légère, était plaquée à son corps par l'humidité, et ses pieds n'étaient protégés que par de minces mules ; ajoutez à cela une entaille profonde sous une oreille, que seul le froid empêchait de saigner à flots, un visage blême égratigné et meurtri, ainsi qu'un corps à peine capable de se tenir debout tant il était à bout de forces ; et vous concevez que ma frayeur première ne s'apaisa guère quand j'eus le loisir de l'examiner.

« Ma chère petite dame, lui dis-je, je n'irai nulle part et n'écouterai rien tant que vous n'aurez pas enlevé tous vos vêtements pour en mettre de secs ; et vous ne sauriez aller à Gimmerton ce soir, ainsi donc il est inutile de commander la voiture.

— J'irai certainement, dit-elle, que ce soit à pied ou en voiture : mais je veux bien m'habiller convenablement. Et... ah ! voyez comme le sang me dégouline dans le cou à présent ! Avec le feu, cela devient vraiment cuisant. »

Elle insista pour que j'exécutasse ses ordres avant de me permettre de la toucher ; et ce n'est qu'après avoir enjoint au cocher de se préparer et donné mission à une femme de chambre d'empaqueter quelques effets, que je fus autorisée à panser sa blessure et à l'aider à se changer.

« Maintenant, Ellen, dit-elle quand j'eus terminé ma besogne et qu'elle fut assise dans un fauteuil auprès du feu avec une tasse de thé devant elle, asseyez-vous en face de moi et éloignez le bébé de la pauvre Catherine : je n'aime pas à le voir ! Ne croyez pas que je sois peu sensible à la perte de Catherine parce que je me suis conduite de manière si folle en entrant : moi aussi j'ai pleuré, amèrement — plus amèrement que personne n'avait lieu de le faire. Nous nous sommes séparées sans nous être réconciliées, vous vous en souvenez, et je ne me le pardonnerai jamais. Mais, en dépit de tout cela, je n'allais pas sympathiser avec lui... la bête brute ! Oh ! passez-moi le tisonnier ! Voilà la dernière chose de lui que j'aie sur moi... »

Elle fit glisser l'anneau d'or de son doigt et le jeta sur le sol :

« Je le broierai ! continua-t-elle en le frappant avec un dépit enfantin, et puis je le brûlerai ! »

Elle prit la malheureuse alliance et la jeta dans les braises.

« Là ! Il devra m'en acheter un autre s'il me rattrape. Il serait capable de venir me chercher ici, pour tourmenter Edgar. Je n'ose rester, de crainte que cette idée ne s'empare de sa cervelle perverse ! D'ailleurs Edgar n'a pas été gentil, n'est-ce pas ? Je ne veux pas venir implorer son aide ; non plus que lui attirer de nouveaux ennuis. La nécessité m'a contrainte de chercher abri ici ; mais, si je n'avais pas su qu'il était à l'écart, je me serais arrêtée dans la cuisine pour me laver le visage, me réchauffer et vous faire apporter ce que je voulais, et puis je serais repartie n'importe où, hors d'atteinte de mon maudit... Oh ! ce diable incarné ! Ah ! dans quelle fureur il était ! S'il m'avait attrapée ! C'est dommage qu'Earnshaw ne soit pas son égal en force : je ne me serais pas enfuie avant de l'avoir vu assommé aux trois quarts si Hindley avait été capable de faire cela !

— Voyons, ne parlez pas si vite, miss ! interrompis-je ; vous allez déranger le mouchoir que je vous ai noué autour du visage et faire resaigner l'entaille. Buvez votre thé, reprenez haleine et cessez de rire : le rire est tristement déplacé sous ce toit et dans votre condition !

— C'est une vérité indéniable, répondit-elle. Écoutez cet enfant ! Il ne cesse pas de crier — éloignez-le pour une heure de mes oreilles : je ne resterai pas plus longtemps. »

Je sonnai et confiai le bébé à une servante ; puis je lui demandai ce qui l'avait poussée à s'enfuir de Hurlevent dans des conditions aussi hasardeuses, et où elle avait l'intention d'aller, dès lors qu'elle refusait de rester avec nous.

« Je devrais et je voudrais rester, répondit-elle, pour consoler Edgar et prendre soin du bébé, et aussi parce que le Manoir est mon vrai chez-moi. Mais je vous dis qu'il ne me laisserait pas faire ! Croyez-vous qu'il supporterait de me voir engraisser et retrouver ma gaieté? Qu'il pourrait souffrir la pensée que nous sommes en paix sans décider d'empoisonner notre quiétude? J'ai maintenant la satisfaction d'être sûre qu'il me déteste au point d'être sérieusement incommodé de m'entendre ou de me voir: je remarque, quand je parais en sa présence, que les muscles de son visage se tordent involontairement dans une expression de haine; en partie parce qu'il sait que j'ai de bonnes raisons d'éprouver le même sentiment pour lui, et en partie du fait de son aversion première. Elle est assez forte pour me rendre quasi certaine qu'il ne me pourchassera pas à travers l'Angleterre pourvu que je m'échappe pour de bon, et c'est pourquoi il faut que je prenne vraiment le large. Je suis revenue de mon désir primitif, qui était qu'il me tuât: j'aimerais mieux qu'il se tuât lui-même! Il a réussi à éteindre mon amour, de sorte que je suis à l'aise. Je puis encore me rappeler combien je l'aimais; et je puis imaginer confusément que je pourrais l'aimer encore si... non, non! Même s'il s'était épris de moi, sa nature démoniaque se serait révélée d'une manière ou d'une autre. Catherine a dû avoir le goût terriblement perverti pour l'aimer aussi chèrement, alors qu'elle le connaissait si bien. Le monstre! Que ne peut-il être effacé de la création, et de ma mémoire!

— Chut, chut! C'est un être humain, dis-je. Soyez plus charitable: il y a des hommes qui sont encore pires que lui!

— Ce n'est pas un être humain, répondit-elle; et il n'a aucun droit à ma charité. Je lui ai donné mon cœur: il l'a pris, il l'a broyé à mort et puis il me l'a relancé. On sent avec son cœur, Ellen: dès lors qu'il a détruit le mien, je ne puis rien ressentir pour lui; et je ne le voudrais pas, quand il gémirait jusqu'à son dernier jour et qu'il verserait des larmes de sang sur Catherine. Non, sur ma foi, sur ma foi, je ne le voudrais pas! »

Ici, Isabella se mit à pleurer; mais, secouant aussitôt les larmes de ses cils, elle reprit:

« Vous me demandiez ce qui m'avait enfin déterminée à fuir: j'y ai été contrainte, parce que j'avais réussi à hausser sa fureur d'un degré au-dessus de sa méchanceté.

Il faut plus de sang-froid pour extirper les nerfs avec des pinces chauffées au rouge que pour frapper quelqu'un sur le tête. Il a été amené à oublier la prudence démoniaque dont il se vantait pour s'abandonner à une violence meurtrière. J'ai eu le plaisir d'arriver à l'exaspérer; mais ce sentiment de plaisir a éveillé mon instinct de conservation, si bien que je me suis échappée; et si jamais je retombe dans ses mains, je suis promise à une fière vengeance.

« Hier, vous le savez, Mr. Earnshaw aurait dû assister à l'enterrement. Il était resté sobre à cette intention — tolérablement sobre : c'est-à-dire qu'il n'était pas allé se coucher fou furieux à six heures pour se lever ivre à midi. La conséquence en fut qu'il se leva dans un état de dépression proche du suicide, et autant en humeur d'aller à l'église que d'aller au bal; au lieu de quoi, il s'assit près du feu et se mit à avaler des verres entiers de genièvre ou d'eau-de-vie.

« Heathcliff — je frissonne à le nommer! — a été un étranger dans la maison depuis dimanche dernier jusqu'à ce jour. Sont-ce les anges qui l'ont nourri, ou ses parents des profondeurs infernales, je ne sais; mais il n'a pas pris un repas avec nous depuis près d'une semaine. Il se contentait de revenir à l'aube, de monter à sa chambre et de s'enfermer à double tour — comme si qui que ce fût avait songé à rechercher sa compagnie! Et il restait là, à prier comme un méthodiste; seulement la divinité qu'il implorait n'est que poussière et cendres inanimées; et quand il s'adressait à Dieu, c'était pour le confondre de manière étrange avec son ténébreux père! Après avoir terminé ces précieuses oraisons — et elles duraient généralement jusqu'à ce qu'il fût enroué et que sa voix s'étranglât dans sa gorge — il repartait, toujours droit au Manoir! Je m'étonne qu'Edgar n'ait pas fait chercher un constable pour le mettre en prison! Quant à moi, si peinée que je fusse quand je pensais à Catherine, je ne pouvais m'empêcher de considérer comme des vacances ces jours où j'étais délivrée d'une tyrannie dégradante.

« J'avais suffisamment repris cœur pour entendre les éternels sermons de Joseph sans pleurer, et pour aller et venir dans la maison d'un pas moins craintivement furtif. Vous aurez peine à croire que quoi que ce soit de ce que disait Joseph ait pu me faire pleurer, mais lui et Hareton sont d'exécrables compagnons. J'aimerais mieux être en compagnie de Hindley et entendre ses affreux propos que me trouver avec « not' jeune maît' » et son fidèle défenseur, cet odieux vieillard ! Quand Heathcliff est là, je suis souvent obligée de chercher refuge dans la cuisine et en leur société, ou de grelotter dans l'atmosphère humide des chambres inhabitées ; quand il n'est pas là, comme c'était le cas cette semaine, j'installe une table et une chaise au coin du feu, dans la salle, sans prendre garde aux occupations de Mr. Earnshaw ; et lui-même ne se mêle pas davantage de ce que je fais. Il est plus calme, maintenant, qu'il n'avait accoutumé de l'être, pourvu qu'on ne le provoque pas : plus maussade, plus abattu, et moins furieux. Joseph est convaincu que c'est un homme changé ; que le Seigneur a touché son cœur, et qu'il est sauvé « comme par le feu ». Je ne vois guère de signes de ce changement favorable, mais ce n'est pas mon affaire.

« Hier soir, je suis restée assise dans mon coin à lire quelques vieux livres jusqu'aux approches de minuit. Il paraissait si lugubre de monter là-haut, avec les furieuses rafales de neige qui se déchaînaient au-dehors, et mes pensées qui revenaient continuellement au cimetière et à la tombe fraîchement creusée ! C'est à peine si j'osais lever les yeux de ma page, tant ce tableau mélancolique était prompt à s'y substituer. Hindley était assis en face de moi, la tête appuyée sur sa main ; méditant peut-être sur le même sujet. Il avait cessé de boire avant d'atteindre le niveau de la déraison, et il n'avait ni bougé ni parlé depuis deux ou trois heures. On n'entendait pas d'autre bruit dans la maison que les plaintes du vent qui secouait de temps en temps les fenêtres, le faible crépitement des charbons, et, par intervalles, le cliquetis de mes mouchettes quand je coupais la longue mèche de la chandelle. Hareton et Joseph étaient au lit et sans doute plongés dans le sommeil. C'était très, très triste ; et, tout en lisant, je soupirais, car il semblait que toute joie eût disparu du monde pour ne plus jamais revenir.

« Le silence désolé fut enfin rompu par le bruit du loquet de la cuisine : Heathcliff était revenu de son guet plus tôt que de coutume — à cause de la tempête soudaine, je suppose. Cette porte-là était verrouillée, et nous l'entendîmes faire le tour pour entrer par l'autre. Je me levai, avec malgré moi, sur les lèvres, l'expression de ce que je ressentais, et mon compagnon, qui avait les yeux fixés sur la porte, se retourna pour me regarder.

« Je vais le laisser dehors cinq minutes, s'écria-t-il. Vous n'y voyez pas d'objection ?

« — Non, vous pouvez le laisser dehors toute la nuit en ce qui me concerne, répondis-je. Allez-y ! Mettez la clef dans la serrure et tirez les verrous. »

« Earnshaw accomplit ces gestes avant que son hôte eût atteint la façade ; puis il revint placer sa chaise de l'autre côté de ma table, sur laquelle il se pencha, cherchant dans mes yeux de la sympathie pour la haine brûlante qui jaillissait des siens : comme il avait la mine et les sentiments d'un assassin, ce n'est pas exactement ce qu'il y trouva ; mais ce qu'il y découvrit fut assez pour l'encourager à parler.

« — Vous et moi, dit-il, avons tous deux une fière dette à régler avec cet homme-là ! Si nous n'étions lâches ni l'un ni l'autre, nous pourrions nous unir pour le faire. Êtes-vous aussi molle que votre frère ? Êtes-vous prête à subir jusqu'au bout, sans jamais essayer de le payer de retour ?

« — Je suis lasse d'endurer, répondis-je, et je serais heureuse d'une vengeance qui ne retomberait pas sur moi ; mais la traîtrise et la violence sont des lances pointues aux deux bouts : elles blessent ceux qui en font usage plus grièvement que leurs ennemis.

« — La traîtrise et la violence sont la juste rétribution de la traîtrise et de la violence ! s'écria Hindley. Mrs. Heathcliff, je ne vous demanderai rien — si ce n'est de rester immobile et muette. Dites, en êtes-vous capable ? Je suis sûr que vous auriez autant de plaisir que moi à voir s'achever l'existence de ce démon ; il sera *votre* mort si vous ne le devancez pas ; et il sera *ma* ruine. Que Dieu damne l'infernal scélérat ! Il cogne à la porte comme s'il était déjà le maître de céans! Promettez-moi de tenir votre langue, et avant que cette horloge sonne — il est une heure moins trois — vous serez une femme libre! »

« Il tira de sa poitrine les armes que je vous ai décrites dans ma lettre, et il voulut éteindre la chandelle. Mais je la retirai vivement, et lui saisis le bras.

« — Je ne tiendrai pas ma langue! dis-je. Vous ne devez pas le toucher. Laissez la porte fermée et tenez-vous tranquille!

« — Non! Ma résolution est prise et, pardieu, je l'exécuterai! cria le forcené. Je vous rendrai service en dépit de vous-même, et je ferai justice à Hareton! Et vous n'aurez pas besoin de vous creuser la tête pour savoir comment me couvrir. Catherine n'est plus là. Personne au monde ne me regretterait ni ne verrait la honte rejaillir sur lui si je me coupais la gorge à cette minute même — et il est temps d'en finir!

« Autant lutter avec un ours ou raisonner avec un fou: la seule ressource qui me restât fut de courir à la fenêtre et d'avertir celui dont il voulait faire sa victime du destin qui l'attendait.

« — Vous feriez mieux de chercher abri ailleurs cette nuit! m'écriai-je d'un ton assez triomphant. Mr. Earnshaw s'est mis en tête de vous tirer dessus ni vous persistez à vouloir entrer.

« — Vous feriez mieux d'ouvrir la porte, espèce de..., répondit-il en m'appliquant un terme élégant que je ne me soucie pas de répéter.

« — Je ne me mêlerai pas de l'affaire, répondis-je. Entrez et faites-vous tuer, si cela vous plaît! J'ai fait mon devoir.

« Là-dessus, je fermai la fenêtre et repris ma place au coin du feu, ayant trop peu d'hypocrisie en réserve pour feindre d'être aucunement inquiète du danger qui le menaçait. Earnshaw jura furieusement à mon adresse: affirmant que j'aimais encore le scélérat; et me traitant de tous les noms pour la pleutrerie dont je faisais preuve. Quant à moi, je songeais dans le secret de mon cœur (et ma conscience ne me l'a jamais reproché): quelle bénédiction ce serait pour lui si Heathcliff le délivrait de sa misère, et quelle bénédiction ce serait pour moi s'il dépêchait Heathcliff au séjour qui lui appartient de droit! Comme j'agitais ces pensées, un coup de ce dernier fracassa la vitre, qui tomba sur le sol, et sa noire physionomie apparut, dévastatrice. Les montants étaient trop rapprochés pour permettre à ses épaules de suivre, et je souris, exultant de me croire en sûreté. Ses cheveux et ses vêtements étaient blancs de neige, et ses dents pointues de cannibale, découvertes par le froid et la colère, luisaient dans l'obscurité.

«— Isabella, laissez-moi entrer ou je vous en ferai repentir! «grincha-t-il», comme dit Joseph.

«— Je ne puis pas commettre un meurtre, répondis-je. Mr. Hindley monte la garde avec un couteau et un pistolet chargé.

«— Faites-moi entrer par la porte de la cuisine, dit-il.

«— Hindley y sera avant moi, répondis-je; et quel pauvre amour que le vôtre, qui ne peut supporter une tombée de neige! Nous avons été en paix dans nos lits aussi longtemps qu'a brillé la lune d'été, mais à la première rafale d'hiver, vous courez vous mettre à l'abri! Heathcliff, à votre place, j'irais me coucher sur sa tombe pour y mourir en chien fidèle. Le monde ne vaut sûrement plus la peine d'y vivre, n'est-ce pas? Vous aviez imprimé avec netteté en moi l'idée que Catherine était toute la joie de votre vie: je ne puis concevoir que vous songiez, elle perdue, à lui survivre.

«— Il est là, n'est-ce pas? s'écria mon compagnon en se ruant vers l'ouverture. Si j'arrive à passer le bras dehors, je puis l'atteindre!»

«Je crains, Ellen, que vous ne me teniez pour franchement mauvaise; mais vous ne savez pas tout, ainsi donc ne jugez pas. Pour rien au monde je n'aurais facilité ou encouragé un attentat, même contre *lui*. Quant à souhaiter qu'il fût mort, toutefois, je ne pouvais manquer de le faire; aussi fus-je affreusement déçue, et glacée de terreur par les conséquences de mes railleries, quand il se jeta sur l'arme d'Earnshaw et la lui arracha des mains.

«Le coup partit, et le couteau, rejeté en arrière par le

ressort, se referma sur le poignet de celui qui le tenait. Heathcliff l'en détacha de vive force, déchirant les chairs au passage, et le jeta ruisselant dans sa poche. Puis il prit une pierre, abattit le montant qui séparait deux fenêtres, et bondit dans la salle. Son adversaire était tombé sans connaissance du fait de l'extrême douleur et du flot de sang qui s'échappait d'une artère ou d'une grosse veine. Le misérable le martela de coups, le foula aux pieds, et lui cogna la tête à plusieurs reprises sur les dalles, tout en me retenant d'une main pour m'empêcher d'aller chercher Joseph. Il fit preuve d'un renoncement surhumain en s'abstenant de l'achever; mais il s'arrêta enfin, à bout de souffle, et traîna le corps apparemment sans vie sur la banquette. Là, il déchira la manche de la veste d'Earnshaw et pansa la blessure avec une rudesse brutale; crachant et jurant pendant l'opération avec autant d'énergie qu'il en avait mis à le fouler aux pieds. Me trouvant libre, je me hâtai d'aller chercher le vieux serviteur; qui, ayant saisi par degrés ce que signifiait mon récit précipité, se précipita en bas, haletant, en descendant les marches deux à deux.

« — Quoué qu'y s'passe met'nant, quoué qu'y s'passe met'nant?

« — Il se passe ceci, tonna Heathcliff, que ton maître est fou, et s'il n'est pas mort dans un mois, je le ferai mettre à l'asile. Mais pourquoi diable me fermer les portes de la maison au nez, vieux braque édenté? Ne reste pas là à grommeler et à marmotter. Allons, ce n'est pas moi qui vais le soigner. Lave-moi ça; et prends garde à ta chandelle: c'est de l'eau-de-vie pour plus de moitié!

« — Vous l'avez donc assinssiné! s'écria Joseph, levant les bras et les yeux au ciel avec horreur. Si j'ai jamais rin vu d'pareil! Puisse le Seigneux... »

« Heathcliff lui donna une bourrade qui l'agenouilla en plein dans le sang, et lui lança une serviette; mais au lieu de se mettre à essuyer, il joignit les mains et commença une prière qui excita mes rires par sa phraséologie bizarre. J'étais dans un état d'esprit à n'être choquée de rien: en fait, mon insouciance était comparable à celle dont certains malfaiteurs font preuve au pied du gibet.

« — Ah ! je vous oubliais, dit le tyran. C'est vous qui ferez ça. A terre. Vous complotez avec lui contre moi, n'est-ce pas, vipère ? Tenez, voilà une besogne digne de vous !

« Il me secoua à faire claquer mes dents et me jeta à côté de Joseph, qui continua ses invocations du même train, puis se leva en déclarant qu'il allait partir tout de suite pour le Manoir. Mr. Linton était magistrat, et quand bien même il aurait perdu cinquante femmes, il devait, dans le cas présent, ouvrir une enquête. Le vieillard était si obstiné dans sa résolution que Heathcliff jugea utile de me faire exposer ce qui s'était passé ; et il resta posté devant moi, respirant la malveillance, tandis que je répondais à contrecœur à ses questions. Ce ne fut pas chose aisée de convaincre Joseph, à l'aide des réponses qui m'étaient arrachées de force, que Heathcliff n'était pas l'agresseur. Cependant Mr. Earnshaw lui prouva bientôt qu'il était toujours vivant ; Joseph se hâta de lui administrer une dose d'alcool, grâce à quoi son maître recouvra le mouvement et la conscience. Heathcliff, se rendant compte que son adversaire ignorait le traitement qu'il avait subi alors qu'il était insensible, lui déclara qu'il était ivre jusqu'au délire, et lui dit qu'il ne tiendrait pas compte de son atroce conduite, mais qu'il l'engageait à se mettre au lit. A ma grande joie, il nous quitta après ce judicieux conseil, et Hindley s'étendit sur la pierre de l'âtre. Je regagnai ma chambre, émerveillée de m'en être tirée à si bon compte.

« Ce matin, quand je suis descendue, une demi-heure environ avant midi, Mr. Earnshaw était assis près du feu, affreusement malade ; son mauvais génie, presque aussi hâve et livide que lui, s'appuyait à la cheminée. Ni l'un ni l'autre ne paraissaient enclins à dîner, et après avoir attendu jusqu'à ce que tout eût refroidi sur la table, je commençai seule. Rien ne m'empêchait de manger de bon cœur, et j'éprouvais une certaine satisfaction et une certaine supériorité lorsque je jetais de temps à autre un regard vers mes compagnons silencieux, et goûtais le réconfort d'avoir la conscience tranquille. Quand j'eus fini, je pris la liberté inaccoutumée de m'approcher du feu en contournant le siège d'Earnshaw et en m'agenouillant dans le coin à côté de lui.

« Heathcliff ne regardait pas de mon côté, et, levant les yeux, je contemplai ses traits avec presque autant d'assurance que s'ils avaient été changés en pierre. Son front, qui m'avait paru naguère si viril, et qui me semble maintenant si diabolique, était assombri d'un lourd nuage ; ses yeux de basilic étaient presque éteints par l'insomnie — et peut-être aussi par les larmes, car il avait alors les cils humides ; ses lèvres, qui avaient perdu leur ricanement féroce, étaient scellées dans une expression d'indicible tristesse. Si c'eût été un autre, je me serais voilé la face en présence d'un tel chagrin. Comme il s'agissait de *lui*, je fus contente ; et quelque ignoble qu'il paraisse d'insulter un ennemi à bas, je ne pus laisser passer cette occasion de lui lancer un dard : ses moments de faiblesse étaient les seuls où je pusse goûter le délice de rendre le mal pour le mal.

— Fi, fi, Miss ! interrompis-je. On pourrait croire que vous n'avez pas ouvert une Bible de votre vie. Si Dieu afflige vos ennemis, cela devrait assurément vous suffire. Il est vil et présomptueux tout ensemble d'ajouter vos tortures aux Siennes !

— Je reconnais qu'en général ce le serait, Ellen, continua-t-elle ; mais quel tourment infligé à Heathcliff pourrait me contenter s'il n'était mon fait pour une part ? J'aimerais mieux qu'il souffrît moins si je pouvais être cause de ses souffrances et s'il pouvait savoir que j'en suis cause. Oh ! j'ai une telle dette envers lui ! Il n'y a qu'une condition à laquelle je puis espérer lui pardonner : c'est de lui arracher œil pour œil et dent pour dent, de lui rendre agonie pour agonie ; de le ravaler, enfin, à mon niveau. Puisque c'est lui qui a commis la première offense, qu'il soit le premier à implorer pardon. Alors — alors, Ellen, je pourrai faire montre de quelque générosité. Mais il est parfaitement impossible que je puisse jamais me venger, et par conséquent je ne saurais lui pardonner... Hindley voulait de l'eau, et je lui tendis un verre en lui demandant comment il allait.

« — Pas aussi mal que je le voudrais, répondit-il.

Mais, sans parler de mon bras, chaque pouce de ma personne est aussi endolori que si je m'étais battu avec une légion de lutins!

« — Ce n'est pas étonnant, remarquai-je. Catherine se vantait naguère de s'interposer entre vous et toute violence corporelle : elle voulait dire que certaines personnes ne vous toucheraient pas de crainte de l'offenser. Il est heureux que les morts ne se lèvent pas vraiment de leur tombe, sans quoi, la nuit dernière, elle eût été témoin d'une scène répugnante! N'avez-vous pas la poitrine et les épaules meurtries et ensanglantées?

« — Je n'en sais rien, répondit-il; mais que voulez-vous dire? A-t-il osé me frapper quand j'étais à bas?

« — Il vous a foulé aux pieds, bourré de coups de pied et cogné contre le sol, chuchotai-je. Et l'eau lui venait à la bouche d'envie de vous déchirer avec les dents; car il n'est humain qu'à demi — encore est-ce trop dire. »

« Mr. Earnshaw leva les yeux, comme j'avais fait, vers le visage de notre ennemi commun, qui, absorbé dans son angoisse, semblait insensible à tout ce qui l'entourait: plus il s'offrait ainsi au regard, plus ses traits révélaient la noirceur de ses réflexions.

« — Oh! si Dieu me donnait seulement la force de l'étrangler dans mon agonie dernière, j'irais en enfer avec joie, gémit impatiemment l'éclopé, luttant pour se lever, puis retombant avec désespoir, convaincu de son impuissance à engager le combat.

« — Non, c'est assez qu'il ait tué l'un de vous, fis-je observer tout haut. Chacun sait au Manoir que votre sœur vivrait encore, n'eût été Mr. Heathcliff. Après tout, mieux vaut être haï qu'aimé de lui. Quand je me rappelle combien nous étions heureux — combien Catherine était heureuse avant qu'il vînt — je ne puis que maudire ce jour funeste. »

« Selon toute apparence, Heathcliff fut plus frappé de la vérité de ces paroles que de la passion de celle qui les prononçait. Son attention s'éveilla, je le vis, car ses yeux répandirent une pluie de larmes dans les cendres, et sa respiration s'échappa en soupirs haletants. Je le regardai bien en face et me mis à rire avec mépris. Les fenêtres embrumées de l'enfer dardèrent sur moi quelques éclairs; mais le démon, qui d'ordinaire y veillait, était tellement obscurci et noyé de larmes que je ne craignis pas de faire entendre un bruit de dérision.

«— Levez-vous et disparaissez, dit-il.

«Du moins ai-je deviné qu'il prononçait ces mots, car sa voix était à peine intelligible.

«— Pardonnez-moi, répondis-je, mais j'aimais Catherine, moi aussi, et son frère a besoin d'une aide, que je lui apporterai pour l'amour d'elle. Maintenant qu'elle est morte, je la vois en Hindley: Hindley a exactement ses yeux, quand ils ne sont pas noirs et rouges parce que vous avez essayé de les lui arracher; et son...

«— Levez-vous, misérable idiote, avant que je vous piétine à mort! cria-t-il en faisant un mouvement qui m'en fit faire un à moi aussi.

«— Mais, continuai-je en me tenant prête à fuir, si la pauvre Catherine s'était fiée à vous et si elle avait pris le titre ridicule, méprisable et dégradant de Mrs. Heathcliff, elle aurait bientôt offert un spectacle semblable! Ce n'est pas elle qui aurait supporté patiemment votre abominable conduite: il aurait fallu que sa détestation et son dégoût trouvassent une voix!

«Le dossier de la banquette et la personne d'Earnshaw s'interposaient entre moi et lui: de sorte que, au lieu d'essayer de me saisir, il prit un couteau sur la table et me le lança à la tête. Le projectile me frappa sous l'oreille et arrêta la phrase que je prononçais; mais, le dégageant de la plaie, je bondis à la porte et jetai d'autres paroles qui, j'espère, ont pénétré un peu plus profond que son couteau. La dernière vision que j'eus de lui fut sa ruée furieuse, que son hôte arrêta en le prenant à bras le corps; sur quoi tous deux roulèrent enlacés devant l'âtre. Tandis que je fuyais par la cuisine, j'enjoignis à Joseph de courir vers son maître; je bousculai Hareton qui était en train de pendre une portée de chiots au dossier d'une chaise dans l'embrasure de la porte; et, ravie de joie comme une âme échappée du purgatoire, je courus, je bondis, je volai en dévalant la route rapide; puis, abandonnant ses lacets, je coupai droit à travers la lande, roulant par-dessus les talus et pataugeant dans les marais : me précipitant, en fait, vers le fanal de lumière qu'était pour moi le Manoir. Et j'aimerais mieux être condamnée à demeurer perpétuellement en enfer qu'à passer à nouveau ne fût-ce qu'une nuit sous le toit de Hurlevent. »

Isabella se tut et prit une gorgée de thé ; puis elle se leva, me demanda de lui mettre son chapeau, ainsi qu'un grand châle que j'avais apporté, et, faisant la sourde oreille à ma prière de rester encore une heure, monta sur une chaise pour embrasser les portraits d'Edgar et de Catherine, m'embrassa de même en adieu, et descendit vers la voiture, accompagnée de Fanny, qui jappait de joie d'avoir recouvré sa maîtresse. La voiture l'emporta, et elle n'est plus jamais revenue dans les parages ; mais une correspondance régulière s'établit entre elle et mon maître quand les choses se furent tassées. Je crois que sa nouvelle demeure était dans le Sud, près de Londres : c'est là qu'il lui naquit un fils, quelques mois après sa fuite. Il fut baptisé Linton, et, dès le début, elle le décrivit comme un être chétif et chagrin.

Mr. Heathcliff, un jour qu'il me rencontra au village, me demanda où elle habitait. Je refusai de le lui dire. Il remarqua que cela importait peu, pourvu qu'elle prît garde de ne pas aller chez son frère : il préférerait la reprendre lui-même que la voir avec lui. Bien que je ne lui eusse donné aucuns renseignements, il découvrit, par l'intermédiaire des autres domestiques, et son lieu de résidence et l'existence de l'enfant. Il s'abstint pourtant de la tourmenter, grâce qu'elle dut, je suppose, à l'aversion qu'elle lui inspirait. Il me questionnait souvent sur l'enfant quand il me voyait ; et lorsqu'il apprit son nom, il eut un sourire inquiétant et il observa :

« Ils veulent que je le haïsse aussi, n'est-ce pas ?

— Je ne crois pa.. qu'ils veuillent que vous sachiez rien de lui, répondis-je.

— Mais je l'aurai quand je voudrai, dit-il. Ils peuvent y compter ! »

Heureusement, sa mère mourut avant que ce temps fût venu : quelque treize ans après Catherine, et alors que Linton avait douze ans, ou un peu plus.

Le jour qui suivit la visite inopinée d'Isabella, je n'eus pas l'occasion de parler à mon maître : il évitait les conversations et n'était pas en état de discuter quoi que ce fût. Quand je pus me faire écouter de lui, je le vis content que sa sœur eût quitté son mari, qu'il abhorrait avec une intensité que la douceur de sa nature semblait à peine permettre. Son aversion était si profonde et si prompte à s'émouvoir qu'il s'abstenait d'aller partout où il risquait de voir Heathcliff ou d'entendre parler de lui. Cette crainte, jointe à son chagrin, fit de lui un parfait ermite : il renonça à sa charge de magistrat, cessa même de fréquenter l'église, évita le village en toute occasion, et mena dans les limites de son parc et de ses terres une vie de complète réclusion, sans autre diversion que des vagabondages solitaires sur la lande et des visites à la tombe de sa femme, surtout le soir, ou le matin de bonne heure avant qu'il y eût personne au-dehors. Mais il était trop bon pour être longtemps tout à fait malheureux. Ce n'était pas lui qui aurait prié pour que l'âme de Catherine le hantât. Le temps lui apporta la résignation, et une mélancolie plus douce que la joie commune. Il évoquait la mémoire de la défunte avec un amour ardent et tendre, et une espérance confiante en un monde meilleur, où il ne doutait point qu'elle fût allée.

Il eut aussi une consolation, une affection ici-bas. Pendant quelques jours, comme je vous l'ai dit, il parut ne pas se soucier du petit être qui avait remplacé la disparue ; mais cette froideur fondit aussi vite que neige en avril, et, avant que la chétive créature pût balbutier un mot ou esquisser un pas chancelant, elle régna en despote dans son cœur. Elle s'appelait Catherine ; mais il ne lui donnait jamais son nom entier, alors qu'il n'avait jamais abrégé celui de la première Catherine — sans doute parce que Heathcliff avait coutume de le faire. La petite fut toujours Cathy pour lui ; ce qui la distinguait de sa mère tout en la liant à elle ; et c'est de ce lien, bien plus que de sa paternité, que naquit son attachement pour l'enfant.

Lorsque je comparais mon maître à Hindley Earnshaw, j'étais en peine de bien m'expliquer pourquoi leurs comportements étaient si différents dans des circonstances semblables. Tous deux avaient été de tendres époux, attachés à leur enfant ; et je ne voyais pas pourquoi ils n'avaient pas pris la même voie, que ce fût dans le bien ou dans le mal. Mais, songeais-je, Hindley, qui en apparence a la tête la plus solide, s'est montré de pitoyable manière le plus faible et le pire des deux. Quand son vaisseau s'est échoué, le capitaine a abandonné son poste ; et l'équipage, au lieu de chercher à sauver le bâtiment, s'est précipité dans la rébellion et le désordre, sans plus laisser d'espoir au malheureux vaisseau. Linton, au contraire, a fait preuve du vrai courage d'une âme loyale et fidèle : il a mis sa confiance en Dieu, et Dieu l'a réconforté. L'un a espéré, l'autre a désespéré ; ils ont choisi chacun son lot, et ils ont été justement condamnés à le subir. Mais vous n'avez que faire de ma morale, Mr. Lockwood : vous saurez juger de tout cela aussi bien que moi : du moins le croirez-vous, ce qui reviendra au même. La fin d'Earnshaw fut ce qu'on pouvait attendre : elle suivit de près celle de sa sœur : c'est à peine s'il y eut six mois d'écart entre elles. Auparavant, nous autres, au Manoir, n'avons jamais eu de précisions sur son état ; tout ce que j'ai su à ce sujet, je l'ai appris en venant aider aux préparatifs des obsèques. C'est Mr. Kenneth qui vint annoncer l'événement à mon maître.

« Eh ! bien, Nelly, dit-il en entrant à cheval dans la cour un matin, de trop bonne heure pour ne pas me faire pressentir immédiatement quelque mauvaise nouvelle, c'est à votre tour et au mien de prendre le deuil à présent. Savez-vous qui nous a faussé compagnie cette fois ?

— Qui cela ? demandai-je tout émue.

— Devinez ! répondit-il en mettant pied à terre et en jetant sa bride sur un crochet près de la porte. Retroussez le coin de votre tablier : je suis certain que vous en aurez besoin.

— Pas Mr. Heathcliff, pour sûr ? m'écriai-je.

— Quoi ! Auriez-vous des larmes pour lui ? dit le docteur. Non, Heathcliff est un jeune et vigoureux gaillard ; il a l'air florissant : je viens de le voir. Il reprend du poids rapidement depuis qu'il a perdu la meilleure moitié de lui-même.

— Qui est-ce donc, Mr. Kenneth? répétai-je impatiemment.

— Hindley Earnshaw! répondit-il. Votre vieil ami Hindley et mon dépravé compère, bien que depuis longtemps il ait été trop effréné pour moi. Là! je disais bien que nous répandrions des gouttes. Consolez-vous. Il est mort sans trahir son personnage: saoul comme un lord. Le pauvre garçon! J'ai du chagrin, moi aussi. On ne peut pas s'empêcher de regretter un vieux compagnon; bien qu'il fût capable des pires procédés imaginables et qu'il m'ait joué plus d'un vilain tour. Il avait à peine vingt-sept ans, apparemment: le même âge que vous; qui aurait dit que vous étiez nés la même année?»

J'avoue que ce coup fut plus rude pour moi que celui de la mort de Mrs. Linton: de vieux souvenirs se pressèrent dans mon cœur. Je m'assis sous le porche, pleurant comme pour un parent, et je priai Kenneth de se faire introduire auprès du maître par un autre serviteur. Je ne pouvais m'empêcher de retourner dans ma tête cette question: «N'a-t-il été victime d'aucune manœuvre?» Quoi que je fisse, cette idée me tracassait: elle était si tenace et si importune que je résolus de demander la permission d'aller à Hurlevent pour aider à rendre les derniers devoirs au défunt. Mr. Linton montra beaucoup de répugnance, mais je plaidai éloquemment en arguant de l'abandon dans lequel gisait le défunt, et en faisant valoir que mon ancien maître et frère de lait avait droit autant que lui-même à mes services. Je lui rappelai en outre que le petit Hareton était le neveu de sa femme, et, qu'en l'absence de parents plus proches, il devrait faire office de tuteur auprès de lui; qu'enfin il lui fallait absolument s'enquérir de l'état de la succession et des affaires de son beau-frère. Il était pour lors incapable de s'occuper de pareilles choses, mais il me dit de parler à son homme de loi et me permit enfin de partir. Son homme de loi avait été aussi celui d'Earnshaw: je me rendis chez lui au village et lui demandai de m'accompagner. Il hocha la tête et me conseilla de laisser Heathcliff tranquille; affirmant que, si l'on connaissait la vérité, on constaterait que Hareton n'était plus guère qu'un gueux.

« Son père est mort endetté, dit-il ; toute la propriété est hypothéquée, et la seule chance qui reste à l'héritier naturel est d'avoir l'occasion d'éveiller quelque intérêt dans le cœur du créancier, afin que celui-ci soit enclin à le traiter avec douceur. »

Quand j'eus atteint Hurlevent, j'expliquai que j'étais venue m'assurer que tout serait fait décemment ; et Joseph, qui paraissait assez chagriné, exprima sa satisfaction de ma présence. Mr. Heathcliff déclara qu'il n'en voyait pas l'utilité, mais que je pouvais rester et diriger les préparatifs des obsèques, si je voulais.

« Régulièrement, remarqua-t-il, le corps de ce fou devrait être inhumé à la croisée des chemins, sans cérémonie aucune [1]. Je l'ai quitté pendant dix minutes hier après-midi, et dans l'intervalle il a verrouillé les deux portes de la salle pour m'empêcher d'entrer, puis il a passé la nuit à s'enivrer à mort, délibérément ! Nous avons forcé la porte ce matin, car nous l'entendions ronfler comme un cheval ; il était là sur la banquette ; si on l'avait scalpé et écorché vif, on ne l'aurait pas réveillé. J'ai envoyé chercher Kenneth, et il est venu, mais pas avant que la brute se fût changée en charogne : il était déjà mort, froid et roidi. Vous voyez que ce n'était pas la peine de faire beaucoup d'histoires à son sujet ! »

Le vieux domestique confirma cette déclaration, mais marmonna :

« J'aurais voulu qu'ce soye lui qu'aye été quéri' l'docteur ! J'aurais soigné l'maît' mieux qu'lui. L'était point mort quind j'l'ai quitté, point mort du tout ! »

J'insistai pour que les obsèques fussent convenables. Mr. Heathcliff déclara qu'en cela encore je pouvais agir à ma guise ; il me pria seulement de me rappeler que l'argent, dans toute cette affaire, sortait de sa poche. Il garda une attitude de dureté indifférente qui n'indiquait ni joie ni peine ; tout au plus, peut-être, l'impitoyable satisfaction d'avoir mené à bien une tâche difficile. J'observai une fois, à vrai dire, quelque chose comme de l'exultation sur sa physionomie : ce fut au moment même où l'on

1. Comme on traitait alors les suicidés. *(N.d.T.)*

porta la bière hors de la salle. Il eut l'hypocrisie de se joindre au cortège; et avant de suivre avec Hareton, il jucha le malheureux petit sur la table en marmonnant avec une délectation particulière: « Maintenant, mon joli petit gars, tu es à moi! Et nous verrons si un arbre ne pousse pas aussi tordu qu'un autre quand il y a le même vent pour le travailler! » Ces mots plurent à l'enfant sans méfiance: il se mit à jouer avec les moustaches de Heathcliff et lui tapota la joue; mais je devinai ce qu'ils signifiaient, et j'observai d'un ton acerbe:

« Cet enfant doit revenir avec moi au Manoir, monsieur. Il n'y a rien au monde qui vous appartienne moins que lui!

— Est-ce là ce que dit Linton?

— Naturellement, il m'a ordonné de le prendre, répondis-je.

— Bon, répondit le scélérat, nous ne discuterons pas là-dessus pour le moment: mais j'ai envie de m'essayer à élever un môme; ainsi donc, faites savoir à votre maître que je devrai remplacer celui-ci, s'il essaie de me l'enlever, par le mien. Je ne m'engage pas à laisser partir Hareton sans le disputer; mais je ferai sûrement venir l'autre! N'oubliez pas de le lui dire. »

C'en était assez pour nous lier les mains. Je répétai ces paroles en substance à mon retour; et Edgar Linton, qui ne s'était jamais beaucoup intéressé à l'affaire, ne parla plus d'intervenir. A vrai dire, je ne crois guère qu'il aurait pu le faire avec succès, quand bien même il aurait pris la chose à cœur.

Le visiteur était maintenant le maître à Hurlevent: il en avait pris fermement possession, prouvant à l'avoué — qui, à son tour, le prouva à Mr. Linton — qu'Earnshaw avait hypothéqué chaque arpent de sa terre pour subvenir à sa manie du jeu, et que c'était lui, Heathcliff, qui avait baillé les fonds. C'est ainsi que Hareton, qui devrait être aujourd'hui le premier gentilhomme du pays, fut réduit à être complètement sous la dépendance de l'ennemi invétéré de son père; et qu'il vit dans sa propre maison comme un domestique, à ceci près qu'il ne touche pas de gages, tout à fait incapable de se faire rendre justice, parce qu'il est dépourvu d'amis et qu'il ne sait pas qu'on lui a fait tort.

XVIII

Les douze années qui suivirent cette triste période, continua Mrs. Dean, furent les plus heureuses de ma vie : les plus grands soucis qu'elles comptèrent furent les menues maladies que notre petite demoiselle dut subir comme tous les enfants, riches et pauvres. Pour le reste, après les six premiers mois, elle poussa comme un mélèze, et elle apprit à marcher ainsi qu'à parler, à sa manière, avant que la bruyère eût fleuri pour la seconde fois sur la tombe de Mrs. Linton. C'était le plus irrésistible petit être qui eût jamais apporté un rayon de soleil dans une maison désolée : de visage, une vraie beauté, avec les beaux yeux noirs des Earnshaw, mais le teint clair, la finesse de traits et les cheveux blonds et bouclés des Linton. Elle avait un tempérament fougueux, mais sans rudesse, et tempéré par un cœur sensible, ardent à l'exès dans ses affections. Cette aptitude aux attachements intenses me rappelait sa mère ; pourtant, elle ne lui ressemblait pas, car elle pouvait être douce comme une colombe, et elle avait une voix caressante et une expression pensive ; sa colère n'était jamais furieuse, son amour jamais violent, mais profond et tendre. Toutefois, il faut le reconnaître, elle avait des défauts qui gâtaient ses dons : une tendance à l'impertinence, et cet entêtement pervers qu'acquièrent invariablement les enfants gâtés, qu'ils soient ou non d'un bon naturel. Si un domestique venait à la contrarier, c'était toujours : « Je le dirai à papa ! » Et s'il la réprimandait, ne fût-ce que d'un regard, on aurait dit qu'il y avait de quoi lui briser le cœur. Je ne crois pas qu'il lui ait jamais adressé un mot dur. Il se chargeait entièrement de son éducation et en faisait un jeu. Par bonheur, elle avait assez de curiosité et de vivacité d'esprit pour être une bonne écolière : elle apprenait promptement et avec ardeur, faisant honneur à son enseignement.

Jusqu'à l'âge de treize ans, elle n'était jamais sortie seule de l'enceinte du parc. Mr. Linton l'emmenait au-dehors, à un mille ou deux, en de rares occasions; mais il ne la confiait à personne d'autre. Pour elle, Gimmerton n'était qu'un nom; la chapelle, le seul édifice dont elle eût approché et où elle fût entrée, en sus de sa propre maison. Hurlevent et Mr. Heathcliff n'existaient pas pour elle: elle était parfaitement recluse et, en apparence, parfaitement satisfaite. Parfois, il est vrai, quand elle regardait la campagne par la fenêtre de la nursery, elle observait:

« Ellen, dans combien de temps pourrai-je aller au sommet de ces collines? Je me demande ce qu'il y a de l'autre côté... est-ce la mer?

— Non, Miss Cathy, répondais-je; ce sont encore des collines, toutes pareilles à celles-ci.

— Et à quoi ressemblent ces rochers dorés quand on est à leur pied? » demanda-t-elle une fois.

La dégringolade abrupte des Rocs de Penistone attirait particulièrement son attention; surtout quand le soleil couchant brillait sur eux et sur les sommets les plus élevés en laissant tout le reste du paysage dans l'ombre. J'expliquai que c'étaient des masses de pierre nue, avec à peine assez de terre dans leurs crevasses pour nourrir un arbre rabougri.

« Et pourquoi brillent-ils si longtemps après que la nuit est tombée ici? poursuivit-elle.

— Parce qu'ils sont beaucoup plus hauts que nous, répondis-je; vous ne pourriez pas y grimper: ils sont trop élevés et trop abrupts. En hiver, ils connaissent toujours le gel avant nous; et, au cœur de l'été, j'ai trouvé de la neige sous ce creux noir de la face nord-est!

— Oh! vous y avez été! s'écria-t-elle gaiement. Je pourrai donc y aller, moi aussi, quand je serai une femme. Est-ce que papa y est monté, Ellen?

— Votre papa vous dirait, miss, me hâtai-je de répondre, que cela ne vaut pas la peine d'une visite. Les landes où vous vous promenez avec lui sont beaucoup plus agréables ; et le parc du Manoir est le plus bel endroit du monde.

— Mais je connais le parc et je ne connais pas ces rochers, murmura-t-elle en se parlant à elle-même. Et comme j'aimerais regarder autour de moi du sommet de la plus haute pointe ! Mon petit poney Minny m'y mènera un jour. »

Une servante, en mentionnant la Grotte des Fées, lui tourna tout à fait la tête à force de désir d'exécuter ce projet : elle harcela Mr. Linton à son propos, et il lui promit qu'elle ferait cette randonnée quand elle serait plus grande. Mais Miss Catherine mesurait son âge en mois, et la question : « Suis-je assez grande à présent pour aller aux Rocs de Penistone ? » était constamment sur ses lèvres. La route qui y menait faisait un lacet tout près de Hurlevent, et Edgar n'avait pas le cœur d'aller par là ; si bien qu'elle recevait non moins constamment la réponse : « Pas encore, ma chérie, pas encore. »

J'ai dit que Mrs. Heathcliff vécut plus de douze ans après avoir quitté son mari. Sa famille a toujours été de constitution délicate ; ni elle ni Edgar ne jouissaient de la santé robuste qu'on rencontre généralement dans nos parages. Quelle fut sa dernière maladie, je ne le sais pas au juste ; je conjecture qu'ils sont morts tous les deux de la même chose : une espèce de fièvre, lente à ses débuts, mais incurable et qui, vers la fin, consuma rapidement leur vie. Elle écrivit pour informer son frère de l'issue probable d'une affection dont elle souffrait depuis quatre mois, le suppliant de venir la voir, s'il était possible, car elle avait beaucoup de choses à régler, et elle aspirait à lui dire adieu et à laisser Linton en sûreté entre ses mains. Son espoir était que Linton pût rester chez son frère, comme il était resté chez elle : le père de l'enfant, elle voulait s'en convaincre, ne tenait pas à assumer la charge de son entretien ni de son éducation. Mon maître n'hésita pas un instant à accéder à sa requête : lui qui répugnait à quitter la maison dans des circonstances ordinaires vola pour répondre à cet appel ; recommandant Catherine à ma vigilance spéciale pendant son absence, et réitérant l'ordre qu'elle ne s'aventurât point en dehors du parc, fût-ce sous mon escorte : il n'imaginait même pas qu'elle pût en sortir sans être accompagnée.

Il resta trois semaines absent. Les deux ou trois premiers jours ma pupille se tint dans un coin de la bibliothèque, trop triste pour lire ou pour jouer : tranquille comme elle l'était, elle me donna peu de soucis ; mais ensuite vint une période d'ennui et d'agitation inquiète ; et, comme j'étais trop occupée et trop âgée désormais pour courir de-ci de-là afin de l'amuser, je m'avisai d'une méthode qui lui permît de se divertir elle-même. Je l'envoyai faire des randonnées autour du domaine, tantôt à pied, tantôt à poney, et j'écoutais patiemment le récit de ses aventures réelles et imaginaires quand elle s'en revenait.

L'été naissant brillait de tout son éclat ; et elle prit tant de goût à ces vagabondages solitaires qu'elle restait souvent dehors du petit déjeuner jusqu'au thé ; après quoi les soirées passaient à raconter ses histoires fantaisistes. Je ne craignais pas qu'elle franchît les limites du parc, car les grilles en étaient généralement fermées, et, quand bien même elles auraient été grand ouvertes, je pensais qu'elle ne risquait guère de s'aventurer seule au-dehors. Malheureusement, ma confiance se révéla mal placée. Catherine vint me trouver un matin à huit heures pour me dire qu'elle était ce jour-là un marchand arabe qui allait traverser le désert avec sa caravane, et qu'il fallait lui donner des vivres en abondance pour elle et ses bêtes — à savoir un cheval et trois chameaux, représentés par un grand chien courant et une couple de chiens d'arrêt. Je rassemblai une bonne provision de friandises, que je serrai dans un panier attaché d'un côté de la selle ; et elle sauta sur sa monture, radieuse comme une fée, protégée du soleil de juillet par son chapeau à larges bords et son voile de gaze, puis s'en fut au trot avec un rire joyeux, se moquant de mes prudents conseils quand je lui recommandais d'éviter de galoper, et de rentrer de bonne heure. La coquine ne parut pas au thé. L'un des voyageurs, le chien courant, qui était vieux et qui aimait ses aises, s'en revint ; mais ni Cathy, ni le poney, ni les deux chiens d'arrêt n'apparaissaient nulle part : je dépêchai des émissaires sur un chemin, puis sur un autre, et je finis par me mettre moi-même à sa recherche. Il y avait un ouvrier qui travaillait à clôturer une plantation à la limite des terres. Je lui demandai s'il avait vu notre jeune maîtresse.

« Je l'ai vue ce matin, répondit-il ; elle a voulu que je lui coupe une baguette de noisetier, et elle a fait sauter son galloway [1] par-dessus la haie là-bas, à l'endroit où c'est le moins haut, pour disparaître au galop. »

Vous devinez ce que je ressentis en apprenant ces nouvelles. L'idée me vint aussitôt qu'elle avait dû partir pour les Rocs de Penistone. « Que va-t-elle devenir ? » m'écriai-je, passant par une brèche que le paysan était en train de réparer et allant droit à la grand-route. Je marchai comme si j'avais voulu gagner un pari, mille après mille, jusqu'à ce qu'un tournant m'amenât en vue de Hurlevent ; mais je ne découvris point de Catherine, où que mes yeux se portassent. Les Rocs s'élevaient à un mille et demi au-delà de la demeure de Mr. Heathcliff, qui est elle-même à quatre milles du Manoir, de sorte que je commençais à craindre d'être surprise par la nuit avant d'y parvenir. « Et si elle a glissé en grimpant ? me disais-je. Si elle s'est tuée ou si elle s'est brisé un membre ? » Mon anxiété était vraiment cruelle ; et ce fut un prodigieux soulagement pour moi de remarquer, comme je côtoyais rapidement la ferme, Charlie, le plus impétueux des deux chiens d'arrêt, couché sous une fenêtre, la tête enflée et une oreille en sang. J'ouvris la barrière et courus à la porte, où je frappai avec véhémence. C'est une femme que je connaissais et qui avait vécu autrefois à Gimmerton, qui répondit à mon appel : elle était servante à Hurlevent depuis la mort de Mr. Earnshaw.

« Ah ! dit-elle, vous êtes venue chercher votre petite maîtresse ! Ne vous inquiétez pas : elle est ici en sûreté ; mais je suis heureuse que ce ne soit pas le maître.

— Il n'est donc pas chez lui ? haletai-je, car ma marche précipitée et mon alarme m'avaient privée de souffle.

— Non, non, répondit-elle : lui et Joseph sont partis,

1. Poney d'Écosse. *(N.d.T.)*

et je crois qu'ils ne reviendront pas d'ici une heure, pour le moins. Entrez et reposez-vous un peu. »

J'entrai et je vis ma brebis perdue assise près de l'âtre, en train de se balancer dans un petit fauteuil qui avait appartenu à sa mère du temps qu'elle était enfant. Son chapeau était pendu au mur, et elle semblait tout à fait chez elle, riant et babillant de la meilleure humeur du monde à l'adresse de Hareton — maintenant un grand et fort gaillard de dix-huit ans — qui la regardait avec une curiosité et un étonnement considérables ; ne comprenant quasiment rien au flot de remarques et de questions que la langue de Cathy déversait incessamment.

« Très bien, Miss ! m'écriai-je en cachant ma joie sous une mine courroucée. C'est votre dernière promenade à cheval jusqu'au retour de votre papa. Je ne vous laisserai plus franchir le seuil, méchante, méchante fille !

— Ha, ha, Ellen ! cria-t-elle gaiement en bondissant de son siège et en accourant à mon côté. J'aurai une jolie histoire à raconter ce soir. Ainsi donc, vous m'avez trouvée. Êtes-vous jamais venue ici de votre vie ?

— Mettez ce chapeau et rentrons à l'instant, dis-je. Je suis terriblement fâchée contre vous, Miss Cathy : vous vous êtes extrêmement mal conduite. C'est inutile de faire la moue et de pleurer : cela ne me paiera pas de tout le mal que j'ai eu à courir le pays après vous. Quand je pense que Mr. Linton m'a prescrit de vous garder à la maison, et que vous vous dérobez ainsi ! Cela montre que vous êtes une rusée petite renarde et personne n'aura plus confiance en vous désormais.

— Qu'ai-je fait ? sanglota-t-elle, interdite soudain. Papa ne m'a rien ordonné ; il ne me grondera pas, Ellen — il n'est jamais fâché comme vous l'êtes !

— Venez, venez ! répétai-je. Je vais attacher ce ruban. Allons, pas de scène. Oh ! vous n'avez pas honte ? Vous qui avez treize ans, vous conduire comme un bébé ! »

Cette exclamation venait de ce qu'elle avait enlevé son chapeau de sa tête et battait en retraite vers la cheminée pour se mettre hors de mon atteinte.

« Voyons, dit la servante, ne soyez pas dure pour la gentille enfant, Mrs. Dean. C'est nous qui avons insisté pour qu'elle reste : elle voulait continuer sa route, de crainte de vous inquiéter. Mais Hareton s'est offert à l'accompagner, et j'ai trouvé qu'il faisait bien, car c'est désert par les collines. »

Hareton, pendant cette discussion, restait debout, les mains dans les poches, trop gauche pour parler, bien qu'il eût l'air de ne pas goûter mon intrusion.

« Combien de temps devrai-je attendre ? continuai-je sans prendre garde à l'intervention de la servante. Il fera nuit dans dix minutes. Où est le poney, Miss Cathy ? Et où est Phénix ? Je vais vous laisser si vous ne vous dépêchez pas : ce sera comme vous voudrez.

— Le poney est dans la cour, répondit-elle, et Phénix est enfermé ici. Il s'est fait mordre... et Charlie aussi. J'étais sur le point de vous le dire ; mais vous êtes de mauvaise humeur et vous ne méritez pas qu'on vous dise quoi que ce soit. »

Je ramassai son chapeau et m'approchai pour le lui remettre ; mais elle, voyant que les gens de la maison prenaient son parti, se mit à gambader autour de la chambre ; et, quand je lui donnai la chasse, elle courut comme une souris, passant par-dessus, par-dessous ou par-derrière les meubles et rendant ma poursuite ridicule. Hareton et la servante riaient ; elle se joignit à eux et devint plus impertinente encore ; jusqu'au moment où je m'écriai, fort en colère :

« Tenez, Miss Cathy, si vous saviez à qui appartient cette maison, vous seriez heureuse d'en sortir.

— Elle appartient à votre père, n'est-ce pas ? dit-elle en se tournant vers Hareton.

— Non », répondit-il en baissant les yeux et en rougissant timidement.

Il ne pouvait soutenir son regard quand elle le regardait en face, bien qu'ils eussent exactement les mêmes yeux.

« A qui, alors ? A votre maître ? » demanda-t-elle.

Il rougit plus profondément, sous l'empire d'un autre sentiment, grommela un juron, et se détourna.

« Qui est son maître ? demanda l'agaçante enfant en faisant appel à moi. Il a parlé de « notre maison » et de « nos gens ». Je croyais que c'était le fils du propriétaire.

Et il ne m'a jamais dit : Miss, comme il aurait dû le faire, n'est-ce pas, si c'est un domestique ? »

Hareton devint sombre comme une nuée d'orage à entendre ce discours puéril. Je secouai en silence ma questionneuse, et je finis par réussir à l'équiper pour le départ.

« Maintenant, allez me chercher mon cheval, dit-elle en s'adressant à son parent ignoré comme à un quelconque garçon d'écurie du Manoir. Et vous pouvez venir avec moi. Je voudrais voir l'endroit où le chasseur de gobelins surgit du marais, et qu'on me parle des « fayes », comme vous les appelez. Mais dépêchez-vous ! Qu'est ce qu'il y a ? Allez me chercher mon cheval, vous dis-je.

— Tu seras damnée avant que je te serve de domestique ! gronda le garçon.

— Je serai *quoi ?* demanda Catherine surprise.

— Damnée, insolente sorcière ! répondit-il.

— Voilà, Miss Cathy ! Vous voyez dans quelle belle compagnie vous vous êtes fourrée, interrompis-je. Joli langage à tenir à une jeune demoiselle ! Je vous en prie, ne commencez pas à vous disputer avec lui. Venez, allons chercher Minny nous-mêmes et partons.

— Mais, Ellen, s'écria-t-elle, les yeux écarquillés, et figée par l'étonnement, comment ose-t-il me parler ainsi ? Ne faut-il pas le forcer à faire ce que je demande ? Méchante créature, je rapporterai à papa ce que vous avez dit. Voilà ! »

Hareton ne parut pas touché de cette menace ; et elle eut les larmes aux yeux d'indignation.

« Amenez le poney, s'écria-t-elle en se tournant vers la servante, et délivrez mon chien à l'instant !

— Doucement, miss, répondit la femme, vous ne perdrez rien à être polie. Si Mr. Hareton, que voici, n'est pas le fils du maître, il est votre cousin ; quant à moi, je n'ai jamais été payée pour vous servir.

— *Lui*, mon cousin ! s'écria Cathy avec un rire de mépris.

— Mais oui, répliqua celle qui lui tenait tête.

— Oh ! Ellen, ne leur laissez pas dire de pareilles choses, poursuivit-elle, très troublée. Papa est allé chercher mon cousin à Londres : mon cousin est le fils d'un gentleman. Ça, mon... »

Elle s'arrêta, et éclata en sanglots, bouleversée à la seule idée d'avoir une parenté avec un pareil rustre.

« Chut, chut ! chuchotai-je. On peut avoir beaucoup de cousins, et de toute sorte, Miss Cathy, sans s'en porter plus mal ; simplement, on n'a pas besoin de les fréquenter s'ils sont désagréables et mal élevés.

— Ce n'est pas... ce n'est pas mon cousin, Ellen ! » poursuivit-elle, plus chagrinée encore à la réflexion, et se jetant dans mes bras pour y chercher refuge contre cette idée.

J'étais furieuse après elle et après la servante à cause de leurs révélations mutuelles ; ne doutant pas que la nouvelle de l'arrivée prochaine de Linton dût être communiquée à Heathcliff ; convaincue également que la première pensée de Catherine, au retour de son père, serait de se faire expliquer l'assertion de la servante concernant son grossier parent. Hareton, remis de son dégoût d'avoir été pris pour un domestique, parut touché de sa détresse ; après avoir amené le poney devant la porte, il prit dans le chenil, pour amadouer Cathy, un joli chiot de terrier à pattes torses et, le lui mettant dans les mains, lui dit de sécher ses larmes car il n'avait pas voulu la chagriner. Elle interrompit ses lamentations pour regarder son cousin avec crainte et horreur, puis les reprit de plus belle.

Je pus à peine m'empêcher de sourire à voir son antipathie pour le pauvre garçon, qui était bien bâti, athlétique, agréable de traits, vigoureux et sain, mais accoutré comme le voulaient son travail journalier à la ferme et ses vagabondages sur la lande en quête de lapins et d'autre gibier. Il me semblait déceler sur sa physionomie un esprit doué de meilleures qualités que son père n'en avait jamais possédé : ces bonnes choses, assurément, se perdaient dans un fouillis de mauvaises herbes qui masquaient à plaisir leur pauvre venue, mais c'étaient les gages d'un sol riche, capable de produire de luxuriantes récoltes dans des circonstances plus favorables. Mr. Heathcliff n'avait pas dû le maltraiter physiquement, grâce à son naturel sans peur qui n'attirait pas ce genre de tyrannie : il n'avait rien de cette sensibilité craintive qui, aux yeux de Heathcliff, aurait donné du piquant aux mauvais traitements. Ce dernier avait paru exercer sa malveillance en faisant de lui une brute : on ne lui avait jamais appris à lire ou à écrire ; ni fait reproche d'une mauvaise habitude pourvu qu'elle ne gênât pas son gardien ; ni montré à faire un seul pas dans la voie de la vertu ou enseigné un seul précepte pour le préserver du vice. Et d'après ce que j'ai entendu dire, Joseph avait beaucoup contribué à détériorer sa nature par une partialité à courte vue qui l'incitait à flatter et à cajoler l'enfant parce qu'il était le chef de la vieille famille. De même qu'il avait accusé Catherine Earnshaw et Heathcliff, dans leur enfance, de pousser à bout la patience de leur maître et de le contraindre par ce qu'il appelait leurs « vouées ordeurières » à chercher une consolation dans la boisson, de même il rejetait à présent tout le fardeau des fautes de Hareton sur les épaules de celui qui avait usurpé son bien. Quand le garçon jurait, il ne le réprimandait pas ; quelque coupable que fût sa conduite, elle restait sans blâme. Joseph, apparemment, prenait plaisir à le voir s'enfoncer dans le mal : il reconnaissait qu'il était promis à la ruine, que son âme était vouée à la perdition, mais il se disait que c'était Heathcliff qui devrait en répondre. On lui demanderait compte du sang de Hareton ; et il y avait une immense consolation dans cette pensée. Joseph lui avait insufflé l'orgueil de son nom et de sa lignée ; s'il avait osé, il aurait fomenté la haine entre lui et le présent possesseur de Hurlevent ; mais la crainte qu'il avait de ce dernier touchait à la superstition ; et il se bornait, dans l'expression de ses sentiments envers lui, à marmonner à voix basse des insinuations et des menaces. Je ne prétends pas avoir une connaissance intime de la façon dont on vivait habituellement à Hurlevent : je n'en parle que par ouï-dire, n'en ayant pas vu grand-chose. Les villageois affirmaient que Mr. Heathcliff était « près de ses sous » et faisait preuve d'une dureté cruelle à l'égard de ses fermiers ; mais l'intérieur de la maison avait retrouvé son aspect confortable d'antan sous une direction féminine, et les scènes de désordre qui s'étaient produites couramment du temps de Hindley ne se déroulaient plus dans ses murs. Le maître était trop sombre pour chercher à avoir des fréquentations, bonnes ou mauvaises, avec quiconque; et il n'a pas changé.

Mais tout cela ne fait pas progresser mon histoire. Miss Catherine repoussa l'offrande propitiatoire du terrier et réclama ses propres chiens, Charlie et Phénix. Ils vinrent boitant, tête basse; après quoi nous prîmes la route du retour, d'humeur aussi chagrine l'une que l'autre. Je ne parvins pas à arracher à ma petite maîtresse le récit de sa journée, si ce n'est que le but de son pèlerinage avait été, comme je le supposais, les Rocs de Penistone. Elle était arrivée sans aventure devant la barrière de la ferme au moment où Hareton en sortait avec une escorte de chiens, qui attaqua la sienne. Ils eurent une chaude bataille avant que leurs maîtres pussent les séparer: cela servit de présentations. Catherine dit à Hareton qui elle était et où elle allait, lui demanda de lui indiquer son chemin, et finalement l'enjôla si bien qu'il l'accompagna. Il lui révéla les mystères de la Grotte des Fées et de vingt autres endroits curieux. Mais, comme j'étais en disgrâce, je n'eus pas l'heur de m'entendre décrire les choses intéressantes qu'elle avait vues. Je démêlai toutefois que son guide avait trouvé faveur à ses yeux jusqu'au moment où elle l'avait blessé en s'adressant à lui comme à un domestique, et où la servante de Heathcliff l'avait blessée elle-même en appelant Hareton son cousin. Le langage qu'il avait tenu lui était resté sur le cœur; elle qui était toujours « m'amour », « ma chérie », « ma reine », « mon ange » pour tout le monde au Manoir, être insultée de si outrageuse façon par un étranger! Cela passait sa compréhension; et j'eus beaucoup de mal à lui arracher la promesse qu'elle n'exposerait pas son grief à son père. Je lui expliquai combien il avait en aversion toute la maisonnée de Hurlevent et à quel point il serait contrarié d'apprendre qu'elle avait été là; mais j'insistai surtout sur le fait, que, si elle révélait que j'avais enfreint ses ordres, il serait peut-être tellement irrité que je devrais quitter la maison. Cathy ne pouvait supporter cette perspective: elle me donna sa parole, et la tint, pour l'amour de moi. Après tout, c'était une gentille petite.

XIX

Une lettre bordée de noir annonça le retour de mon maître. Isabella était morte; il écrivait pour me dire de procurer des vêtements de deuil à sa fille, puis de préparer une chambre et de faire d'autres arrangements pour son jeune neveu. Catherine bondit de joie à l'idée de retrouver son père et s'abandonna aux prévisions les plus exaltées sur les qualités sans nombre de son « vrai » cousin. L'après-midi de leur arrivée vint enfin. Dès le début de la matinée, elle s'était occupée à mettre en ordre ses petites affaires; et maintenant, vêtue de sa nouvelle robe noire — pauvre petite, la mort de sa tante ne lui causait pas de chagrin bien défini — elle m'obligea, à force de me tracasser, à traverser le parc avec elle pour aller à la rencontre des voyageurs.

« Linton a juste six mois de moins que moi, babilla-t-elle tandis que nous avancions doucement, parmi les tertres et les creux de gazon moussu, à l'ombre des arbres. Comme ce sera ravissant de l'avoir pour compagnon de jeu ! Tante Isabella avait envoyé à papa une très belle boucle des cheveux de Linton; ils étaient plus clairs que les miens — plus blonds, et presque aussi fins. Je l'ai soigneusement gardée dans un petit coffret de verre, et j'ai souvent pensé au plaisir que j'aurais à voir celui à qui elle appartenait. Oh ! comme je suis heureuse ! Et papa, mon cher, cher papa ! Allons, Ellen, courons ! Venez, courons ! »

Elle courut, revint, courut encore bien des fois avant que mes pas plus mesurés eussent atteint la grille; puis elle s'assit sur le talus d'herbe au bord du chemin, et s'efforça d'attendre patiemment; mais c'était impossible : elle ne pouvait pas rester tranquille une minute.

« Comme ils sont longs ! s'écria-t-elle. Ah ! je vois de

la poussière sur la route... est-ce que ce sont eux ? Non ! Quand seront-ils là ? Ne pourrions-nous nous avancer un peu sur la route... d'un demi-mille, Ellen, rien que d'un demi-mille ? Dites oui. Jusqu'à ce bouquet de bouleaux, au tournant ! »

Je refusai catégoriquement. Enfin son attente cessa : la voiture des voyageurs apparut. Miss Cathy poussa un cri et tendit les bras dès qu'elle vit le visage de son père à la portière. Il descendit, presque aussi impatient qu'elle ; et un temps considérable s'écoula avant qu'ils eussent une pensée à accorder à quelqu'un d'autre qu'eux. Tandis qu'ils échangeaient ainsi des caresses, je jetai un coup d'œil dans la voiture pour voir Linton. Il dormait dans un coin, enveloppé dans un épais manteau doublé de fourrure comme si l'on eût été en hiver. C'était un garçon pâle, délicat, efféminé, qu'on aurait pu prendre pour le frère cadet de mon maître tant ils se ressemblaient ; mais il y avait dans sa mine une maussaderie maladive qu'Edgar Linton n'avait jamais eue. Ce dernier me vit le regarder ; et, après m'avoir serré la main, il me dit de fermer la portière et de ne pas déranger l'enfant, car le voyage l'avait fatigué. Cathy aurait bien voulu jeter un coup d'œil sur lui, mais son père lui dit de venir, et ils remontèrent le parc à pied ensemble, tandis que je pressais le pas pour avertir les domestiques.

« Maintenant, ma chérie, dit Mr. Linton en s'adressant à sa fille quand ils s'arrêtèrent au pied du grand perron, ton cousin n'est ni aussi fort ni aussi joyeux que toi, et il y a très peu de temps qu'il a perdu sa mère, ne l'oublie pas ; ne t'attends donc pas à le voir jouer et courir avec toi tout de suite ; et ne le harcèle pas trop de paroles : laisse-le tranquille ce soir au moins, veux-tu ?

— Oui, oui, papa, répondit Catherine ; mais je voudrais bien le voir ; et pas une seule fois il n'a mis son visage à la portière. »

La voiture s'arrêta ; et le dormeur, réveillé, fut déposé à terre par son oncle.

« Voici ta cousine Cathy, Linton, dit-il en joignant leurs petites mains. Elle t'aime déjà ; prends garde de ne pas la chagriner en pleurant ce soir. Tâche d'être joyeux à présent ; le voyage est terminé, et tu n'as rien d'autre à faire qu'à te reposer et à t'amuser comme il te plaira.

— Laissez-moi aller me coucher, alors, répondit l'enfant, se dérobant à l'embrassade de Cathy et portant ses doigts à ses yeux pour essuyer les larmes qui y perlaient.

— Allons, allons, soyez raisonnable, chuchotai-je en le menant dans la maison ; vous allez la faire pleurer elle aussi : voyez comme elle s'attriste pour vous ! »

Je ne sais si c'était l'effet de sa compassion pour son cousin, mais, de fait, sa cousine avait l'air aussi triste que lui, et elle retourna vers son père. Tous trois entrèrent, et montèrent à la bibliothèque, où le thé était servi. Je débarrassai Linton de son bonnet et de son manteau, et l'installai sur une chaise, près de la table ; mais il ne fut pas plutôt assis qu'il se remit à pleurer. Mon maître lui demanda ce qu'il avait.

« Je ne peux pas rester assis sur une chaise, sanglota-t-il.

— Va sur le sofa alors, et Ellen t'apportera du thé », répondit patiemment son oncle.

Il avait été mis à rude épreuve pendant le voyage, j'en étais convaincue, par son plaintif et souffreteux protégé. Linton se traîna lentement jusqu'au sofa, où il s'étendit. Cathy posa un tabouret et sa tasse à côté de lui. Tout d'abord elle resta assise en silence ; mais cela ne pouvait pas durer : elle avait résolu d'apprivoiser son petit cousin ; et elle se mit à caresser ses boucles, à lui baiser la joue, et à lui offrir du thé dans sa soucoupe, comme elle aurait fait à un bébé. C'en était presque un, aussi ces attentions lui plurent-elles : il se sécha les yeux et un faible sourire éclaira son visage.

« Oh ! tout s'arrangera, me dit le maître après les avoir observés une minute. Tout s'arrangera si nous pouvons le garder, Ellen. La compagnie d'une enfant de son âge lui communiquera bientôt une ardeur nouvelle, et à force de vouloir être vigoureux, il le deviendra. »

« Oui, si nous pouvons le garder ! » pensai-je à part moi ; et je fus envahie par le triste pressentiment qu'il n'y avait qu'un mince espoir qu'il en fût ainsi. Dans le cas contraire, comment cette faible créature vivrait-elle à Hurlevent, entre son père et Hareton ? Quels compagnons de jeu et quels éducateurs pour lui ! Nos doutes furent vite dissipés, plus tôt même que je ne m'y attendais. Je venais d'emmener les enfants en haut, une fois le thé fini, et de voir Linton s'endormir, car il n'avait pas voulu que je le quittasse avant ; j'étais redescendue et je me tenais devant la table, dans le vestibule, en train d'allumer une bougie pour la chambre à coucher de Mr. Edgar, quand une servante sortit de la cuisine et m'informa que Joseph, le domestique de Mr. Heathcliff, était à la porte et désirait parler au maître.

« Je vais lui demander d'abord ce qu'il veut, dis-je, toute en émoi. C'est une heure bien étrange pour déranger les gens, surtout au moment où ils reviennent d'un long voyage. Je ne pense pas que le maître puisse le recevoir. »

Joseph s'était avancé à travers la cuisine tandis que je prononçais ces mots, et il se présenta alors dans le vestibule. Il était attifé de ses habits du dimanche, il avait sa mine la plus cagote et la plus revêche, et, tenant son chapeau d'une main et sa canne de l'autre, il se mit en devoir de s'essuyer les pieds sur le paillasson.

« Bonsoir, Joseph, lui dis-je froidement. Quelle affaire vous amène ici ce soir ?

— C'est à Maît' Linton qu'j'aye à parler, répondit-il en m'écartant avec dédain.

— Mr. Linton est en train de se coucher ; à moins que vous n'ayez quelque chose de très particulier à lui dire, je suis sûre qu'il ne vous écoutera pas maintenant, continuai-je. Vous feriez mieux de vous asseoir ici et de me confier votre message.

— Où qu'est sa chimbre ? » reprit le drôle en examinant la rangée de portes fermées.

Je vis qu'il était décidé à refuser ma médiation ; sur quoi, fort à contrecœur, je montai à la bibliothèque et j'annonçai le visiteur intempestif, en conseillant de le renvoyer au lendemain. Mr. Linton n'eut pas le temps de m'y autoriser, car Joseph était monté sur mes talons : faisant irruption dans la pièce, il se planta à l'extrémité de la table, les deux mains serrées sur le pommeau de sa canne, et commença à voix haute, comme s'il prévoyait de l'opposition :

« Heatchcliff m'a invouillé chercher son gars, et j'doué point m'in r'tourner sins lui. »

Edgar Linton garda une minute le silence ; une expression de chagrin extrême se répandit sur ses traits ; il aurait eu pitié de l'enfant de toute manière ; mais, se rappelant les espoirs et les craintes d'Isabella, les vœux ardents qu'elle formait pour son fils et la façon dont elle l'avait recommandé à ses soins, il était pénétré de douleur à l'idée de le livrer, et il cherchait dans son cœur un moyen d'éviter cela. Aucun plan ne s'offrait à lui : le simple fait qu'il eût montré le moindre désir de le garder aurait rendu la revendication plus péremptoire : il n'y avait rien d'autre à faire que de le laisser partir. Néanmoins, il ne voulait pas le tirer de son sommeil.

« Dites à Mr. Heathcliff, répondit-il calmement, que son fils ira à Hurlevent demain. Il est couché, et trop fatigué pour faire le trajet maintenant. Vous pouvez aussi lui dire que la mère de Linton désirait qu'il restât sous ma garde ; et que, pour l'instant, sa santé est très précaire.

— Nenni ! dit Joseph, frappant le sol de son bâton et prenant un air d'autorité. Nenni ! Ça veut rin dire. Heathcliff a point souci d'la mère, non plus que d'vous ; y veut son gars ; et j'doué l'emmener — ainsi donc vous v'là fixé !

— Vous ne l'emmènerez pas ce soir ! répondit Linton d'un ton résolu. Descendez immédiatement et allez répéter à votre maître ce que je vous ai dit. Ellen, conduisez-le en bas. Allez... »

Puis, aidant le vieillard indigné à sortir en le prenant par le bras, il débarrassa la chambre de sa présence et ferma la porte.

« Très bin ! cria Joseph en s'éloignant lentement. D'main, y vindra lui-même, et vous l'mettrez dehors, lui, si vous osez ! »

XX

Pour parer à cette menace, Mr. Linton me chargea d'emmener l'enfant chez lui, de bonne heure, sur le poney de Catherine ; ajoutant :

« Comme nous n'aurons plus d'influence sur sa destinée, bonne ou mauvaise, ne dites pas à ma fille où il est allé : elle ne peut plus avoir de relations avec lui désormais, et il vaut mieux pour elle qu'elle reste dans l'ignorance de sa proximité, de crainte qu'elle n'en soit troublée et qu'elle n'aspire à aller à Hurlevent. Dites-lui simplement que son père l'a envoyé chercher soudain et qu'il a dû nous quitter. »

Linton montra beaucoup de répugnance à être tiré de son lit à cinq heures, et non moins de surprise à apprendre qu'il devait se préparer à voyager encore ; mais j'adoucis les choses en expliquant qu'il allait passer quelque temps avec son père, Mr. Heathcliff, lequel désirait tant le voir qu'il n'avait pas voulu différer ce plaisir jusqu'à ce qu'il fût remis de son dernier voyage.

« Mon père ! s'écria-t-il, étrangement perplexe. Maman ne m'a jamais dit que j'avais un père. Où demeure-t-il ? Je préférerais rester avec mon oncle.

— Il demeure à peu de distance du Manoir, répondis-je ; juste par-delà ces collines ; pas si loin que vous ne puissiez venir ici à pied quand vous aurez repris des forces. Et vous devriez être content d'aller chez vous et de le voir. Il faut vous efforcer de l'aimer comme vous aimiez votre mère, et alors il vous aimera.

— Mais pourquoi n'ai-je pas entendu parler de lui plus tôt ? demanda Linton. Pourquoi maman et lui ne vivaient-ils pas ensemble, comme font les autres gens ?

— Il avait des affaires qui le retenaient dans le Nord, répondis-je, et la santé de votre mère exigeait qu'elle habitât dans le Sud.

— Mais pourquoi maman ne m'a-t-elle pas parlé de lui ? insista l'enfant. Elle parlait souvent de mon oncle, et il y a longtemps que j'ai appris à l'aimer. Comment aimerais-je papa? Je ne le connais pas.

— Oh! tous les enfants aiment leurs parents, dis-je. Votre mère pensait peut-être que vous voudriez le rejoindre si elle vous parlait souvent de lui. Hâtons-nous. Une promenade à cheval de bon matin par un si beau temps vaut bien mieux qu'une heure de sommeil de plus.

— Vient-elle avec nous, demanda-t-il, la petite fille que j'ai vue hier?

— Pas à présent, répondis-je.

— Et mon oncle? continua-t-il.

— Non, c'est moi qui vous accompagne là-bas », dis-je.

Linton retomba sur son oreiller et se plongea dans une sombre rêverie.

« Je n'irai pas sans mon oncle, s'écria-t-il enfin. Je ne sais où vous voulez m'emmener. »

Je tentai de le persuader que ce n'était pas bien de montrer de la répugnance à rencontrer son père; mais il résistait obstinément à tout effort pour l'habiller, et je dus appeler mon maître à mon secours pour le persuader de sortir du lit. Le pauvre petit fut finalement mis en route, après maintes assurances trompeuses que son absence serait courte; que Mr. Edgar et Cathy viendraient le voir; et d'autres promesses tout aussi mal fondées, que j'inventai et répétai de temps à autre en chemin. L'air pur qui fleurait la bruyère, le brillant soleil et le petit galop en douceur de Minny atténuèrent peu à peu son abattement. Il se mit à me poser des questions sur sa nouvelle demeure et ses habitants, avec plus d'animation et d'intérêt.

« Hurlevent, est-ce un endroit aussi agréable que le Manoir de la Grive? demanda-t-il en se retournant pour jeter un dernier regard dans la vallée, d'où montait une légère brume qui formait un nuage floconneux à la lisière de l'azur.

— Ce n'est pas tant enfoui dans les arbres, répondis-je, et ce n'est pas tout à fait aussi grand, mais de là on a une vue superbe sur le pays; et l'air sera plus sain pour vous — plus vif et plus sec. Vous trouverez peut-être, au début, que le bâtiment est vieux et sombre; quoique ce soit une maison respectable : la seconde du pays. Et vous ferez de si belles randonnées dans les landes ! Hareton Earnshaw — c'est l'autre cousin de Miss Cathy, le vôtre en quelque sorte — vous montrera les meilleurs coins ; vous emporterez un livre quand il fera beau, pour y faire d'un creux de verdure votre salle d'études ; et de temps à autre votre oncle viendra se promener avec vous : il se promène fréquemment sur les collines.

— Comment est mon père ? demanda-t-il. Est-il aussi jeune et aussi beau que mon oncle ?

— Il est aussi jeune, répondis-je ; mais il a les cheveux et les yeux noirs, et il a l'air plus sévère ; il est plus grand et plus massif aussi. Il ne nous paraîtra peut-être pas aussi gentil ni aussi bon, pour commencer, parce que ce n'est pas là sa façon d'être ; mais ayez soin malgré tout d'être franc et cordial avec lui, et tout naturellement il vous aimera mieux que ne le ferait aucun oncle, puisque vous êtes son propre enfant.

— Les cheveux et les yeux noirs ! dit Linton rêveur. Je ne peux pas l'imaginer. Alors je ne lui ressemble guère, n'est-ce pas ?

— Pas beaucoup », répondis-je.

Pas un brin, pensai-je en considérant avec regret le teint blanc et la frêle charpente de mon compagnon, ainsi que ses grands yeux languides — les yeux maternels, à ceci près que, sauf lorsqu'une irritabilité morbide les allumait un moment, on n'y voyait pas trace de l'étincelante vivacité de sa mère.

« Comme c'est étrange qu'il ne soit jamais venu nous voir, maman et moi ! murmura-t-il. M'a-t-il jamais vu ? Si oui, ce dut être quand j'étais un bébé. Je n'ai pas le moindre souvenir de lui !

— C'est que, Maître Linton, trois cents milles sont une grande distance, dis-je, et dix ans paraissent beaucoup moins longs à une grande personne qu'à vous. Il est probable que Mr. Heathcliff s'est proposé de venir d'été en été, mais qu'il n'a jamais trouvé d'occasion favorable, et maintenant c'est trop tard. Ne l'importunez pas de questions à ce sujet : cela l'agacera et il n'en sortira rien de bon. »

L'enfant s'absorba dans ses pensées pendant le reste de la randonnée, jusqu'au moment où nous fîmes halte devant la barrière du jardin de la ferme. Je tâchai de lire ses impressions sur son visage. Il observa avec une gravité attentive la façade sculptée, les fenêtres treillissées et basses, les buissons de groseilliers épars et les sapins tordus, puis il secoua la tête : sa sensibilité intime désapprouvait entièrement les dehors de son nouvel habitat. Mais il eut le bon sens de ne pas se plaindre tout de suite : l'intérieur pouvait offrir des compensations. Avant qu'il ne mît pied à terre, j'allai ouvrir la porte. Il était six heures et demie ; la famille venait d'achever son petit déjeuner. La servante débarrassait et essuyait la table. Joseph, debout près de la chaise de son maître, lui contait quelque histoire à propos d'un cheval boiteux ; et Hareton se préparait à aller aux foins.

« Hé, Nelly ! s'écria Mr. Heathcliff quand il me vit. Je craignais d'être obligé de venir chercher mon bien moi-même. Vous l'avez donc amené ? Voyons ce que nous pourrons en faire. »

Il se leva et alla à la porte. Hareton et Joseph suivirent, béants de curiosité. Le pauvre Linton promena un regard effrayé sur les trois visages.

« Pour sûr, dit Joseph après un examen solennel, il a fait un troc avec vous, maît', et c'est sa fille que vous avez là ! »

Heathcliff, après avoir dévisagé son fils d'une manière qui le couvrit de confusion, poussa un rire méprisant.

« Dieu ! Quelle beauté ! Quelle charmante, quelle délicieuse créature ! s'écria-t-il. On l'a nourri d'escargots et de petit lait, Nelly, non ? Oh ! Dieu me damne, il est encore pire que je ne m'y attendais — et le diable sait que je n'étais pas très chaud. »

Je dis à l'enfant tremblant et effaré de descendre de sa monture et d'entrer. Il n'avait pas tout à fait compris la signification des paroles de son père, ni si elles s'adressaient à lui ; à vrai dire, il n'était pas encore certain que cet étranger farouche et sarcastique fût son père. Mais il se cramponna à moi avec une agitation croissante ; et quand Mr. Heathcliff prit un siège et lui ordonna : « Viens ici ! », il cacha son visage contre mon épaule et se mit à pleurer.

« Paix ! Paix ! dit Heathcliff, qui étendit la main, l'attira avec rudesse entre ses genoux et lui fit lever la tête en le prenant par le menton. Pas de ces sottises-là ! Nous n'allons pas te manger, Linton... n'est-ce pas ainsi qu'on t'appelle ? Tu es bien le fils de ta mère, des pieds à la tête ! En quoi tiens-tu de *moi*, poulet piailleur ? »

Il enleva le bonnet de l'enfant, repoussa ses épaisses boucles blondes, tâta ses bras grêles et ses doigts menus ; examen pendant lequel Linton cessa de pleurer et leva ses grands yeux bleus pour examiner celui qui l'examinait.

« Me connais-tu ? demanda Heathcliff après s'être assuré que les membres de son fils étaient tous également grêles et débiles.

— Non, dit Linton avec un regard de panique.

— Tu as entendu parler de moi, je suppose ?

— Non, répondit-il à nouveau.

— Non ? Quelle honte pour ta mère de n'avoir jamais éveillé ta piété filiale à mon égard ! Eh bien ! tu es mon fils, je te le dis ; et ta mère a été une fieffée drôlesse de te laisser ignorer quelle sorte de père tu avais. Allons, ne regimbe pas, et ne rougis pas ! Bien que ce soit tout de même quelque chose de voir que tu n'as pas du sang de navet. Sois un bon garçon et ça marchera entre nous. Nelly, si vous êtes fatiguée, vous pouvez vous asseoir ; sinon, retournez chez vous. Je devine que vous allez rapporter au zéro du Manoir ce que vous avez vu et entendu ; et cette créature ne trouvera pas son assiette tant que vous traînerez près de lui.

— Bien, répondis-je. J'espère que vous serez bon pour l'enfant, Mr. Heathcliff, sans quoi vous ne le garderez pas longtemps ; et c'est le seul parent que vous connaîtrez jamais dans le vaste monde, souvenez-vous-en.

— Je serai *très* bon pour lui, n'ayez crainte, dit-il en riant. Seulement, personne d'autre ne doit être bon pour lui : je suis jaloux d'avoir le monopole de son affection. Et pour commencer mes bontés, Joseph, apportez à ce garçon de quoi déjeuner. Hareton, damnée bourrique, va-t'en à ton travail. Oui, Nell, ajouta-t-il quand ils furent partis, mon fils est le futur héritier de votre domaine et je ne voudrais pas qu'il mourût avant d'être certain de recueillir sa succession. En outre, il est *à moi*, et je veux jouir du triomphe de voir *mon* descendant maître légitime de leurs biens : mon enfant embauchant leurs enfants pour labourer les terres de leur père. C'est la seule considération qui me fasse tolérer ce chiot : je le méprise en lui-même et je le hais pour les souvenirs qu'il réveille ! Mais cette considération est suffisante : il est autant en sûreté avec moi, et il recevra des soins aussi attentifs que la progéniture de votre maître. J'ai là-haut une chambre fort joliment meublée pour lui. J'ai engagé également un précepteur, à vingt milles d'ici, qui viendra trois fois par semaine lui enseigner ce qu'il lui plaira d'apprendre. J'ai ordonné à Hareton de lui obéir ; en un mot, j'ai tout arrangé pour faire de lui un monsieur et le supérieur de ceux qui l'entourent. Je regrette, toutefois, qu'il mérite si peu cette peine ; si je souhaitais un bonheur en ce monde, c'était de trouver en lui un digne sujet de fierté ; et je suis amèrement déçu de ce misérable pleurnicheur à face de papier mâché ! »

Tandis qu'il parlait, Joseph revint avec une écuelle de bouillie d'avoine au lait, qu'il plaça devant Linton. Celui-ci remua le brouet rustique avec un regard d'aversion et déclara qu'il ne pourrait pas le manger. Je vis que le vieux serviteur partageait largement le mépris du maître pour l'enfant, bien qu'il fût forcé de garder ce sentiment pour lui, car Heathcliff entendait clairement que ses subalternes traitassent Linton avec respect.

« Vous pouvez pas le minger ? répéta-t-il en examinant le visage de Linton et en baissant la voix jusqu'au murmure, de peur d'être entendu par d'autres oreilles. Mais Maît' Hareton a jamais rin mangé d'aut' quand il étouait p'tit ; et m'est avis que c'qu'étouait assez bon pour lui est assez bon pour vous !

— Je ne le mangerai *pas!* répondit hargneusement Linton. Emportez-le. »

Joseph prit l'écuelle avec indignation et nous l'apporta.

« Y a-t-y rin d'meuvais dans c'te bouillie ? demanda-t-il en mettant le plateau sous le nez de Heathcliff.

— Qu'aurait-elle donc de mauvais ? dit celui-ci.

— Ouais ! répondit Joseph, vot' précieux p'tit gars, y dit qu'y peut point la minger. Mais y a rin d'étonnant à ça : sa mère étouait pareille — nous étions trop crottés pour s'mer l'grain qui d'vait faire son pain.

— Ne me parlez pas de sa mère, dit le maître avec colère. Allez lui chercher quelque chose qu'il puisse manger, voilà tout. Qu'a-t-il l'habitude de prendre, Nelly ? »

Je suggérai du lait bouilli ou du thé ; et la servante reçut l'ordre d'en préparer. Allons, pensai-je, l'égoïsme de son père pourra contribuer au bien-être de l'enfant. Il se rend compte de sa constitution délicate et de la nécessité de le traiter convenablement. Je consolerai Mr. Edgar en lui apprenant quel tour a pris l'humeur de Heathcliff.

N'ayant pas d'excuse pour m'attarder plus longtemps, je me faufilai dehors tandis que Linton était occupé à repousser craintivement les avances d'un chien de berger amical. Mais il était trop sur le qui-vive pour se laisser abuser : quand je fermai la porte, j'entendis un cri et ces mots répétés avec frénésie :

« Ne me quittez pas ! Je ne veux pas rester ici ! Je ne veux pas rester ici ! »

Puis le loquet se souleva et retomba ; on ne le laissait pas sortir. Je montai sur Minny et la mis au trot : ainsi se termina ma brève tutelle.

XXI

Nous eûmes bien du tracas avec la petite Cathy ce jour-là ; elle se leva toute joyeuse, impatiente de rejoindre son cousin ; et quand elle apprit qu'il était parti, ce furent des larmes et des lamentations si passionnées qu'Edgar fut obligé de la calmer lui-même en affirmant que l'enfant reviendrait bientôt; il ajouta toutefois « si je peux le ravoir », et de cela il n'y avait point d'espoir. Cette promesse l'apaisa médiocrement; mais le temps eut plus de pouvoir; et, bien qu'elle demandât de temps en temps à son père quand Linton reviendrait, les traits de son cousin devinrent si vagues dans sa mémoire qu'elle ne devait pas le reconnaître.

Quand je venais à rencontrer la servante de Hurlevent en faisant des courses à Gimmerton, je lui demandais comment allait le jeune maître; car il vivait presque aussi reclus que Catherine, et on ne le voyait jamais. J'appris d'elle que sa santé était toujours délicate et qu'il leur donnait du tintouin. Elle me dit que Mr. Heathcliff semblait avoir pour lui de plus en plus d'aversion, bien qu'il fît quelques efforts pour la dissimuler; le son même de sa voix lui était antipathique, et il ne pouvait pas supporter de rester dans la même chambre que lui plus de quelques minutes. Ils ne se parlaient guère : Linton apprenait ses leçons et passait ses après-midi dans une pièce qu'on appelait le petit salon — à moins qu'il ne restât couché toute la journée, car il avait constamment des rhumes, des maux de gorge, des douleurs et toutes sortes de misères.

« Et je n'ai jamais vu quelqu'un de moins courageux, ajouta-t-elle, ni si ménager de lui-même. Il fait toute une histoire si je laisse la fenêtre ouverte un peu tard dans l'après-midi. Oh ! c'est assez pour le tuer, un souffle d'air du soir ! Et il lui faut du feu en plein été; et la pipe de Joseph est un poison; et il demande sans cesse des bonbons et des friandises, et du lait, du lait encore et toujours — sans qu'il se soucie de savoir si les autres en manquent l'hiver; et il reste dans son fauteuil au coin du feu, emmitouflé dans sa pelisse, avec de l'eau panée ou quelque autre lavasse à siroter sur la plaque de la cheminée; et si Hareton, par compassion, vient le distraire — Hareton n'a pas une mauvaise nature, tout rude qu'il est — on peut être sûr qu'ils se sépareront l'un jurant et l'autre pleurant. Je crois que le maître prendrait plaisir à voir Earnshaw le battre comme plâtre si ce n'était son fils; et je suis certain qu'il serait capable de le jeter dehors s'il savait seulement la moitié des petits soins dont il s'entoure. Mais il ne s'expose pas à cette tentation : il n'entre jamais au petit salon ; et dès que Linton commence à faire des manières dans la salle où il se trouve, il ne tarde pas à l'envoyer en haut. »

Je devinai à ce récit que le jeune Heathcliff, privé de toute sympathie, était devenu égoïste et désagréable, si toutefois il ne l'avait pas été dès l'origine ; et en conséquence mon intérêt pour lui diminua, bien que je fusse toujours peinée de son sort et que je regrettasse qu'il ne fût pas resté avec nous. Mr. Edgar m'encourageait à quêter des informations : il pensait beaucoup à lui, je crois ; il aurait couru des risques pour le voir ; et il me dit un jour de demander à la servante s'il allait jamais au village. Elle déclara qu'il n'y avait été que deux fois, à cheval, pour accompagner son père, et que, les deux fois, il avait prétendu être vanné pendant les trois ou quatre jours qui avaient suivi. La servante quitta Hurlevent, si je me souviens bien, deux ans après son arrivée ; et je ne connaissais pas celle qui l'a remplacée : elle y est encore.

Le temps continua à s'écouler au Manoir aussi agréablement que par le passé jusqu'à ce que Miss Cathy eût atteint ses seize ans. Nous ne faisions jamais réjouissance pour son anniversaire parce que c'était aussi celui de la mort de mon ancienne maîtresse. Son père passait invariablement cette journée seul dans sa bibliothèque, puis s'en allait vers le soir jusqu'au cimetière de Gimmerton, où il restait souvent au-delà de minuit. Catherine en était donc réduite à ses propres ressources pour se distraire. Cette année-là, le 20 mars fut une superbe journée de printemps, et quand son père se fut retiré, ma jeune maîtresse descendit habillée pour sortir, disant qu'elle avait demandé à se promener avec moi à la lisière de la lande, et que Mr. Linton le lui avait permis, pourvu que nous n'allassions qu'à peu de distance et que nous fussions rentrées dans l'heure.

« Ainsi donc, dépêchez-vous, Ellen ! s'écria-t-elle. Je sais où j'ai envie d'aller. Il y a un endroit où toute une colonie de poules d'eau s'est installée : je veux voir si elles ont déjà fait leurs nids.

— Cela doit être passablement loin, répondis-je : elles ne font pas leurs couvées en bordure de lande.

— Non, ce n'est pas loin : j'ai été tout près de là avec papa. »

Je mis mon chapeau, et sortis sans réfléchir davantage. Elle bondissait en avant et revenait à mon côté, pour repartir comme un jeune lévrier ; et, au début, je pris grand plaisir à écouter les alouettes qui chantaient çà et là, à jouir de la douce chaleur du soleil et à observer mon enfant chérie, avec ses boucles dorées qui flottaient dans le dos, ses joues brillantes aussi douces et pures dans leur fleur qu'une rose sauvage, et ses yeux rayonnant d'une joie sans nuage. C'était une heureuse créature et un ange en ce temps-là. Quel dommage qu'elle n'ait pu se contenter de son lot !

« Eh bien ! dis-je, où sont vos poules d'eau, Miss Cathy ? Nous devrions les avoir trouvées. La haie du parc est loin à présent.

— Oh ! allons un peu plus loin... seulement un peu plus loin, Ellen, me répondait-elle continuellement. Gravissez ce mamelon, passez ce talus et quand vous serez arrivée de l'autre côté, j'aurai fait lever les oiseaux. »

Mais il y avait tant de mamelons et de talus à gravir et à passer que je finis par me lasser et par lui dire qu'il fallait nous arrêter là pour revenir sur nos pas. Je lui criai cela, car elle m'avait devancée de beaucoup ; elle ne m'entendit pas ou ne m'écouta pas, car elle continua à bondir de l'avant, et je fus forcée de suivre. Finalement, elle disparut dans un creux ; quand je la revis, elle était plus près de deux milles de Hurlevent que de sa propre maison, et j'aperçus deux personnes qui l'arrêtaient, dont l'une, j'en eus la conviction, était Mr. Heathcliff lui-même.

Cathy avait été prise en flagrant délit : pillant ou, pour le moins, cherchant des nids de coqs de bruyère. L'endroit se trouvait sur les terres de Heathcliff, et il réprimandait la braconnière.

« Je n'en ai pris ni trouvé aucun, dit-elle en étendant les mains pour confirmer son dire, tandis que je m'essoufflais à les rejoindre. Je n'avais pas l'intention d'en prendre ; mais papa m'a dit qu'il y en avait des quantités par ici, et je voulais voir les œufs. »

Heathcliff me regarda avec un sourire méchant qui signifiait qu'il savait à qui il avait affaire et que, par conséquent, il entendait être malveillant, puis il demanda qui était « papa ».

« Mr. Linton, du Manoir de la Grive, répondit-elle. Je pensais bien que vous ne me connaissiez pas, sans quoi vous ne m'auriez pas parlé de la sorte.

— Vous pensez que papa est hautement estimé et respecté ? demanda-t-il d'un ton sarcastique.

— Et vous, qui êtes-vous ? demanda Catherine en regardant avec curiosité son interlocuteur. Cet homme-là, je l'ai déjà vu. Est-ce votre fils ? »

Elle désignait Hareton, l'autre personnage, qui, en prenant deux années de plus, n'avait gagné qu'en robustesse et en vigueur : il semblait aussi gauche et aussi rude que devant.

« Miss Cathy, interrompis-je, il va y avoir trois heures au lieu d'une que nous sommes dehors. Il faut vraiment que nous rentrions.

— Non, cet homme-là n'est pas mon fils, répondit Heathcliff en me poussant de côté. J'ai un fils toutefois, et vous l'avez déjà vu, lui aussi ; bien que votre gouvernante soit pressée, je crois qu'un peu de repos vous ferait du bien à toutes deux. Voulez-vous contourner simplement ce mamelon de bruyère et entrer chez moi ? Vous n'en regagnerez votre maison que plus vite pour vous être délassée ; et vous serez bien reçue. »

Je chuchotai à Catherine qu'elle ne devait accepter sous aucun prétexte : c'était entièrement hors de question.

« Pourquoi ? demanda-t-elle tout haut. Je suis fatiguée de courir, et le sol est couvert de rosée : je ne puis pas m'asseoir ici. Allons-y, Ellen. En outre, il dit que j'ai vu son fils. Il doit se tromper ; mais je devine où il habite : c'est à la ferme où je suis entrée en revenant des Rocs de Penistone. N'est-il pas vrai ?

— En effet. Allons, Nelly, tenez votre langue — ce sera une petite fête pour elle de nous faire une visite.

Hareton, va devant avec la jeune fille. Nous ferons route ensemble, Nelly.

— Non, elle n'ira pas dans un pareil endroit! m'écriai-je en me débattant pour dégager mon bras, qu'il avait saisi. »

Mais elle était déjà presque au seuil de la porte, ayant contourné le mamelon à toute allure. Celui qu'on lui avait assigné pour compagnon ne feignit pas de lui faire escorte : il recula timidement sur le bord de la route, puis disparut.

« Mr. Heathcliff, c'est très mal, repris-je ; vous savez fort bien que vous ne méditez rien de bon. Elle va voir Linton, elle racontera tout dès que nous serons rentrées ; et c'est moi qui serai blâmée.

— Je veux qu'elle voie Linton, répondit-il. Il a meilleur air depuis quelques jours : ce n'est pas souvent qu'il est présentable. Et nous l'aurons bientôt persuadée, quant à elle, de garder la visite secrète. Où est le mal là-dedans ?

— Le mal, c'est que son père me prendrait en haine s'il découvrait que j'ai souffert qu'elle entrât dans votre maison ; et je suis convaincue que vous avez de mauvais desseins en l'y encourageant, répondis-je.

— Mon dessein est aussi honnête que possible. Je vais vous le révéler dans toute son ampleur, dit-il. C'est que les deux cousins puissent tomber amoureux l'un de l'autre et s'épousent. J'agis généreusement envers votre maître : sa bambine n'a pas d'espérances, et si elle seconde mes vues, elle sera aussitôt nantie puisqu'elle deviendra mon héritière conjointement à Linton.

— Si Linton mourait, répondis-je, et il est très douteux qu'il vive, c'est Catherine qui hériterait.

— Non pas, répliqua-t-il. Il n'y a dans le testament aucune clause à cet effet ; ses biens me reviendraient ; mais, pour éviter les chicanes, je désire leur union et je suis résolu à la favoriser.

— Et moi, je suis résolue à ne plus jamais la laisser approcher de chez vous, répondis-je », comme nous atteignions la barrière où Miss Cathy nous attendait.

Heathcliff m'enjoignit de me taire ; et, nous précédant

dans l'allée, se hâta d'ouvrir la porte. Ma jeune maîtresse le considéra à plusieurs reprises, comme si elle ne savait au juste que penser de lui ; mais il souriait quand il rencontrait son regard et adoucissait sa voix en s'adressant à elle ; et je fus assez sotte pour m'imaginer que la mémoire de sa mère pouvait le retenir de lui vouloir du mal. Linton se tenait devant l'âtre. Il avait été se promener dans les champs, car il avait sa casquette sur la tête et il criait à Joseph de lui apporter des souliers secs. Il était devenu grand pour son âge, car il s'en fallait de quelques mois qu'il n'eût seize ans. Ses traits étaient toujours agréables, et ses yeux et son teint plus brillants que je n'en avais souvenance, mais ce n'était là qu'un éclat passager emprunté à l'air salubre et aux bienfaits du soleil.

« Allons, qui est-ce là ? demanda Mr. Heathcliff en se tournant vers Cathy. Pouvez-vous le dire ?

— Votre fils ? demanda-t-elle après les avoir observés l'un après l'autre d'un air de doute.

— Oui, oui, répondit-il ; mais est-ce vraiment la première fois que vous le voyez ? Réfléchissez ! Ah ! vous avez la mémoire courte. Linton, ne te rappelles-tu pas ta cousine ? Tu nous tracassais tant pour la revoir.

— Quoi ! Linton ! s'écria Cathy, s'animant d'une joyeuse surprise à ce nom. Est-ce là le petit Linton ? Il est plus grand que moi ! Est-il vrai, Linton ? »

Le jeune homme s'avança et confirma son identité : elle l'embrassa chaleureusement et ils contemplèrent avec surprise le changement que le temps avait opéré dans leur apparence. Catherine avait atteint sa pleine croissance ; elle était à la fois svelte et rebondie, souple comme l'acier, et tout son être rayonnait de santé et d'ardeur. Linton avait une physionomie et des gestes très languides, et un corps extrêmement grêle ; mais il y avait dans ses manières une grâce qui tempérait ces défauts et le rendait agréable. Après avoir échangé avec lui de nombreuses marques d'affection, sa cousine se dirigea vers Mr. Heathcliff, qui s'était attardé près de la porte et qui partageait son attention entre les choses du dedans et celles du dehors — ou, plus exactement, qui feignait d'observer celles-ci alors qu'en réalité il ne s'intéressait qu'à celles-là.

« Ainsi donc, vous êtes mon oncle ! s'écria-t-elle en se haussant pour l'embrasser. J'avais bien l'impression que vous m'étiez sympathique, quoique vous fussiez fâché au début. Pourquoi ne venez-vous pas au Manoir avec Linton ? C'est singulier d'habiter depuis tant d'années si près de nous, et de ne jamais venir nous voir : pourquoi avoir agi ainsi ?

— Je suis venu au Manoir une ou deux fois de trop avant votre naissance, répondit-il. Là... sacredié, si vous avez des baisers dont vous ne savez que faire, donnez-les à Linton : ils sont gaspillés avec moi.

— Vilaine Ellen ! s'écria Catherine en se tournant ensuite vers moi pour me couvrir de caresses. Méchante Ellen, qui aurait voulu m'empêcher d'entrer ! Mais je ferai cette promenade tous les matins à l'avenir : vous permettez, mon oncle ? Et quelquefois j'amènerai papa. Ne serez-vous pas content de nous voir ?

— Naturellement ! répondit l'oncle avec une grimace mal réprimée, provoquée par sa profonde aversion pour les deux visiteurs éventuels. Mais attendez, continua-t-il en se tournant vers la jeune fille. Maintenant que j'y pense, je ferais mieux de vous le dire. Mr. Linton est prévenu contre moi : nous nous sommes querellés à un certain moment de notre vie avec une férocité sans merci ; et, si vous lui dites que vous êtes venue à Hurlevent, il opposera un veto formel à toute visite de votre part. Ainsi donc, n'en dites rien, à moins que vous ne teniez pas à revoir votre cousin : vous pouvez venir, si vous voulez, mais à condition de n'en rien dire.

— Pourquoi vous êtes-vous querellés ? demanda Catherine, toute décontenancée.

— Il me trouvait trop pauvre pour épouser sa sœur, répondit Heathcliff, et il a été fâché que j'obtienne sa main : il a été blessé dans son orgueil et il ne me le pardonnera jamais.

— C'est mal ! s'écria la jeune fille. Un jour ou l'autre, je le lui dirai. Mais Linton et moi n'avons aucune part à votre querelle. Je ne viendrai pas ici en ce cas : c'est lui qui viendra au Manoir.

— Ce sera trop loin pour moi, murmura son cousin. Quatre milles à pied me tueraient. Non, venez ici de temps à autre, Miss Catherine ; pas chaque matin, mais une fois ou deux par semaine. »

Le père lança à son fils un regard d'amer mépris.

« Je crains, Nelly, de perdre ma peine, me chuchota-t-il. Miss Catherine, comme l'appelle ce nigaud, découvrira ce qu'il vaut et l'enverra au diable. Ah ! si ç'avait été Hareton ! Savez-vous que, vingt fois par jour, j'envie Hareton, dégradé comme il est ? J'aurais aimé ce garçon-là s'il eût été quelqu'un d'autre. Mais je crois qu'il ne risque pas d'être aimé d'elle. Je le donnerai pour rival à ce pitoyable individu s'il ne se démène pas un peu vivement. Nous estimons qu'il n'ira guère plus loin que dix-huit ans. Oh ! la peste soit de cette insipide créature ! Le voilà occupé à se sécher les pieds au lieu de la regarder ! Linton !

— Oui, mon père, répondit le garçon.

— N'as-tu rien à montrer à ta cousine nulle part ? Pas même un terrier de lapin ou de belette ? Emmène-la au jardin avant de changer de souliers ; et à l'écurie voir ton cheval.

— N'aimez-vous pas mieux rester ici ? demanda Linton en s'adressant à Cathy sur un ton qui exprimait sa répugnance à bouger de nouveau.

— Je ne sais pas », répondit-elle en jetant un regard d'envie vers la porte, et manifestement désireuse de remuer.

Il resta assis et se rapprocha davantage du feu. Heathcliff se leva, alla à la cuisine, et de là dans la cour, appelant Hareton. Hareton répondit et ils ne tardèrent pas à rentrer tous deux. Le jeune homme venait de se laver, comme on pouvait le voir au luisant de ses joues et à ses cheveux humides.

« Oh ! il faut que je vous demande quelque chose, mon oncle, s'écria Miss Cathy, se rappelant l'assertion de la servante. Ce n'est pas mon cousin, n'est-ce pas ?

— Si, répondit-il, c'est le neveu de votre mère. Il vous déplaît ? »

Catherine prit une expression bizarre.

« Ce n'est pas un beau gars ? » reprit il.

L'incivile petite personne se dressa sur la pointe des pieds et chuchota une phrase à l'oreille de Heathcliff. Il se mit à rire ; Hareton s'assombrit : je vis qu'il était très sensible aux moqueries qu'il soupçonnait et — c'était manifeste — qu'il avait confusément conscience de son infériorité. Mais son maître, ou mentor, le rasséréna en s'écriant :

« Tu seras son favori d'entre nous tous, Hareton ! Elle dit que tu es un... qu'était-ce, déjà ? Quelque chose de très flatteur, en tout cas. Tiens, emmène-la faire le tour de la ferme. Et fais bien attention à te conduire en homme du monde. N'emploie pas de vilains mots et ne dévisage pas la jeune demoiselle quand elle ne te regardera pas, en te préparant à détourner les yeux quand elle te regardera ; et puis, quand tu parleras, prononce tes mots lentement et tiens tes mains hors de tes poches. Va et distrais-la aussi agréablement que tu pourras. »

Il suivit des yeux le couple quand celui-ci passa devant la fenêtre. Earnshaw tournait la tête dans la direction opposée à sa compagne. Il paraissait étudier le paysage familier avec l'intérêt d'un étranger et d'un artiste. Catherine lui lança à la dérobée un regard qui n'exprimait guère d'admiration. Puis elle détourna son attention de lui pour chercher des objets qui l'amusassent, et bondit gaiement de l'avant, en fredonnant un air pour suppléer à la conversation.

« Je lui ai lié la langue, remarqua Heathcliff. Il ne se risquera pas à prononcer une seule syllabe ! Nelly, vous vous rappelez ce que j'étais à son âge — et même de quelques années plus jeune. Ai-je jamais eu l'air aussi stupide : aussi « imprunté », comme dit Joseph ?

— Pire, répondis-je, car vous étiez de surcroît plus maussade.

— Il me fait plaisir à voir, continua-t-il en réfléchissant tout haut. Il a comblé mon attente. Si c'était un imbécile-né, je ne m'en réjouirais pas moitié autant. Mais ce n'est pas un imbécile ; et je puis sympathiser avec tous ses sentiments pour les avoir éprouvés moi-même. Je sais exactement ce qu'il souffre à présent, par exemple : quoique ce ne soit là que le commencement de ce qu'il souffrira. Et il ne sera jamais capable d'émerger de son abîme de grossièreté et d'ignorance. Je le tiens plus ferme que sa canaille de père ne me tenait, et le maintiens plus bas aussi ; car il a l'orgueil de son état de brute. Je lui ai appris à mépriser comme faiblesse et sottise tout ce qui dépasse l'animal. Ne croyez-vous pas que Hindley serait fier de son fils s'il pouvait le voir ? Presque aussi fier que je le suis du mien. Mais il y a cette différence que l'un est de l'or employé à paver les rues, l'autre du fer-blanc qu'on a poli pour singer un service d'argent. Le mien n'a rien qui vaille, intrinsèquement ; pourtant j'aurai le mérite de le faire aller aussi loin que le peut un aussi piètre matériau. Le sien avait des qualités de premier ordre, et elles sont perdues : rendues pis qu'inutiles. Je n'ai rien à regretter ; mais lui, il aurait lieu d'éprouver plus de regrets que personne, à part moi, ne peut s'en rendre compte. Et le plus beau de l'affaire, c'est que Hareton m'est diablement attaché ! Vous reconnaîtrez que j'ai surpassé Hindley en cela. Si le scélérat pouvait sortir de sa tombe pour me reprocher les torts soufferts par son rejeton, j'aurais l'amusement de voir ledit rejeton s'en prendre à lui à son tour, indigné qu'il ose vitupérer le seul ami qu'il ait au monde ! »

Heathcliff gloussa d'un rire démoniaque à cette idée. Je ne lui fis aucune réponse, voyant qu'il n'en attendait pas. Cependant, notre jeune compagnon, qui était assis trop loin de nous pour entendre ce qu'on disait, commença à donner des symptômes de malaise, se repentant sans doute de s'être privé du plaisir de la compagnie de Catherine par crainte d'un peu de fatigue. Son père remarqua les regards inquiets qu'il lançait vers la fenêtre et la main hésitante qu'il tendait vers son bonnet.

« Lève-toi, paresseux ! s'écria-t-il avec un entrain affecté. Cours après eux ! Ils sont juste au tournant, près du rucher. »

Linton rassembla ses forces et quitta la cheminée. La

fenêtre était ouverte et, au moment où il sortit, j'entendis Cathy demander à son insociable compagnon quelle était l'inscription qui surmontait la porte. Hareton leva les yeux et se gratta la tête comme un vrai rustre.

« C'est quéque sacrée écriture, répondit-il. J' peux pas la lire.

— Vous ne pouvez pas la lire? s'écria Catherine. Je peux la lire, moi : c'est de l'anglais. Mais je voudrais savoir pourquoi elle est là. »

Linton ricana — c'était la première fois qu'il montrait de la gaieté.

« Il ne sait pas ses lettres, dit-il à sa cousine. Auriez-vous pu croire qu'il existât un crétin de pareille taille ?

— A-t-il toute sa tête? demanda sérieusement Miss Cathy, ou est-il simple d'esprit ? Voilà deux fois que je le questionne et qu'il prend un air si stupide que je crois qu'il ne me comprend pas. Il faut dire que, de mon côté, je ne le comprends guère ! »

Linton se reprit à rire et lança un coup d'œil sarcastique à Hareton qui, pour le moment, n'avait certainement pas l'air d'avoir l'intelligence bien claire.

« Il n'a rien qui cloche, ce n'est que de la paresse, n'est-ce pas, Earnshaw ? dit-il. Ma cousine te prend pour un idiot. Tu vois ce que tu récoltes à présent pour avoir dédaigné d'étudier « l'nouére sus blanc » comme tu dirais. Avez-vous remarqué, Catherine, son terrible accent du Yorkshire ?

— A quoi diable que ça sert, les livres ? » grommela Hareton, plus prompt à répondre à son compagnon de chaque jour.

Il allait en dire davantage, mais les deux jeunes gens eurent un bruyant accès de gaieté, ma petite folle étant ravie de découvrir qu'elle pouvait trouver matière à amusement dans cet étrange parler.

« A quoi le diable sert-il dans cette phrase ? gloussa Linton. Papa t'a défendu de dire de vilains mots et tu ne peux pas ouvrir la bouche sans en proférer un. Tâche de te conduire convenablement, je t'en prie !

— Si t'étais pas une fille plutôt qu'un garçon, j't'assommerais à l'instant, je t'le dis, pauv' petite mauviette que t'es ! » riposta le rustre furieux en s'en allant, le visage brûlant de mortification et de rage ; car il avait conscience d'être insulté et ne savait trop comment exprimer son ressentiment.

Mr. Heathcliff, qui avait entendu la conversation aussi bien que moi, sourit quand il le vit partir ; mais immédiatement après, il lança un regard empreint d'une aversion singulière au couple moqueur qui restait à bavarder sur le seuil ; le jeune garçon trouvant assez d'animation pour discuter des défauts et des insuffisances de Hareton et pour raconter des anecdotes à ses dépens, et la jeune fille s'amusant de ses moqueries dédaigneuses, sans songer au mauvais naturel qu'elles trahissaient ; quant à moi, je commençais à ressentir plus d'antipathie que de compassion pour Linton, et à excuser son père, dans une certaine mesure, de faire piètre cas de lui.

Nous restâmes jusqu'à l'après-midi : je ne pus arracher Miss Cathy plus tôt à cette compagnie ; mais par bonheur mon maître n'avait pas quitté son appartement, et il resta dans l'ignorance de notre absence prolongée. Sur la route du retour, j'aurais voulu éclairer ma jeune maîtresse sur le caractère des gens que nous venions de quitter ; mais elle s'était mis en tête que j'étais prévenue contre eux.

« Ah ! s'écria-t-elle, vous prenez le parti de papa, Ellen : vous êtes partiale, je le sais ; sans quoi vous ne m'auriez pas trompée pendant tant d'années en me faisant croire que Linton vivait loin d'ici. Je suis extrêmement fâchée en réalité, seulement je ne peux pas vous le montrer, tant je suis contente ! Mais abstenez-vous de dire du mal de mon oncle : c'est *mon* oncle, souvenez-vous-en ; et je gronderai papa de s'être querellé avec lui. »

Et elle continua de la sorte jusqu'à ce que je renonçasse à tout effort pour la convaincre de son erreur. Elle ne fit pas mention de notre visite ce soir-là, parce qu'elle ne vit pas Mr. Linton. Le lendemain, elle raconta tout, à mon plus grand chagrin ; et cependant je ne le regrettais qu'à demi : il me semblait que son père serait mieux à même que moi de la diriger et de la mettre en garde ; mais il se montra trop timide quand il s'agit de justifier par des raisons convaincantes son désir qu'elle s'abstînt de toute relation avec la maisonnée de Hurlevent, et Catherine aimait qu'on lui donnât de bonnes raisons chaque fois qu'on apportait une restriction à ses volontés d'enfant gâtée.

« Papa ! s'écria-t-elle après le bonjour du matin, devinez qui j'ai vu hier pendant ma promenade sur la lande. Ah ! papa, vous tressaillez ! Vous avez eu tort, papa, n'est-il pas vrai ? J'ai vu... Mais écoutez-moi et vous apprendrez comment je vous ai percés à jour, vous et Ellen, qui est liguée avec vous, et qui pourtant faisait semblant de tant me plaindre quand je continuais à espérer le retour de Linton et que j'étais toujours déçue ! »

Elle lui fit un récit fidèle de son excursion et des suites de celle-ci ; et mon maître, bien qu'il me lançât plus d'un regard de reproche, ne dit rien jusqu'à ce qu'elle eût terminé. Alors il l'attira à lui, et lui demanda si elle savait pourquoi il lui avait caché que Linton était dans le voisinage. Pouvait-elle penser que ce fût pour lui refuser un plaisir dont elle aurait pu jouir impunément ?

« C'était parce que vous détestez Mr. Heathcliff, répondit-elle.

— Tu crois donc que je me soucie de mes propres sentiments plus que des tiens, Cathy ? Non, ce n'était pas parce que je déteste Mr. Heathcliff, mais parce que Mr. Heathcliff me déteste ; et c'est un homme infiniment diabolique, qui met sa joie à faire le malheur de ceux qu'il hait s'ils lui en fournissent la moindre occasion. Je savais que tu ne pourrais garder des relations avec ton cousin sans entrer en contact avec lui ; et je savais qu'il te détesterait à cause de moi. Aussi ai-je pris pour ton propre bien, et non pour d'autres raisons, des précautions pour que tu ne revisses pas Linton. Je voulais t'expliquer cela quand tu serais plus grande, et je regrette d'avoir attendu.

— Mais Mr. Heathcliff a été tout à fait cordial, papa, observa Catherine, nullement convaincue ; et il ne s'est pas du tout opposé, pour sa part, à ce que nous nous voyions : il m'a dit que je pouvais aller chez lui quand je voulais ; que je devais seulement éviter de vous le dire parce que vous vous étiez querellé avec lui et que vous ne lui aviez pas pardonné d'avoir épousé tante Isabella. Et c'est vrai. C'est vous qui êtes à blâmer : il est tout disposé à nous permettre d'être amis, Linton et moi, mais vous, vous ne le voulez pas. »

Mon maître, voyant qu'elle n'ajoutait pas foi à ses paroles touchant le caractère pervers de son oncle, lui décrivit en peu de mots comment il s'était conduit avec Isabella et comment Hurlevent était devenu sa propriété. Il ne pouvait supporter de discourir longtemps sur le sujet ; car si peu qu'il en parlât, il éprouvait toujours pour son ancien ennemi l'horreur et la haine qui n'avaient pas cessé d'habiter son cœur depuis la mort de Mrs. Linton. « N'eût été lui, elle vivrait peut-être encore ! » était sa constante, son amère réflexion ; et, à ses yeux, Heathcliff était un meurtrier. Miss Cathy — qui, en fait de mauvaises actions, ne connaissait que les menues désobéissances, les menues injustices et les menues colères provoquées par sa vivacité de caractère et son étourderie, et dont elle se repentait le jour même — fut stupéfaite d'une noirceur d'âme capable de couver secrètement une vengeance pendant des années, et de poursuivre délibérément ses plans sans être touché de remords. Elle parut si profondément atteinte et si bouleversée par ce nouvel aspect de la nature humaine — exclu jusqu'alors de toutes ses observations et de toutes ses idées — que Mr. Edgar jugea inutile de s'appesantir davantage. Il se contenta d'ajouter :

« Tu sauras désormais, ma chérie, pourquoi je désire que tu évites sa maison et sa famille ; retourne maintenant à tes occupations et à tes amusements habituels, et ne pense plus à ces gens-là ! »

Catherine embrassa son père et s'attabla tranquillement pour étudier ses leçons pendant deux heures, comme à l'accoutumée ; puis elle l'accompagna par les terres, et la journée se passa comme d'ordinaire ; mais le soir, quand elle se fut retirée dans sa chambre et que j'allai l'aider à se déshabiller, je la trouvai en larmes, agenouillée près de son lit.

« Oh ! Fi ! Sotte enfant ! m'écriai-je. Si vous aviez de vraies peines, vous seriez honteuse de gaspiller une larme pour cette petite contrariété. Vous n'avez jamais eu l'ombre d'un vrai chagrin, Miss Catherine. Supposez pour une minute que le maître et moi soyons morts et que vous vous trouviez toute seule au monde, qu'éprouveriez-vous alors ? Comparez le cas présent à une affliction comme celle-là et rendez grâces pour les amis que vous avez, au lieu d'en convoiter d'autres.

— Ce n'est pas pour moi que je pleure, Ellen, répondit-elle, c'est pour lui. Il croit qu'il va me revoir demain et il va être si désappointé ! Il m'attendra, et je ne viendrai pas !

— Sottise ! dis-je, vous figurez-vous qu'il pense autant à vous que vous à lui ? N'a-t-il pas Hareton pour compagnon ? Il n'y a pas une personne sur cent qui pleurerait d'avoir perdu un parent qu'elle a vu en tout deux fois, pendant deux après-midi. Linton devinera ce qu'il en est et ne s'inquiétera plus de vous.

— Mais ne pourrais-je pas lui écrire un billet et lui expliquer pourquoi je ne puis pas venir ? demanda-t-elle en se levant. Et lui envoyer ces livres que j'ai promis de lui prêter ? Les siens ne valent pas les miens, et il a eu une envie extrême de les avoir quand je lui ai dit combien ils sont intéressants. Ne puis-je pas, Ellen ?

— Certes non ! Certes non ! répondis-je résolument. Il vous répondrait, et cela n'en finirait pas. Non, Miss Catherine, les relations doivent cesser entièrement : votre papa s'y attend et je veillerai à ce qu'il en soit ainsi.

— Mais comment un simple petit billet... insista-t-elle en prenant une expression suppliante.

— Silence ! interrompis-je. Nous ne commencerons pas avec vos petits billets. Mettez-vous au lit.

Elle me jeta un méchant regard, si méchant que tout d'abord je ne voulus pas l'embrasser en lui disant bonne nuit : je bordai son lit et fermai la porte, fort mécontente ; mais, me repentant à mi-chemin, je revins doucement, et que vis-je ? Miss, debout près de la table, une feuille de papier blanc devant elle et tenant à la main un crayon, qu'elle escamota d'un air coupable quand j'entrai.

« Vous ne trouverez personne pour porter cela, Catherine, dis-je, si vous l'écrivez. Et pour le moment je vais éteindre votre bougie. »

Je mis l'éteignoir sur la flamme, et reçus ce faisant une tape sur la main, accompagnée de la pétulante exclamation : « Vilaine créature ! » Je la quittai alors, et elle tira le verrou, en proie à la plus exécrable humeur. La lettre fut achevée et portée à destination par un laitier qui venait du village ; mais je ne sus cela qu'un peu plus tard. Les semaines passèrent et Catherine recouvra son égalité d'humeur ; encore qu'elle prît un singulier plaisir à se glisser dans les coins solitaires ; et souvent, si je m'approchais soudain d'elle pendant qu'elle lisait, elle sursautait et se penchait sur son livre, avec le désir évident de le cacher ; de plus, je m'aperçus que des feuilles volantes dépassaient entre les pages. Elle se mit aussi à descendre de bonne heure le matin, et à s'attarder dans la cuisine, comme si elle attendait l'arrivée de quelque chose ; et elle avait dans un cabinet de la bibliothèque un petit tiroir où elle fourrageait pendant des heures et dont elle prenait particulièrement soin d'enlever la clef en s'en allant.

Un jour qu'elle inspectait ce tiroir, j'observai que les joujoux et les colifichets qu'il avait contenus récemment encore s'étaient transformés en feuilles de papier pliées. Ma curiosité et mes soupçons s'éveillèrent ; je résolus de jeter un coup d'œil sur ces mystérieux trésors ; si bien que, le soir, dès qu'elle et mon maître furent montés, je fouillai dans mon trousseau de clefs jusqu'à ce que j'en trouvasse une qui allât dans la serrure. Le tiroir ouvert, j'en vidai tout le contenu dans mon tablier et l'emportai avec moi pour l'examiner à loisir dans ma chambre. En dépit de mes soupçons, je fus surprise de découvrir qu'il y avait là toute une masse de correspondance — presque journalière, apparemment — de Linton Heathcliff : ses réponses aux lettres qu'elle lui avait envoyées. Celles qui portaient les dates les plus anciennes étaient brèves et embarrassées ; graduellement, toutefois, elles devenaient de copieuses lettres d'amour, sottes comme le voulait l'âge de l'auteur, mais avec, çà et là, des touches qui semblaient dues à une main plus expérimentée. Certaines me frappèrent comme de bizarres mélanges d'ardeur et de platitude; commençant sous l'empire d'un sentiment puissant, et concluant dans le style affecté, verbeux, qu'un écolier pourrait adopter en s'adressant à une bien-aimée imaginaire, incorporelle. Avaient-elles satisfait Cathy, je ne sais; mais elles me firent l'effet de niaiseries sans aucune valeur. Après en avoir parcouru autant que je le jugeais bon, je les nouai dans un mouchoir et les mis de côté, refermant à clef le tiroir vide.

Selon son habitude, ma jeune maîtresse descendit de bonne heure et s'en fut dans la cuisine : je la vis se diriger vers la porte à l'arrivée d'un certain petit garçon, et tandis que la fille de la laiterie remplissait le pot qu'il avait apporté, elle lui fourra quelque chose dans la poche de sa veste, tout en en retirant quelque chose d'autre. Je fis le tour par le jardin, et guettai le messager, qui lutta vaillamment pour défendre ce qu'on lui avait confié, de sorte qu'à nous deux nous répandîmes le lait; mais je réussis à lui soustraire l'épître, et, le menaçant de graves conséquences s'il ne rentrait pas tout droit chez lui, je restai près du mur pour parcourir l'amoureuse composition de Miss Cathy. Elle était plus simple et plus éloquente que celle de son cousin : fort jolie et fort absurde. Je secouai la tête et rentrai à la maison en ruminant mes pensées. Comme il faisait un temps humide, elle ne pouvait s'amuser à vagabonder dans le parc; si bien que, lorsqu'elle eut terminé ses études du matin, elle eut recours aux consolations du tiroir. Son père était en train de lire à sa table; et moi, j'étais venue réparer à dessein quelques franges décousues d'un rideau de la fenêtre, de sorte que je ne perdais pas ses gestes de vue. Jamais oiseau, retrouvant vide le nid qu'il avait laissé plein de petits gazouillants, n'exprima par ses cris angoissés et ses battements d'ailes désespoir plus complet qu'elle ne fit par un seul « Oh ! » et par le changement qui altéra son visage jusque-là heureux. Mr. Linton leva les yeux.

« Qu'y a-t-il, m'amour? T'es-tu fait mal? » demanda-t-il.

Son ton de voix et son expression convainquirent Cathy que ce n'était pas lui qui avait découvert le trésor.

« Non, papa, bégaya-t-elle. Ellen, Ellen, venez en haut… je suis souffrante ! »

J'obéis à son appel et la suivis hors de la pièce.

« Oh ! Ellen, c'est vous qui les avez prises, commença-t-elle immédiatement en tombant à genoux dès que nous fûmes enfermées seules. Oh ! rendez-les-moi et jamais, jamais je ne recommencerai ! Ne le dites pas à papa ! Vous ne lui avez rien dit ? Dites-moi que vous ne lui avez rien dit ! J'ai été extrêmement coupable, mais je ne le ferai jamais plus ! »

Prenant un air grave et sévère, je lui enjoignis de se relever.

« Eh bien ! Miss Catherine, m'écriai-je, vous êtes allée fort loin, à ce qu'il paraît : vous pouvez bien être honteuse de ces lettres ! C'est un beau ramassis de sottises, en vérité, que vous étudiez pendant vos heures de loisir : ma foi, cela mériterait d'être imprimé ! A votre avis, que pensera le maître quand je les lui présenterai ? Je ne les lui ai pas montrées encore, mais n'allez pas imaginer que je vais garder vos ridicules secrets. Quelle honte ! Et c'est vous qui avez dû ouvrir la voie en écrivant de pareilles absurdités : il n'aurait jamais eu l'idée de commencer, j'en suis certaine.

— Non ! Non ! sanglota Cathy, le cœur prêt à se rompre. Je n'ai jamais songé à l'aimer avant que…

— A *l'aimer !* m'écriai-je en prononçant ce mot avec tout le mépris dont j'étais capable. A *l'aimer !* A-t-on jamais entendu chose pareille ? Je pourrais aussi bien parler d'aimer le meunier qui vient une fois l'an nous acheter notre blé. Joli amour, en vérité, alors que c'est à peine si, en deux fois, vous avez vu Linton quatre heures dans votre vie ! Tenez, voici ces sottises de bébés. Je vais les emporter dans la bibliothèque, et nous verrons ce que votre père va dire d'un tel *amour*. »

Elle bondit pour s'emparer de ses précieuses épîtres, mais je les élevai au-dessus de ma tête. Alors elle se répandit en supplications frénétiques pour que je les brûlasse — que je fisse n'importe quoi plutôt que de les montrer. Comme j'étais, à vrai dire, aussi encline à rire qu'à gronder — car je tenais tout cela pour des enfantillages — je finis par me laisser fléchir jusqu'à un certain point, et je lui demandai :

« Si je consens à les brûler, me promettrez-vous honnêtement de ne plus envoyer ni recevoir de lettres, ni de livres (car je vois que vous lui avez envoyé des livres), ni de boucles de cheveux, ni de bagues, ni de joujoux ?

— Nous ne nous envoyons pas de joujoux ! s'écria Catherine, son orgueil l'emportant sur sa honte.

— Ni quoi que ce soit, alors ma jeune dame ! dis-je. Si vous ne promettez pas, je vais à l'instant trouver votre père.

— Je promets, Ellen ! cria-t-elle en s'accrochant à ma robe. Oh ! jetez-les au feu, jetez-les ! »

Mais quand je me mis à ménager une place dans le feu avec le tisonnier, le sacrifice lui parut intolérable. Elle me supplia instamment d'épargner une lettre ou deux.

« Une ou deux, Ellen, pour les garder en souvenir de Linton ! »

Je dénouai le mouchoir et commençai à laisser glisser les lettres par un des coins, et la flamme monta en ondulant dans la cheminée.

« J'en aurai une, méchante femme cruelle ! cria-t-elle, plongeant sa main dans le feu, et en retirant aux dépens de ses doigts quelques bribes à demi consumées.

— Très bien, et j'en aurai quelques-unes, moi aussi, à montrer à papa ! » répondis-je, faisant retomber le reste dans le mouchoir et me tournant vers la porte.

Elle jeta ses bribes noircies dans les flammes et me fit signe d'achever l'holocauste. Quand il fut consommé, je secouai les cendres et les enfouis sous une pelletée de charbon ; et elle, sans mot dire, pénétrée du sentiment qu'on lui avait fait une offense profonde, se retira dans son appartement. Je descendis dire à mon maître que le malaise de ma jeune maîtresse s'était presque dissipé, mais qu'à mon avis elle ferait mieux de rester quelque temps étendue. Elle ne voulut pas dîner ; mais elle reparut au thé, pâle, les yeux rouges et remarquablement soumise en apparence.

Le lendemain matin, je répondis à la lettre par un bout de papier qui portait : « Maître Heathcliff est prié de ne plus adresser de billets à Miss Linton, car elle ne les acceptera pas. » Et désormais le petit garçon arriva les poches vides.

XXII

L'été tira à sa fin, puis les premiers temps de l'automne : la Saint-Michel était passée, mais la moisson fut tardive cette année-là, et quelques-uns de nos champs attendaient encore qu'on fît la récolte. Mr. Linton et sa fille se promenaient fréquemment parmi les moissonneurs ; le jour où l'on rentra les dernières gerbes, ils restèrent là jusqu'à la tombée de la nuit, et, comme la soirée était fraîche et humide, mon maître prit un mauvais rhume qui lui tomba sur les poumons et qui le tint enfermé tout l'hiver, presque sans discontinuer.

La pauvre Cathy, arrachée par la peur à son petit roman, était devenue beaucoup plus triste et plus morne depuis qu'elle y avait renoncé ; et son père insista pour qu'elle lût moins et qu'elle prît plus d'exercice. Dès lors qu'elle était privée de sa compagnie, je considérais comme un devoir d'y suppléer autant que possible par la mienne : compensation inefficace, car je ne pouvais prendre que deux ou trois heures sur mes nombreuses occupations de la journée pour suivre ses pas, et ma société était évidemment moins désirable que celle de son père.

Un après-midi d'octobre ou du début de novembre — un frais après-midi mouillé où le gazon et les allées bruissaient de feuilles mortes détrempées et où le ciel froid et bleu était à demi chargé de nuages — en longues banderoles grises qui montaient rapidement de l'ouest, annonçant une pluie abondante — je priai ma jeune maîtresse de renoncer à sa promenade, sûre que j'étais qu'il allait y avoir des averses. Elle refusa ; sur quoi, je mis à contrecœur une pèlerine et pris mon parapluie pour l'accompagner au fond du parc : c'était la promenade qu'elle préférait d'ordinaire lorsqu'elle était abattue, ce qui lui advenait invariablement quand Mr. Edgar avait été plus malade que de coutume, chose qu'il n'avouait jamais, mais que nous devinions toutes deux à son silence accru et à sa physionomie mélancolique. Elle allait tristement, sans plus courir ni bondir cette fois, quoique le vent glacial eût bien pu l'y inciter. Et souvent, du coin de l'œil, je la voyais lever une main et essuyer quelque chose sur sa joue. Je regardais à la ronde, cherchant un objet qui pût changer le cours de ses pensées. D'un côté du chemin s'élevait un grand talus hirsute, où des noisetiers et des chênes rabougris, aux racines à demi dénudées, trouvaient un soutien précaire : le sol était trop meuble pour les chênes, et quelques-uns de ces arbres avaient été ployés presque à l'horizontale par la violence du vent. En été, Miss Cathy prenait plaisir à grimper le long de ces troncs et à s'asseoir dans les branches, en se balançant à vingt pieds au-dessus du sol ; et moi, heureuse de son agilité et de son enfantine légèreté de cœur, je jugeais bon de la gronder chaque fois que je la surprenais à pareille hauteur, mais en le faisant de telle sorte qu'elle sût qu'il n'y avait pas lieu de descendre. Du dîner au thé, elle restait étendue dans son berceau balancé par la brise, sans rien faire d'autre que de se chanter à elle-même de vieilles chansons, tirées de mon trésor de chansons de nourrice ; ou de regarder les oiseaux, ses compagnons d'habitat qui nourrissaient leurs petits et les encourageaient à voler ; ou encore de se pelotonner, les paupières closes, moitié pensant, moitié rêvant, plus heureuse que les mots ne sauraient l'exprimer.

« Regardez, miss ! m'écriai-je en désignant un creux sous les racines d'un arbre tordu. L'hiver n'est pas encore arrivé là. Il y a là-haut une petite fleur, la dernière de cette multitude de jacinthes qui, en juillet, couvraient ces degrés gazonnés d'un brouillard lilas. Voulez-vous grimper la cueillir pour la montrer à papa ? »

Cathy regarda longtemps la fleur solitaire qui tremblait dans sa logette terreuse, et répondit enfin :

« Non, je n'y toucherai pas ; mais elle a l'air mélancolique, n'est-il pas vrai, Ellen ?

— Oui, observai-je, à peu près aussi transie et aussi

exsangue que vous : vos joues sont décolorées ; donnons-nous la main et courons. Vous êtes si peu en forme que j'irai aussi vite que vous, je crois bien.

— Non, répéta-t-elle, et elle continua à marcher paresseusement, s'arrêtant par intervalles pour rêver sur un paquet de mousse, ou sur une touffe d'herbe blanchie, ou sur un champignon qui déployait son orange vif parmi les amas de bruns feuillages ; et, de temps à autre, elle portait la main à son visage détourné.

— Catherine, pourquoi pleurez-vous, ma chérie ? demandai-je en m'approchant et en passant mon bras autour de son épaule. Il ne faut pas pleurer parce que papa a un rhume ; soyez reconnaissante que ce ne soit rien de plus grave. »

Elle cessa alors de contenir ses larmes, sanglotant à perdre haleine.

« Oh ! cela va devenir quelque chose de plus grave, dit-elle. Et que ferai-je quand papa et vous m'aurez quittée, et que je serai toute seule ? Je ne peux pas oublier vos paroles, Ellen ; elles résonnent toujours à mes oreilles. Comme la vie sera changée, comme le monde sera désolé quand papa et vous, vous serez morts !

— Nul ne peut dire si vous ne mourrez pas avant nous, répondis-je. Ce n'est pas bien d'anticiper sur le malheur. Espérons plutôt qu'il s'écoulera des années et des années avant qu'aucun de nous s'en aille : le maître est jeune ; quant à moi, je suis forte et j'ai à peine quarante-cinq ans. Ma mère a vécu jusqu'à quatre-vingts ans, et elle a été alerte jusqu'au bout. Supposez que Mr. Linton atteigne seulement la soixantaine, cela ferait plus d'années à vivre que vous n'en comptez encore, Miss. Ne serait-ce pas folie que de pleurer sur une calamité plus de vingt ans d'avance ?

— Mais tante Isabella était plus jeune que papa, remarqua-t-elle, levant les yeux avec l'espoir timide d'être encore consolée.

— Tante Isabella n'avait ni vous ni moi pour la soigner, répondis-je. Elle n'était pas aussi heureuse que le maître, ni n'avait tant de raisons de vivre. Tout ce que vous avez à faire, c'est de bien veiller sur votre père, de le mettre en joie en lui montrant la vôtre, et d'éviter de lui donner aucun sujet d'anxiété. Prenez-y bien garde, Cathy ! Je ne vous cacherai pas que vous pourriez le tuer si vous étiez indocile et inconsidérée, si vous nourrissiez une sotte et chimérique affection pour le fils de quelqu'un qui serait heureux de le voir dans la tombe, et si vous lui faisiez sentir que vous vous tourmentez à cause de la séparation qu'il a jugé bon de décider.

— Je ne me tourmente de rien d'autre au monde que de la maladie de papa, répondit ma compagne. Tout m'est indifférent en comparaison de lui. Et jamais, jamais, oh ! jamais, tant que j'aurai ma raison, je ne ferai un geste ni ne dirai un mot qui lui feraient de la peine. Je l'aime plus que moi-même, Ellen ; si je le sais, c'est que je prie chaque soir pour lui survivre, car j'aimerais mieux être malheureuse que de penser qu'il pourrait l'être : cela prouve que je l'aime mieux que moi-même.

— Voilà de bonnes paroles, répondis-je, mais les actes aussi doivent le prouver ; et quand il sera guéri, veillez à ne pas oublier les résolutions prises à l'heure de la crainte. »

Tout en parlant, nous nous étions approchées d'une porte qui donnait sur la route ; ma jeune maîtresse, retrouvant son entrain radieux, grimpa jusqu'au sommet du mur où elle s'assit, et tendit les bras pour atteindre des baies écarlates dans les hautes branches des églantiers qui ombrageaient le bord du chemin : celles du bas avaient disparu et seuls les oiseaux pouvaient atteindre celles du haut — les oiseaux et Cathy, postée comme elle l'était. Tandis qu'elle s'étirait pour les saisir, son chapeau tomba ; et comme la porte était verrouillée, elle se proposa de descendre de l'autre côté pour le recouvrer. Je lui recommandai de prendre garde de tomber et elle disparut lestement. Mais le retour ne fut pas chose aussi aisée : les pierres étaient lisses et bien jointoyées, et ni les églantiers ni les ronces ne pouvaient lui être d'aucun secours pour regrimper. Moi, comme une sotte, je ne m'en avisai que lorsque je l'entendis rire et s'écrier :

« Ellen, il va falloir que vous alliez chercher la clef, ou

bien je devrai courir jusqu'à la loge du portier. Je ne puis pas escalader le mur de ce côté-ci !

— Restez où vous êtes, répondis-je. J'ai mon trousseau de clefs dans ma poche : peut-être parviendrai-je à ouvrir. Sinon, j'irai. »

Catherine s'amusa à danser de-ci de-là devant la porte, tandis que j'essayais toutes les grosses clefs à tour de rôle. Quand j'eus essayé la dernière et constaté qu'aucune n'allait, je lui recommandai à nouveau de rester là, et je me préparais à regagner la maison aussi vite que possible quand un bruit qui se rapprochait me figea sur place. C'était le trot d'un cheval ; la danse de Catherine s'arrêta ; et une minute après, le cheval s'arrêta aussi.

« Qui est-ce ? chuchotai-je.

— Ellen, je voudrais bien que vous pussiez ou 'rir la porte, chuchota-t-elle de même d'un ton anxieux.

— Oh ! Miss Linton ! cria une voix grave (celle du cavalier). Je suis heureux de vous rencontrer. Ne vous hâtez pas de rentrer, car j'ai une explication à demander et à obtenir.

— Je ne vous parlerai pas, Mr. Heathcliff, répondit Catherine. Papa dit que vous êtes un méchant homme et que vous le haïssez ainsi que moi ; et Ellen dit la même chose.

— Cela est à côté de la question, dit Heathcliff (car c'était lui). Je ne hais pas mon fils, je suppose ; et c'est à son sujet que je réclame votre attention. Oui ! vous avez lieu de rougir. Voici deux ou trois mois, n'aviez-vous pas coutume d'écrire à Linton ? De jouer aux amoureux, hein ? Vous mériteriez tous les deux d'être fouettés pour cela ! Vous particulièrement, l'aînée, et la moins sensible, à ce qu'il paraît. J'ai vos lettres, et si vous faites l'impertinente le moins du monde, je les enverrai à votre père. Je suppose que vous vous êtes lassée de cet amusement et que vous l'avez abandonné, n'est-ce pas ? Eh bien ! vous avez précipité Linton du même coup dans le Bourbier de l'Abattement [1]. Il était sérieux, lui : vraiment

1. L'une des étapes allégoriques du *Voyage du Pèlerin* de John Bunyan, le grand puritain inspiré du XVIIe siècle. *(N.d.T.)*

amoureux. Aussi vrai que je vis, il se meurt d'amour pour vous; votre inconstance lui brise le cœur; pas au figuré, mais au propre. Bien que Hareton se moque sans cesse de lui depuis six semaines, et que j'aie pris des mesures plus sérieuses pour essayer de lui faire peur et de l'arracher à son idiotie, il va plus mal de jour en jour; et il sera sous terre avant l'été si vous ne le guérissez pas!

— Comment pouvez-vous mentir aussi effrontément à cette pauvre enfant, m'écriai-je de dedans le parc. Passez votre chemin, de grâce! Comment pouvez-vous forger délibérément d'aussi misérables menteries? Miss Cathy, je vais faire sauter la serrure avec une pierre; vous ne croirez pas à ces méprisables contes. Vous sentez bien vous-même qu'on ne saurait mourir d'amour pour quelqu'un qui vous est inconnu.

— Je ne savais pas qu'on écoutât aux portes, murmura le gredin pris sur le fait. Digne Mrs. Dean, je vous aime bien, mais je n'aime pas votre double jeu, ajouta-t-il à haute voix. Comment pouvez-vous mentir vous-même assez effrontément pour déclarer que je déteste cette «pauvre enfant», et pour inventer des histoires de croquemitaine afin de l'écarter de mon seuil par la terreur? Catherine Linton (ce seul nom me réchauffe le cœur), ma jolie enfant, je ne serai pas à la maison de toute la semaine; allez voir si je n'ai pas dit vrai: allez-y, vous serez gentille! Imaginez seulement que votre père soit à ma place, et Linton à la vôtre; et puis songez quelle estime vous auriez pour un amoureux négligent s'il refusait de bouger d'un pas pour vous réconforter alors que votre père lui-même l'en aurait supplié; ne tombez pas, par pure stupidité, dans la même erreur. Je jure sur mon salut qu'il va à la tombe, et que vous seule pouvez le sauver!»

La serrure céda, et je sortis.

«Je jure que Linton est mourant, répéta Heathcliff en me regardant fixement. La déception et le chagrin sont en train de précipiter sa fin. Nelly, si vous ne la laissez pas venir, venez vous-même. Mais je ne reviendrai pas d'ici une semaine, et je crois que votre maître lui-même ne verrait guère d'inconvénients à ce qu'elle rendît visite à son cousin !

— Venez », dis-je, prenant Catherine par le bras et la forçant à demi de rentrer ; car elle s'attardait, regardant avec des yeux troublés les traits de son interlocuteur, trop rigides pour trahir sa tromperie.

Il poussa son cheval plus près et, se penchant, observa :

« Miss Catherine, je vous avoue que j'ai peu de patience avec Linton ; et Hareton et Joseph en ont moins encore. Oui, je vous avoue qu'il a de rudes compagnons. Il a soif d'affection autant que d'amour ; et un mot affectueux venant de vous serait pour lui le meilleur remède. N'écoutez pas les cruelles mises en garde de Mrs. Dean : soyez généreuse et faites en sorte de le voir. Il rêve de vous nuit et jour, et on ne peut le convaincre que vous ne le détestez pas, puisque vous n'écrivez ni ne venez. »

Je fermai la porte et roulai une pierre tout contre pour aider la serrure branlante à la retenir ; puis, ouvrant mon parapluie, j'attirai dessous ma protégée, car la pluie commençait à percer à travers les branches gémissantes et nous avertissait de ne pas nous attarder. Notre hâte nous empêcha de faire aucun commentaire sur la rencontre avec Heathcliff, tandis que nous allongions le pas pour gagner la maison ; mais je devinai instinctivement que le cœur de Catherine était enveloppé maintenant de doubles ténèbres. Ses traits étaient si tristes qu'ils ne semblaient plus être les siens : elle considérait évidemment ce qu'elle venait d'entendre comme vrai, mot pour mot.

Le maître n'avait pas attendu notre retour pour se retirer. Cathy se glissa dans sa chambre afin de lui demander comment il se sentait ; il s'était endormi. Elle revint et me pria de lui tenir compagnie dans la bibliothèque. Nous prîmes notre thé ensemble ; après quoi elle s'étendit sur le tapis et me dit de ne pas parler car elle était lasse. Je pris un livre et fis mine de lire. Dès qu'elle me crut absorbée dans cette occupation, elle se mit à pleurer silencieusement : cela semblait être maintenant sa distraction favorite. Je la laissai s'y adonner un moment, puis je lui fis des remontrances ; vouant à la dérision et tournant en ridicule toutes les assertions de Mr. Heathcliff au sujet de son fils, comme si j'étais sûre qu'elle épouserait mes vues. Hélas! je n'étais pas assez habile pour contre-balancer l'effet que sa description avait produit : c'était exactement celui qu'il avait voulu.

« Vous avez peut-être raison, Ellen, répondit-elle, mais je ne serai jamais à l'aise avant d'en avoir le cœur net. Et puis, il faut que je dise à Linton que ce n'est pas ma faute si je ne lui écris pas, et que je le convainque que je ne changerai pas de sentiments. »

Que pouvaient la colère et les protestations contre sa sotte crédulité? Nous nous quittâmes fâchées ce soir-là; mais le lendemain me vit sur la route de Hurlevent à côté du poney de mon entêtée jeune maîtresse. Je n'avais pas pu supporter d'être témoin de son chagrin; de voir sa pâleur, son abattement et ses yeux appesantis; et j'avais cédé, avec le faible espoir que Linton lui-même prouverait par sa manière de nous recevoir combien le conte que nous avait fait Heathcliff était peu fondé.

XXIII

La nuit pluvieuse avait été l'huissière d'un matin brumeux — moitié givre, moitié bruine — et des ruisseaux éphémères traversaient en glougloutant notre route, dégringolant des hautes terres. J'avais les pieds trempés; j'étais irritée et déprimée : juste d'humeur à faire le plus grand cas de ces désagréments. Nous entrâmes dans la maison fermière par la cuisine pour nous assurer que Mr. Heathcliff était vraiment absent; car je n'avais que peu de foi dans ses affirmations.

Joseph semblait siéger seul dans une sorte d'élysée, à côté d'un feu ronflant; un quart de gallon d'ale posé près de lui sur la table hérissée de grands morceaux de gâteau d'avoine grillé; sa courte pipe noire à la bouche. Catherine courut à la cheminée pour se réchauffer. Je demandai si le maître était là. Ma question resta si longtemps sans réponse que je crus que le vieillard était devenu sourd et que je la répétai plus haut.

« N... enni ! grogna-t-il ou plutôt glapit-il par le nez. N... enni ! Vous avez qu'à vous in r'tourner d'où qu'vous v'nez.

— Joseph ! cria du dedans, en même temps que moi, une voix geignarde. Combien de fois devrai-je vous appeler ? Il ne reste plus maintenant que quelques braises. Joseph ! Venez à l'instant. »

De vigoureuses bouffées de fumée et un regard résolument fixé sur la grille du foyer montrèrent qu'il n'avait pas d'oreilles pour cet appel. La servante et Hareton étaient invisibles ; celle-là partie en course et celui-ci à son travail, sans doute. Nous avions reconnu la voix de Linton et nous entrâmes.

« Oh ! j'espère que vous mourrez de froid dans un grenier ! » dit le jeune garçon, croyant que c'était son négligent serviteur qui approchait.

Il s'arrêta en voyant son erreur ; sa cousine vola à lui.

« Est-ce vous, Miss Linton ? dit-il en soulevant sa tête du bras du grand fauteuil dans lequel il reposait. Non... ne m'embrassez pas. Cela me coupe la respiration... mon Dieu ! Papa m'avait dit que vous viendriez, continua-t-il après s'être un peu remis de l'embrassade de Catherine, tandis qu'elle restait là toute contrite. Voulez-vous fermer la porte s'il vous plaît ? Vous l'avez laissée ouverte. Et ces... ces *détestables* créatures ne veulent pas apporter du charbon pour le feu. Il fait si froid ! »

Je remuai les braises et allai chercher moi-même un seau de charbon. L'invalide se plaignit qu'on le couvrît de cendres ; mais il avait une toux pénible, et paraissait fiévreux et malade, aussi ne lui fis-je pas reproche de sa méchante humeur.

« Eh bien ! Linton, murmura Catherine quand son front plissé se fut déridé, êtes-vous content de me voir ? Puis-je faire quelque chose pour vous ?

— Pourquoi n'êtes-vous pas venue plus tôt ? dit-il. Vous auriez dû venir, au lieu d'écrire. Cela me fatiguait affreusement d'écrire ces longues lettres. J'aurais bien mieux aimé vous parler. Maintenant je ne puis plus supporter de parler, ni de faire quoi que ce soit. Je me demande où est Zillah ! Voulez-vous (ceci en me regardant) aller voir dans la cuisine ? »

Je n'avais pas reçu de remerciements pour mon autre service, et comme je ne tenais pas à courir de droite et de gauche à son commandement, je répondis :

« Il n'y a là que Joseph.

— Je veux boire, s'écria-t-il d'un ton plaintif en se détournant. Zillah est sans cesse en train de courailler à Gimmerton depuis que papa est parti. C'est insupportable ! Et je suis obligé de descendre ici — ils ont décidé de ne pas m'entendre quand je suis en haut.

— Votre père est-il attentionné à votre égard, maître Heathcliff ? demandai-je, voyant l'insuccès des avances amicales de Catherine.

— Attentionné ? Il oblige *les autres* à être un peu plus attentionnés, voilà tout. Les misérables ! Savez-vous, Miss Linton, que cette brute de Hareton se moque de moi ! Je le déteste ! En vérité, je les déteste tous : ce sont des êtres odieux. »

Cathy se mit en quête d'un peu d'eau ; elle trouva un pichet dans le buffet, remplit un grand verre et le lui apporta. Il lui fit ajouter une cuillerée de vin d'une bouteille placée sur la table ; et quand il en eut avalé une petite lampée, il parut plus calme et il lui dit qu'elle était très gentille.

« Êtes-vous content de me voir ? demanda-t-elle, répétant sa première question et heureuse de voir poindre chez lui un faible sourire.

— Oui, certes. C'est une nouveauté que d'entendre une voix comme la vôtre ! répondit-il. Mais j'ai été bien contrarié que vous ne veniez pas. Et papa jurait que c'était de ma faute : il me traitait d'individu pitoyable, traînard, nul ; il disait que vous me méprisiez ; et que, s'il avait été à ma place, il serait déjà le maître au Manoir, plus encore que ne l'est votre père. Mais vous ne me méprisez pas, n'est-ce pas, Miss…

— Appelez-moi donc Catherine, ou Cathy, interrompit ma jeune maîtresse. Vous mépriser ? Mais non ! Après papa et Ellen, je vous aime plus que personne au monde. Je n'aime pas Mr. Heatchcliff, il est vrai, et je n'oserai pas venir quand il sera de retour; restera-t-il absent de longs jours?

— Non, répondit Linton, mais il va souvent sur la lande depuis que la saison de la chasse a commencé; et vous pourriez passer une heure ou deux avec moi pendant son absence. Oui! Dites-moi que vous viendrez. Je crois que je ne serais pas grognon avec vous: vous ne m'agaceriez pas et vous seriez toujours prête à m'aider, n'est-ce pas?

— Oui, dit Catherine en caressant les longs cheveux soyeux du jeune garçon. Si je pouvais seulement obtenir le consentement de papa, je passerais la moitié de mon temps avec vous. Mon joli Linton! Je voudrais que vous fussiez mon frère.

— Et alors vous m'aimeriez autant que votre père? observa-t-il plus gaiement. Mais papa dit que vous m'aimeriez plus que votre père et que le monde entier si vous étiez ma femme; c'est donc là ce que je préférerais que vous fussiez.

— Non! Je n'aimerai jamais personne plus que papa, répondit-elle gravement. D'ailleurs il arrive que les gens détestent leur femme, alors qu'ils ne détestent pas leurs sœurs et leurs frères; de surcroît, si vous étiez mon frère, vous habiteriez avec nous, et papa vous aimerait autant que moi.»

Linton nia qu'il y eût des gens qui détestassent leur femme; mais Cathy affirma que si, et, dans sa sagacité, invoqua l'aversion du propre père de son compagnon pour sa tante. Je tentai d'arrêter sa langue irréfléchie, mais je ne pus y parvenir avant qu'elle eût dit tout ce qu'elle savait. Maître Heathcliff, très irrité, déclara que son récit était faux.

«C'est papa qui me l'a dit, et papa ne dit pas de mensonges! répondit-elle vivement.

— Mon papa à moi méprise le vôtre! s'écria Linton. Il dit que c'est un sot et un lâche!

— Le vôtre est un méchant homme, répliqua Catherine, et c'est très mal de votre part d'oser répéter ce qu'il dit. Il faut qu'il soit bien méchant pour que tante Isabella l'ait abandonné comme elle l'a fait.

— Elle ne l'a pas abandonné, dit le garçon. Vous n'avez pas le droit de me contredire !

— Si, elle l'a abandonné ! s'écria ma jeune maîtresse.

— En bien ! je vais vous dire quelque chose à mon tour ! dit Linton. Votre mère détestait votre père : voilà !

— Oh ! s'exclama Catherine, trop en rage pour continuer.

— Et elle aimait le mien ! ajouta-t-il.

— Petit menteur ! Je vous déteste à présent, dit-elle d'une voix haletante et la figure rouge de colère.

— Elle l'aimait ! Elle l'aimait ! chanta Linton en s'enfonçant dans les profondeurs de son fauteuil et en renversant la tête pour jouir de l'émoi de son adversaire, qui se tenait debout derrière lui.

— Taisez-vous, Maître Heathcliff, dis-je. C'est encore là une histoire de votre père, je suppose.

— Pas du tout ; tenez votre langue ! répondit-il. Elle l'aimait, elle l'aimait, Catherine ! Elle l'aimait, elle l'aimait ! »

Catherine, hors d'elle-même, poussa violemment le fauteuil, ce qui fit tomber Linton contre un des bras. Il fut immédiatement saisi d'une toux suffocante qui mit bientôt fin à son triomphe. Elle dura si longtemps que j'en fus moi-même effrayée. Quant à sa cousine, elle se mit à pleurer de toutes ses forces, consternée du mal qu'elle avait causé, encore qu'elle ne dît rien. Je le soutins jusqu'à ce que l'accès se fût terminé de lui-même. Alors il m'écarta et pencha la tête en silence. Catherine cessa aussi ses lamentations, prit un siège en face de lui et regarda le feu d'un air solennel.

« Comment vous sentez-vous maintenant, Maître Heathcliff ? demandai-je au bout de dix minutes.

— Je voudrais qu'elle ressentît ce que je sens, répondit-il. La méchante, la cruelle créature ! Hareton ne me touche jamais : il ne m'a jamais frappé de sa vie. Moi qui allais mieux aujourd'hui, il faut que... »

Sa voix se perdit dans un murmure.

« Je ne vous ai pas frappé ! » marmonna Catherine, se mordant la lèvre pour prévenir un nouvel accès d'émotion.

Il soupira et gémit comme sous l'empire d'une grande souffrance, et cela un quart d'heure durant; pour provoquer le désarroi de sa cousine, apparemment, car chaque fois qu'il l'entendait étouffer un sanglot, les inflexions de sa voix se faisaient de plus en plus douloureuses et pathétiques.

« Je regrette de vous avoir fait mal, Linton, dit-elle enfin, n'en pouvant plus. Mais moi, cette petite poussée ne m'aurait fait aucun mal, et je n'avais pas idée qu'elle pût vous en faire : vous ne souffrez pas trop, n'est-ce pas, Linton ? Ne me laissez pas rentrer à la maison avec la pensée que je vous ai fait du mal. Répondez ! Parlez-moi.

— Je ne peux pas vous parler, murmura-t-il. Vous m'avez fait tant de mal que je vais veiller toute la nuit en m'étranglant avec cette toux ! Si elle vous prenait, vous sauriez ce que c'est; mais vous, vous dormirez tout tranquillement, pendant que je serai à l'agonie — sans personne près de moi ! Je me demande quelle mine vous feriez si vous aviez à passer ces terribles nuits ! »

Et il se mit à gémir tout haut, de pitié pour lui-même.

« Puisque vous êtes accoutumé à passer de terribles nuits, dis-je, ce n'est pas Miss qui a troublé votre bien-être : vous seriez dans le même cas si elle n'était pas venue. Toutefois elle ne vous dérangera plus, et peut-être serez-vous plus calme quand nous vous aurons quitté.

— Dois-je m'en aller ? demanda tristement Catherine en se penchant sur lui. Vous voulez que je m'en aille, Linton ?

— Vous ne pouvez pas défaire le mal que vous m'avez fait, répondit-il d'un ton boudeur en se dérobant à elle, à moins que vous ne l'empiriez en me tourmentant jusqu'à ce que j'aie la fièvre.

— Dois-je donc m'en aller ? répéta-t-elle.

— Laissez-moi tranquille, au moins, répondit-il. Je ne peux pas souffrir de vous entendre parler ! »

Elle s'attarda et demeura, bien que je la pressasse de partir, pendant un temps qui me parut interminable; mais comme il gardait les yeux baissés et ne parlait pas, elle finit par faire un mouvement vers la porte, et je la suivis. Un cri nous rappela. Linton avait glissé de son siège sur la pierre du foyer, et restait là à se débattre par pure perversité d'enfant gâté qui a résolu de se rendre aussi insupportable et aussi odieux que possible. Je mesurai parfaitement quelles étaient ses dispositions d'esprit à sa conduite, et je vis aussitôt que ce serait folie d'essayer de flatter ses caprices. Mais ma compagne n'en jugea pas ainsi : elle revint en courant, terrifiée, s'agenouilla, pleura, caressa, supplia, jusqu'à ce qu'il se calmât faute de souffle ; nullement par remords de l'avoir affolée.

« Je vais le mettre sur la banquette, dis-je, et il pourra rouler d'un côté et de l'autre comme il voudra : nous ne pouvons pas rester ici à le regarder. Je pense que vous êtes convaincue, Miss Cathy, que ce n'est pas vous qui pouvez lui faire du bien, et que son état de santé n'est pas dû à son attachement pour vous. Là, le voilà installé ! Allons-nous-en : dès qu'il saura qu'il n'y a plus personne pour se soucier de ses niaiseries, il sera heureux de se tenir tranquille. »

Elle plaça un coussin sous sa tête, et lui offrit de l'eau ; il la refusa et s'agita inconfortablement sur le coussin, comme si c'était une pierre ou un bloc de bois. Elle essaya de l'installer plus commodément.

« Cela ne va pas, dit-il, ce n'est pas assez haut ! »

Catherine apporta un autre coussin pour l'ajouter au premier.

« C'est trop haut maintenant ! murmura l'irritante créature.

— Comment faut-il que je l'arrange, alors ? » demanda-t-elle d'un ton désespéré.

Il se blottit contre elle, qui était à demi agenouillée près de la banquette, et fit de l'épaule de sa cousine un soutien pour sa tête.

« Non, pas ainsi, dis-je. Vous vous contenterez du coussin, Maître Heathcliff. Miss a déjà perdu trop de temps avec vous : nous ne pouvons pas rester cinq minutes de plus.

— Si, si, nous le pouvons ! répondit Cathy. Il est sage et patient maintenant. Il commence à se dire que je serai bien plus malheureuse que lui ce soir si je crois que ma visite lui a fait du mal ; et en ce cas je n'oserai pas revenir.

Dites-moi la vérité là-dessus, Linton; car il ne faut pas que je revienne si je vous ai fait du mal.

— Il faut que vous reveniez pour me guérir, répondit-il. Vous devez revenir parce que vous m'avez fait du mal, vous le savez bien, beaucoup de mal! Je n'étais pas aussi malade quand vous êtes entrée que je le suis à présent — n'est-il pas vrai?

— Mais vous vous êtes rendu malade vous-même, à force de pleurer et de vous mettre en rage, dis-je.

— Je n'en suis pas seule responsable, dit sa cousine. Mais nous serons bons amis maintenant. Et vous avez vraiment envie de me voir, vous voudriez que je vienne de temps à autre?

— Je vous ai dit que oui, répondit-il avec impatience. Asseyez-vous sur la banquette et laissez-moi m'appuyer contre vos genoux. C'est ainsi que maman faisait pendant des après-midi entiers. Restez tout à fait tranquille et ne parlez pas; pourtant, vous pouvez chanter une chanson si vous savez chanter; ou encore me réciter une jolie ballade, longue et intéressante — une de celles que vous avez promis de m'apprendre; ou une histoire. J'aimerais mieux une ballade toutefois: commencez.»

Catherine récita la plus longue ballade qu'elle pût se rappeler. Cette occupation leur plut énormément à tous deux. Linton en demanda une autre, et puis une autre, en dépit de mes vives objections; et ils continuèrent de la sorte jusqu'à ce que l'horloge sonnât midi et que nous entendîmes dans la cour Hareton qui revenait dîner.

«Et demain, Catherine, serez-vous ici demain? demanda le jeune Heathcliff, la retenant par sa robe comme elle se levait à regret.

— Non! répondis-je, ni le jour suivant.»

Elle fit évidemment une réponse différente, car le front de Linton se dérida tandis qu'elle se penchait vers lui pour lui chuchoter à l'oreille.

«Vous ne viendrez pas demain, sachez-le bien, Miss! commençai-je quand nous eûmes quitté la maison. Vous n'y songez pas, je pense?»

Elle sourit.

«Oh! j'en prendrai bien soin, continuai-je. Je ferai

réparer cette serrure, et c'est le seul endroit par lequel vous puissiez vous échapper.

— Je peux passer par-dessus le mur, dit-elle en riant. Le Manoir n'est pas une prison, Ellen, et vous n'êtes pas mon geôlier. D'ailleurs, j'ai presque dix-sept ans : je suis une femme. Et j'ai la certitude que Linton guérirait vite s'il m'avait près de lui pour le soigner. Je suis plus âgée que lui, vous savez, et plus raisonnable : moins enfant, non ? Et je ne tarderai pas à lui faire faire ce que je voudrais en le cajolant un peu. C'est un amour quand il est sage. Je l'apprivoiserais si bien s'il était à moi. Nous ne nous querellerions jamais, n'est-ce pas, quand nous serions habitués l'un à l'autre ? Ne l'aimez-vous pas, Ellen ?

— L'aimer ? m'écriai-je. C'est le plus grincheux des petits bouts d'homme maladifs qui aient jamais barboté dans l'âge ingrat ! Heureusement qu'il n'atteindra jamais ses vingt ans, comme Mr. Heathcliff le conjecture. A vrai dire, je me demande même s'il verra le printemps. Et ce ne sera pas une bien grande perte pour sa famille, à quelque moment qu'il quitte ce monde. C'est une chance pour nous que son père l'ait pris : plus on le traiterait gentiment, plus il deviendrait difficile et égoïste ! Je me félicite que vous ne risquiez pas de l'avoir pour époux, Miss Catherine ! »

Ma compagne devint grave en entendant ce discours. Qu'on parlât avec autant d'insouciance de la mort de Linton blessait ses sentiments.

« Il est plus jeune que moi, répondit-elle après une méditation prolongée, et, de nous deux, c'est lui qui devrait vivre le plus longtemps. Oui, il vivra, il faut qu'il vive aussi longtemps que moi. Il est aussi robuste à présent qu'à son arrivée dans le Nord : de cela, je suis sûre ! Il a tout simplement pris froid, comme papa. Vous dites que papa guérira, pourquoi n'en ferait-il pas autant ?

— Bon, bon, m'écriai-je, après tout, nous n'avons pas à nous tourmenter de ça ; écoutez, miss — et souvenez-vous que je tiendrai parole ; si vous essayez de retourner à Hurlevent avec ou sans moi, j'avertirai Mr. Linton et, à moins qu'il ne donne sa permission, l'intimité que vous aviez avec votre cousin ne doit pas reprendre.

— Elle a repris ! murmura Catherine d'un air boudeur.

— Ne doit pas continuer, alors ! dis-je.

— Nous verrons ! » répliqua-t-elle ; et elle partit au galop, me laissant peiner en arrière.

Nous atteignîmes l'une et l'autre la maison avant l'heure du dîner ; mon maître supposa que nous nous étions promenées dans le parc et ne nous demanda aucune explication de notre absence. Dès que je fus rentrée, je me hâtai d'enlever mes souliers et mes bas, qui étaient trempés ; mais notre arrêt prolongé à Hurlevent avait déjà fait son œuvre. Le lendemain matin, je dus me coucher, et pendant trois semaines, je fus incapable de vaquer à mes devoirs : calamité dont je n'avais jamais été victime jusque-là et que, depuis lors, je n'ai jamais plus rencontrée sur mon chemin, grâce à Dieu.

Ma petite maîtresse se conduisit comme un ange en venant me soigner et égayer ma solitude ; le fait d'être confinée comme cela me jeta dans un grand abattement : c'est chose insupportable pour quelqu'un de remuant et d'actif. Mais on ne pouvait guère avoir moins de raisons de se plaindre : dès que Catherine quittait la chambre de Mr. Linton, elle paraissait à mon chevet. Sa journée était partagée entre nous ; elle n'accordait pas une minute à l'amusement : elle négligeait ses repas, ses études, ses jeux ; et c'était la plus tendre infirmière qui ait jamais veillé sur un malade. Il fallait qu'elle eût le cœur bien chaleureux pour se montrer si généreuse avec moi, elle qui aimait tant son père !

Ses journées, disais-je, étaient partagées entre nous ; mais le maître se retirait de bonne heure, et moi je n'avais en général besoin de rien après six heures, si bien qu'elle avait sa soirée à elle. Pauvre petite ! Je ne m'inquiétais jamais de ce qu'elle faisait après le thé. Et quoique, souvent, lorsqu'elle venait me dire bonne nuit, je remarquasse de fraîches couleurs sur ses joues et une roseur sur ses doigts effilés, au lieu de me dire que ce fard pouvait être l'effet d'une chevauchée à travers le froid de la lande, je l'attribuais à l'ardeur du feu de la bibliothèque.

XXIV

Au bout de trois semaines, je fus en état de quitter ma chambre et de circuler dans la maison. Et la première fois que je pus passer la soirée debout, je demandai à Catherine de me faire la lecture parce que j'avais la vue affaiblie. Nous étions dans la bibliothèque et le maître était allé se coucher : elle consentit, d'assez mauvais gré, me parut-il ; et croyant que mes livres étaient d'une sorte qui ne lui convenait pas, je la priai d'en choisir un qui lui plût. Elle prit l'un de ses préférés et lut sans s'arrêter pendant une heure, peut-être ; puis ce furent de fréquentes questions :

« N'êtes-vous pas fatiguée, Ellen ? Ne feriez-vous pas mieux de vous coucher à présent ? Vous allez être malade si vous restez debout si longtemps, Ellen.

— Non, non, ma chérie, je ne suis pas fatiguée », répondais-je continuellement.

Voyant qu'il n'y avait pas moyen de me faire bouger, elle essaya d'une autre méthode pour montrer le déplaisir que lui donnait son occupation. Elle se mit à bâiller, à s'étirer, puis :

« Ellen, je suis lasse.

— Eh bien ! arrêtez-vous et parlez », répondis-je.

Ce fut pis : elle s'agitait, soupirait et regardait sa montre, pour finir, à huit heures, par regagner sa chambre, accablée de sommeil à en juger par son air maussade et appesanti, et le frottement constant qu'elle infligeait à ses yeux. Le second soir, elle parut plus impatiente encore ; et le troisième après qu'elle eut recouvré ma compagnie, elle se plaignit d'un mal de tête et me laissa. Sa conduite me parut étrange ; je restai seule un long moment, mais ensuite je résolus d'aller voir si elle se sentait mieux et de lui proposer de venir s'étendre sur le sofa au lieu de rester couchée en haut dans le noir. En haut comme en bas, cependant, point de Catherine. Les domestiques affirmèrent qu'ils ne l'avaient pas vue. J'écoutai à la porte de

Mr. Edgar : tout était silencieux. Je retournai à sa chambre, éteignis ma bougie, et m'assis à la fenêtre.

La lune brillait avec éclat ; la neige saupoudrait la terre, et je réfléchis qu'il était possible qu'elle se fût mis en tête de se promener dans le jardin pour prendre le frais. Je distinguai une silhouette qui se glissait le long de la haie à l'intérieur du parc ; mais ce n'était pas celle de ma jeune maîtresse : quand elle émergea dans la lumière, je reconnus l'un des palefreniers. Il resta là un temps considérable à regarder la voie carrossable qui traversait les terres ; puis il partit à vive allure, comme s'il avait découvert quelque chose, et réapparut bientôt, conduisant le poney de Miss ; elle-même, qui venait de mettre pied à terre, marchant à son côté. L'homme emmena furtivement la bête vers l'écurie à travers le pré. Catherine entra par la porte-fenêtre du salon et se glissa sans bruit en haut, où je l'attendais. Elle ferma doucement la porte, enleva ses chaussures couvertes de neige, défit son chapeau, et elle allait se dépouiller de son manteau, sans se rendre compte que je l'épiais, lorsque je me levai soudain, révélant ma présence. Elle parut, un instant, pétrifiée de surprise : elle poussa une exclamation inarticulée et demeura figée.

« Ma chère Miss Catherine, commençai-je, trop pénétrée encore de ses récentes bontés pour me mettre à la gronder, où donc avez-vous été chevaucher à cette heure ? Et pourquoi avez-vous cherché à me tromper en me racontant des histoires ? Où avez-vous été ? Parlez !

— Au fond du parc, bégaya-t-elle. Je ne vous ai pas raconté d'histoires.

— Nulle part ailleurs ?

— Non, murmura-t-elle.

— Oh ! Catherine ! m'écriai-je d'un ton peiné. Vous savez que vous avez mal agi, sans quoi vous ne seriez pas amenée à me déguiser la vérité. Cela me fait beaucoup de chagrin. J'aimerais mieux être malade pendant trois mois que de vous entendre forger délibérément un mensonge. »

Elle bondit vers moi et, fondant en larmes, me jeta les bras autour du cou.

« Voyez-vous, Ellen, j'ai tellement peur que vous vous

fâchiez, dit-elle. Promettez-moi de ne pas vous fâcher, et vous saurez toute la vérité. Je répugne à la cacher. »

Nous nous assîmes sur la banquette dans l'embrasure de la fenêtre, je l'assurai que je ne la gronderais pas, quel que pût être son secret — que, naturellement, je devinais ; et elle commença :

« J'ai été à Hurlevent, Ellen, et j'y suis allée chaque jour depuis que vous êtes tombée malade, sauf trois fois avant que vous quittassiez votre chambre, et deux fois après. J'ai donné à Michael des livres et des images pour qu'il prépare Minny chaque soir et qu'il la ramène à l'écurie : vous ne le gronderez pas, lui non plus, il ne faut pas. J'étais à Hurlevent vers six heures et demie, je restais généralement jusqu'à huit heures et demie, et puis je rentrais au galop. Ce n'était pas pour m'amuser que j'allais là-bas : souvent, j'étais malheureuse tout le temps. Il m'arrivait d'être heureuse de temps à autre : une fois par semaine, peut-être. Au début, je m'attendais à avoir bien du mal à vous convaincre de me laisser tenir la promesse que j'avais faite à Linton : car je m'étais engagée, en le quittant, à revenir le lendemain ; mais comme vous n'êtes pas descendue ce jour-là, cette peine m'a été épargnée ; dans l'après-midi, pendant que Michael réparait la serrure de la porte du parc, je me suis emparée de la clef et je lui ai dit que mon cousin désirait que j'allasse le voir parce qu'il était malade et qu'il ne pouvait venir au Manoir, mais que papa s'y opposerait ; après quoi, j'ai négocié avec lui pour le poney. Il aime la lecture et il songe à partir bientôt pour se marier ; aussi a-t-il accepté de faire ce que je lui demandais pourvu que je lui prêtasse des livres de la bibliothèque ; mais j'ai préféré lui donner des miens, et il n'en a été que plus content.

« A ma seconde visite, Linton parut plus en train. Zillah (c'est leur servante) nous fit une chambre bien nette et un bon feu, et nous dit qu'étant donné que Joseph était allé à une réunion de prières et Hareton Earnshaw parti avec ses chiens — pour braconner les faisans de nos bois, comme je l'appris dans la suite — nous pouvions faire ce que nous voulions. Elle nous apporta du vin chaud et du pain d'épices, et se montra excessivement bien intentionnée ; Linton s'assit dans le grand fauteuil et moi sur la petite chaise à bascule devant la cheminée, et nous nous mîmes à rire et à bavarder le plus gaiement du monde, trouvant toute sorte de choses à nous dire, jusqu'à prévoir où nous irions et ce que nous ferions en été. Mais je n'ai pas besoin de répéter nos propos, vous diriez que ce sont des sottises.

« A un moment, toutefois, nous faillîmes nous quereller. Il disait que la façon la plus agréable de passer une chaude journée de juillet était de rester couché du matin au soir sur un talus de bruyère au milieu de la lande, environné du bourdonnement propice au rêve que les abeilles faisaient parmi les fleurs, et du chant, tout là-haut, des alouettes, et du ciel bleu et sans nuages où resplendissait le soleil. Telle était son idée la plus parfaite de la félicité. La mienne était de me balancer dans un arbre vert et bruissant, lorsque souffle le vent d'ouest, que d'étincelants nuages blancs courent rapidement dans les hauteurs, que non seulement les alouettes, mais les grives, les merles, les linots, les coucous déversent de toutes parts leur musique, et qu'on voit la lande coupée au loin de frais vallons ombreux, mais, tout près, de longs renflements d'herbe longue ondulant en vagues sous la brise, sans parler des bois et de l'eau qui chante et du monde entier tout animé et fou de joie. Il voulait que tout reposât dans une extase de paix ; je voulais que tout étincelât et dansât dans une glorieuse jubilation. Je disais que son ciel ne serait vivant qu'à demi ; il disait que le mien serait ivre ; je disais que je m'endormirais dans le sien ; il disait qu'il ne pourrait pas respirer dans le mien ; et il commença à devenir très hargneux. Mais, pour finir, nous convînmes d'essayer des deux dès que viendrait la saison favorable, puis nous nous embrassâmes et redevînmes bons amis.

« Après être restée assise tranquillement pendant une heure, je regardai la grande salle avec son plancher lisse sans tapis et je me dis qu'il ferait bon y jouer pourvu qu'on enlevât la table ; et je demandai à Linton d'appeler Zillah pour nous aider : nous jouerions à colin-maillard et elle tâcherait de nous attraper — comme vous faisiez,

Ellen, vous vous en souvenez. Il ne voulut pas, protestant que ce n'était pas amusant; mais il consentit à jouer à la balle avec moi. Nous en trouvâmes deux dans une armoire, parmi un tas de vieux jouets : toupies, cerceaux, raquettes et volants. L'une était marquée C, et l'autre H; j'aurais voulu avoir le C parce que cela représentait Catherine, et que le H pouvait désigner Heathcliff, son propre nom; mais H perdait du son, ce qui ne plaisait pas à Linton. Je le battis constamment, sur quoi il redevint grognon, se mit à tousser et retourna à son fauteuil. Ce soir-là, pourtant, il retrouva facilement sa bonne humeur : il fut charmé de deux ou trois jolies chansons — *vos* chansons, Ellen; et quand je fus obligée de partir, il me pria avec des supplications de revenir le lendemain soir; et je promis. Minny et moi nous rentrâmes à la maison aussi vite que le vent; et je rêvai de Hurlevent et de mon gentil cousin chéri jusqu'au matin.

« Le lendemain, je fus triste; en partie parce que vous n'alliez pas bien, et en partie parce que j'aurais voulu que mon père connût et approuvât mes excursions; mais il faisait un magnifique clair de lune après le thé, et, à mesure que je chevauchais, ma tristesse se dissipa. Je vais passer à nouveau une heureuse soirée, pensai-je, et, ce qui me ravit plus encore, mon gentil Linton aussi. Je remontai leur jardin au trot, et je faisais le tour de la maison par-derrière, quand cet Earnshaw vint à ma rencontre, prit ma bride et me dit d'entrer par la porte de devant. Il flatta l'encolure de Minny en disant que c'était une belle bête, et il avait l'air de vouloir que je lui parlasse. Je lui dis seulement de laisser mon cheval tranquille de crainte de recevoir une ruade. Il répondit avec son accent vulgaire : « Ça f'rait guère de mal » et observa les pattes de Minny avec un sourire. J'avais presque envie de lui en faire faire l'expérience; mais il s'écarta pour ouvrir la porte, et, tout en soulevant le loquet, il leva les yeux vers l'inscription qui la surmontait en disant avec un stupide mélange de gaucherie et de satisfaction :

« Miss Catherine ! Je peux lire ça mét'nant.

« — Merveilleux ! m'écriai-je. Faites-nous entendre cela. Comme vous êtes devenu savant ! »

« Il épela en ânonnant, syllabe par syllabe, le nom : Hareton Earnshaw.

« — Et les chiffres ? criai-je pour l'encourager, le voyant arrêté net.

« — J'peux pas encore les lire, répondit-il.

« — Oh ! quel lourdaud vous faites », dis-je en riant de bon cœur de son échec.

« L'imbécile me regarda fixement, avec un ricanement qui flottait sur ses lèvres et un début de froncement de sourcils, comme s'il se demandait s'il devait ou non partager ma gaieté ; si celle-ci venait d'une aimable familiarité ou, ce qui était le cas, du mépris. Je mis fin à ses doutes en reprenant soudain ma gravité et en le priant de s'en aller, car c'était Linton que j'étais venu voir, pas lui. Il rougit — comme je le vis au clair de lune — lâcha le loquet, et s'en alla d'un air maussade, l'image même de la vanité mortifiée. Il s'imaginait être aussi accompli que Linton, je suppose, parce qu'il pouvait épeler son propre nom ; et il était prodigieusement déconfit que je ne pensasse pas de même.

— Arrêtez, Miss Catherine ! interrompis-je. Je ne veux pas vous gronder, ma chérie, mais, je n'aime pas la façon dont vous vous êtes conduite alors. Si vous vous étiez rappelée que Hareton était votre cousin tout autant que Maître Heathcliff, vous auriez senti combien il était inconvenant de vous comporter ainsi. C'était au moins une louable ambition de sa part que d'avoir le désir d'être aussi accompli que Linton ; et il est probable qu'il n'avait pas étudié seulement pour faire de l'esbrouffe : vous l'aviez rendu honteux de son ignorance, j'en suis sûre, et il a voulu y remédier pour vous plaire. C'était un trait de fort mauvaise éducation que de tourner en dérision sa tentative imparfaite. Si vous aviez été élevée dans les mêmes conditions que lui, seriez-vous vous-même moins grossière ? C'était un enfant aussi vif et aussi intelligent que vous ; et je suis peinée qu'on le méprise maintenant parce que ce vil Heathcliff l'a traité avec tant d'injustice.

— Voyons, Ellen, vous n'allez pas en pleurer, je pense ? s'écria-t-elle, surprise de mon sérieux. Mais attendez : vous verrez s'il apprenait ses lettres pour me faire plaisir et si cette brute méritait qu'on fût civil avec lui. J'entrai. Linton était étendu sur le sofa, et il se leva à demi pour m'accueillir.

— Je suis malade ce soir, Catherine, ma chérie, il faudra que tu fasses tous les frais de la conversation et je me contenterai d'écouter. Viens t'asseoir à côté de moi. J'étais sûr que tu ne manquerais pas à ta parole, et je te ferai renouveler ta promesse avant de t'en aller.

« Je savais maintenant que je ne devais pas le taquiner quand il était malade ; aussi lui parlais-je avec douceur, sans lui poser de questions, et en évitant de l'irriter de quelque manière que ce fût. Je lui avais apporté quelques-uns de mes meilleurs livres ; il me demanda de lui lire un peu et j'allais obéir quand Earnshaw, qui, à force de ruminer, avait amassé du venin, fit irruption dans la chambre. Il s'avança droit sur nous, saisit Linton par le bras et l'arracha de son siège.

« — Va-t'en dans ta chambre ! dit-il d'une voix que la colère rendait presque inarticulée, et en effet son visage paraissait congestionné et plein de fureur. Emmène-la avec toi si elle vient t'voir : tu m'empêcheras pas d'rester ici. Allez-vous-en, tous les deux !

« Il nous accabla de jurons et, sans laisser à Linton le temps de répondre, le jeta presque dans la cuisine ; lorsque je suivis, il serra le poing, brûlant apparemment de m'assommer. J'eus peur un instant et laissai tomber le livre ; il l'envoya vers moi d'un coup de pied et ferma la porte derrière nous. J'entendis un rire méchant, fêlé, près du feu, et, me retournant, vis cet odieux Joseph qui se tenait là, frottant ses mains osseuses et frissonnant.

« — J'savais bin qu'y vous trait'rait queume y faut ! C't'un fier gars ! Il a la tête bin drète sur les épaules. Et il sait, lui, oui, il sait aussi bin qu'moué qui c'est qui d'vrait êt' le maît' ici. Hé, hé, hé ! Y vous a fait valser pro'pment ! Hé, hé, hé !

« — Où irons-nous ? demandai-je à mon cousin sans faire attention aux moqueries du misérable vieillard.

« Linton était blême et tremblant. Il n'était pas beau alors, Ellen. Oh non ! il avait l'air horrible ! Car son visage fluet et ses grands yeux étaient déformés par une expression de rage frénétique, impuissante. Il saisit la poignée de la porte et la secoua : elle était fermée à clef du dedans.

« — Si tu ne me laisses pas entrer, je te tuerai ! — Si tu ne me laisses pas entrer, je te tuerai ! hurla-t-il. Démon ! Démon ! — Je te tuerai ! — Je te tuerai !

« Joseph émit à nouveau son rire croassant.

« — Ça, c'est l'père ! s'écria-t-il. C'est l'père ! Nous avons tous en nous quéqu'chose des deux côtés. T'inquiète pas, Hareton. Aie pas peur, mon gars : y peut pas arriver jusqu'à toué !

« Je pris les mains de Linton et j'essayai de le tirer en arrière ; mais il poussa des cris si épouvantables que je n'osai continuer. A la fin, ses hurlements furent étouffés par une terrible quinte de toux ; le sang jaillit de sa bouche et il tomba sur le sol. Je courus dans la cour, folle de terreur, et j'appelai Zillah aussi fort que je pus. Elle m'entendit bientôt : elle était en train de traire les vaches dans un hangar derrière la grange, et, laissant là son ouvrage, elle accourut pour demander ce qu'on voulait qu'elle fît. Je n'avais plus de souffle pour lui donner des explications ; l'entraînant dans la maison, je cherchai Linton du regard. Earnshaw était venu examiner le mal qu'il avait causé et maintenant transportait en haut le pauvret. Zillah et moi, nous montâmes derrière lui ; mais il m'arrêta en haut de l'escalier en me défendant d'entrer et en me disant que je n'avais qu'à retourner chez moi. Je m'écriai qu'il avait tué Linton, et que je *voulais* entrer. Joseph ferma la porte à clef, déclara que je ne ferais « rin d'tel » et demanda « s'il fallait que j'souèye aussi folle que l'môme ». Je restai là à pleurer jusqu'à ce que la servante revînt. Elle affirma qu'il irait mieux dans un moment, mais qu'il ne pouvait s'empêcher de crier et de faire du tapage ; puis elle me saisit et me porta presque dans la salle.

« Ellen, j'étais prête à m'arracher les cheveux. Je pleurais et sanglotais au point de n'y voir presque plus clair ; et le brigand pour lequel vous avez tant de sympathie se tenait en face de moi, osant de temps à autre me dire « chut » et niant que ce fût de sa faute. Finalement, effrayé de m'entendre affirmer que je le dirais à papa et qu'il serait mis en prison et pendu, il commença à pleurnicher lui-même et se sauva pour cacher son lâche émoi. Néanmoins, je n'étais pas débarrassée de lui ; quand ils m'eurent obligée enfin à partir et que je fus à quelque cent toises de la maison, il surgit tout à coup de l'ombre au bord de la route, arrêta Minny et me saisit le bras :

« — Miss Catherine, j'suis bien fâché, commença-t-il, mais c'est par trop vexant...

« Je le cinglai de ma cravache, pensant qu'il voulait peut-être m'assassiner. Il lâcha prise, en proférant un de ses horribles jurons, et je rentrai au galop, plus qu'à demi folle.

« Je ne vins pas vous dire bonne nuit ce soir-là et je n'allai pas à Hurlevent le soir suivant. J'en avais un désir extrême, mais j'étais dans un étrange émoi : tantôt, j'avais peur d'apprendre que Linton était mort, tantôt je frissonnais à l'idée de rencontrer Hareton. Le troisième jour, je pris courage, ou du moins, je ne pus supporter plus longtemps cette incertitude et je m'échappai une fois de plus. Je partis à cinq heures, à pied, me figurant que je parviendrais à me glisser dans la maison, puis jusqu'à la chambre de Linton, sans être vue. Mais les chiens annoncèrent mon approche. Zillah me reçut, et tout en me disant que « le jeune gars était sur la bonne pente », me conduisit dans une petite pièce bien propre, munie d'un tapis, où, à mon indicible joie, je vis Linton couché sur un petit sofa, en train de lire un de mes livres. Mais il ne voulut ni me parler ni me regarder de toute une heure, Ellen : il a si mauvais caractère ! Et ce qui me confondit tout à fait, c'est que, lorsqu'il ouvrit la bouche, ce fut pour proférer le mensonge que c'était moi qui avais été cause de tout le mal, et que Hareton n'était pas à blâmer ! Incapable de répondre sans me mettre en colère, je me levai et sortis de la chambre. Il me lança un faible « Catherine ! » Il ne s'était pas attendu que je lui répondisse de la sorte ; mais je ne voulus pas retourner auprès de lui ; et le lendemain, je restai pour la seconde fois à la maison, presque résolue à ne plus l'aller voir. Pourtant, c'était si désespérant de me coucher et de me lever sans jamais avoir de ses nouvelles que ma résolution s'évanouit avant d'avoir été bien formée. Il m'avait semblé d'abord que c'était mal d'aller là-bas ; mais à présent il me semblait que ce serait mal de n'y plus aller. Michael vint me demander s'il devait seller Minny ; je lui dis « oui », et je considérais que j'accomplissais un devoir tandis qu'elle m'emportait par-dessus les collines. J'étais obligée de passer devant les fenêtres de la façade pour arriver dans la cour : il était donc vain d'essayer de dissimuler ma présence.

« — Le jeune maître est dans la salle, dit Zillah, voyant que je me dirigeais vers le salon.

« J'entrai. Earnshaw était là lui aussi, mais il quitta aussitôt la chambre. Linton était assis dans le grand fauteuil, à demi endormi ; m'avançant vers le feu, je commençai d'un ton grave en croyant à demi que ce que j'allais dire était vrai :

« — Puisque je te déplais, Linton, puisque tu crois que je viens exprès pour te faire du mal, et puisque tu prétends que je t'en fais chaque fois, c'est à présent notre dernière entrevue : disons-nous adieu ; et dis à Mr. Heathcliff que tu n'as aucun désir de me voir et qu'il ne doit pas inventer de nouveaux mensonges à ce sujet.

« — Assieds-toi et enlève ton chapeau, Catherine, répondit-il. Tu es tellement plus heureuse que moi que tu devrais être meilleure. Papa parle assez de mes défauts et me témoigne assez de mépris pour qu'il soit naturel que je doute de moi-même. Je me demande fréquemment si je ne suis pas aussi nul qu'il le dit ; et alors je me sens de si méchante humeur et si amer que je déteste tout le monde ! C'est vrai que je ne vaux rien, et que j'ai mauvais caractère, et que je suis méchant, presque toujours ; et si tu le veux, tu *peux* me dire adieu : tu seras délivrée d'un souci. Seulement, Catherine, rends-moi cette justice : crois que si je pouvais être aussi doux, aussi gentil et aussi bon que toi, je le serais d'aussi bon cœur, et même plus, que je voudrais être aussi heureux et aussi bien portant. Crois aussi que ta bonté m'a fait t'aimer plus profondément que si je méritais ton amour ; et bien que je n'aie pas pu et que je ne puisse pas m'empêcher de te laisser voir ma nature, je le regrette et m'en repens ; et je le regretterai et m'en repentirai jusqu'à ma mort !

« Je sentis qu'il disait la vérité, que je devais lui pardonner et que, quand bien même il me chercherait querelle l'instant d'après, je devrais lui pardonner encore. Nous nous réconciliâmes ; mais nous pleurâmes tous deux pendant tout le temps de ma visite ; pas seulement de chagrin, bien que je fusse chagrine que Linton eût cette nature tourmentée : il ne laissera jamais ses amis en repos, et il ne sera jamais en repos lui-même ! Je suis toujours allée dans son petit salon depuis ce soir-là, car son père est revenu le jour suivant.

« Trois fois peut-être, nous avons été heureux et pleins d'espoir comme le premier soir ; mes autres visites furent mornes et troublées, tantôt par son égoïsme et sa hargne, tantôt par ses souffrances ; mais j'ai appris à endurer ses défauts avec aussi peu de ressentiment, pour ainsi dire, que ses maux. Mr. Heathcliff m'évite à dessein : c'est à peine si je l'ai aperçu. Dimanche dernier, il est vrai, en arrivant plus tôt que de coutume, je l'ai entendu tancer cruellement le pauvre Linton pour sa conduite du soir précédent. Je ne sais comment il a pu la connaître, à moins de nous avoir écoutés. Linton s'était certainement conduit d'une façon exaspérante : cependant, cela ne regardait personne d'autre que moi, et j'interrompis le sermon de Mr. Heathcliff en entrant et en le lui disant. Il éclata de rire et s'en fut, en déclarant qu'il était heureux que je visse les choses sous ce jour. Depuis lors, j'ai dit à Linton qu'il devrait faire à voix basse ses remarques les plus amères. Maintenant, Ellen, vous savez tout. On ne peut pas m'empêcher d'aller à Hurlevent, sans faire le malheur de deux êtres ; alors que, si vous vous contentiez de n'en rien dire à papa, mes visites ne troubleraient la paix de personne. Vous ne lui direz rien, n'est-ce pas ? Ce serait cruauté de le faire.

— Je prendrai demain une décision à cet égard, Miss Catherine, répondis-je. Cela demande réflexion. Pour l'instant, je vous laisse vous reposer et je vais y songer. »

J'y songeai tout haut en présence de mon maître : en sortant de la chambre de Catherine, j'allai droit à la sienne, et je lui racontai toute l'histoire, en omettant seulement les conversations de ma jeune maîtresse avec son cousin, et toute allusion à Hareton. Mr. Linton fut plus alarmé et plus inquiet qu'il ne voulut me l'avouer. Au matin, Catherine apprit que j'avais trahi sa confiance et, du même coup, que ses visites clandestines devaient cesser. C'est en vain qu'elle pleura et qu'elle lutta contre cet interdit, en implorant son père de prendre Linton en pitié : toute la consolation qu'elle obtint fut la promesse qu'il lui écrirait et qu'il le laisserait venir au Manoir quand il voudrait, mais en expliquant qu'il ne devait plus s'attendre à voir Catherine à Hurlevent. Peut-être, s'il eût connu le tempérament et l'état de santé de son neveu, aurait-il jugé bon de ne pas même accorder cette mince consolation.

XXV

« Ces choses se sont passées l'hiver dernier, monsieur, dit Mrs. Dean, il n'y a guère plus d'un an. L'hiver dernier, je ne pensais pas qu'au bout d'une dizaine de mois je distrairais un étranger en les racontant ! Mais qui sait combien de temps vous resterez un étranger ? Vous êtes trop jeune pour vous contenter toujours de vivre seul ; et j'ai comme une idée que personne ne peut voir Catherine Linton sans l'aimer. Vous souriez ; mais pourquoi avez-vous l'air si animé et si intéressé quand je parle d'elle ? Et pourquoi m'avez-vous demandé de suspendre son portrait au-dessus de la cheminée ? Pourquoi...

— Arrêtez, ma bonne amie ! m'écriai-je. Il serait fort possible que je l'aimasse, quant à moi ; mais elle, m'aimerait-elle ? J'en doute trop pour risquer ma tranquillité en me jetant au-devant de la tentation. D'ailleurs, ma place n'est pas ici : j'appartiens au monde actif, et je dois retourner à lui. Reprenez. Catherine fut-elle docile aux commandements de son père ?

— Oui, reprit Mrs. Dean. Son affection pour lui restait le sentiment dominant de son cœur ; et puis il lui parla sans colère : il lui parla avec la tendresse profonde d'un homme qui est sur le point d'abandonner son plus cher trésor à des périls et à des ennemis parmi lesquels le souvenir de ses paroles sera le seul secours qu'il puisse lui léguer pour la guider. Il me dit quelques jours plus tard :

— Je voudrais que mon neveu écrivît, Ellen, ou qu'il vînt. Dites-moi sincèrement ce que vous pensez de lui : est-il changé en mieux, ou y a-t-il un espoir qu'il s'amende en devenant un homme ?

— Il est très délicat, monsieur, répondis-je, et l'on ne voit guère qu'il puisse atteindre à l'âge d'homme ; mais ce que je puis dire, c'est qu'il ne ressemble pas à son père ; et si Miss Catherine avait le malheur de l'épouser, elle pourrait avoir de l'empire sur lui, à moins de lui témoigner une indulgence excessive. D'ailleurs, monsieur, vous aurez tout le temps de le connaître et de voir s'il conviendrait à Miss Catherine : il s'en faut de quatre ans et plus qu'il ne soit majeur. »

Edgar soupira ; et, allant à la fenêtre, regarda dans la direction de l'église de Gimmerton. L'après-midi était brumeux, mais le soleil de février brillait confusément, et nous pouvions tout juste distinguer les deux sapins du cimetière ainsi que les pierres tombales clairsemées.

« J'ai souvent appelé dans mes prières, dit-il à moitié pour lui-même, ce qui est en train de venir ; et maintenant je commence à reculer et à avoir peur. Je croyais que le souvenir de l'heure où j'ai parcouru ce vallon en jeune marié serait moins doux que la perspective d'y être transporté dans quelques mois ou peut-être dans quelques semaines, et déposé dans ce creux solitaire : Ellen, j'ai été bien heureux avec ma petite Cathy. Pendant les soirs d'hiver et les jours d'été, elle a été un vivant espoir à mon côté. Mais j'ai été heureux également à rêver seul parmi ces dalles à l'ombre de la vieille église, couché par les longs soirs de juin sur le tertre vert de la tombe de sa mère et souhaitant, appelant l'instant où je pourrais y reposer moi-même. Que puis-je faire pour Cathy ? De quelle manière dois-je la quitter? Je ne me laisserais pas troubler un instant par la pensée que Linton est le fils de Heathcliff, ni par celle qu'il me prendrait Cathy, pourvu qu'il pût la consoler de ma perte. Peu m'importerait que Heathcliff arrivât à ses fins en me volant le dernier bienfait que j'ai reçu du ciel! Mais si Linton est indigne — s'il n'est qu'un faible jouet aux mains de son père — je ne peux pas la lui abandonner! Et si dur qu'il soit de réprimer ses élans, il faut que je continue à la rendre triste tant que je vivrai et à la laisser dans la solitude quand je mourrai! Pauvre chérie! J'aimerais mieux la confier à Dieu et la coucher en terre avant moi.

— Confiez-la à Dieu de toute manière, monsieur, répondis-je, et si nous devions vous perdre — puisse-t-Il nous l'épargner — je serai jusqu'au bout son amie et sa conseillère, avec la permission de la Providence. Miss Catherine est une bonne petite. Je ne crois pas qu'elle puisse s'égarer sciemment; et ceux qui font leur devoir sont toujours récompensés en fin de compte. »

Le printemps s'avançait; pourtant mon maître ne retrouvait pas vraiment ses forces, bien qu'il eût repris ses promenades par les terres avec sa fille. Inexpérimentée comme elle l'était, elle voyait dans ce seul fait un signe de convalescence; et puis Mr. Linton avait souvent les pommettes rouges et les yeux brillants: elle était sûre de sa guérison.

Le jour qu'elle eut dix-sept ans, il ne rendit pas visite au cimetière; il pleuvait, et j'observai:

« Pour sûr, vous ne sortirez pas ce soir, monsieur?

— Non, répondit-il, cette année, je remettrai ma visite à un peu plus tard. »

Il écrivit de nouveau à Linton en exprimant son grand désir de le voir; et si l'invalide avait été en état de se présenter, je ne doute pas que son père lui eût permis de venir. En l'occurrence, conformément aux instructions qu'il reçut, il envoya une réponse qui laissait entendre que Mr. Heathcliff s'opposait à ce qu'il vînt au Manoir; ajoutant toutefois que le bon souvenir de son oncle lui était précieux, et qu'il espérait le rencontrer quelquefois au cours de ses promenades et lui demander de vive voix de faire en sorte que sa cousine et lui ne restassent pas si longtemps et si complètement séparés.

Cette partie de la lettre était simple et venait probablement de lui. Heathcliff le savait capable de plaider éloquemment pour obtenir la compagnie de Catherine.

« Je ne demande pas, disait-il, qu'on l'autorise à venir ici, mais suis-je condamné à ne jamais la voir parce que mon père m'interdit d'aller chez elle et que vous lui interdisez d'aller chez moi ? Venez de temps en temps à cheval avec elle aux abords de Hurlevent, et laissez-nous échanger quelques mots en votre présence ! Nous n'avons rien fait pour mériter cette séparation, et vous n'êtes pas fâché contre moi : vous convenez vous-même que vous n'avez aucune raison de me haïr. Cher oncle ! Ayez la bonté de m'envoyer un billet demain, et permettez-moi de vous rejoindre partout où il vous plaira, excepté au Manoir. Je crois qu'une entrevue vous convaincrait que je n'ai pas le caractère de mon père : il affirme que je suis davantage votre neveu que son fils ; et bien que j'aie des défauts qui me rendent indigne de Catherine, elle les a pardonnés, et vous devriez le faire aussi, pour l'amour d'elle. Vous vous enquérez de ma santé — elle s'améliore ; mais tant que je reste privé de tout espoir et condamné à la solitude ou à la société de ceux qui ne m'ont jamais aimé et ne m'aimeront jamais, comment puis-je être joyeux et bien portant ? »

Edgar, malgré la sympathie qu'il éprouvait pour le jeune garçon, ne put faire droit à sa requête parce qu'il était incapable d'accompagner Catherine. Il déclara qu'ils pourraient peut-être se rencontrer en été : d'ici là, il souhaitait que son neveu continuât à lui écrire par intervalles, et il s'engagea à lui donner par lettres les conseils et les encouragements qu'il pourrait, sachant bien quelle dure situation était la sienne dans sa famille. Linton se rendit à ce désir ; s'il avait été livré à lui-même, il aurait probablement tout gâté en remplissant ses lettres de plaintes et de lamentations ; mais son père le surveillait de près et, bien entendu, exigeait que chaque ligne que mon maître envoyait lui fût montrée ; de sorte que, au lieu de peindre ses souffrances et ses malheurs personnels, thèmes qui étaient toujours au premier plan de ses pensées, il insistait sur la cruelle contrainte qui le tenait séparé de son affection et de son amour, et suggérait avec douceur que Mr. Linton permît bientôt une entrevue, sans quoi il craindrait d'avoir été leurré à dessein par de creuses promesses.

Il avait en Catherine une puissante alliée à demeure ; et, à eux deux, ils finirent par persuader mon maître d'accepter qu'ils se promenassent ensemble à pied ou à cheval, une fois par semaine environ, sous ma surveillance, et dans les landes les plus voisines du Manoir ; car le mois de juin le trouva toujours dépérissant ; et bien qu'il eût mis de côté annuellement une partie de son revenu pour constituer un pécule à ma jeune maîtresse, il éprouvait tout naturellement le désir de la voir garder — ou au moins, recouvrer bientôt — la maison de ses ancêtres ; et il considérait que la seule chance qu'elle eût de le faire était de s'unir à son héritier ; il ne soupçonnait nullement que celui-ci dépérissait presque aussi rapidement que lui-même ; à vrai dire, personne ne le soupçonnait, je crois ; aucun docteur ne venait en visite à Hurlevent, et il n'y eut personne qui vît Maître Heathcliff et qui nous rendît compte de son état. Quant à moi, je commençai à croire que mes pressentiments m'avaient trompée et qu'il devait être vraiment en train de se rétablir quand il parla de promenade à pied et à cheval sur la lande et qu'il parut si attaché à la poursuite de ses desseins. Je ne pouvais m'imaginer qu'un père traitât un enfant mourant de manière aussi tyrannique et aussi perverse que Heathcliff le traitait, comme je l'appris plus tard, pour le forcer à avoir cette apparence d'ardeur ; ses efforts redoublant à mesure que ses plans avides et sans pitié risquaient de façon plus imminente d'être déjoués par la mort.

XXVI

L'été avait déjà perdu son premier éclat quand Edgar céda à regret à leurs supplications, et que nous partîmes à cheval pour la première fois, Catherine et moi, afin de rejoindre son cousin. C'était une journée lourde, étouffante : privée de soleil, mais avec un ciel trop pommelé et trop brumeux pour annoncer la pluie; et notre rendez-vous avait été fixé à la borne indicatrice de la croisée des chemins. Toutefois, quand nous y arrivâmes, un petit pâtre, envoyé en messager, nous dit :

« Maît' Linton est juste là, au versant d'la colline; et y vous aurait bin d'l'obligation d'pousser un peu plus loin.

— Maître Linton a oublié la première injonction de son oncle, observai-je, à savoir que nous devions rester sur les terres du Manoir : et voilà que nous allons en sortir de ce pas.

— Bah ! nous ferons faire demi-tour à nos chevaux quand nous aurons rejoint Linton, répondit ma compagne : notre promenade se poursuivra vers la maison. »

Mais quand nous le rejoignîmes, à un quart de mille à peine de sa propre porte, nous découvrîmes qu'il n'avait pas de cheval; et nous fûmes forcées de mettre pied à terre et de laisser brouter les nôtres. Il était couché sur la bruyère, attendant notre approche, et il ne se leva que lorsque nous ne fûmes qu'à quelques pas. Sa démarche était si débile, et il avait l'air si pâle, que je m'écriai immédiatement :

« Mais, Maître Heatchcliff, vous n'êtes pas en état de faire une promenade ce matin. Comme vous avez l'air souffrant ! »

Catherine l'observait avec chagrin et stupeur; l'exclamation de joie qu'elle avait sur les lèvres se changea en cri d'alarme; et au lieu de se réjouir avec lui de cette rencontre si longtemps différée, elle lui demanda avec anxiété s'il était plus mal que d'ordinaire.

« Non... mieux... mieux ! haleta-t-il, tremblant et retenant la main de Catherine comme s'il avait besoin de son appui, tandis que ses grands yeux bleus parcouraient timidement sa personne, les cernes creux qui les entouraient transformant en égarement hagard leur expression languide de naguère.

— Mais tu as été plus mal, insista sa cousine ; plus mal que la dernière fois que je t'ai vu : tu as maigri et...

— Je suis fatigué, interrompit-il précipitamment. Il fait trop chaud pour marcher, reposons-nous ici. Et le matin, je me sens souvent mal — papa dit que je grandis trop vite. »

Peu convaincue, Catherine s'assit, et il s'étendit à côté d'elle.

« C'est un peu comme ton paradis, dit-elle en s'efforçant à la gaieté. Tu te souviens des deux journées que nous étions convenus de passer à l'endroit et de la manière que chacun de nous trouverait le plus agréable ? Cette journée-ci est presque la tienne, sauf qu'il y a des nuages ; mais ils sont si doux, si moelleux : c'est plus joli que le soleil. La semaine prochaine, si tu le peux, nous descendrons à cheval jusqu'au parc du Manoir, et nous essaierons ma journée à moi. »

Linton ne semblait pas se rappeler de quoi elle parlait, et avait évidemment beaucoup de difficulté à soutenir quelque conversation que ce fût. Son manque d'intérêt pour les sujets qu'elle abordait, ainsi que son incapacité à la distraire étaient si manifestes qu'elle ne put cacher son désappointement. Un changement mal défini s'était produit dans toute la personne et dans toutes les manières de Linton. La maussaderie que les caresses pouvaient transformer en tendresse avait fait place à une indifférente apathie ; ce n'était plus tant l'humeur contrariante d'un enfant qui s'insurge et se rebelle pour qu'on le cajole, que l'égoïsme morose d'un invalide invétéré, repoussant les consolations et prêt à regarder la bonne humeur et la gaieté des autres comme une insulte. Catherine se rendit compte, aussi bien que moi, qu'il considérait plutôt comme une punition que comme une récompense de souffrir notre compagnie ; et elle ne se fit pas scrupule de lui proposer bientôt de partir. Cette proposition, contre toute attente, tira Linton de sa léthargie et le jeta dans un étrange état d'agitation. Il jeta des regards apeurés vers Hurlevent et la pria de rester au moins une demi-heure de plus.

« Mais il me semble, dit Cathy, que tu serais mieux chez toi qu'ici ; et je vois que je ne puis t'amuser aujourd'hui ni par mes histoires, ni par mes chansons, ni par mes bavardages ; tu es devenu plus raisonnable que je ne suis ces six derniers mois ; tu as peu de goût pour mes divertissements ; autrement, si je pouvais t'amuser, je resterais volontiers.

— Reste pour te reposer, répondit-il. Et puis, Catherine, ne crois pas, ne me dis pas que je vais *très* mal : c'est ce temps lourd, et cette chaleur, qui me dépriment ; et avant que tu n'arrives, j'ai beaucoup marché, du moins pour moi. Dis à mon oncle que je me porte assez bien, veux-tu ?

— Je lui dirai que tu me l'as dit, Linton. Je ne saurais affirmer qu'il en est bien ainsi, observa ma jeune maîtresse, surprise de le voir soutenir avec obstination une contre-vérité manifeste.

— Et reviens jeudi prochain, continua-t-il en évitant son regard perplexe. Et remercie-le, remercie-le bien, Catherine, de t'avoir permis de venir. Et... et, si tu rencontres mon père et qu'il t'interroge à mon sujet, ne lui laisse pas supposer que je me suis montré extrêmement silencieux et stupide ; n'aie pas l'air triste et abattue, comme c'est le cas en ce moment : il se mettrait en colère.

— Je ne me soucie nullement de sa colère, s'écria Catherine, s'imaginant qu'elle en serait l'objet.

— Mais moi, je m'en soucie, dit son cousin en frissonnant. Je t'en prie, ne l'excite pas contre moi, Catherine ; il est très dur.

— Est-il sévère pour vous, Maître Heathcliff ? demandai-je. S'est-il lassé d'être indulgent, et a-t-il passé de la haine passive à la haine active ? »

Linton me regarda, mais ne répondit pas ; et, après être restée assise à son côté une dizaine de minutes encore, pendant lesquelles il laissa tomber sa tête, comme vaincu par le sommeil, sur sa poitrine et ne fit entendre que de sourds gémissements d'épuisement et de douleur, Cathy essaya de se consoler en cherchant des myrtilles et en partageant avec moi le produit de sa cueillette ; elle ne lui en offrit pas, car elle voyait qu'en s'occupant de lui elle ne ferait que le fatiguer et l'ennuyer.

« Cela fait-il une demi-heure à présent, Ellen ? chuchota-t-elle enfin à mon oreille. Je ne vois pas pourquoi nous resterions. Il dort et papa doit désirer que nous rentrions.

— Nous ne pouvons guère le quitter pendant qu'il dort, répondis-je. Attendez qu'il se réveille, et prenez patience. Vous brûliez de désir de vous mettre en route, mais votre envie de voir le pauvre Linton s'est vite évaporée !

— Pourquoi a-t-il voulu me voir, lui ? répondit Catherine. Je l'aimais mieux autrefois, dans ses pires humeurs, qu'aujourd'hui dans cette curieuse disposition. On dirait que c'est un devoir qu'il est forcé d'accomplir — je parle de cette entrevue —, de crainte que son père ne le gronde. Mais je ne tiens pas à venir pour faire plaisir à Mr. Heathcliff, quelque raison qu'il puisse avoir d'enjoindre à Linton de subir cette pénitence. Et bien que je me réjouisse qu'il soit en meilleure santé, je regrette qu'il soit tellement moins agréable et tellement moins affectueux à mon égard.

— Vous croyez donc qu'il est réellement en meilleure santé ? dis-je.

— Oui, répondit-elle ; rappelez-vous quel grand cas il faisait de ses souffrances. Il ne se porte pas « assez bien », comme il m'a dit de le dire à papa, mais il va mieux, très probablement.

— Nous ne sommes pas du même avis en cela, Miss Cathy, remarquai-je. Je dirais qu'il va beaucoup plus mal. »

Ici, Linton s'éveilla en sursaut avec un air de terreur et d'égarement en demandant si quelqu'un l'avait appelé.

« Non, dit Catherine, à moins que ce ne soit en rêve. Je ne conçois pas que tu puisses dormir ainsi dehors, et dans la matinée.

— J'avais cru entendre mon père, dit-il d'une voix haletante en regardant le talus qui nous surplombait. Tu es sûre que personne n'a parlé ?

— Tout à fait sûre, répondit sa cousine. Il n'y avait qu'Ellen et moi, disputant de ta santé. Es-tu vraiment plus fort, Linton, que lorsque nous nous sommes séparés cet hiver ? Si tu l'es, je suis sûre qu'il y a une chose qui ne l'est pas, c'est l'affection que tu me portes. Dis, es-tu plus fort ? »

Les larmes jaillirent des yeux de Linton tandis qu'il répondait : « Oui, oui, je le suis ! » Et toujours obsédé par la voix imaginaire, son regard errait de-ci de-là pour en trouver le possesseur. Cathy se leva.

« Nous devons nous séparer pour aujourd'hui, dit-elle, et je ne te cacherai pas que j'ai été bien déçue de notre rencontre, quoique je ne le dirai à personne d'autre. Non que j'aie peur de Mr. Heathcliff !

— Chut ! murmura Linton. Tais-toi, pour l'amour de Dieu ! Il vient. »

Et il se cramponna au bras de Catherine, s'efforçant de la retenir ; mais, à cette annonce, elle se dégagea vivement, et siffla Minny, qui obéit comme un chien.

« Je viendrai jeudi, s'écria-t-elle en sautant en selle. Au revoir. Vite, Ellen ! »

Ainsi le laissâmes-nous, à peine conscient de notre départ tant il était préoccupé de voir arriver son père.

Avant que nous eussions atteint le Manoir, le déplaisir de Catherine s'était apaisé pour se muer en un sentiment confus fait de pitié et de regret, comme aussi, pour une bonne part, de doutes et d'inquiétudes touchant la véritable condition — physique et familiale — de Linton ; doutes que je partageais, tout en lui conseillant de n'en pas trop parler, car une seconde visite nous rendrait meilleurs juges. Mon maître nous demanda de lui rapporter ce qui s'était passé. Les remerciements de son neveu lui furent dûment transmis, Miss Catherine passant légèrement sur le reste. Quant à moi, je ne lui fournis guère plus de lumières, car je ne savais trop ce qu'il fallait cacher et ce qu'il fallait révéler.

XXVII

Sept jours s'écoulèrent, dont chacun fut marqué dans sa course par l'altération, désormais rapide, de l'état d'Edgar Linton. Les ravages qui, jusqu'alors, avaient été l'œuvre de plusieurs mois s'opéraient maintenant en quelques heures. Nous aurions bien voulu tromper encore Catherine, mais sa vivacité d'esprit l'empêchait de se leurrer : elle devina en secret et rumina la terrible probabilité qui, graduellement, devenait certitude. Elle n'eut pas le cœur de faire allusion à sa promenade à cheval quand jeudi vint ; ce fut moi qui m'en chargeai, et j'obtins la permission de la pousser à sortir ; car la bibliothèque, où son père se tenait chaque jour un petit moment — le seul laps de temps pendant lequel il pouvait supporter de rester debout — était devenue, avec la chambre du malade, son univers. Elle regrettait tous les instants qui ne la trouvaient pas penchée sur son oreiller ou assise à son côté. Son visage était pâli par le chagrin et les veilles, et mon maître l'envoya volontiers vers ce qu'il croyait être un heureux changement de décor et de compagnie ; puisant un réconfort dans l'espoir que sa mort ne la laisserait pas entièrement seule.

Il avait l'idée fermement arrêtée — je le devinai à plusieurs remarques qui lui échappèrent — que son neveu lui ressemblerait moralement comme il lui ressemblait physiquement ; car les lettres de Linton trahissaient peu, ou ne trahissaient point, ses défauts de caractère. Et moi, par une faiblesse pardonnable, je m'abstenais de corriger son erreur ; me demandant quel bien je ferais si je troublais ses derniers moments par une révélation dont il n'aurait ni le pouvoir ni le temps de tirer parti.

Nous remîmes notre excursion à l'après-midi ; un après-midi doré d'août ; chaque souffle venu des collines était si plein de vie qu'il semblait que quiconque le respirait, fût-il mourant, en devait être ranimé. Le visage de Catherine était pareil au paysage : les ombres et le soleil s'y succédaient rapidement; mais les ombres y demeuraient plus longtemps, et le soleil y était plus fugitif; aussi bien, son pauvre petit cœur se reprochait même cet oubli passager de ses soucis.

Nous aperçûmes Linton qui guettait notre approche au même endroit que celui qu'il avait choisi la fois précédente. Ma jeune maîtresse mit pied à terre et me dit que, dès lors qu'elle était décidée à rester très peu de temps, je ferais mieux de tenir la bride du poney en restant à cheval; mais je m'y refusai, ne voulant pas courir le risque de perdre de vue ma protégée une seule minute; de sorte que nous gravîmes ensemble la pente de bruyères. Maître Heathcliff nous reçut cette fois avec plus d'animation; non pas celle, toutefois, de l'entrain et de la joie: on aurait plutôt dit de la peur.

« Il est tard! dit-il, parlant bref et avec difficulté. Ton père serait-il très malade? J'ai cru que tu ne viendrais pas.

— Pourquoi manquer de franchise? s'écria Catherine, omettant toute salutation. Pourquoi ne pas dire tout de suite que tu n'as pas besoin de moi? Il est étrange, Linton, que pour la seconde fois tu me fasses venir ici à seule fin, dirait-on, de nous rendre malheureux l'un et l'autre! »

Linton frissonna et lui lança un regard mi-suppliant, mi-honteux. Mais sa cousine n'était pas assez patiente pour supporter cette conduite énigmatique.

« Mon père est en effet très malade, dit-elle; et pourquoi ai-je dû quitter son chevet — pourquoi ne m'as-tu pas envoyé un mot afin de me délier de ma promesse, dès lors que tu souhaitais que je ne la tinsse pas? Allons! je veux une explication: les jeux et les badinages sont complètement bannis de mon esprit; et je ne peux pas me prêter à tes simagrées aujourd'hui!

— Mes simagrées! murmura-t-il. Où les vois-tu? Pour l'amour du Ciel, Catherine, n'aie pas l'air si irritée! Méprise-moi autant qu'il te plaira; je suis un malheureux, un misérable lâche: on ne saurait me mépriser assez! Mais je ne suis pas digne de ta colère — hais mon père, et épargne-moi, par dédain.

— Sottises ! s'écria Catherine avec emportement. Absurde, stupide garçon ! Et voilà qu'il tremble comme si j'allais vraiment le toucher ! Tu n'as pas besoin de solliciter le mépris, Linton : tout le monde en aura spontanément à ton service. Va-t'en ! Je vais rentrer chez moi : c'est folie de t'arracher du coin du feu et de faire semblant... de quoi faisons-nous semblant ? Lâche ma robe ! Si j'avais pitié de tes larmes et de tes airs terrifiés, tu devrais repousser pareille pitié. Ellen, dis-lui combien sa conduite est honteuse. Relève-toi, ne te dégrade pas jusqu'à faire de toi un reptile abject — cesse, te dis-je ! »

Linton, le visage ruisselant et bouleversé par l'angoisse, s'était affalé sur le sol : il semblait être au paroxysme de l'effroi. « Oh ! sanglota-t-il, je n'en peux plus ! Catherine, Catherine, je suis un traître aussi, et je n'ose pas te le dire ! Mais si tu me quittes, c'en est fait de moi ! *Chère* Catherine, ma vie est entre tes mains, et tu as dit que tu m'aimais — s'il en est ainsi, tu n'auras pas à en souffrir... Dis-moi que tu ne vas pas partir, ma bonne, ma douce, ma chère Catherine ! Et peut-être consentiras-tu... alors il me laissera mourir avec toi ! »

Ma jeune maîtresse, à la vue de cette angoisse intense, se baissa pour le relever. Son ancien sentiment d'indulgente tendresse surmonta son indignation, et elle fut pénétrée d'émotion et d'alarme.

« Consentir à quoi ? demanda-t-elle. A rester ? Dis-moi ce que signifient ces étranges paroles, et je resterai. Tu te contredis toi-même et tu me fais perdre la tête ! Sois calme, sois franc, et avoue sur-le-champ tout ce qui te pèse sur le cœur. Tu ne voudrais pas me faire du tort, n'est-ce pas, Linton ? Tu ne laisserais pas un ennemi me nuire, si tu pouvais l'empêcher ? Je crois que tu es un lâche vis-à-vis de toi-même, mais que tu ne trahirais pas lâchement ta meilleure amie.

— Mais mon père m'a menacé, haleta le jeune garçon en joignant ses doigts émaciés, et j'ai peur de lui... j'ai peur de lui ! Je n'ose rien dire !

— Oh ! très bien, dit Catherine avec une compassion dédaigneuse ; garde ton secret. Je ne suis pas une lâche, moi. Reste à l'abri : je n'ai pas peur. »

Sa magnanimité provoqua les larmes de Linton : il pleurait éperdument, baisant les mains qui le soutenaient, et pourtant incapable de trouver le courage de parler. Je débattais dans ma tête quel pouvait bien être le mystère, et j'avais décidé de ne jamais permettre que Catherine souffrît dans l'intérêt de Linton ou de qui que ce fût, lorsque j'entendis un bruissement dans la bruyère, et, levant les yeux, vis Mr. Heathcliff presque sur nous, qui dévalait la pente. Il ne jeta pas un regard sur mes compagnons, bien qu'ils fussent suffisamment proches pour qu'il pût entendre les sanglots de Linton ; mais, me saluant du ton presque cordial qu'il ne prenait avec personne d'autre et dont je ne pouvais m'empêcher de mettre en doute la sincérité, il dit :

« C'est quelque chose que de vous voir si près de chez moi, Nelly ! Comment va-t-on au Manoir ? Donnez-moi des nouvelles ! Le bruit court, ajouta-t-il plus bas, qu'Edgar Linton est sur son lit de mort. Peut-être exagère-t-on son mal ?

— Non, répondis-je, mon maître est mourant, ce n'est que trop vrai. Ce sera une triste chose pour nous tous, mais un bienfait pour lui !

— Combien de temps a-t-il encore à vivre, croyez-vous ? demanda-t-il.

— Je ne sais pas, répondis-je.

— Parce que, reprit-il en regardant les deux jeunes gens qui restèrent figés sous son regard — Linton semblait ne pas pouvoir se risquer à bouger ou à lever la tête, et Catherine était incapable de bouger à cause de lui —, parce que ce gaillard-là a l'air décidé à me contrecarrer ; et je serais reconnaissant à son oncle de faire vite et de s'en aller avant lui... Ah ! Y a-t-il longtemps que ce chiot se livre à ce petit jeu ? Je lui ai pourtant fait la leçon sur ses pleurnicheries. Montre-t-il de l'entrain en général quand il est avec Miss Linton ?

— De l'entrain ? Non pas, mais la plus grande détresse, répondis-je. A le voir, je dirais qu'au lieu de vagabonder sur les collines avec sa bien-aimée, il devrait être au lit, dans les mains d'un docteur.

— Il le sera dans un jour ou deux, marmonna Heathcliff. Mais d'abord... debout, Linton! Debout! cria-t-il. Ne te vautre pas par terre. Debout à l'instant! »

Linton s'était à nouveau affaissé, en proie à un nouveau paroxysme de terreur et de détresse, provoqué par le regard que son père posait sur lui, je suppose. Il fit plusieurs efforts pour obéir, mais son peu de forces était paralysé pour le moment, et il retomba avec un gémissement. Mr. Heathcliff s'avança et le souleva pour l'adosser au talus herbeux.

« Allons, dit-il avec une férocité contenue. Je commence à me mettre en colère; et si tu ne rassembles pas tes pitoyables forces... Sacredieu! Debout à l'instant!

— Oui, père! haleta-t-il. Seulement, laissez-moi, ou je vais m'évanouir. J'ai fait ce que vous vouliez, pour sûr. Catherine vous dira que je... que j'ai... été joyeux. Ah! reste près de moi, Catherine; donne-moi la main.

— Prends la mienne, dit son père. Tiens-toi sur tes jambes. Là ; elle te prêtera son bras. C'est ça, regarde-la. On pourrait croire que je suis le diable en personne, Miss Linton, pour inspirer pareille horreur. Soyez assez bonne pour l'accompagner jusqu'à la maison, voulez-vous? Il frissonne quand je le touche.

— Mon cher Linton! chuchota Catherine, je ne puis pas aller à Hurlevent... Papa me l'a interdit... Il ne te fera pas de mal: pourquoi as-tu si peur?

— Je ne puis pas rentrer dans cette maison, répondit-il. Je n'y rentrerai jamais sans toi!

— Arrêtez! cria le père. Respectons les scrupules filiaux de Catherine. Nelly, ramenez-le à la maison, et je suivrai sans délai votre conseil au sujet du docteur.

— Vous ferez bien, répondis-je, mais il faut que je reste avec ma maîtresse. Ce n'est pas mon affaire de m'occuper de votre fils.

— Vous êtes très têtue, dit Heathcliff, je sais cela; mais vous allez me forcer à pincer le bébé et à le faire crier pour émouvoir votre charité. Allons, viens, mon héros. Es-tu prêt à rentrer, avec moi pour escorte? »

Il s'approcha de nouveau et fit mine de saisir la fragile créature; mais Linton, reculant d'effroi, se cramponna à sa cousine et l'implora de l'accompagner avec une intensité frénétique qui n'admettait pas de refus. Quelle que fût ma désapprobation, je ne pus pas la retenir : comment, à vrai dire, aurait-elle pu se dérober à ses instances ? Nous étions incapables de démêler ce qui le remplissait d'une pareille terreur ; mais il se débattait, impuissant, dans son étreinte, et pour peu qu'elle s'accrût, il tomberait dans l'idiotie, semblait-il. Nous atteignîmes le seuil de la maison ; Catherine entra ; et j'attendais qu'elle eût mené l'invalide à un fauteuil, pensant qu'elle allait ressortir immédiatement, lorsque Mr. Heathcliff me poussa en avant et s'écria :

« Ma maison n'est pas frappée de la peste, Nelly ; et je suis en veine d'hospitalité aujourd'hui ; asseyez-vous, et laissez-moi fermer la porte. »

Il la ferma et la verrouilla. Je tressaillis.

« Vous prendrez le thé avant de rentrer, ajouta-t-il. Je suis seul. Hareton est allé mener du bétail aux Lees — et Zillah et Joseph sont partis en voyage d'agrément. Bien que j'aie l'habitude d'être seul, je préfère être en intéressante compagnie, si je le puis. Miss Linton, asseyez-vous à côté de lui. Je vous donne ce que j'ai ; le présent vaut à peine qu'on l'accepte, mais je n'ai rien d'autre à offrir. C'est Linton que je veux dire. Comme elle me regarde ! C'est étrange de constater combien tout ce qui a peur de moi m'inspire un sentiment sauvage ! Si j'étais né dans un pays où les lois fussent moins strictes et les goûts moins délicats, je m'offrirais la lente vivisection de ces deux êtres comme amusement d'une soirée. »

Il retint son souffle, frappa la table et jura à part lui : « Par l'enfer ! je les hais. »

« Je n'ai pas peur de vous ! » s'écria Catherine, qui n'avait pu entendre la fin de son discours.

Elle s'approcha de lui, ses yeux noirs flamboyants de colère et de résolution :

« Donnez-moi cette clef : je la veux ! dit-elle. Je ne mangerai ni ne boirai, quand bien même je devrais mourir de faim. »

Heathcliff tenait la clef dans celle de ses mains qui était restée sur la table. Il leva les yeux, saisi d'une sorte de surprise à voir sa hardiesse, ou peut-être retrouvant, grâce à sa voix et à son regard, le souvenir de celle qui les avait légués à Catherine. Elle saisit la clef et réussit à demi à la dégager des doigts desserrés de Heathcliff; mais ce geste le rappela au présent, et il recouvra rapidement son bien.

« Allons, Catherine Linton, dit-il, écartez-vous, ou je vous jette à terre, ce qui rendra folle Mrs. Dean. »

Indifférente à cet avertissement, elle ressaisit la main fermée et son contenu. « Il faut que nous partions ! » répéta-t-elle, en faisant tous les efforts dont elle était capable pour contraindre les muscles de fer à se détendre; puis, voyant que ses ongles ne produisaient pas d'effet, elle y appliqua ses dents avec vigueur. Heathcliff me lança un regard qui m'empêcha un moment d'intervenir. Catherine était trop occupée des doigts de son adversaire pour observer son visage. Il les ouvrit soudain, abandonnant l'objet de la dispute; mais avant qu'elle s'en fût vraiment emparée, il la saisit de sa main libérée, et l'attirant contre son genou, lui administra de l'autre main, des deux côtés de la tête, une volée de terribles claques dont chacune aurait suffi à exécuter sa menace si Catherine avait été à même de tomber.

A la vue de cette violence diabolique, je me ruai sur lui avec fureur : « Scélérat ! commençai-je à crier, scélérat ! » Un coup à la poitrine me réduisit au silence : je suis corpulente, et vite hors d'haleine; ajoutez à cela la rage : je reculai, tout étourdie, en titubant; sur le point d'étouffer, pensais-je, ou de me rompre une veine.

La scène prit deux minutes; Catherine, libérée, porta ses deux mains à ses tempes en paraissant se demander si elle avait encore ses oreilles. Elle tremblait comme un roseau, la pauvre petite, et elle s'appuya à la table, complètement abasourdie.

« Je sais corriger les enfants, vous le voyez, dit farouchement le gredin, tout en se penchant pour reprendre possession de la clef qu'il avait laissée tomber sur le sol. Allez auprès de Linton à présent, comme je vous l'ai dit; et pleurez tout à votre aise ! Je serai votre père demain — le seul père que vous aurez dans quelques jours — et vous aurez une bonne ration de taloches — vous pouvez en supporter beaucoup, vous n'êtes pas chétive — oui, vous y goûterez tous les jours si je surprends encore dans vos yeux une diablesse d'humeur comme celle-là ! »

Cathy courut à moi au lieu d'aller vers Linton, s'agenouilla, et mit sa joue brûlante dans mon giron en pleurant tout haut. Son cousin s'était recroquevillé dans un coin de la banquette, muet comme une souris, et se félicitant, je suppose, que la correction fût tombée sur quelqu'un d'autre. Mr. Heathcliff, nous voyant tous confondus, se leva et fit rapidement le thé lui-même. Les tasses et les soucoupes étaient déjà préparées. Il versa le thé et me tendit une tasse.

« Lavez votre bile avec cela, dit-il, et servez votre méchant marmot ainsi que le mien. Le thé n'est pas empoisonné bien que ce soit moi qui l'ai préparé. Je vais aller chercher vos chevaux. »

Notre première pensée, quand il fut parti, fut de nous frayer quelque part une sortie. Nous essayâmes la porte de la cuisine, mais elle était verrouillée du dehors ; nous regardâmes aux fenêtres : elles étaient trop étroites, même pour la petite personne de Cathy.

« Maître Linton, m'écriai-je, voyant que nous étions bel et bien emprisonnées, vous savez ce que complote votre démon de père, et vous allez nous le dire, ou bien je vous gifle comme il a giflé votre cousine.

— Oui, Linton, tu dois le dire, renchérit Catherine. C'est pour toi que je suis venue et tu serais d'une coupable ingratitude si tu refusais.

— Donne-moi un peu de thé, j'ai soif ; je te le dirai ensuite, répondit-il. Mrs. Dean, écartez-vous. Je n'aime pas que vous vous penchiez sur moi. Voyons, Catherine, voilà que tu laisses tomber tes larmes dans ma tasse ! Je ne boirai pas cela. Donne-m'en une autre. »

Catherine poussa vers lui une autre tasse, et s'essuya le visage. J'étais dégoûtée de voir quel était le sang-froid du petit drôle maintenant qu'il n'avait plus peur pour lui-même. L'angoisse dont il avait fait preuve sur la lande s'était apaisée dès qu'il était entré à Hurlevent ; j'en conclus qu'il avait été menacé d'une terrible correction dans le cas où il n'aurait pas réussi à nous y attirer ; cela fait, il n'avait pas d'autres craintes dans l'immédiat.

« Papa veut que nous nous mariions, continua-t-il après avoir pris quelques gorgées de liquide. Il sait que ton papa ne nous laisserait pas nous marier à présent, et il craint que je ne meure si nous tardons ; aussi devons-nous être mariés au matin, et faut-il que tu restes ici toute la nuit ; si tu fais ce qu'il désire, tu retourneras chez toi demain et tu m'emmèneras avec toi.

— Vous emmener avec elle, misérable fadet? m'écriai-je. Vous, vous marier ? Mais cet homme est fou ! Ou il nous prend pour des imbéciles. Vous figurez-vous que cette belle jeune demoiselle éclatante de santé va se lier à un petit singe moribond comme vous ? Vous bercez-vous de l'idée que *qui que ce soit*, sans parler de Miss Catherine Linton, voudrait vous avoir pour époux ? Vous méritez le fouet pour nous avoir attirées ici avec vos pleurnicheries et vos lâches manigances ; et... ne prenez pas un air si niais à présent ! J'ai grande envie de vous secouer sérieusement pour votre méprisable traîtrise et votre idiote suffisance. »

De fait, je le secouai un brin ; mais cela le fit tousser et il recourut une fois de plus aux gémissements et aux pleurs ; si bien que Catherine me fit des reproches.

« Rester toute la nuit ? Non, certes ! dit-elle en regardant lentement autour d'elle. Ellen, quand je devrais brûler cette porte, je sortirai d'ici. »

Et elle aurait exécuté sur-le-champ sa menace, si Linton n'avait de nouveau pris l'alarme pour sa précieuse personne. Il l'étreignit de ses faibles bras en sanglotant :

« Ne veux-tu pas m'épouser et me sauver — ne me laisseras-tu pas venir au Manoir ? Oh ! Catherine chérie ! Il ne faut pas partir et m'abandonner. Il *faut* que tu obéisses à mon père, il le *faut !*

— Il faut que j'obéisse au mien, répondit-elle et que je le délivre de cette attente cruelle. Toute la nuit ! Qu'irait-il penser ? Il doit être déjà dans l'anxiété. Je sortirai de cette maison en brisant ou en brûlant quelque chose. Reste tranquille ! Tu n'es pas en danger, mais, si tu me retiens, Linton... j'aime papa plus que toi ! »

La terreur mortelle que lui inspirait la colère de Mr. Heathcliff rendit au jeune homme son éloquence de lâche. Catherine en perdit presque la tête; pourtant elle persista à dire qu'elle devait rentrer chez elle, et usa à son tour de supplications pour le persuader de maîtriser son angoisse égoïste.

Tandis qu'ils étaient occupés de la sorte, notre geôlier rentra.

« Vos chevaux ont déguerpi, dit-il, et... Comment, Linton ! Encore à pleurnicher ! Que t'a-t-elle fait ? Allons, allons, cesse et va te coucher. Dans un mois ou deux, mon gaillard, tu seras en mesure de lui rendre d'une main vigoureuse la monnaie de ses tyrannies. Tu te languis purement et simplement d'amour, n'est-il pas vrai ? C'est de ça que tu souffres, et de rien d'autre ; mais elle t'acceptera pour mari ! Allons au lit ! Zillah ne sera pas là ce soir : tu devras te déshabiller toi-même. Chut ! Qu'on ne t'entende plus ! Une fois que tu seras dans ta chambre, je te laisserai tranquille, n'aie pas peur. Par hasard, tu ne t'es pas trop mal tiré d'affaire. Je me charge du reste. »

Tout en disant ces mots, il tenait la porte ouverte pour laisser passer son fils ; et celui-ci effectua sa sortie exactement à la façon d'un épagneul qui soupçonnerait la personne postée auprès de lui d'avoir l'intention méchante de l'écraser au passage. La porte fut refermée à clef. Heathcliff s'approcha du feu, devant lequel ma maîtresse et moi nous nous tenions en silence. Catherine leva les yeux et porta instinctivement sa main à sa joue : ce voisinage réveillait chez elle une pénible sensation. Tout autre que lui eût été incapable de regarder ce geste enfantin avec dureté, mais il fronça les sourcils et marmonna :

« Ah ! vraiment, vous n'avez pas peur de moi ? Votre courage est bien déguisé, alors, car vous avez l'air d'avoir diablement peur !

— Oui, j'ai peur à présent, répondit-elle, parce que, si je reste, papa sera dans la détresse ; et comment puis-je supporter de le mettre dans la détresse quand il... quand il... Mr. Heathcliff, *laissez*-moi rentrer à la maison ! Je promets d'épouser Linton : papa en sera content, et j'aime Linton... pourquoi vouloir me forcer à faire ce que je ferai volontiers de moi-même ?

— Qu'il ose vous y forcer ! m'écriai-je. Il y a des lois dans ce pays, Dieu merci ! bien que nous soyons dans un coin perdu. Je le dénoncerais, quand bien même il serait mon propre fils, et c'est un cas de félonie sans privilège de clergie !

— Silence ! dit le gredin. Au diable vos clameurs ! Vous n'avez pas à parler. Miss Linton, ce sera pour moi une remarquable jouissance de penser que votre père est dans la détresse. Je n'en dormirai pas de satisfaction. Vous ne pouviez pas trouver de plus sûr moyen d'assurer votre séjour sous mon toit pour les prochaines vingt-quatre heures que de m'apprendre ce qu'il en résulterait. Quant à votre promesse d'épouser Linton, je prendrai soin que vous la teniez ; car vous ne quitterez pas cet endroit qu'elle ne soit accomplie.

— Alors, envoyez Ellen dire à papa que je suis sauve ! s'écria Catherine en pleurant amèrement. Ou mariez-moi à l'instant. Pauvre papa ! Ellen, il va nous croire perdues. Que faire ?

— Mais non ! Il croira que vous vous êtes lassées de le soigner et que vous vous êtes échappées pour aller vous amuser un brin, répondit Heathcliff. Vous ne pouvez nier que vous êtes entrée chez moi de votre plein gré, au mépris de ses injonctions. Et il est tout à fait naturel que vous désiriez vous amuser à votre âge, et que vous soyez fatiguée de soigner un malade, alors que ce malade n'est que votre père. Catherine, ses jours les plus heureux étaient terminés lorsque les vôtres ont commencé. Il vous a maudite, j'ose le dire, pour être venue au monde (c'est du moins ce que j'ai fait). Et il serait parfait qu'il vous maudît au moment où il en sortira lui-même. Je ferai chorus avec lui. Je ne vous aime pas ! Comment le pourrais-je ? Pleurez tant que vous voudrez. Autant que je puis voir, ce sera votre principal divertissement désormais ; à moins que Linton ne compense les autres pertes que vous subirez, comme votre prévoyant papa semble imaginer qu'il en est capable. Ses lettres de conseils et de consolations m'ont considérablement amusé. Dans la dernière, il recommandait à mon bijou d'être bien soigneux à l'égard du sien, et bon pour vous quand vous seriez à lui. Soigneux et bon, voilà qui est paternel. Mais Linton a besoin de toutes ses réserves de soin et de bonté pour lui-même. Il joue bien les petits tyrans. Il se chargera de torturer autant de chats que vous voudrez pourvu qu'on leur rogne les griffes et qu'on leur arrache les dents. Vous pourrez en raconter de belles à son oncle sur sa bonté quand vous rentrerez chez vous, je vous le promets.

— Vous avez raison en cela ! dis-je ; expliquez quel est le caractère de votre fils. Montrez en quoi il vous ressemble ; alors, j'espère que Miss Cathy y regardera à deux fois avant d'accepter le basilic !

— Je n'hésite guère à parler de ses aimables qualités à présent, répondit-il, parce qu'il faut ou qu'elle l'accepte ou qu'elle reste prisonnière, et vous avec elle, jusqu'à ce que votre maître meure. Je peux vous détenir ici toutes les deux, parfaitement cachées. Si vous en doutez, encouragez cette enfant à revenir sur sa promesse, et vous aurez l'occasion d'en juger !

— Je ne reviens pas sur ma promesse, dit Catherine. J'épouserai Linton sur l'heure si je puis aller ensuite au Manoir. Vous êtes un homme cruel, Mr. Heathcliff, mais vous n'êtes pas un démon ; et vous ne voudrez pas, par *pure* méchanceté, ruiner irrévocablement tout mon bonheur. Si mon papa pensait que je l'eusse quitté volontairement, et s'il mourait avant mon retour, pourrais-je supporter de vivre ? J'ai fini de pleurer ; mais je vais m'agenouiller ici, à vos pieds ; et je ne me relèverai pas ni ne détacherai les yeux de votre visage avant que vous me regardiez, vous aussi. Non, ne vous détournez pas ! Regardez-moi ! Vous ne verrez rien qui puisse vous provoquer. Je ne vous hais pas. Je ne suis pas irritée que vous m'ayez frappée. N'avez-vous donc aimé *personne* de toute votre vie, mon oncle ? *Jamais ?* Ah ! il faut que vous m'accordiez un regard… je suis si malheureuse… vous ne pourrez pas vous empêcher d'en être fâché pour moi et de me prendre en pitié.

— Retirez ces pattes de salamandre et écartez-vous ou je vous lance une ruade ! cria Heathcliff en la repoussant brutalement. J'aimerais mieux être enlacé par un serpent.

Comment diable pouvez-vous songer à faire le chien couchant devant moi ? Je vous *déteste !* »

Il haussa les épaules, se secoua comme s'il frissonnait vraiment d'aversion, et recula sa chaise, tandis que je me levais et que j'ouvrais la bouche pour déverser sur lui un torrent d'injures ; mais je fus réduite au mutisme au milieu de la première phrase par la menace d'être enfermée toute seule dans une chambre à la prochaine syllabe que je prononcerais. Il commençait à faire sombre — nous entendîmes un bruit de voix à la porte du jardin. Notre hôte se précipita instantanément au-dehors : il avait toute sa tête, ce que nous n'avions point. Il eut un entretien de deux ou trois minutes, après quoi il revint seul.

« Je croyais que c'était votre cousin Hareton, dis-je à Catherine. Je voudrais bien qu'il arrivât : qui sait s'il ne prendrait pas notre parti.

— C'étaient trois domestiques envoyés du Manoir pour vous chercher, dit Heathcliff, qui m'avait entendue. Vous auriez dû ouvrir une fenêtre et appeler ; mais je jurerais que cette môme est bien aise que vous n'en ayez rien fait. Elle est heureuse d'être obligée de rester, j'en suis certain. »

Quand nous apprîmes quelle chance nous avions laissée échapper, nous donnâmes libre cours à notre chagrin ; et Heathcliff nous permit de nous lamenter jusqu'à neuf heures. Alors il nous enjoignit de monter, en traversant la cuisine, dans la chambre de Zillah ; et je chuchotai à ma compagne d'obéir : peut-être pourrions-nous parvenir, une fois là, à passer par la fenêtre, ou à gagner un grenier, d'où nous sortirions par une lucarne. Mais la fenêtre était aussi étroite que celles d'en bas, et la trappe du grenier à l'abri de nos tentatives ; car nous nous trouvâmes enfermées à clef comme devant. Nous ne nous couchâmes ni l'une ni l'autre : Catherine se posta près de la fenêtre et guetta anxieusement le jour, un profond soupir étant la seule réponse que je pus obtenir aux fréquentes supplications que je lui fis pour qu'elle essayât de se reposer. Je m'assis moi-même sur une chaise et me balançai de-ci de-là en portant un jugement sévère sur mes nombreux manquements au devoir, dont, comme l'idée m'en frappa, venaient tous les malheurs de chacun de mes maîtres. En réalité, ce n'était pas le cas, je m'en rends compte à présent, mais je me le figurais pendant cette affreuse nuit, et Heathcliff lui-même me semblait moins coupable que moi.

A sept heures il vint demander si Miss Linton était levée. Elle courut immédiatement à la porte et répondit: « Oui. — Venez alors », dit-il en ouvrant, et il l'attira au-dehors. Je me levai pour les suivre, mais il tourna de nouveau la clef. Je demandai à être relâchée.

« Soyez patiente, répondit-il. Je vous enverrai à déjeuner dans un moment. »

Je frappai du poing le battant de la porte et secouai le loquet avec colère. Catherine demanda pourquoi je restais enfermée. Il répondit qu'il me fallait supporter cela pendant deux ou trois heures; enfin, j'entendis un pas, qui n'était point celui de Heathcliff.

« J'vous apporte à manger, dit une voix. Ouvrez! »

J'obéis avec empressement, et je vis Hareton, chargé d'assez de nourriture pour toute une journée.

« Prenez ça, dit-il encore en me poussant le plateau dans la main.

— Restez une minute, commençai-je.

— Non! » cria-t-il; et il se retira, sans prêter attention aux prières que je prodiguais pour le retenir.

Je restai enfermée là toute la journée et toute la nuit qui suivit; puis une autre, et une autre encore. Je restai cinq nuits et quatre jours en tout, sans voir personne d'autre que Hareton, une fois chaque matin; et c'était le modèle des geôliers: maussade, muet et sourd à toute tentative pour émouvoir ses sentiments de justice ou de compassion.

XXVIII

Le matin, ou plutôt l'après-midi du cinquième jour, un pas différent s'approcha — plus léger et plus bref; et cette fois on entra dans la chambre. C'était Zillah; enroulée dans son châle écarlate, un chapeau de soie noire sur la tête, et un panier d'osier suspendu à son bras.

« Ah ! mon Dieu, Mrs. Dean ! s'écria-t-elle. Eh bien ! Tout Gimmerton parle de vous. J'ai toujours cru que vous aviez péri dans le marais du Cheval noir, et la petite demoiselle avec vous, jusqu'au moment où le maître m'a dit qu'on vous avait trouvées et qu'il vous avait logées ici ! Pour sûr, vous avez dû grimper sur un îlot ? Combien de temps êtes-vous restées dans le trou ? Est-ce le maître qui vous a sauvées, Mrs. Dean ? Mais vous n'êtes pas tant maigrie que ça — vous n'avez pas trop souffert, n'est-ce pas ?

— Votre maître est une vraie canaille ! répondis-je. Mais il devra répondre de ce qu'il a fait. Il n'avait pas besoin d'inventer cette histoire : tout sera dévoilé !

— Que voulez-vous dire ? demanda Zillah. L'histoire ne vient pas de lui. On raconte au village comme quoi vous vous êtes perdues dans le marais; et j'ai dit à Earnshaw en rentrant : « Eh bien ! il s'en est passé de drôles de choses, Mr. Hareton, depuis que je suis partie. C'est grande pitié rapport à cette belle jeune fille et à cette bonne Nelly Dean. » Il a ouvert de grands yeux. Je me suis dit qu'il n'avait entendu parler de rien et je lui ai rapporté le bruit qui courait. Le maître a écouté et puis il a souri à part lui et il a dit : « Si elles ont été dans le marais, elles en sont sorties à présent, Zillah. Nelly Dean est logée, à cette minute même, dans votre chambre. Vous pourrez lui dire de déguerpir quand vous monterez; voici la clef. L'eau du marais lui est montée à la tête, et elle voulait courir chez elle, toute hors d'elle-même, mais je l'ai retenue jusqu'à ce qu'elle eût repris sa raison. Vous pouvez lui dire d'aller tout de suite au Manoir, si elle est en état de le faire, et d'y annoncer de ma part que sa jeune maîtresse la suivra en temps voulu pour assister aux funérailles du Squire.

— Mr. Edgar n'est pas mort ? dis-je d'une voix entrecoupée. Oh ! Zillah, Zillah !

— Non, non; rasseyez-vous, ma bonne Mrs. Dean; vous êtes encore souffrante. Il n'est pas mort. Le Docteur

Kenneth lui donne un jour à vivre. Je l'ai rencontré en chemin et je l'ai interrogé. »

Au lieu de m'asseoir, je saisis mon manteau et me hâtai de descendre, puisque la voie était libre. En entrant dans la salle, je cherchai des yeux quelqu'un qui pût me renseigner sur Catherine. La pièce était inondée de soleil, et la porte grand ouverte, mais il n'y avait personne à portée. Comme j'hésitais à me mettre en route aussitôt ou à revenir sur mes pas pour chercher ma maîtresse, une légère toux attira mon attention vers le foyer. Linton était couché sur la banquette, seul occupant de la salle, suçant un bâton de sucre candi et suivant mes mouvements d'un regard apathique. « Où est Miss Catherine ? » demandai-je d'un ton sévère, supposant que je pourrais l'amener par intimidation à me donner des éclaircissements puisque je l'avais surpris là tout seul. Il continua à sucer son bâton comme un innocent.

« Est-elle partie ? repris-je.

— Non, répondit-il ; elle est en haut ; elle ne doit pas partir : nous ne la laisserons pas faire.

— Vous ne la laisserez pas faire, petit idiot ! m'écriai-je. Conduisez-moi immédiatement à sa chambre, ou je vous fais chanter de belle sorte.

— C'est papa qui vous ferait chanter de belle sorte si vous tentiez d'aller là-haut, répondit-il. Il dit que je ne dois pas être doux avec Catherine : elle est ma femme, et c'est honteux à elle de vouloir me quitter ! Il dit aussi qu'elle me déteste, et qu'elle veut que je meure, pour avoir tout mon argent ; mais elle ne l'aura pas, et elle ne retournera pas chez elle ! Elle n'y retournera jamais ! — elle peut pleurer et se rendre malade tant qu'elle voudra ! »

Il reprit sa première occupation, fermant les paupières comme s'il avait l'intention de dormir.

« Maître Heathcliff, repris-je, avez-vous oublié toutes les bontés que Catherine a eues pour vous l'hiver dernier, quand vous affirmiez que vous l'aimiez, et qu'elle vous apportait des livres, et qu'elle vous chantait des chansons, et qu'elle venait vous voir mainte et mainte fois à travers vent et neige ? Si elle manquait de venir un soir, elle pleurait à la pensée que vous seriez déçu ; vous sentiez alors qu'elle était cent fois trop bonne pour vous ; et maintenant, vous croyez les mensonges que votre père vous conte, bien que vous sachiez qu'il vous déteste tous les deux ! Vous vous liguez avec lui contre elle. Voilà de belle reconnaissance, n'est-il pas vrai ? »

Les coins de sa bouche s'abaissèrent et il retira le sucre candi de ses lèvres.

« Est-elle venue à Hurlevent parce qu'elle vous détestait ? continuai-je. Réfléchissez ! Quant à votre argent, elle ne sait même pas que vous en aurez. Et puis vous dites qu'elle est malade, et vous la laissez seule là-haut dans une maison étrangère. *Vous*, qui avez éprouvé ce que c'est que d'être négligé par les autres ! Vous avez pris en pitié vos propres souffrances, et elle aussi, mais vous ne vous souciez pas de prendre en pitié les siennes ! Je verse des larmes, Maître Heathcliff, vous le voyez — moi qui suis une femme mûre et une simple servante — et vous, après avoir feint tant d'affection pour elle, et alors que vous auriez lieu de l'adorer, pour ainsi dire, vous gardez toutes vos larmes pour vous-même en vous prélassant sur cette banquette. Ah ! vous êtes un égoïste et un sans-cœur !

— Je ne peux pas rester avec elle, répondit-il avec humeur. Je préfère rester seul. Elle pleure tant que je ne peux pas le supporter. Et elle refuse de s'arrêter, même si je lui dis que je vais appeler mon père. Je l'ai appelé une fois, et il l'a menacée de l'étrangler si elle ne se tenait pas tranquille ; mais elle a recommencé, dès qu'il a quitté la chambre, pour gémir et se lamenter tout le long de la nuit, bien que je criasse d'énervement de ne pouvoir dormir.

— Mr. Heathcliff est-il sorti ? demandai-je, me rendant compte que cette misérable créature était incapable de compatir aux tortures mentales de sa cousine.

— Il est dans la cour, répondit-il, en train de parler avec le Docteur Kenneth qui assure que mon oncle, cette fois, est vraiment en train de mourir. J'en suis content, car je serai le maître du Manoir après lui — et Catherine en a toujours parlé comme de sa maison à elle. Le Manoir n'est pas à elle, mais à moi. Papa dit que tout ce qui est à elle est à moi. Tous ses beaux livres sont à moi ; elle m'a offert de me les donner, ainsi que ses jolis oiseaux et son poney Minny, si je me procurais la clef de notre chambre et la laissais sortir ; mais je lui ai dit qu'elle n'avait rien à donner, que tout, tout était à moi. Alors elle s'est mise à pleurer, et elle a dégrafé un petit médaillon qu'elle portait au cou en disant qu'elle me le donnerait ; ce sont deux miniatures dans un boîtier d'or : d'un côté sa mère, et de l'autre mon oncle quand ils étaient jeunes. C'est hier que ça s'est passé. Je lui ai dit que les portraits étaient à moi, eux aussi ; et j'ai essayé de les lui prendre. La méchante n'a pas voulu : elle m'a repoussé et elle m'a fait mal. J'ai crié — cela lui fait peur — elle a entendu papa venir, alors elle a brisé la charnière, partagé le boîtier, et elle m'a donné le portrait de sa mère en essayant de cacher l'autre ; mais papa a demandé ce qui se passait et je lui ai expliqué. Il a pris le portrait que j'avais, et ordonné à Catherine de me donner le sien ; elle a refusé, et il... il l'a jetée à terre ; puis il a arraché le médaillon de la chaîne et il l'a écrasé du pied.

— Et cela vous a plu de la voir brutaliser ? demandai-je, ayant mes raisons pour l'encourager à parler.

— J'ai fermé les yeux, répondit-il. Je ferme les yeux quand je vois mon père frapper un chien ou un cheval — il frappe si dur. Pourtant j'ai été content tout d'abord : elle méritait d'être punie pour m'avoir repoussé ; mais quand papa a été parti, elle m'a fait venir à la fenêtre et elle m'a montré sa joue coupée en dedans, contre ses dents, et sa bouche pleine de sang ; ensuite elle a ramassé les morceaux du portrait et elle est allée s'asseoir le visage contre le mur et elle ne m'a plus parlé depuis lors — quelquefois je me dis que c'est la douleur qui l'en empêche ; et je n'aime pas à me dire cela ! Mais quelle vilaine fille elle fait à pleurer continuellement ; et elle a l'air si pâle et si égarée qu'elle me fait peur !

— Et vous pourriez vous procurer la clef si vous le vouliez ? demandai-je.

— Oui, quand je suis en haut, répondit-il ; mais je ne puis pas monter maintenant.

— Dans quelle chambre est-elle ? demandai-je.

— Oh ! cria-t-il, je ne vous dirai pas où elle est ! C'est notre secret. Personne, pas même Hareton ou Zillah, ne doit savoir. Mais vous m'avez fatigué — allez-vous-en, allez-vous-en ! »

Et appuyant son visage sur son bras, il ferma de nouveau les yeux.

Je considérai qu'il valait mieux partir sans voir Mr. Heathcliff ; et revenir du Manoir en force pour délivrer ma jeune maîtresse. Quand j'atteignis la maison, l'étonnement de mes compagnons de service, et aussi leur joie, furent intenses ; et lorsqu'ils apprirent que leur petite demoiselle était sauve, deux ou trois d'entre eux furent sur le point de courir crier les nouvelles à la porte de Mr. Edgar ; mais je voulus les lui annoncer moi-même. Comme je le trouvai changé après ces quelques jours ! Il reposait, image de la tristesse et de la résignation, attendant la mort. Il avait l'air très jeune : bien qu'il eût en vérité trente-neuf ans, on lui en aurait donné aisément dix de moins. Il pensait à Catherine, car il murmura son nom. Je lui touchai la main et me mis à parler.

« Catherine va venir, mon cher maître, chuchotai-je ; elle est en vie et bien portante ; j'espère qu'elle sera là ce soir. »

Je tremblais aux premiers effets de cette nouvelle : il se redressa à demi, jeta un regard ardent autour de la chambre, puis tomba évanoui. Dès qu'il eut repris connaissance, je lui relatai notre visite forcée et notre détention à Hurlevent. Je lui dis que Heathcliff m'avait contrainte à entrer, ce qui n'était pas tout à fait vrai. Je parlai aussi peu que possible au détriment de Linton et je ne révélai pas tout de la brutale conduite de son père — mon intention étant de n'ajouter aucune amertume, s'il se pouvait, à la coupe déjà débordante de mon maître.

Il devina que l'un des buts de son ennemi était d'assurer à son fils, ou plutôt de s'assurer à soi-même, la fortune et le domaine ; mais la raison pour laquelle Heathcliff n'attendait pas sa mort était une énigme pour lui, parce qu'il ignorait combien il s'en fallait de peu que son neveu et lui ne quittassent le monde ensemble. Il sentit cependant qu'il ferait mieux de modifier son testament :

au lieu de laisser à Catherine la libre disposition de sa fortune, il résolut de la placer aux mains de fidéi-commissaires afin que l'usufruit lui en revînt pendant sa vie, puis revînt à ses enfants, si elle en avait, après elle. Par ce moyen, ses biens ne pourraient pas échoir à Heathcliff au cas où Linton mourrait.

Ayant reçu ses ordres, je dépêchai un homme pour aller quérir l'avoué, et quatre autres, armés en conséquence, pour réclamer ma jeune maîtresse à son geôlier. Les deux corps de mission tardèrent beaucoup à revenir. C'est le serviteur isolé qui réapparut le premier. Il déclara qu'en arrivant chez Mr. Green, l'homme de loi, il l'avait trouvé sorti, et qu'il avait dû attendre deux heures avant qu'il ne rentrât; que Mr. Green lui avait dit alors qu'il avait une petite affaire urgente à régler au village, mais qu'il serait au Manoir avant le matin. Les quatre hommes, eux aussi, revinrent seuls. Ils apportaient la nouvelle que Catherine était malade, trop malade pour quitter sa chambre, et que Heathcliff ne leur avait pas permis de la voir. Je rabrouai vivement ces nigauds pour s'être laissé conter cette histoire, que je ne voulus point rapporter à mon maître; décidant d'emmener à l'aube toute une escouade à Hurlevent et de prendre littéralement la maison d'assaut si l'on ne nous délivrait pas de bon gré la prisonnière. « Son père *la verra,* me répétai-je, j'en fais et j'en refais le serment, quand bien même ce démon devrait être tué sur le seuil de sa porte s'il tente de s'y opposer ! »

Heureusement, cette expédition et cette peine me furent épargnées. J'étais descendue à trois heures chercher une cruche d'eau; et je traversais le vestibule en la tenant à la main, quand un coup nettement frappé à la porte d'entrée me fit sursauter. « Oh, c'est Green, me dis-je en me ressaisissant, ce n'est que Green », et je continuai mon chemin avec l'intention d'envoyer quelqu'un d'autre lui ouvrir; mais le coup reprit, insistant quoique pas très fort. Je posai la cruche sur la balustrade et me hâtai d'aller à la porte pour faire entrer moi-même le visiteur. La lune du temps de la moisson brillait avec éclat. Ce n'était pas l'avoué. Ma chère petite maîtresse me sauta au cou en sanglotant :

« Ellen, Ellen ! Est-ce que papa est vivant ?

— Oui ! criai-je ; oui, mon ange, il est vivant. Dieu merci, vous voilà sauve et revenue parmi nous ! »

Elle voulait courir en haut, hors d'haleine comme elle était, à la chambre de Mr. Linton ; mais je la forçai à s'asseoir, et la fis boire, et lavai son visage livide, que je frottai avec mon tablier pour lui donner un peu de couleur. Puis je lui dis que je devais monter la première pour annoncer son arrivée ; l'implorant de prétendre qu'elle serait heureuse avec le jeune Heathcliff. Elle ouvrit de grands yeux, mais comprenant bientôt pourquoi je lui conseillais ce mensonge, elle m'assura qu'elle ne se plaindrait pas.

Je ne pus prendre sur moi d'assister à leur rencontre. Je restai un quart d'heure à la porte de la chambre, après quoi j'osai à peine m'aventurer près du lit. Tout était calme cependant : le désespoir de Catherine était aussi silencieux que la joie de son père. Elle le soutenait avec une sérénité apparente, et lui tenait fixés sur les traits de sa fille ses yeux levés, qui semblaient dilatés par l'extase.

Il mourut dans la félicité, Mr. Lockwood ; car c'est ainsi qu'il mourut. Lui baisant la joue, il murmura :

« Je vais la rejoindre ; et toi, mon enfant chérie, tu viendras nous retrouver. »

Ensuite il ne remua plus ni ne parla ; continuant de fixer sur elle le même regard ravi et lumineux jusqu'au moment où, insensiblement, son pouls s'arrêta et son âme s'envola. Personne n'aurait pu dire la minute exacte de sa mort, tant elle fut dénuée de toute lutte.

Soit que Catherine eût épuisé ses larmes, soit que son chagrin fût trop accablant pour leur permettre de couler, elle resta assise là, les yeux secs, jusqu'au lever du soleil : elle resta jusqu'à midi, et elle fût demeurée plus longtemps à ruminer ses pensées auprès de ce lit de mort, mais j'insistai pour qu'elle s'en allât prendre un peu de repos. Il était heureux que je l'en eusse persuadée, car l'homme de loi parut à l'heure du dîner après être allé s'enquérir à Hurlevent de la conduite à tenir. Il s'était vendu à Mr. Heathcliff, c'était la cause de son retard à obéir à l'appel de mon maître. Par bonheur, aucun souci des affaires de ce monde n'était venu troubler l'esprit de ce dernier après l'arrivée de sa fille.

Mr. Green prit sur lui de tout régler et de commander à tout le monde dans la maison. Il congédia tous les domestiques sauf moi. Il aurait poussé le pouvoir qui lui avait été délégué jusqu'à insister pour qu'Edgar Linton ne fût pas enterré à côté de sa femme, mais dans la chapelle, avec sa famille. Il y avait toutefois le testament pour faire obstacle à cela, et les protestations que j'élevai à grands cris contre toute infraction à ses clauses. On hâta les funérailles ; Catherine, à présent Mrs. Linton Heathcliff, fut autorisée à rester au Manoir jusqu'à ce que la dépouille de son père l'eût quittée.

Elle me dit que son angoisse avait enfin décidé Linton à courir le risque de la libérer. Elle entendit les hommes que j'avais envoyés discuter à la porte, et elle saisit le sens de la réponse que leur fit Heathcliff. Cela la poussa à bout. Elle terrifia Linton, qui avait été porté au petit salon d'en haut peu après mon départ, et le persuada d'aller chercher la clef avant que son père remontât. Il eut la ruse de déverrouiller et de reverrouiller la porte sans la fermer ; et quand le moment vint pour lui d'aller se coucher, il demanda à dormir avec Hareton, ce qui, pour une fois, lui fut accordé. Catherine se glissa au-dehors avant l'aube. Elle n'osa pas essayer les portes, de peur que les chiens ne donnassent l'alarme ; elle visita les chambres inoccupées et examina les fenêtres ; et heureusement, tombant sur celle de sa mère, elle sortit aisément par le châssis, et atteignit le sol en s'aidant du sapin tout proche. Son complice eut à pâtir de la part qu'il avait prise à l'évasion, en dépit de ses subterfuges craintifs.

XXIX

Le soir des funérailles, ma jeune maîtresse et moi étions assises dans la bibliothèque, tantôt rêvant avec tristesse — l'une de nous avec désespoir — à notre deuil, tantôt hasardant des conjectures sur le sombre avenir.

Nous venions de tomber d'accord que le meilleur sort qui pût attendre Catherine serait qu'elle eût la permission de continuer à habiter le Manoir, au moins durant la vie de Linton, celui-ci venant la rejoindre et moi demeurant comme intendante. Cet arrangement semblait trop favorable, à vrai dire, pour pouvoir être espéré; et pourtant je l'espérais, et commençais à reprendre courage à l'idée de garder mon toit et mon emploi et, par-dessus tout, ma jeune maîtresse bien-aimée, quand un domestique — l'un de ceux qu'on avait congédiés, mais qui n'était pas encore parti — entra précipitamment et annonça que « ce démon de Heathcliff » traversait la cour: devait-il lui fermer la porte au nez?

Quand nous aurions été assez folles pour donner pareil ordre, nous n'en eûmes pas le temps. Il passa outre à la cérémonie de frapper ou de s'annoncer: il était le maître et il se prévalut du privilège du maître pour entrer tout droit, sans mot dire. La voix du domestique qui nous avait prévenues le conduisit vers la bibliothèque; il entra et, lui faisant signe de sortir, ferma la porte.

C'était la même pièce que celle où il avait été introduit comme un hôte dix-huit ans auparavant; la même lune brillait par la fenêtre; et le même paysage d'automne s'étendait au-dehors. Nous n'avions pas encore allumé une bougie, mais toute la salle était visible, même les portraits au mur — la splendide tête de Mrs. Linton et le gracieux visage de son mari. Heathcliff s'avança vers la cheminée. Le temps n'avait guère changé non plus sa personne. C'était le même homme: son visage sombre un peu plus plombé et plus composé, sa charpente un peu plus lourde, peut-être, de quelques livres, voilà tout.

Catherine s'était levée, esquissant à sa vue un geste instinctif pour s'élancer au-dehors.

« Arrêtez ! dit-il en la retenant par le bras. Plus de fuites ! Où iriez-vous ? Je suis venu pour vous ramener à la maison ; j'espère que vous serez une fille soumise et que vous n'encouragerez pas mon fils à désobéir de nouveau. J'ai été embarrassé pour le punir quand j'ai découvert quelle part il avait prise à votre évasion : c'est un tel fil de la vierge qu'un pinçon l'anéantirait ; mais vous verrez à sa mine qu'il a reçu son dû ! Je l'ai fait descendre un soir, avant-hier, je l'ai simplement campé sur une chaise et je ne l'ai plus touché. J'ai renvoyé Hareton et nous sommes restés seuls dans la chambre. Deux heures plus tard, j'ai appelé Joseph pour qu'il le remontât ; depuis lors ma présence fait autant d'impression sur ses nerfs qu'un fantôme, et j'ai idée qu'il me voit souvent, même quand je ne suis pas près de lui. Hareton dit qu'il se réveille et qu'il crie dans la nuit pendant des heures et qu'il vous appelle pour le protéger contre moi ; que vous aimiez ou non votre précieux conjoint, il faut que vous veniez : c'est votre affaire à présent ; je vous abandonne tout l'intérêt que je lui porte.

— Pourquoi ne pas laisser Catherine ici, plaidai-je, en lui envoyant Maître Linton ? Étant donné que vous les détestez tous les deux, ils ne vous manqueront pas : ils ne peuvent qu'être un fléau de tous les jours pour votre cœur dénaturé.

— Je cherche un locataire pour le Manoir, répondit-il, et je veux certainement avoir mes enfants près de moi — d'ailleurs cette fille me doit ses services en échange de son pain ; je ne vais pas l'entretenir dans l'oisiveté et le luxe quand Linton ne sera plus là. Faites vite et préparez-vous. Ne m'obligez pas à vous contraindre.

— Je viendrai, dit Catherine. Linton est tout ce que j'ai à aimer au monde, et bien que vous ayez fait tout ce que vous pouviez pour le rendre haïssable à mes yeux et me rendre haïssable aux siens, vous ne *pouvez pas* nous forcer à nous haïr ! Et je vous défie de lui faire du mal en ma présence, et je vous défie de me faire peur.

— Vous parlez en champion plein de superbe, répondit Heathcliff ; mais je ne vous aime pas assez pour lui faire du mal : vous aurez tout le bénéfice du tourment, jusqu'à la fin. Ce n'est pas moi qui vous le ferai détester, c'est l'exquise nature dont il est doué. Votre désertion et ses conséquences l'ont rendu amer comme fiel ; n'attendez pas de remerciements pour ce noble dévouement. Je l'ai entendu tracer à Zillah un plaisant tableau de ce qu'il ferait s'il était aussi fort que moi : le penchant est là, et sa faiblesse même lui aiguisera l'esprit pour trouver de quoi suppléer à la force.

— Je sais qu'il a une mauvaise nature, dit Catherine : c'est votre fils. Mais je suis heureuse d'en avoir une meilleure, pour lui pardonner ; et puis je sais qu'il m'aime et c'est pour cela que je l'aime. *Vous*, Mr. Heathcliff, vous n'avez *personne* pour vous aimer ; et quelque misérables que vous nous rendiez, nous aurons toujours cette revanche de penser que votre cruauté vient de votre propre misère, qui est plus grande encore. N'est-il pas vrai que vous êtes misérable ? Solitaire comme le démon, et envieux comme lui ? *Personne* ne vous aime, *personne* ne pleurera quand vous mourrez ! Je ne voudrais pas être à votre place ! »

Catherine parlait avec une sorte de triomphe morne. Elle semblait s'être résolue à entrer dans l'esprit de sa future famille et à prendre plaisir aux chagrins de ses ennemis.

« Vous regretterez d'être à votre propre place, dit son beau-père, si vous restez ici une minute de plus. Allez-vous-en, sorcière, et faites vos paquets. »

Elle sortit avec une expression de dédain. En son absence, je me mis à postuler la place de Zillah à Hurlevent, en offrant de lui céder la mienne ; mais il ne le voulut à aucun prix : il m'ordonna de me taire. Puis, pour la première fois, il s'accorda le loisir de jeter un regard autour de la chambre et un coup d'œil sur les portraits. Après avoir étudié celui de Mrs. Linton, il dit :

« Je prendrai cela chez moi. Non que j'en aie besoin, mais... »

Il se tourna brusquement vers le feu, et continua avec

ce que, faute d'un meilleur mot, je suis contrainte d'appeler un sourire :

« Je vais vous dire ce que j'ai fait hier ! J'ai ordonné au fossoyeur qui creusait la tombe de Linton d'enlever la terre du couvercle de son cercueil à elle, et je l'ai ouvert. J'ai cru d'abord que j'allais rester là quand j'ai revu son visage — c'est toujours son visage — l'homme a eu beaucoup de mal à me faire bouger ; mais il m'a dit que ce visage s'altérerait sous l'effet de l'air, alors j'ai décloué un des côtés du cercueil, que j'ai recouvert ensuite : pas le côté de Linton, Dieu le damne ! je voudrais, quant à lui, qu'il eût été soudé dans un cercueil de plomb — puis j'ai soudoyé le fossoyeur pour qu'il retire la planche quand je serai couché là et qu'il fasse la même chose au mien, que je ferai fabriquer en conséquence, et quand l'esprit de Linton viendra nous rejoindre, il ne pourra plus s'y reconnaître !

— Quelle perversité, Mr. Heathcliff ! m'écriai-je. N'aviez-vous pas honte de troubler les morts ?

— Je n'ai dérangé personne, Nelly, répondit-il ; et je me suis donné à moi-même quelque apaisement. Je me sentirai bien mieux à présent ; et vous aurez plus de chances de me maintenir sous terre quand j'y serai. La déranger ? Non pas ! c'est elle qui m'a dérangé, nuit et jour, pendant dix-huit ans — incessamment — sans remords — jusqu'à la nuit dernière ; et la nuit dernière j'ai été tranquille. J'ai rêvé que je dormais de mon dernier sommeil à côté de cette dormeuse, mon cœur arrêté et ma joue glacée contre la sienne.

— Et si elle avait été réduite en poussière, ou pire encore, qu'auriez-vous rêvé ? demandai-je.

— Que je me réduisais en poussière avec elle et que j'étais plus heureux encore ! répondit-il. Supposez-vous que je redoute un changement de cette sorte ? Je m'attendais à pareille transformation en soulevant le couvercle, mais je préfère qu'elle ne commence pas avant que j'y participe. De plus, si je n'avais pas vu distinctement ses traits sans passion, mon étrange sentiment ne se serait guère dissipé. Il est né d'une façon bizarre. Vous savez que j'ai été comme fou après sa mort ; et que perpétuellement, de l'aube à l'aube, je priais pour qu'elle — pour que son esprit — revînt à moi. Je crois fermement aux fantômes : j'ai la conviction qu'ils peuvent exister, qu'ils existent, parmi nous ! Le jour qu'elle fut enterrée, il y eut une tombée de neige. Vers le soir, je suis allé au cimetière. Il faisait un vent glacial comme en hiver — tout était solitaire alentour ; je ne craignais pas que son imbécile de mari n'errât dans le vallon à une heure aussi tardive ; et personne d'autre n'avait à faire là. Étant seul, et sachant que deux pieds de terre meuble étaient la seule barrière qui nous séparât, je me suis dis : « Je veux la prendre une fois encore dans mes bras ! Si elle est froide, je me dirai que c'est moi qui suis glacé par le vent du nord ; si elle est immobile, qu'elle dort. » J'ai pris une bêche dans la cabane à outils et me suis mis à creuser de toutes mes forces — raclant bientôt le cercueil ; alors j'ai travaillé avec mes mains ; le bois a commencé à craquer près des vis, j'étais sur le point d'atteindre mon but, quand il m'a semblé entendre le soupir de quelqu'un qui aurait été au-dessus de moi, près du bord de la tombe, et qui se serait penché. « Si je peux seulement enlever cela, murmurai-je, je souhaite qu'on nous recouvre de terre tous les deux ! » et j'ai travaillé avec une fureur redoublée. Il y a eu un autre soupir, tout près de mon oreille. Il m'a semblé sentir son souffle chaud, qui déplaçait le vent chargé de grésil. Je savais qu'il n'y avait là aucun vivant de chair et d'os ; mais aussi certainement que l'on perçoit l'approche d'un corps matériel dans le noir sans qu'on puisse le discerner, j'ai senti que Cathy était là : pas au-dessous de moi, mais sur la terre. Une sensation de soulagement a jailli soudain de mon cœur et inondé tous mes membres. J'ai abandonné mon labeur angoissé, tout à coup consolé, indiciblement consolé. Sa présence était avec moi : elle est restée pendant que je comblais la tombe, et elle m'a accompagnée à la maison. Vous pouvez rire si vous voulez, mais j'étais sûr de la voir là. J'étais sûr qu'elle était avec moi, et je ne pouvais m'empêcher de lui parler. En atteignant Hurlevent, je me suis rué sur la porte. Elle était verrouillée ; et, je m'en souviens, ce maudit Earnshaw et ma femme ont voulu m'empêcher d'entrer. Je me rappelle que je me suis arrêté pour l'assommer, lui, à coups de pied, puis que j'ai couru en haut dans ma chambre, la *sienne*. Je regardais impatiemment autour de moi — je la sentais près de moi — je pouvais *presque* la voir, et pourtant je ne le *pouvais pas!* J'ai dû suer le sang alors dans l'angoisse de mon désir, dans la ferveur de mes supplications pour seulement l'apercevoir! Je ne l'ai pas aperçue. Elle s'est révélée, comme si souvent dans sa vie, un démon pour moi! Et depuis lors, tantôt plus tantôt moins, j'ai été le jouet de cette intolérable torture! De cette torture infernale, qui maintient mes nerfs tellement tendus que, s'ils n'étaient pas comme des boyaux de chat, ils se seraient relâchés depuis longtemps jusqu'à être aussi débiles que ceux de Linton. Quand j'étais assis dans la salle avec Hareton, il me semblait que, si je sortais, je la rencontrerais; quand je marchais sur la lande, que je la rencontrerais en rentrant. Quand je quittais la maison, je me hâtais d'y revenir: elle *devait* être quelque part à Hurlevent, j'en étais certain! Et quand je dormais dans sa chambre... j'en étais chassé... je n'ai pas pu rester couché là; dès que je fermais les yeux, elle était soit au-dehors à la fenêtre, soit en train de faire glisser les panneaux du lit, ou d'entrer dans la chambre, ou même d'appuyer sa tête chérie sur le même oreiller que dans son enfance. Et il fallait que j'ouvrisse les paupières pour regarder. Je les ouvrais et les fermais ainsi cent fois par nuit — pour être toujours déçu! C'était une torture! J'ai souvent gémi tout haut jusqu'à ce que cette vieille canaille de Joseph crût sans nul doute que ma conscience faisait la diablesse au-dedans de moi. Maintenant, depuis que je l'ai vue, je suis apaisé... un peu, tout au moins. C'était une étrange façon de donner la mort, non pas pouce par pouce, mais par fractions d'épaisseur de cheveu, que de me leurrer d'un fantôme d'espoir pendant dix-huit ans! »

Mr. Heathcliff s'arrêta et s'essuya le front, où la sueur collait ses cheveux; ses yeux étaient fixés sur les braises rouges du feu; ses sourcils non pas contractés, mais relevés vers les tempes, ce qui diminuait le caractère farouche de sa physionomie, tout en lui donnant une expression d'anxiété particulière et l'air d'avoir l'esprit péniblement tendu dans une préoccupation unique. Il ne s'adressait à moi qu'à demi, et je gardai le silence — je n'aimais pas à l'entendre parler ! Après une brève pause, il reprit sa méditation sur le portrait, le décrocha et l'appuya contre le sofa pour le contempler plus à son aise ; tandis qu'il était ainsi occupé, Cathy entra, annonçant qu'elle était prête pour peu que son poney fût sellé.

« Envoyez-moi cela demain », me dit Heathcliff.

Puis, se tournant vers elle, il ajouta :

« Vous pouvez vous passer de votre poney. La soirée est belle, et vous n'aurez pas besoin de poney à Hurlevent ; pour les courses que vous y ferez, vous vous servirez de vos jambes. Venez.

— Au revoir, Ellen ! murmura ma chère petite maîtresse, dont les lèvres, comme elle m'embrassait, me parurent de glace.

— Venez me voir, Ellen ; sans faute...

— Ayez soin de ne rien faire de tel, Mrs. Dean ! dit son nouveau père. Quand je désirerai vous parler, je viendrai ici. Je ne veux pas que vous veniez fureter chez moi ! »

Il lui fit signe de marcher devant ; et elle, se retournant pour me jeter un regard qui me fendit le cœur, obéit. Je les observai de la fenêtre tandis qu'ils traversaient le jardin. Heathcliff passa le bras de Catherine sous le sien, bien que, tout d'abord, elle protestât de façon manifeste ; et il l'entraîna à pas rapides dans l'allée, dont les arbres bientôt les cachèrent.

XXX

J'ai fait une visite à Hurlevent, mais je n'ai pas revu Catherine depuis qu'elle est partie : Joseph a retenu la porte pendant que je demandais à la voir et n'a pas voulu me laisser entrer. Il disait que Mrs. Linton était « oqueupée » et que le maître n'était pas là. Zillah m'a un peu raconté comment vont les choses, sans quoi je ne saurais pas qui, d'entre eux, est mort ou vif. Elle trouve Catherine hautaine et elle ne l'aime pas, à en juger par ses paroles. Ma jeune maîtresse lui a demandé quelques services à son arrivée; mais Mr. Heathcliff lui a dit de s'occuper de son propre travail et de laisser sa bru se débrouiller, et Zillah a volontiers acquiescé, égoïste et étroite d'esprit comme elle est. Catherine s'est montrée contrariée comme un enfant d'être ainsi négligée par elle, l'a payée en retour de dédain, et a enrôlé ainsi mon informatrice parmi ses ennemis, aussi sûrement que si elle lui avait causé un grand tort. J'ai eu une longue conversation avec Zillah voici environ six semaines, un peu avant votre arrivée, un jour que nous nous étions rencontrées sur la lande, et voici ce qu'elle m'a conté :

« La première chose qu'ait faite Mrs. Linton en arrivant à Hurlevent, me dit-elle, a été de courir en haut sans même nous souhaiter le bonsoir à moi et à Joseph ; elle s'est enfermée dans la chambre de Linton et elle y est restée jusqu'au matin. Puis, tandis que le maître et Earnshaw étaient à déjeuner, elle est entrée dans la salle et elle a demandé, toute tremblante, si l'on pouvait aller chercher le docteur : son cousin était très malade.

« Nous savons ça ! répondit Heathcliff, mais sa vie ne vaut pas un liard et je ne dépenserai pas un liard pour lui.

« — Mais je ne sais que faire, dit-elle ; et si personne ne veut m'aider, il va mourir !

« — Sortez de la chambre, cria le maître, et que je n'entende plus un mot à son sujet. Personne ici ne se soucie de ce qu'il lui advient. Si vous vous y intéressez, faites l'infirmière ; sinon, enfermez-le dans sa chambre et laissez-le. »

« Alors elle a commencé à me tracasser, et je lui ai répondu que je m'en étais assez vu avec cette harassante créature ; nous avions chacune notre tâche, et la sienne était de s'occuper de Linton : Mr. Heathcliff m'avait ordonné de lui laisser cette besogne-là.

« Comment se sont-ils arrangés ensemble, je ne saurais le dire. J'imagine qu'il s'est beaucoup agité, qu'il a gémi nuit et jour ; et elle n'avait guère de repos, on le devinait à son visage blême et à ses yeux lourds — elle entrait parfois à la cuisine tout égarée et elle avait l'air d'avoir bien envie de demander du secours ; mais je n'allais pas désobéir au maître : je n'ose jamais lui désobéir, Mrs. Dean, et j'avais beau penser qu'on avait tort de ne pas appeler Kenneth, ce n'était mon affaire ni de donner des conseils ni d'élever des plaintes ; et j'ai toujours refusé de m'en mêler. Une fois ou deux, après que nous étions allés nous coucher, il m'est arrivé de rouvrir ma porte et de la voir assise à pleurer en haut de l'escalier ; mais je rentrais vite dans ma chambre, de crainte de me laisser entraîner à intervenir. J'avais pitié d'elle, bien sûr, mais je ne voulais pas perdre ma place, vous comprenez !

« Enfin, une nuit, elle est entrée résolument dans ma chambre et elle m'a toute épouvantée en disant :

« — Prévenez Mr. Heathcliff que son fils est mourant... j'en suis sûre, cette fois-ci. Levez-vous instantanément, et allez le lui dire ! »

« Là-dessus, elle a disparu. Je suis restée un quart d'heure à écouter et à trembler. Rien ne bougeait — la maison était silencieuse.

« Elle s'est trompée, me suis-je dit. Il a passé la crise. Je n'ai pas besoin de les déranger. Et j'ai commencé à m'assoupir. Mais mon sommeil a été troublé une seconde fois par un violent coup de sonnette — la seule sonnette que nous ayons, on l'a installée exprès pour Linton ; et le maître m'a appelée pour m'ordonner d'aller voir ce qui se passait et de leur dire qu'il ne voulait pas que ce bruit se répétât.

« Je lui fis la commission de Catherine. Il poussa un juron, sortit quelques minutes plus tard avec une chandelle allumée, et gagna leur chambre. Je suivis. Mrs. Heathcliff était assise au chevet du lit, les mains croisées sur ses genoux. Son beau-père s'avança, éclaira le visage de son fils, le regarda et le toucha ; après quoi, il se tourna vers elle.

« — Eh bien ! Catherine, dit-il, comment vous sentez-vous ? »

« Elle resta muette.

« — Comment vous sentez-vous, Catherine ? répéta-t-il.

« — Il est en sûreté, et je suis libre, répondit-elle. Je devais me sentir bien ; mais, continua-t-elle avec une amertume qu'elle ne pouvait cacher, vous m'avez laissée si longtemps lutter seule avec la mort que je ne sens et ne vois que la mort ! Je me sens comme morte ! »

« Et elle en avait l'air aussi ! Je lui donnai un peu de vin. Hareton et Joseph, qui avaient été réveillés par le coup de sonnette et le bruit de pas, et qui nous avaient entendus parler du dehors, entrèrent à ce moment. Joseph était content, je crois, que le jeune garçon s'en fût allé ; Hareton semblait troublé un brin, quoiqu'il fût plus occupé à regarder Catherine qu'à penser à Linton. Mais le maître lui ordonna de se remettre au lit : nous n'avions pas besoin de son aide. Il fit ensuite porter le corps dans sa chambre par Joseph et me dit de retourner dans la mienne, et Mrs. Heathcliff resta seule.

« Au matin, il m'envoya lui dire qu'elle devait descendre déjeuner ; elle s'était déshabillée, elle semblait être sur le point de s'endormir, et elle répondit qu'elle était souffrante, ce qui ne me surprit guère. J'en informai Mr. Heathcliff, et il répondit :

« — Bon, laissez-la tranquille jusqu'aux obsèques ; montez de temps en temps lui donner le nécessaire ; et dès qu'elle paraîtra mieux, dites-le-moi. »

Cathy resta en haut quinze jours, selon Zillah qui allait la voir deux fois par jour, et qui aurait eu tendance à être plus amicale, mais dont les tentatives pour montrer plus de gentillesse furent repoussées promptement avec hauteur.

Heathcliff monta une fois pour lui montrer le testament de Linton. Celui-ci avait légué tous ses biens meubles — naguère ceux de Catherine — à son père. Le pauvret y avait été amené par des menaces ou des cajoleries pendant la semaine qu'elle était restée absente lors de la mort de son père. Quant aux terres, étant mineur, il ne pouvait en disposer. Néanmoins, Mr. Heathcliff les avait réclamées, et il les gardait en vertu des droits de sa femme et des siens propres : je suppose que c'est légal ; en tout cas,

Catherine, sans argent et sans amis comme elle l'est, ne peut pas lui en disputer la possession.

« Personne, en dehors de moi, dit Zillah, ne s'est jamais approché de sa porte, excepté cette fois-là, et personne ne s'est enquis de quoi que ce soit à son sujet. La première fois qu'elle est descendue dans la salle, c'était un dimanche après-midi. Elle s'était écriée, quand je lui avais monté son dîner, qu'elle ne pouvait plus supporter de rester au froid ; et je lui ai dit que le maître allait au Manoir, et que ce n'était pas Earnshaw et moi qui allions l'empêcher, elle, de descendre ; de sorte que, dès qu'elle entendit le cheval de Heathcliff s'éloigner au trot, elle fit son apparition, vêtue de noir, et ses boucles blondes rejetées simplement derrière ses oreilles comme une quakeresse, car elle n'avait pas pu les démêler.

« Joseph et moi allions généralement à la chapelle le dimanche (l'église, vous le savez, n'a pas de ministre en ce moment, expliqua Mrs. Dean, et à Gimmerton on appelle le lieu de culte des méthodistes ou des baptistes, je ne sais ce qu'ils sont au juste, une chapelle). Joseph était parti, continua-t-elle, mais je jugeai bon de rester à la maison. Les jeunes ne s'en trouvent que mieux d'avoir quelqu'un de plus âgé pour les surveiller, et Hareton, malgré toute sa timidité, n'est pas un modèle de bonne conduite. Je lui dis que sa cousine allait vraisemblablement se tenir avec nous et qu'elle avait toujours été habituée à voir respecter le jour du Sabbat ; de sorte qu'il ferait aussi bien de laisser de côté ses fusils et son bricolage dans la maison. Il rougit à cette nouvelle, et jeta les yeux sur ses mains et ses vêtements. L'huile à graisser et la poudre de chasse disparurent en une minute. Je vis qu'il avait l'intention de tenir compagnie à sa cousine, et je devinai à ses manières qu'il voulait être présentable ; si bien que, riant comme je n'osais pas rire quand le maître était là, je lui offris de l'aider s'il voulait, le plaisantant sur sa confusion. Il devint sombre et se mit à jurer.

« Allons, Mrs. Dean, continua-t-elle, voyant que ses façons n'étaient pas de mon goût, vous pensez peut-être que votre jeune dame est trop délicate pour Mr. Hareton, et vous avez peut-être raison : mais je reconnais que j'aimerais bien rabaisser d'un cran son orgueil. Et à quoi lui serviront maintenant toute son instruction et tout son raffinement ? Elle est aussi pauvre que vous et moi : plus pauvre, je gage : vous épargnez et, moi aussi, j'amasse pareillement un petit bien. »

Hareton permit à Zillah de lui apporter son aide ; et ses flatteries le mirent de bonne humeur ; si bien que, lorsque Catherine survint, à demi oublieux des insultes qu'il avait subies de son fait, il essaya, au dire de la servante, de se rendre agréable.

« — Missis entra, dit-elle, froide comme un glaçon et hautaine comme une princesse. Je me levai et lui offris ma place dans le fauteuil. Mais non, elle fit grise mine à mes civilités. Earnshaw se leva aussi, la priant de se mettre sur la banquette, près du feu : il était sûr qu'elle grelottait.

« — Il y a un mois et plus que je grelotte », répondit-elle en appuyant sur le mot avec tout le dédain qu'elle put.

« Sur quoi elle prit une chaise pour elle-même, et la plaça à bonne distance de nous deux. Quand elle fut réchauffée, elle se mit à regarder autour d'elle et découvrit un certain nombre de livres sur le buffet ; elle se leva instantanément, se haussant pour les atteindre : mais ils étaient trop élevés pour elle. Son cousin, après avoir observé quelque temps ses tentatives, finit par rassembler assez de courage pour l'aider ; elle tendit sa robe et il la remplit avec les premiers livres qui lui tombèrent sous la main.

« C'était une grande avance de la part du jeune gars. Elle ne le remercia point : pourtant, il se sentit heureux qu'elle eût accepté son assistance, et il se risqua à rester derrière elle tandis qu'elle les examinait, voire à se pencher et à désigner ce qui frappait son imagination dans certaines vieilles images qui s'y trouvaient ; et il ne se laissait même pas démonter par l'impudence avec laquelle elle faisait glisser la page sous son doigt, se contentant de reculer un peu et de la regarder au lieu de regarder le livre. Elle continuait à lire ou à chercher quelque chose à lire. Peu à peu l'attention de Hareton se concentra toute dans l'étude de ses épaisses boucles soyeuses: il ne pouvait pas voir son visage, et elle ne pouvait pas le voir. Enfin, sans bien avoir conscience, peut-être, de ce qu'il faisait, mais attiré comme un enfant par une chandelle, il passa de la vue au toucher; il étendit la main et caressa une boucle, aussi doucement que si c'eût été un oiseau. Il aurait pu lui avoir plongé un couteau dans la nuque à voir la façon dont elle tressaillit.

« — Allez-vous-en à l'instant! Comment osez-vous me toucher? Que faites-vous là? s'écria-t-elle d'un ton de dégoût. Je ne puis pas vous souffrir! Je remonterai dans ma chambre si vous approchez. »

« Mr. Hareton battit en retraite d'un air aussi niais qu'il se pouvait: il s'assit sur la banquette, très silencieux, et elle continua à feuilleter ses volumes pendant une autre demi-heure; finalement, Earnshaw vint à moi et me chuchota:

« — Voulez-vous lui demander de nous faire la lecture, Zillah? J'en ai assez de ne rien faire, et j'aimerais... ça me plairait peut-être de l'entendre! Ne dites pas que c'est moi qui l'ai voulu, demandez-le comme de vous-même.

« — Mr. Hareton souhaiterait que vous nous fissiez la lecture, mâme, dis-je immédiatement; il vous en saurait beaucoup de gré — il vous en serait très obligé. »

« Elle fronça les sourcils; et, levant les yeux, répondit:

« — Mr. Hareton, et vous tous tant que vous êtes, serez assez bons pour comprendre que je rejette tous les semblants de bienveillance que vous avez l'hypocrisie de me témoigner! Je vous méprise et ne veux parler à aucun de vous! Quand j'aurais donné ma vie pour une parole de bonté, même pour la vue d'un de vos visages, vous vous êtes tous tenus à l'écart. Mais je ne me plaindrai pas à vous! J'ai été attirée ici par le froid, non par le désir de vous amuser ou de jouir de votre compagnie.

« — Qu'est-ce que j'aurais pu faire? commença Earnshaw. En quoi ai-je été à blâmer?

« — Oh! vous, vous êtes une exception, répondit Mrs. Heathcliff, je n'ai jamais eu besoin de *votre* sollicitude.

« — Mais j'ai offert plus d'une fois, j'ai demandé, dit-il, échauffé par son impudence, j'ai demandé à Mr. Heathcliff de me laisser veiller à votre place...

« — Taisez-vous ! J'irai dehors, n'importe où, plutôt que d'avoir votre voix désagréable dans les oreilles ! » dit ma maîtresse.

« Hareton marmonna qu'elle pouvait aller au diable, en ce qui le concernait ! Et, décrochant son fusil, il ne se priva pas plus longtemps de ses occupations du dimanche. Il parlait à présent, et non sans liberté, de sorte que, bientôt, elle jugea bon de regagner sa solitude ; mais le temps s'était mis au gel et, en dépit de son orgueil, elle fut forcée de condescendre à notre compagnie de plus en plus. J'ai pris soin, toutefois, qu'elle n'ait plus à faire fi de mon bon vouloir ; désormais j'ai été aussi roide qu'elle ; elle n'a personne parmi nous pour l'aimer ou lui faire la cour, ce qu'aussi bien elle ne mérite pas, car au moindre mot elle se rebiffe, sans respect pour qui que ce soit ! Elle s'en prend au maître lui-même et va jusqu'à le défier de la battre ; et plus elle se fait malmener, plus elle devient venimeuse. »

Tout d'abord, en entendant cette relation de Zillah, je résolus de quitter ma place, de prendre une petite maison et de décider Catherine à venir habiter avec moi : mais Mr. Heathcliff ne serait pas plus enclin à admettre cela qu'à installer Hareton dans une maison indépendante ; je ne vois pas de remède pour l'instant, à moins qu'elle ne se remarie ; et mener à bien pareil projet ne me semble pas être de mon ressort.

Ainsi se termina l'histoire de Mrs. Dean. En dépit des prévisions du docteur, je reprends rapidement des forces et, bien que nous soyons seulement dans la seconde quinzaine de janvier, je me propose de sortir à cheval dans un jour ou deux et d'aller jusqu'à Hurlevent pour informer mon propriétaire que je passerai à Londres les six mois prochains et que, si cela lui plaît, il peut chercher un autre locataire pour occuper les lieux après octobre — je ne voudrais passer un autre hiver ici pour rien au monde.

XXXI

Il a fait hier une claire journée froide et sereine. J'ai été à Hurlevent comme je me le proposais. Mrs. Dean m'a supplié de porter de sa part un petit billet à sa jeune maîtresse, et je n'ai pas refusé, car la digne femme n'avait pas conscience qu'il y eût rien d'étrange dans sa requête. La porte de devant était ouverte, mais la barrière était jalousement fermée, comme à ma dernière visite ; je frappai et je hélai Earnshaw d'entre ses carrés de légumes ; il enleva la chaîne et j'entrai. Le gaillard est un rustre d'aussi bonne mine qu'il se peut voir. Je l'ai examiné particulièrement cette fois-ci ; mais il fait de son mieux, apparemment, pour tirer de ses avantages le plus médiocre parti possible.

Je lui demandai si Mr. Heathcliff était chez lui. Il me répondit que non, mais qu'il serait rentré à l'heure du déjeuner. Il était onze heures ; j'annonçai mon intention d'entrer et de l'attendre, sur quoi il jeta immédiatement ses outils et m'accompagna, pour faire office de chien de garde et non pour suppléer à l'hôte absent.

Nous entrâmes ensemble ; Catherine était là, qui apportait sa contribution au ménage en préparant des légumes pour le prochain repas ; elle paraissait plus maussade et plus morne que la première fois que je l'avais vue. C'est à peine si elle leva les yeux pour me regarder, et elle poursuivit sa besogne avec le même mépris que devant des formes usuelles de la politesse ; ne répondant ni à mon salut ni à mon bonjour par le moindre signe.

« Elle n'a pas l'air aussi aimable que Mrs. Dean voudrait me le faire accroire, pensai-je. C'est une beauté, il est vrai, mais ce n'est pas un ange. »

Earnshaw lui enjoignit d'un ton bourru d'emporter ses ustensiles dans la cuisine. « Emportez-les vous-même », dit-elle, les écartant dès qu'elle eut fini, et se retirant sur un tabouret près de la fenêtre, où elle se mit à découper des silhouettes d'oiseaux et d'animaux dans les épluchures de navet qu'elle avait sur ses genoux. Je m'approchai d'elle sous prétexte de regarder le jardin, et laissai tomber adroitement — du moins me l'imaginai-je — le billet de Mrs. Dean sur son genou, à l'insu de Hareton; mais elle demanda à haute voix : « Qu'est-ce que cela ? » et l'envoya à terre.

« Une lettre de votre vieille connaissance, l'intendante du Manoir de la Grive », répondis-je, ennuyé qu'elle eût dévoilé mon geste obligeant et craignant qu'on n'allât penser que la missive venait de moi.

A cette information, elle aurait bien voulu ramasser le billet, mais Hareton fut plus rapide : il s'en saisit et le mit dans la poche de son gilet en disant que Mr. Heathcliff devait le voir en premier. Catherine détourna son visage en silence et tira très furtivement son mouchoir pour le porter à ses yeux ; sur quoi son cousin, après avoir lutté quelque temps pour refouler ses bons sentiments, ressortit la lettre et la jeta sur le sol à côté d'elle, d'aussi mauvaise grâce qu'il put. Catherine la prit et la parcourut avidement ; puis elle me posa quelques questions sur les habitants, doués de la parole ou non, de son ancienne demeure ; et regardant vers les collines, monologua dans un murmure :

« Comme j'aimerais à dévaler ce versant sur le dos de Minny ! Comme j'aimerais à monter là-haut... Oh ! je suis lasse... je suis *à bout,* Hareton ! »

Après quoi elle appuya de nouveau sa jolie tête contre le rebord de la fenêtre, avec un demi-bâillement et un demi-soupir, et tomba apparemment dans une tristesse absente sans se soucier de savoir si nous l'observions.

« Mrs. Heathcliff, dis-je après être resté assis quelque temps en silence, ne savez-vous pas que je vous connais ? Et si intimement qu'il me paraît étrange que vous ne veniez pas me parler ? Mon intendante ne se lasse pas de parler de vous et de vous louer ; et sa déception sera grande si je m'en retourne sans un message ou sans nouvelles de vous, si ce n'est que vous avez reçu sa lettre et n'avez rien dit ! »

Elle parut surprise de ce discours et demanda :

« Ellen vous a en amitié ?

— Oui, certes, répondis-je sans hésitation.

— Vous lui direz, continua-t-elle, que je voudrais bien répondre à sa lettre, mais que je n'ai rien pour écrire : pas même un livre où déchirer une page.

— Pas de livres ! m'écriai-je. Comment faites-vous pour vivre ici sans en avoir, si je puis me permettre de vous poser cette question ? Bien que j'aie une grande bibliothèque, je m'ennuie souvent au Manoir ; enlevez-moi mes livres, et je serais réduit au désespoir !

— J'étais toujours en train de lire quand j'en avais, dit Catherine ; mais Mr. Heathcliff ne lit jamais ; si bien qu'il s'est mis en tête de détruire mes livres. Je n'en ai pas vu un seul depuis des semaines. Une fois seulement, j'ai fouillé dans la provision de livres pieux de Joseph, à sa grande irritation ; et une autre fois, Hareton, je suis tombée sur un dépôt secret dans votre chambre... il y avait un peu de latin et de grec, et puis des contes et des livres de poèmes — tous de vieux amis — que j'avais apportés ici : vous les avez ramassés, comme une pie ramasse des cuillers d'argent, pour le simple plaisir de voler ! Ils ne vous servent à rien ; à moins que vous ne les ayez cachés dans la mauvaise pensée que, dès lors que vous ne pouviez pas en jouir, personne n'en jouirait non plus. Peut-être est-ce vous qui, par envie, avez conseillé à Mr. Heathcliff de me dépouiller de mes trésors ? Mais la plupart d'entre eux sont inscrits dans mon cerveau et imprimés dans mon cœur, et de ceux-là vous ne pouvez pas me priver ! »

Earnshaw devint cramoisi quand sa cousine révéla la façon dont il avait accumulé les livres par devers soi, et balbutia un démenti indigné.

« Mr. Hareton est désireux d'accroître son savoir, dis-je en venant à son secours. Ce n'est pas de l'envie, c'est de l'émulation que lui inspirent vos connaissances — il en saura long dans quelques années !

— Et il veut que je devienne dans l'intervalle une crétine, dit Catherine. Oui, je l'entends qui essaie d'épeler et de lire tout seul, et il commet de jolies bévues ! Je voudrais que vous lussiez *La Poursuite dans les Che-*

viots [1] comme vous l'avez fait hier : c'était extrêmement comique. Je vous ai entendu — comme je vous ai entendu feuilleter le dictionnaire pour chercher les mots difficiles, puis jurer parce que vous ne parveniez pas à lire leurs définitions ! »

Le jeune homme trouvait évidemment par trop injuste d'être raillé pour son ignorance, puis raillé derechef parce qu'il essayait d'y remédier. J'éprouvais un sentiment analogue, et me rappelant l'anecdote de Mrs. Dean sur sa première tentative pour éclairer les ténèbres où il avait été élevé, j'observai :

« Mais, Mrs. Heathcliff, nous avons tous eu nos débuts, nous avons tous chancelé et trébuché sur le seuil, et si nos maîtres nous avaient méprisés au lieu de nous aider, nous chancellerions et nous trébucherions encore aujourd'hui.

— Oh ! répondit-elle, je ne tiens pas à l'empêcher d'apprendre... mais il n'a pas le droit de s'approprier ce qui est mien, et de le rendre ridicule par ses erreurs grossières et ses fautes de prononciation ! Ces livres, aussi bien ceux en prose que ceux en vers, sont associés à des choses qui me les rendent sacrés, et j'ai horreur qu'ils soient avilis et profanés dans sa bouche ! Avec cela, il a choisi mes morceaux favoris entre tous, ceux que j'aime à relire, comme s'il le faisait exprès, par malice ! »

Pendant une minute, la poitrine de Hareton se souleva en silence : il luttait avec un douloureux sentiment d'humiliation et de colère qu'il avait grand-peine à refouler. Je me levai et, dans le dessein délicat de soulager son embarras, je me postai sur le pas de la porte, regardant la vue au-dehors. Il suivit mon exemple et quitta la pièce ; mais pour réapparaître bientôt, portant une demi-douzaine de volumes, qu'il jeta sur les genoux de Catherine en s'écriant :

1. *Chevy Chase,* ballade épique du XVe siècle qui célèbre la lutte entre Percy de Northumberland et Douglas d'Écosse. Hareton devait essayer de lire cela dans les *Reliques* de l'évêque Percy, un recueil du XVIIIe. *(N.d.T.)*

« Prenez-les ! Je ne veux plus jamais en entendre parler, ni les lire ni y penser !

— Je n'en veux plus, répondit-elle. Je les associerais à vous et je les détesterais. »

Elle en ouvrit un qui, manifestement, avait été souvent feuilleté, et en lut un passage du ton traînant d'un débutant; puis elle se mit à rire et le jeta de côté. « Écoutez », continua-t-elle d'un ton provocant; et elle commença à réciter de la même manière une vieille ballade.

Mais l'amour-propre de Hareton n'en pouvait endurer davantage : j'entendis, et sans le désapprouver entièrement, qu'il réduisait de la main au silence cette langue insolente. La petite peste avait fait tout ce qu'elle avait pu pour blesser les sentiments vulnérables quoique incultes de son cousin, et un argument physique était le seul moyen qu'il eût de balancer le compte et de rendre son dû à son bourreau. Ensuite il ramassa les livres et les jeta dans le feu. Je lus sur son visage quelle agonie lui coûtait ce sacrifice offert au dépit. Il me sembla, tandis qu'ils se consumaient, qu'il songeait au plaisir qu'ils lui avaient procuré ainsi qu'au triomphe et aux satisfactions sans cesse croissantes qu'il en avait attendu; et il me sembla aussi deviner ce qui l'avait poussé à entreprendre ses études secrètes. Il s'était contenté du labeur journalier et de grossiers plaisirs animaux jusqu'à ce que Catherine eût traversé son chemin. C'étaient la honte d'essuyer son mépris et l'espoir de recevoir son approbation qui l'avaient incité à aspirer plus haut; mais au lieu de le garder de l'un et de lui valoir l'autre, ses efforts pour s'élever avaient produit un résultat exactement contraire.

« Oui ; c'est tout le bien qu'une brute comme vous peut en retirer ! s'écria Catherine, suçant sa lèvre meurtrie et contemplant l'autodafé avec des yeux indignés.

— Vous feriez bien de vous taire maintenant ! » répondit-il farouchement.

Et son agitation l'empêchant d'en dire plus long, il s'avança vivement vers l'entrée, où je m'effaçai pour le laisser passer. Mais avant qu'il eût franchi le seuil, Mr. Heathcliff, qui remontait l'allée dallée, le croisa, et, lui mettant la main sur l'épaule, demanda :

« Qu'y a-t-il donc, mon garçon ?

— Rien, rien ! » dit-il en se sauvant pour aller savourer son chagrin et sa colère dans la solitude.

Heathcliff le suivit du regard et soupira.

« Il serait étrange que je contrarie moi-même mes desseins, murmura-t-il sans se rendre compte que j'étais derrière lui. Mais quand je cherche son père dans son visage, c'est *elle* que j'y trouve chaque jour davantage ! Comment diable lui ressemble-t-il tant ? Je puis à peine supporter sa vue. »

Il baissa les yeux à terre et entra d'un air pensif. Il y avait dans sa physionomie une expression inquiète et anxieuse que je n'y avais jamais remarquée ; et il semblait amaigri. Sa bru, quand elle l'aperçut par la fenêtre, se sauva immédiatement dans la cuisine, si bien que je restai seul.

« Je suis heureux de voir que vous avez quitté la chambre, Mr. Lockwood, dit-il en réponse à mon salut. En partie pour des motifs égoïstes : je ne crois pas que je pourrais suppléer facilement à votre perte dans ce désert. Je me suis demandé plus d'une fois ce qui vous avait amené ici.

— Un vain caprice, je le crains, monsieur, répondis-je ; à moins que ce ne soit un vain caprice qui m'en chasse. Je pars pour Londres la semaine prochaine ; et je dois vous avertir que je ne me sens pas disposé à garder le Manoir de la Grive au-delà des douze mois pour lesquels je l'ai loué. Je crois que je n'y habiterai plus.

— Oh vraiment ! vous êtes las d'être exilé loin du monde, n'est-ce pas ? dit-il. Mais si vous venez plaider pour obtenir une diminution de loyer parce que vous n'occuperez pas les lieux, vous vous êtes déplacé en pure perte : je ne renonce jamais à exiger mon dû, de qui que ce soit.

— Je ne viens plaider rien de pareil ! m'écriai-je, considérablement irrité. Si vous le désirez, je vais régler mes comptes avec vous sur-le-champ. »

Et je tirai mon portefeuille de ma poche.

« Non, non, répondit-il froidement ; vous laissez assez d'effets derrière vous pour couvrir vos dettes si vous manquez à revenir : je ne suis pas si pressé — asseyez-vous et dînez avec nous ; un hôte dont on est sûr qu'il ne répétera pas sa visite peut en général être bien accueilli. Catherine, le couvert ! Où êtes-vous ? »

Catherine reparut, portant un plateau chargé de couteaux et de fourchettes.

« Vous pouvez dîner avec Joseph, lui glissa Heathcliff à part, et rester à la cuisine jusqu'à ce qu'il soit parti. »

Elle obéit très ponctuellement à ses ordres : peut-être n'était-elle pas tentée de les transgresser. Vivant parmi des rustres et des misanthropes, elle est probablement incapable d'apprécier les gens d'une catégorie supérieure quand elle les rencontre.

Entre Mr. Heathcliff, maussade et taciturne, d'un côté, et Hareton, absolument muet, de l'autre, je fis un repas assez peu réjouissant et pris congé de bonne heure. J'aurais voulu sortir par-derrière pour jeter un dernier coup d'œil sur Catherine et taquiner le vieux Joseph, mais Hareton reçut l'ordre d'amener mon cheval, et mon hôte m'escorta lui-même à la porte, de sorte que je ne pus satisfaire mon désir.

« Comme la vie devient lugubre dans cette maison ! » me dis-je en chevauchant sur la route. Quel destin plus romanesque encore qu'un conte de fées c'eût été pour Mrs. Linton Heathcliff si nous nous étions attachés l'un à l'autre, comme sa bonne nourrice le souhaitait, et si nous avions émigré ensemble dans l'atmosphère stimulante de la ville !

XXXII

1802. Ce mois de septembre, je fus invité à dépeupler les landes d'un ami dans le Nord ; et, en faisant route vers sa demeure, je me trouvai sans m'y attendre à quinze milles de Gimmerton. Le palefrenier d'une auberge en bordure de route présentait un seau d'eau pour abreuver mes chevaux, quand une charrette d'avoine très verte, fraîchement moissonnée, vint à passer, et il remarqua :

« Sûr qu'y s'en viennent de Gimmerton. Y sont toujours en r'tard de trois semaines sur les aut' pour la moisson.

— Gimmerton ? répétai-je, mon séjour dans cette localité étant déjà devenu vague comme dans un rêve. Ah, je sais ! A quelle distance est-ce d'ici ?

— Quéqu'chose comme quatorze milles à travers les collines et par une mauvaise route », répondit-il.

Le désir soudain me prit de revoir le Manoir de la Grive. Il était à peine midi et je me dis qu'autant valait passer la nuit sous mon propre toit que dans une auberge. En outre, je pouvais bien prendre un jour pour régler mes affaires avec mon propriétaire, et m'épargner ainsi la peine de revenir dans les parages. Après m'être reposé un moment, j'ordonnai à mon domestique de s'enquérir du chemin qui menait au village ; et, au prix d'une grande fatigue pour nos montures, nous parvînmes à franchir la distance en quelque trois heures.

Je le laissai là et descendis seul dans la vallée. L'église grise paraissait plus grise et le cimetière solitaire plus solitaire. Je distinguai un mouton de la lande qui broutait l'herbe courte sur les tombes. Le temps était doux, chaud — trop chaud pour voyager ; mais la chaleur ne m'empêcha pas de jouir du délicieux paysage qui s'étendait au-dessus et au-dessous de moi : si nous avions été plus près d'août, je suis sûr que j'aurais été tenté de passer un mois parmi ces solitudes. En hiver, rien de plus lugubre, en été rien de plus divin, que ces vallons fermés par des collines et que ces renflements hardis, escarpés de la lande.

J'atteignis le Manoir avant le coucher du soleil, et je frappai à la porte ; mais la famille s'était retirée dans les pièces de derrière — comme j'en jugeai à la vue de la mince guirlande bleue qui montait en spirale de la fenêtre de la cuisine — et n'entendait pas. Je poussai mon cheval dans la cour. Sous le porche, une petite fille de neuf ou dix ans était assise à tricoter, et une vieille femme appuyée au montoir fumait une pipe méditative.

« Mrs. Dean est-elle là ? demandai-je à la commère.

— Mistress Dean ? Nenni ! répondit-elle. Al' n'habite point ici : al' loge là-haut, à Hurlevent.

— C'est donc vous qui êtes la gardienne ? demandai-je.

— Oui, c'est moué qui garde la maison, répondit-elle.

— Eh bien ! je suis Mr. Lockwood, le maître. Y a-t-il des pièces où je puisse loger, je me demande ? Je voudrais passer la nuit ici.

— L'maît' ! s'écria-t-elle tout étonnée. Vé ! Qui c'est qu'aurait dit qu'vous alliez v'nir ? Pourquoué qu'vous avez point envoyé un mot ? Y a point un coin sec ni prop' nulle part, non, y en a point ! »

Elle déposa sa pipe et entra tout affairée dans la maison ; la petite fille suivit et j'entrai aussi, pour constater bientôt qu'elle avait dit vrai et qu'au surplus je lui avais presque fait perdre la tête par mon apparition intempestive. Je lui dis de se tranquilliser : j'irais faire un tour et, pendant ce temps-là, elle tâcherait de me préparer un coin de salon pour y souper et une chambre pour y dormir. Inutile de balayer et d'épousseter, il ne me fallait que de bons feux et des draps secs. Elle parut disposée à faire de son mieux, bien qu'elle poussât la balayette, au lieu du tisonnier, dans les grilles du foyer, et qu'elle mésusât ainsi de plusieurs autres accessoires relevant de son état ; mais je me retirai, me fiant à son énergie pour trouver un lieu de repos à mon retour. Hurlevent était le but de la randonnée que je projetais. Une arrière-pensée me fit revenir sur mes pas après être sorti de la cour.

« Tout va bien à Hurlevent ? demandai-je à la femme.

— Ouais, pour c'que j'en sais », répondit-elle en déguerpissant avec un poêlon plein de braises.

J'aurais voulu lui demander pourquoi Mrs. Dean avait déserté le Manoir, mais il était impossible de la retenir dans un moment aussi critique, si bien que je tournai les talons et sortis, pour flâner paresseusement, avec la lueur du couchant derrière moi et, devant, le doux éclat du lever de la lune, celle-là s'affaiblissant, celui-ci grandissant, tandis que je quittais le parc et remontais le pierreux chemin écarté qui s'en allait vers la demeure de Mr. Heathcliff. Avant que j'arrivasse en vue de Hurlevent, tout ce qu'il restait de jour était une lueur ambrée à l'ouest : mais, par cette lune splendide, je pouvais voir chaque caillou du chemin et chaque brin d'herbe. Je n'eus ni à grimper par-dessus la barrière ni à frapper — elle céda sous ma main. « Voilà un progrès ! » pensai-je. Et j'en perçus un autre grâce à mes narines : un parfum de giroflées jaunes et de violiers qui s'en venait par les airs d'entre les rustiques arbres fruitiers.

Portes et fenêtres, tout était ouvert ; et cependant, comme c'est d'habitude le cas dans les régions charbonnières, un beau feu rouge illuminait la cheminée : la jouissance que l'œil en retire fait supporter l'excès de chaleur. Mais la salle à Hurlevent est si vaste qu'on y a largement la place de se soustraire à cette influence ; et, en effet, ses occupants d'alors s'étaient installés non loin d'une des fenêtres. Je pus les voir et les entendre parler avant d'entrer : aussi regardai-je et écoutai-je, mû par un sentiment de curiosité mêlé d'envie qui alla croissant à mesure que je m'attardais.

« Con-*traire !* dit une voix douce comme une clochette d'argent. C'est la troisième fois, cancre ! Je ne te le répéterai plus : oublie-le encore, et je te tire les cheveux.

— Eh bien ! contraire, répondit une autre voix au timbre grave mais adouci. Et maintenant, embrasse-moi pour m'être si bien souvenu.

— Non, relis d'abord correctement, sans une seule faute. »

Le possesseur de la voix mâle se mit à lire : c'était un jeune homme convenablement habillé et assis à une table avec un livre devant lui. Ses beaux traits rayonnaient de plaisir, et à tout moment ses yeux se détachaient impatiemment de la page pour se porter sur une petite main blanche posée sur son épaule, et qui le rappelait à l'ordre d'une bonne tape sur la joue chaque fois qu'il donnait pareils signes d'inattention. Celle à qui elle appartenait se tenait derrière lui ; ses boucles claires et soyeuses se mêlant parfois aux boucles brunes de l'élève quand elle se penchait pour surveiller son travail ; quant à son visage — c'était heureux qu'il ne pût le voir, sans quoi il n'aurait jamais été aussi appliqué ; mais je le voyais, moi, et me mordais les lèvres pour avoir laissé passer la chance de faire mieux que de contempler sa souriante beauté.

La tâche fut terminée, non sans d'autres bévues; mais l'élève réclama sa récompense, et reçut au moins cinq baisers, que, toutefois, il rendit généreusement. Puis ils allèrent à la porte, et je jugeai à leur conversation qu'ils allaient sortir pour se promener sur la lande. Je présumai que je serai voué par le cœur de Hareton Earnshaw, sinon par sa bouche, au plus profond abîme des régions infernales, si je montrais pour lors ma malheureuse personne dans son voisinage, et me sentant plein de honte et de dépit, je contournai subrepticement la maison pour chercher refuge dans la cuisine.

De ce côté-là aussi, on pouvait entrer librement; et, devant la porte, était assise ma vieille amie Nelly Dean, en train de coudre et de chanter une chanson — laquelle était souvent interrompue, de l'intérieur de la maison, par d'âpres paroles de mépris et d'intolérance prononcées sur un ton qui n'avait rien de musical.

« J'aimerais deux foué autint qu'y m'cornent leurs jurons aux oreilles du matin au souér que d'vous intindre! disait l'occupant de la cuisine en réponse à quelque propos de Nelly. C'est une honte qui crie vers le Ciel que j'peux point ouvrir le livre sacré sins qu'vous in offriez les glouères à Satan et à toute la gint perverse qu'est jamais née in c'monde! Oh! vous êtes une vraie vaurienne; et elle in est une aut'; et c'pauv' gars, y va s'perdre int' vous deux. Pauv' gars, ajouta-t-il en gémissant, sûr et certain qu'il est insorcelé! O Seigneux, jugez-les, car y a point d'loué ni d'justice chez ceux qui nous gouvernent!

— Non! sans quoi nous serions assises sur des fagots enflammés, je suppose, rétorqua la chanteuse. Mais taisez-vous, vieillard, et lisez votre Bible comme un chrétien sans vous occuper de moi. C'est *La Noce d'Annie la Fée* que je chante, un joli air et un air à danser. »

Mrs. Dean allait reprendre, quand je m'avançai; et, me reconnaissant aussitôt, elle bondit sur ses pieds en criant :

« Dieu vous bénisse, Mr. Lockwood! Comment avez-vous pu songer à nous revenir ainsi? Tout est fermé au

Manoir de la Grive. Vous auriez dû nous prévenir !

— Je me suis arrangé pour y loger aussi longtemps que je resterai dans le pays, répondis-je. Je repars demain. Mais comment vous trouvez-vous transplantée ici, Mrs. Dean ? Dites-moi cela.

— Zillah est partie, sur quoi Mr. Heathcliff a voulu que je revienne, peu après votre départ pour Londres, et que je reste jusqu'à votre retour. Mais entrez, je vous prie ! Êtes-vous venu à pied de Gimmerton ce soir ?

— Je suis venu du Manoir, répondis-je, et pendant qu'on m'y prépare de quoi loger, je voudrais régler mes comptes avec votre maître, car je ne pense pas retrouver l'occasion de le faire.

— Quels comptes, monsieur ? demanda Nelly en me conduisant dans la maison. Il est sorti pour l'instant et il ne rentrera pas de sitôt.

— Mon loyer, dis-je.

— Oh ! alors c'est avec Mrs. Heathcliff que vous devez vous arranger, observa-t-elle ; ou plutôt avec moi. Elle n'a pas encore appris à gérer ses affaires, et j'agis pour elle : il n'y a personne d'autre. »

J'eus l'air surpris.

« Ah ! je vois que vous n'avez pas entendu parler de la mort de Heathcliff, poursuivit-elle.

— Heathcliff mort ? m'écriai-je étonné. Depuis combien de temps ?

— Depuis trois mois ; mais asseyez-vous et laissez-moi vous débarrasser de votre chapeau, et vous raconter tout. Attendez, vous n'avez encore rien mangé, n'est-ce pas ?

— Je n'ai besoin de rien. J'ai commandé mon souper à la maison. Asseyez-vous aussi. Je n'aurais jamais songé qu'il pût être mort ! Racontez-moi comment c'est arrivé. Vous dites que vous ne les attendez pas — que vous n'attendez pas les jeunes gens — d'ici quelque temps ?

— En effet. J'ai à les gronder tous les soirs parce qu'ils restent dehors si tard à se promener : mais ils ne se soucient pas de moi ! Prenez au moins un peu de notre vieille ale ; cela vous fera du bien : vous avez l'air fatigué. »

Elle se hâta d'aller chercher la bière avant que je pusse refuser et j'entendis Joseph demander si « c'était pas un scandale criint d'avoir des amoureux à son âge ? Et d'les régaler aux dépins d'la cave du maît' ! Il avait honte de vouére ça et d'rester coué ! »

Elle ne s'attarda pas à riposter, mais revint au bout d'une minute avec une pinte d'argent débordante de mousse, dont je louai le contenu avec l'ardeur qui convenait. Après quoi, elle me conta la suite de l'histoire de Heathcliff. Il avait eu une « étrange fin », pour parler comme elle.

« Je fus convoquée à Hurlevent une quinzaine de jours après que vous nous eûtes quitté, dit-elle ; et j'obéis avec joie, à cause de Catherine. Ma première entrevue avec elle me donna un coup et me peina : elle avait tant changé depuis notre séparation ! Mr. Heathcliff ne m'expliqua pas les raisons pour lesquelles il voyait ma venue sous un autre jour : il dit seulement qu'il voulait que je vinsse et qu'il était las de voir Catherine : je devrais m'installer dans le petit salon pendant la journée et la garder près de moi. C'était assez pour lui que d'être obligé de la voir une ou deux fois par jour. Elle parut contente de cet arrangement ; et peu à peu j'escamotai un grand nombre de livres et d'autres objets qui avaient fait son amusement au Manoir, et je me flattai de parvenir à nous faire une vie tolérable. L'illusion ne dura pas longtemps. Catherine, contente au début, ne tarda pas à devenir irritable et inquiète. Tout d'abord, il lui était interdit de sortir du jardin, et elle fut très contrariée d'être confinée dans ses bornes étroites alors que le printemps approchait ; ensuite, j'étais forcée de la quitter fréquemment pour m'occuper de la maison, et elle se plaignait de sa solitude : elle aimait mieux se quereller avec Joseph dans la cuisine que rester seule en paix. Je faisais peu de cas de leurs escarmouches, mais Hareton était souvent obligé, lui aussi, de se réfugier dans la cuisine lorsque le maître voulait avoir la salle pour lui seul ; et bien qu'au début elle la quittât à son approche ou se joignît tranquillement à mes occupations, qu'elle évitât de le remarquer ou de lui adresser la parole, et qu'il fût toujours aussi maussade et aussi silencieux que possible, après un temps elle changea d'attitude et parut incapable de le laisser en paix : lui parlant, faisant des commentaires sur sa stupidité et son oisiveté, exprimant son étonnement qu'il pût endurer la vie qu'il menait — qu'il pût passer toute une soirée à regarder le feu et à sommeiller.

— Il est exactement comme un chien, n'est-ce pas, Ellen, observa-t-elle une fois, ou encore comme un cheval de trait ? Il fait son ouvrage, il avale sa nourriture et il dort, perpétuellement ! Comme il doit avoir l'esprit vide et lugubre ! Rêvez-vous jamais, Hareton ? Et, si vous rêvez, de quoi rêvez-vous ? Mais vous n'êtes pas capable de me parler ! »

Puis elle le regarda ; mais il ne voulut ni ouvrir la bouche ni lever les yeux.

« Peut-être est-il justement en train de rêver, continua-t-elle. Il vient de contracter son épaule, tout comme Junon. Demandez-lui, Ellen.

— Mr. Hareton va prier le maître de vous renvoyer en haut si vous vous conduisez mal ! » dis-je.

Il avait non seulement contracté l'épaule, mais serré le poing comme s'il était tenté d'en user.

« Je sais que Hareton ne parle jamais quand je suis dans la cuisine, s'écria-t-elle une autre fois. Il a peur que je lui rie au nez. Qu'en pensez-vous, Ellen ? Il avait commencé à apprendre à lire tout seul, et, parce que j'ai ri, il a brûlé ses livres et abandonné son étude : n'a-t-il pas été bien sot ?

— N'avez-vous pas été bien méchante, dis-je ? Répondez à cela.

— Peut-être, reprit-elle ; mais je ne m'attendais pas qu'il fît pareille sottise. Hareton, si je vous donnais un livre, l'accepteriez-vous à présent ? Je vais essayer ! »

Elle lui mit dans la main celui qu'elle venait de lire ; il le lança au loin en marmonnant que, si elle ne cessait pas, il lui casserait le cou.

« Eh bien ! je le mets là, dit-elle, dans le tiroir de la table ; et je vais aller me coucher. »

Elle me dit à l'oreille d'observer s'il y touchait, et elle partit. Mais il ne s'en approcha pas ; et j'en informai

Catherine au matin, à son grand désappointement. Je vis qu'elle était peinée de sa maussaderie et de son indolence persistantes ; sa conscience lui reprochait de l'avoir intimidé et de l'avoir empêché de s'éduquer lui-même : en quoi elle avait fort bien réussi.

Mais son ingéniosité s'était mise à l'œuvre pour réparer le dommage ; tandis que je repassais ou que je vaquais à quelque autre besogne sédentaire que je pouvais difficilement accomplir au petit salon, elle apportait un livre attrayant et me faisait la lecture à haute voix. Quand Hareton était là, elle s'interrompait en général à un moment captivant, et laissait traîner le livre. Elle fit cela à maintes reprises, mais il était têtu comme une mule et, au lieu de mordre à l'appât, il se mit à fumer avec Joseph par temps de pluie ; et ils restaient là tous les deux comme des automates, assis de part et d'autre du feu, le plus vieux heureusement trop sourd pour entendre les folies perverses de Catherine, comme il aurait dit, le plus jeune faisant de son mieux pour avoir l'air de ne pas s'y intéresser. Mais les après-midi de beau temps, Hareton s'en allait chasser, tandis que Catherine bâillait et soupirait et me tourmentait pour que je lui parlasse, puis s'enfuyait dans la cour ou dans le jardin dès que je commençais, et, en dernier ressort, se mettait à pleurer et à dire qu'elle était lasse de vivre, que sa vie ne servait à rien.

Mr. Heathcliff, qui avait de plus en plus d'aversion pour toute compagnie, avait pour ainsi dire banni Earnshaw de la salle où il se tenait. En raison d'un accident qui s'était produit au début de mars, celui-ci, pendant quelques jours, resta continuellement dans la cuisine. Son fusil avait éclaté tandis qu'il était seul sur les collines ; un éclat lui avait fait une entaille au bras, et il avait perdu beaucoup de sang avant de pouvoir regagner la maison. Il avait été condamné en conséquence au coin du feu et au repos jusqu'à sa guérison. Catherine se plaisait à le voir là ; en tout cas, sa présence lui fit détester plus que jamais sa chambre d'en haut ; et elle m'obligeait à trouver de l'ouvrage en bas, afin de pouvoir se joindre à moi.

Le lundi de Pâques, Joseph emmena des bestiaux à la foire de Gimmerton ; et, dans l'après-midi, j'étais occupée à blanchir du linge dans la cuisine. Earnshaw était assis, morose comme de coutume, au coin du feu, et ma petite maîtresse trompait le temps en dessinant sur les vitres de la fenêtre — distraction qu'elle variait en chantonnant en sourdine des bribes de chansons ou en poussant des exclamations à voix basse tout en jetant de rapides regards d'agacement et d'impatience dans la direction de son cousin, qui fumait imperturbablement, les yeux fixés sur la grille. Quand je lui fis la remarque que je ne pouvais plus supporter qu'elle me cachât ainsi le jour, elle se dirigea vers la cheminée. Je ne prêtai guère d'attention à ses mouvements, mais bientôt je l'entendis qui disait :

« J'ai découvert, Hareton, que je voudrais... que je serais heureuse... que vous fussiez mon cousin à présent, si vous n'étiez pas si désagréable avec moi, et si bourru. »

Hareton ne répondit pas.

« Hareton, Hareton, Hareton ! Entendez-vous ? continua-t-elle.

— Allez-vous-en, grommela-t-il, avec une rudesse que rien ne mitigeait.

— Laissez-moi prendre cette pipe », dit-elle, avançant prudemment la main et la lui retirant de la bouche.

Avant qu'il eût pu tenter de la recouvrer, la pipe était en morceaux et derrière les bûches. Il lança un juron à l'adresse de Catherine et en prit une autre.

« Arrêtez ! cria-t-elle. Il faut d'abord que vous m'écoutiez, et je ne peux pas parler tant que ces nuages flottent devant mon visage.

— Voulez-vous aller au diable, s'écria-t-il férocement, et me laisser tranquille !

— Non, persista-t-elle, je ne ferai rien de tel. Je ne sais que faire pour vous amener à me parler, vous êtes déterminé à ne pas comprendre. Quand je déclare que vous êtes sot, cela ne signifie rien ; cela ne veut pas dire que je vous méprise. Allons, il faut que vous fassiez attention à moi, Hareton : vous êtes mon cousin, et vous me reconnaîtrez pour votre parente.

— Je ne veux rien avoir à faire avec vous et votre dégoûtant orgueil et vos damnées moqueries, répondit-il.

J'irai en enfer, corps et âme, plutôt que de vous regarder du coin de l'œil. Écartez-vous de cette grille ; et à l'instant ! »

Catherine fronça les sourcils et se retira vers la banquette de la fenêtre en se mordant les lèvres et en fredonnant un air fantasque pour essayer de dissimuler une envie grandissante de sangloter.

« Vous devriez être ami avec votre cousine, Mr. Hareton, interrompis-je, puisqu'elle se repent de son impertinence ! Cela vous serait très profitable, cela ferait de vous un autre homme de l'avoir pour amie.

— Pour amie ! s'écria-t-il ; alors qu'elle me déteste et qu'elle ne me juge pas digne d'épousseter son soulier ! Non, quand je devrais y gagner un royaume, je ne me laisserais plus tourner en dérision pour avoir cherché ses bonnes grâces.

— Ce n'est pas moi qui vous déteste, c'est vous qui me détestez ! dit en pleurant Cathy, qui ne cherchait plus à déguiser son chagrin. Vous me détestez autant que Mr. Heathcliff me déteste, et plus encore.

— Vous êtes une damnée menteuse, commença Earnshaw. Pourquoi donc l'ai-je mis en colère, alors, en prenant cent fois votre parti ? ét cela quand vous vous moquiez de moi et me méprisiez et... Continuez à me harceler, et je vais aller dans la salle pour dire que vos tracasseries m'ont chassé de la cuisine !

— Je ne savais pas que vous aviez pris mon parti, répondit-elle en se séchant les yeux ; et j'étais malheureuse comme les pierres et pleine d'amertume envers tout le monde ; mais à présent je vous remercie et vous supplie de me pardonner : que puis-je faire de plus ? »

Elle revint à la cheminée et lui tendit franchement la main. Il devint sombre et menaçant comme un ciel d'orage et garda ses poings résolument serrés, le regard fixé au sol.

Catherine dut deviner que c'était une obstination perverse et non de l'aversion qui lui dictait ce comportement farouche, car, après avoir hésité un instant, elle se pencha et imprima sur sa joue un léger baiser. La petite coquine, qui croyait que je ne l'avais pas vue, recula et alla reprendre son poste auprès de la fenêtre comme si de rien n'était. Je secouai la tête d'un air de reproche, sur quoi elle rougit et me dit tout bas :

« Qu'aurais-je dû faire, Ellen? Il ne voulait pas me donner la main et il ne voulait pas me regarder : il faut que je lui montre d'une façon ou d'une autre que je l'aime — que je veux être son amie. »

Le baiser avait-il convaincu Hareton, je ne saurais le dire : il eut grand soin, pendant quelques minutes, de dissimuler son visage, et quand il le releva, il était joliment embarrassé de savoir de quel côté tourner les yeux.

Catherine se mit en devoir d'envelopper proprement un beau livre dans du papier blanc ; et après l'avoir noué d'un bout de ruban, et y avoir inscrit pour adresse « Mr. Hareton Earnshaw », elle me demanda d'être son ambassadrice et de porter le présent à son destinataire.

« Dites-lui que, s'il l'accepte, je viendrai lui apprendre à le lire comme il faut, dit-elle ; et que, s'il refuse, je remonterai dans ma chambre et ne le taquinerai plus jamais. »

Je portai le paquet et répétai le message, guettée avec anxiété par celle qui m'avait envoyée. Hareton ne voulut pas ouvrir les doigts, si bien que je le déposai sur ses genoux. Il ne le repoussa pas non plus. Je retournai à mon ouvrage ; Catherine appuya sa tête et ses bras sur la table et les garda ainsi jusqu'à ce qu'elle entendît le léger bruissement que faisait le papier en s'écartant du livre ; alors elle s'approcha sans bruit et s'assit tranquillement près de son cousin. Il tremblait et son visage rayonnait ; toute sa rudesse et toute sa maussaderie hargneuse l'avaient quitté ; au premier moment, il n'eut pas le courage de prononcer une syllabe en réponse à son regard interrogateur et à la requête qu'elle murmura :

« Dis que tu me pardonnes, Hareton, dis-le-moi ! Tu peux me rendre si heureuse en prononçant ce petit mot. »

Il marmonna quelque chose d'indistinct.

« Et tu seras mon ami ? reprit Catherine.

— Non ! Vous auriez honte de moi tous les jours de votre vie, répondit-il. De plus en plus à mesure que vous me connaîtriez mieux, et je ne pourrais pas le supporter.

— Ainsi donc, tu ne veux pas être mon ami ? » dit-elle avec un sourire doux comme le miel en se glissant tout près de lui.

Je n'entendis plus de conversation distincte, mais quand je me retournai pour regarder de nouveau, je vis deux mines si radieuses penchées sur la page du livre accepté, que je ne doutai point que le traité eût été ratifié de part et d'autre et que les ennemis fussent désormais des alliés jurés.

L'ouvrage qu'ils étudiaient était plein de précieuses gravures qui, jointes à leur propre posture, avaient assez de charme pour qu'ils restassent immobiles jusqu'au retour de Joseph. Le pauvre fut parfaitement stupéfait de voir Catherine assise sur le même banc que Hareton Earnshaw, la main sur son épaule, et confondu que son favori pût souffrir pareil voisinage. Il en fut trop profondément affecté pour faire aucune observation à ce sujet ce soir-là. Son émotion ne se trahit que par les immenses soupirs qu'il poussa quand il déploya sa grande Bible sur la table et la couvrit de billets de banque malpropres tirés de son portefeuille, produit des transactions de la journée. En fin de compte, il appela à lui Hareton.

« Porte-moué ça au maît', mon gars, dit-il, et reste là-bas. Quant à moué, je m'in vas monter dans ma chimbre. C't'indroué-ci n'est point déçint ni conv'nabe pour nous ! Faudra nous r'muer et in trouver un aut' !

— Venez, Catherine, dis-je. Nous aussi, il faut nous « r'muer ». J'ai fini mon repassage. Êtes-vous prête à monter ?

— Il n'est pas huit heures ! répondit-elle en se levant à contrecœur. Hareton, je laisse ce livre sur la cheminée et j'en apporterai d'autres demain.

— Les liv' que vous laisserez, j'les porterai dins la salle, dit Joseph, et vous aurez d'la chince si vous r'mettez la main d'sus. Faites donc comme y vous plaira ! »

Cathy le menaça de s'en prendre à sa bibliothèque à lui pour se dédommager ; et, après avoir souri en passant devant Hareton, elle monta l'escalier en chantant : le cœur plus léger, j'ose le dire, qu'elle ne l'avait jamais eu encore sous ce toit, si ce n'est, peut-être, lors de ses premières visites à Linton.

L'intimité commencée de la sorte grandit rapidement, malgré les interruptions momentanées qu'elle subit. Il ne suffisait pas de vouloir civiliser Earnshaw pour y parvenir; et ma jeune maîtresse n'était ni un philosophe ni un modèle de patience; mais leurs deux esprits tendant au même but — l'une aimant et désirant estimer, l'autre aimant et désirant être estimé — ils parvinrent finalement à l'atteindre.

Vous voyez, Mr. Lockwood, qu'il n'était pas difficile de conquérir le cœur de Mrs. Heathcliff. Mais à présent, je me réjouis que vous ne l'ayez pas tenté. Le couronnement de mes vœux sera l'union de ces deux êtres. Je n'envierai personne le jour de leur mariage: il n'y aura pas une femme plus heureuse que moi en Angleterre!

XXXIII

Le lendemain de ce lundi, comme Earnshaw était toujours incapable de vaquer à ses travaux habituels et restait en conséquence aux abords de la maison, je me rendis bientôt compte qu'il me serait impossible de retenir ma protégée auprès de moi comme je l'avais fait jusqu'alors. Elle descendit avant moi, et sortit dans le jardin, où elle avait vu son cousin s'employer à quelque besogne facile; et quand j'allai les appeler pour le déjeuner, je vis qu'elle l'avait persuadé de débarrasser un grand espace de terrain de ses groseilliers et de ses cassis, et qu'ils étaient en train de faire des projets pour importer des plantes du Manoir.

Je fus terrifiée de la dévastation qui avait été accomplie en une petite demi-heure. Les cassis étaient pour Joseph comme la prunelle de ses yeux, et c'est juste en leur milieu qu'elle avait choisi de mettre une plate-bande de fleurs!

« Bon! m'écriai-je. Voilà qui va être montré au maître à la minute même où on le découvrira. Et quelle excuse aurez-vous à donner pour avoir pris de telles libertés avec le jardin ? Cela nous vaudra une belle explosion, vous allez voir ! Mr. Hareton, je m'étonne que vous soyez assez peu raisonnable pour faire un pareil gâchis à sa demande !

— J'avais oublié qu'ils étaient à Joseph, répondit Earnshaw, assez penaud. Mais je vais lui dire ce que j'ai fait. »

Nous prenions toujours nos repas avec Mr. Heathcliff. Je remplissais le rôle de maîtresse de maison pour ce qui était de faire le thé et de découper, si bien que j'étais indispensable à table. Catherine s'asseyait généralement à côté de moi ; mais, ce jour-là, elle se glissa plus près de Hareton, et je vis bientôt qu'elle ne mettrait pas plus de discrétion dans son amitié qu'elle n'en avait mis dans son hostilité.

« Gardez-vous de prêter trop d'attention à votre cousin et de trop lui parler, lui soufflai-je en entrant dans la pièce. Cela agacera certainement Mr. Heathcliff et il sera furieux contre vous deux.

— Je n'en ai pas l'intention », répondit-elle.

Une minute après, elle avait pris place à côté de lui et elle piquait des primevères dans sa bouillie d'avoine.

Il n'osait pas lui parler là ; c'est à peine s'il osait lever les yeux ; et pourtant Catherine continuait à le taquiner, si bien qu'à deux reprises il fut sur le point de se laisser aller à rire. Je fronçai les sourcils, sur quoi elle jeta un coup d'œil du côté du maître, qui songeait à toute autre chose qu'à ses commensaux, comme sa physionomie le prouvait, et elle devint sérieuse pour un instant, le dévisageant avec une profonde gravité. Puis elle se détourna de lui et recommença ses folies ; Hareton finit par avoir un rire étouffé. Mr. Heathcliff tressaillit ; son regard fit rapidement le tour de nos visages. Catherine le soutint avec cette expression de nervosité, et pourtant de défi, qu'il abhorrait.

« Il est heureux que vous soyez hors de mon atteinte, s'écria-t-il. Quel démon vous possède pour que vous répondiez sans cesse à mon regard en me fixant de ces yeux diaboliques ? Baissez-les ! Et faites en sorte que je ne me rappelle plus votre existence. Je croyais vous avoir guérie de rire.

— C'était moi, murmura Hareton.

— Que dis-tu ? » demanda le maître.

Hareton regarda son assiette et ne répéta pas son aveu. Mr. Heathcliff le regarda un moment, puis reprit en silence son déjeuner et sa rêverie interrompue. Nous avions presque fini, et les deux jeunes gens s'écartèrent prudemment l'un de l'autre, de sorte que je ne prévoyais pas, pour cette fois, de nouvel esclandre, lorsque Joseph apparut à la porte, montrant par sa lèvre tremblante et ses yeux furieux que l'outrage infligé à ses précieux arbustes avait été découvert. Il devait avoir vu Cathy et son cousin sur les lieux avant d'avoir inspecté ceux-ci, car, tandis que ses mâchoires travaillaient comme celles d'une vache qui rumine et rendaient son langage difficile à comprendre, il commença :

« J'veux avouère mes gages et m'in aller ! J'aurouais aimé mourir où c'est qu'j'avouais servi soixante ins durint ; j'pinsouais porter au galetas mes liv' et toutes mes bricoles, histouère d'leur laisser la cuisine et d'êt' bin tranquille. C'étouait dur d'quitter mon coin d'feu, pourtint j'avouais idée qu'ça passait pas mes forces ! Mais v'là qu'on m'prind mon jardin, et ça, Maît', sur ma foué, j'peux point l'tolérer ! Vous pouvez bin vous plier au joug si ça vous dit, moué j'y suis point fait et un vieil homme s'habitue point à d'nouveaux fardeaux. J'aimerais mieux gagner ma soupe et mon pain in cassint des pierres sus la route !

— Allons, allons, idiot, interrompit Heathcliff, abrégeons ! De quoi vous plaignez-vous ? Je n'interviendrai pas dans vos querelles avec Nelly : elle peut vous jeter dans le trou à charbon en ce qui me concerne.

— C'est point Nelly ! répondit Joseph. J'm'in irouais point pour Nelly — si môvaise, si vaurienne qu'al soué, Dieu merci ! C'est point al qui volerouait l'cœur de personne ! Al a jamais eu assez d'beauté pour qu'on la r'garde point sins cligner des yeux. C'est cette peste de fille impie qu'a ensorc'lé not' gars avec ses yeux hardis et ses mines effrontées... jusqu'à tant qu'il... non, ça m'find l'cœur ! L'a oublié tout c'que j'ai fait pour lui, tout c'que j'ai fait d'lui, et l'a été m'arracher toute une ringée des plus biaux cassis du jardin ! »

Ici, il s'abandonna tout à fait à la désolation, accablé par le sentiment des torts cruels dont il était victime ainsi que de l'ingratitude d'Earnshaw et du péril où celui-ci se trouvait.

« Le drôle est-il ivre ? demanda Mr. Heathcliff. Hareton, est-ce après toi qu'il en a ?

— J'ai arraché deux ou trois groseilliers, répondit le jeune homme, mais je vais les replanter.

— Et pourquoi les as-tu arrachés ? » demanda le maître.

Catherine intervint prudemment :

« Nous voulions planter là quelques fleurs, s'écria-t-elle. Je suis seule à blâmer, car c'est à ma demande qu'il a fait cela.

— Et qui diable vous a permis, à *vous*, de toucher à un bout de bois ici ? demanda son beau-père, très surpris. Et qui t'a donné l'ordre, à *toi*, de lui obéir ? » ajouta-t-il en se tournant vers Hareton.

Celui-ci resta muet. Sa cousine répondit :

« Vous ne devriez pas me chicaner pour quelques pouces de terrain que j'ai voulu fleurir, quand vous avez pris toute ma terre.

— Votre terre, insolente drôlesse ! Jamais vous n'en avez eu ! dit Heathcliff.

— Ainsi que mon argent, reprit-elle en soutenant son regard furieux et en mordillant une croûte de pain, le reste de son déjeuner.

— Silence ! s'écria-t-il. Finissez et allez-vous-en !

— Et que la terre de Hareton, et que son argent, poursuivit la téméraire. Hareton et moi sommes amis à présent ; et je lui dirai tout ce qui vous concerne ! »

Le maître parut un moment confondu : il pâlit et se leva, sans cesser un instant de la regarder avec une expression de haine mortelle.

« Si vous me frappez, Hareton vous le rendra ! dit-elle ; vous ferez donc aussi bien de vous rasseoir.

— Si Hareton ne vous chasse pas de la pièce, je l'expédierai de ce poing en enfer, tonna Heathcliff. Damnée sorcière ! Osez-vous tenter de le dresser contre moi ? Qu'elle sorte ! Entends-tu ? Jette-la dans la cuisine ! Je la tuerai, Ellen Dean, si vous la laissez reparaître devant mes yeux ! »

Hareton essaya de la persuader tout bas de s'en aller.

« Traîne-la dehors ! cria-t-il sauvagement. Que restes-tu à bavarder ? »

Et il s'approcha pour mettre lui-même son ordre à exécution.

« Il ne vous obéira plus, méchant homme ! dit Catherine ; et il vous détestera bientôt autant que je vous déteste !

— Chut ! chut ! murmura le jeune homme d'un ton de reproche. Je ne veux pas t'entendre lui parler ainsi. Finis.

— Tu ne vas pas le laisser me battre ? cria-t-elle.

— Viens, alors ! » chuchota-t-il d'un ton pressant.

C'était trop tard. Heathcliff l'avait saisie.

« Maintenant, va-t'en, toi, dit-il à Earnshaw. Maudite sorcière ! Elle m'a provoqué cette fois à un moment où je ne pouvais pas le supporter ; et elle s'en repentira jusqu'à la fin de ses jours ! »

Il avait passé la main dans les cheveux de Catherine. Hareton essaya de les dégager, le suppliant de ne pas lui faire mal pour cette fois. Mais ses yeux noirs lançaient des éclairs ; il semblait prêt à mettre Catherine en pièces, et j'allais me risquer, tout éperdue que j'étais, à venir à son secours, quand tout à coup ses doigts se relâchèrent, quittèrent la tête de ma maîtresse pour étreindre son bras, et il scruta intensément son visage... Puis il se couvrit les yeux de la main, resta un moment immobile comme pour reprendre ses esprits, et, se tournant à nouveau vers Catherine, lui dit avec un calme voulu :

« Il vous faut apprendre à éviter de me mettre en colère, ou je finirai bel et bien par vous tuer un jour ! Allez-vous-en avec Mrs. Dean, restez avec elle et que vos insolences n'aillent pas plus loin que ses oreilles. Quant à Hareton Earnshaw, si je le prends à vous écouter, je l'enverrai chercher son pain où il pourra le trouver ! Votre amour fera de lui un hors-la-loi et un mendiant. Emmenez-la, Nelly, et laissez-moi, tous tant que vous êtes! Laissez-moi! »

Je fis sortir ma jeune maîtresse : elle était trop heureuse de s'en tirer ainsi pour résister; Hareton suivit, et Mr. Heathcliff eut la salle pour lui seul jusqu'au dîner. J'avais conseillé à Catherine de prendre le sien en haut, mais dès qu'il vit son siège vide, il m'envoya la chercher. Il ne parla à aucun de nous, mangea très peu, et s'en alla aussitôt après, en disant qu'il ne rentrerait pas avant le soir.

En son absence, les deux nouveaux amis s'installèrent dans la salle, où j'entendis Hareton gronder sérieusement sa cousine quand elle proposa de lui révéler comment son beau-père s'était conduit envers son père. Il déclara qu'il ne souffrirait pas d'entendre un mot en sa défaveur : quand bien même il serait le diable, peu importait; il lui resterait fidèle, et il aimait mieux qu'elle l'insultât lui-même, comme naguère, que de la voir s'en prendre à Mr. Heathcliff. Catherine allait s'en fâcher, mais il trouva le moyen de lui faire tenir sa langue en lui demandant si elle aimerait à l'entendre dire du mal de son père; à quoi elle comprit qu'Earnshaw prenait à cœur la réputation du maître, qu'il lui était attaché par des liens trop forts pour que la raison pût les briser — par des chaînes forgées par l'habitude, qu'il serait cruel d'essayer de dénouer. Elle fit preuve de bon cœur en évitant dorénavant de se plaindre de Heathcliff et de parler de lui avec antipathie; et elle m'avoua son regret d'avoir tenté de créer de l'animosité entre lui et Hareton : en fait, je ne crois pas que, depuis lors, elle ait jamais prononcé en présence de ce dernier une syllabe contre son oppresseur.

Une fois dissipé ce léger désaccord, ils redevinrent amis et s'appliquèrent de leur mieux à leurs occupations d'élève et de professeur. Je vins m'asseoir près d'eux quand j'eus terminé mon travail; et j'éprouvai à les observer tant de douceur et de réconfort que le temps passait sans que je m'en rendisse compte. Tous deux, voyez-vous, étaient un peu mes enfants : j'avais été longtemps fière de la fille; et maintenant, le garçon, j'en étais sûre, allait être une source d'égale satisfaction. Sa nature honnête, chaleureuse, intelligente dissipait rapidement les nuages d'ignorance et de dégradation dans lesquels il avait été élevé, et les conseils que Catherine lui donnait d'un cœur sincère aiguillonnaient son zèle. Son esprit, en s'illuminant, illuminait ses traits et leur donnait de l'animation et de la noblesse : j'avais peine à croire que ce fût là le même être que celui que j'avais vu le jour où j'avais découvert ma petite maîtresse à Hurlevent après son expédition aux Roches. Tandis qu'ils travaillaient et que je les admirais, le soir tomba, et avec lui revint le maître. Il nous surprit tout à fait à l'improviste en entrant par la porte de devant, et il nous embrassa tous les trois du regard avant que nous eussions pu lever la tête pour le voir. Ma foi, pensai-je, il n'y eut jamais spectacle plus agréable ni plus innocent ; et ce serait une honte sans nom que de gronder ces deux êtres. La lueur rouge du feu éclairait leurs jolies têtes et révélait leurs visages animés d'un ardent intérêt enfantin ; car, bien qu'il eût vingt-trois ans et elle dix-huit, ils avaient l'un et l'autre tant de choses nouvelles à ressentir et à apprendre, que ni l'un ni l'autre n'éprouvaient ni ne manifestaient les sentiments d'une maturité assagie et désenchantée.

Ils levèrent les yeux ensemble, pour rencontrer Mr. Heathcliff ; peut-être n'avez-vous jamais remarqué que leurs yeux sont exactement pareils : ce sont ceux de Catherine Earnshaw. La Catherine d'à présent n'a pas d'autre ressemblance avec elle, si ce n'est un large front et une certaine courbure des narines qui lui donne un air assez hautain, qu'elle le veuille ou non. Chez Hareton, la ressemblance est poussée plus loin : remarquable en tout temps, elle était alors particulièrement frappante, parce qu'il avait les sens en alerte et que ses facultés mentales s'exerçaient avec une activité exceptionnelle. Je présume que cette ressemblance désarma Mr. Heathcliff : il marcha vers le foyer en proie à une agitation évidente ; mais celle-ci s'apaisa rapidement quand il regarda le jeune homme, ou plutôt elle changea de caractère, devrais-je dire, car elle n'avait pas disparu. Il lui prit le livre des mains, regarda la page qui s'offrait à ses yeux, puis le rendit sans mot dire, en faisant simplement signe à Catherine de s'en aller : son compagnon ne tarda pas à la suivre, et j'allais partir également, quand il m'enjoignit de rester assise.

— C'est une piètre conclusion, n'est-ce pas, observa-t-il après avoir ruminé un moment la scène dont il venait d'être témoin ; un absurde couronnement de mes violents efforts ? Je prends des leviers et des pioches pour démolir les deux maisons, je m'exerce à devenir capable de travaux d'Hercule, et quand tout est prêt et livré à mon pouvoir, je découvre que le désir d'arracher une ardoise de l'un ou l'autre toit s'est évanoui ! Mes vieux ennemis ne m'ont pas vaincu ; ce serait le moment précis de me venger sur leurs représentants : je pourrais le faire sans que personne puisse m'en empêcher. Mais à quoi bon ? Je n'ai plus envie de frapper : je ne puis pas prendre la peine de lever la main ! Il semble que je n'aie travaillé tout le temps que pour faire preuve en fin de compte d'une belle magnanimité. En fait, c'est loin d'être le cas : j'ai perdu la faculté de jouir de leur destruction, et je suis trop paresseux pour détruire gratuitement.

« Un étrange changement se prépare, Nelly : je suis à présent dans son ombre. Je prends si peu d'intérêt à ma vie journalière que je me souviens à peine de boire et de manger. Les deux êtres qui ont quitté cette pièce sont les seuls objets qui aient pour moi une apparence de réalité bien définie, et cette apparence me cause une douleur qui va jusqu'à l'angoisse. D'*elle*, je ne parlerai pas ; je ne tiens pas à lui accorder mes pensées ; mais je voudrais intensément qu'elle fût invisible : sa présence ne fait qu'éveiller des sensations qui me rendent fou. *Lui* provoque en moi des émotions différentes : et pourtant, si je pouvais prendre ce parti sans paraître insensé, je ne le reverrais jamais ! Insensé, vous penserez peut-être que je suis assez enclin à le devenir, ajouta-t-il en faisant effort pour sourire, si j'essaie de vous décrire les mille formes de souvenirs et d'idées anciennes qu'il éveille ou qu'il incarne... Mais vous ne parlerez pas de ce que je vais vous dire ; et mon esprit est si perpétuellement retranché en lui-même qu'il est tentant de l'ouvrir enfin à quelqu'un d'autre.

« Voici cinq minutes, Hareton m'est apparu comme une personnification de ma jeunesse, non comme un être humain : j'ai éprouvé à son égard des sentiments si divers qu'il m'eût été impossible de m'adresser à lui d'une manière raisonnable.

« En premier lieu, sa ressemblance frappante avec Catherine le reliait terriblement à elle. Mais ce trait, où vous pouvez voir l'élément le plus susceptible de gouverner mon imagination, est en fait le moindre d'entre eux : car, pour moi, qu'est-ce qui n'est pas relié à elle ? Qu'est-ce qui ne la rappelle pas ? Je ne puis regarder ces dalles sans y voir la forme de ses traits ! Dans chaque nuage, dans chaque arbre, emplissant l'air la nuit, s'offrant par éclair le jour dans chaque objet, son image est là qui m'entoure ! Les visages d'homme et de femme les plus ordinaires, mes propres traits, se moquent de moi en évoquant une ressemblance. Le monde entier est une effrayante collection de mementos qui me rappellent qu'elle a existé et que je l'ai perdue !

« Eh bien ! l'apparence de Hareton était le spectre de mon amour immortel, de mes efforts frénétiques pour soutenir mon droit, de ma dégradation, de mon orgueil, de mon bonheur et mon agonie...

« C'est folie que de vous répéter ces pensées ; pourtant, cela vous fera comprendre pourquoi, bien que je répugne à être toujours seul, la compagnie de Hareton ne m'est pas un bienfait, mais aggrave plutôt le tourment constant que je souffre, et contribue pour une part à me rendre indifférent aux relations qu'il a avec sa cousine. Je ne peux plus leur accorder mon attention.

— Mais que voulez-vous dire par un *changement*, Mr. Heathcliff ? » demandai-je.

J'étais alarmée de ses façons, bien qu'il ne fût ni en danger de perdre le sens ni moribond ; autant que j'en pouvais juger, il était plein de santé et de vigueur ; quant à sa raison, il se complaisait depuis l'enfance à s'appesantir sur les choses ténébreuses et à nourrir de bizarres fantasmes. Il pouvait avoir la monomanie de sa défunte idole ;

mais à tout autre égard, son esprit était aussi sain que le mien.

« Je ne le saurai pas avant qu'il survienne, dit-il : je n'en ai conscience qu'à demi pour le présent.

— Vous ne vous sentez pas malade, n'est-ce pas ? demandai-je.

— Non, Nelly, nullement, répondit-il.

— Vous n'avez donc pas peur de mourir ? poursuivis-je.

— Peur ? Non ! répondit-il. Je n'ai ni crainte, ni pressentiment, ni espoir de mort. Pourquoi en aurais-je ? Avec ma rude constitution, ma sobriété de vie et mes occupations sans péril, je devrais demeurer, et je demeurerai probablement, sur cette terre jusqu'à ce qu'il me reste à peine un cheveu noir sur la tête. Et pourtant, je ne peux pas continuer à vivre ainsi ! Il faut que je me souvienne de respirer — que je rappelle presque à mon cœur de battre ! On dirait que j'ai à faire jouer un ressort raidi : c'est en me forçant que j'accomplis le moindre des actes qui ne sont pas provoqués par mon unique pensée, c'est en me forçant que j'accorde de l'attention à quoi que ce soit de vivant ou de mort qui n'est pas associé à mon unique préoccupation universelle. Je n'ai qu'un désir, auquel je tends de tout mon être et de toutes mes facultés. Cela depuis si longtemps, et si constamment, que je suis convaincu d'en atteindre l'objet, et d'y atteindre bientôt, parce qu'il a dévoré mon existence : je suis englouti dans l'attente de son accomplissement. Mes aveux ne m'ont pas soulagé ; mais ils expliqueront peut-être des phases de mon humeur qui, sinon, seraient inexplicables. O Dieu ! C'est un long combat, et je voudrais qu'il fût fini ! »

Il se mit à arpenter la chambre en se murmurant à part soi de terribles choses, tant et si bien que j'inclinai à croire, comme Joseph selon lui, que sa conscience avait fait de son cœur un enfer terrestre. Je me demandais avec perplexité comment cela finirait. Quoique jusqu'alors il eût rarement révélé cet état d'esprit, même par ses traits, c'était là son humeur habituelle, je n'en doutais pas : il l'assurait lui-même, encore que pas une âme n'aurait pu le soupçonner, à en juger par son comportement. Vous n'en avez rien fait quand vous l'avez vu, Mr. Lockwood, et, à l'époque dont je parle, il était tout à fait le même qu'alors, plus épris seulement de continuelle solitude et peut-être plus laconique encore en société.

XXXIV

Pendant les quelques jours qui suivirent cette soirée, Mr. Heathcliff évita de nous rencontrer aux repas, sans toutefois se résoudre officiellement à en exclure Hareton et Cathy. Il lui répugnait de céder aussi complètement à ses sentiments, et préférait s'absenter lui-même : manger une fois en vingt-quatre heures semblait suffire à le sustenter.

Une nuit, alors que toute la famille était allée se coucher, je l'entendis descendre et sortir par la porte de devant. Je ne l'entendis pas rentrer, et, au matin, je constatai qu'il n'était toujours pas là. Nous étions alors en avril ; il faisait doux et chaud, l'herbe était aussi verte que les averses et le soleil peuvent la rendre, et les deux pommiers nains qui avoisinent le mur sud étaient en pleine floraison. Après le déjeuner, Catherine insista pour que j'apportasse une chaise et que je m'installasse avec mon ouvrage sous les sapins à l'extrémité de la maison ; et elle persuada Hareton, qui était tout à fait remis de son accident, de lui bêcher et de lui mettre en ordre son petit jardin, qu'on avait transporté dans ce coin-là à la suite des plaintes de Joseph. Je jouissais tranquillement des senteurs embaumées du printemps et du tendre et magnifique ciel bleu, quand ma jeune maîtresse, qui avait couru près de la barrière chercher des pieds de primevère pour faire une bordure, s'en revint avec une provision incomplète et nous annonça que Mr. Heathcliff était de retour.

« Il m'a parlé, ajouta-t-elle avec une mine perplexe.

— Qu'a-t-il dit ? demanda Hareton.

— Il m'a dit de m'en aller aussi vite que je pourrais,

répondit-elle. Mais il avait un air si différent de son air habituel que je me suis attardée un instant à le regarder.

— Quel air? demanda-t-il.

— Eh bien! presque joyeux, presque rayonnant... mais non, il ne s'agit pas de presque... *très* excité et exalté et heureux! répondit-elle.

— C'est donc que les promenades nocturnes l'amusent», remarquai-je, affectant l'insouciance, mais en réalité aussi surprise qu'elle.

Impatiente de vérifier l'exactitude de ses dires, car ce n'était pas un spectacle de tous les jours que de voir le maître avec un air heureux, j'inventai une excuse pour rentrer. Heathcliff se tenait sur le pas de la porte; il était pâle et il tremblait; néanmoins il y avait certainement dans ses yeux une étrange lueur joyeuse qui changeait toute sa physionomie.

« Voulez-vous déjeuner? dis-je. Vous devez avoir faim après avoir couru toute la nuit, ajoutai-je, curieuse de savoir où il avait été sans oser le lui demander directement.

— Non, je n'ai pas faim», répondit-il en détournant la tête et en parlant avec assez de dédain, comme s'il devinait que je cherchais à percer le secret de sa bonne humeur.

J'étais embarrassée : je me demandais si ce n'était pas l'occasion de lui faire un brin de morale.

« Je ne crois pas que ce soit bien agir que d'errer dans la campagne au lieu d'être au lit : ce n'est pas raisonnable en tout cas par cette saison humide. Je parie que vous attraperez un mauvais rhume ou quelque fièvre : vous avez déjà quelque chose qui cloche!

— Rien que je ne puisse supporter, répondit-il, et même avec le plus grand plaisir pourvu que vous me laissiez tranquille. Entrez et cessez de m'ennuyer. »

J'obéis; et, au passage, je remarquai qu'il avait la respiration précipitée comme celle d'un chat.

« Oui! me dis-je, nous allons le voir tomber malade. Je me demande ce qu'il a bien pu faire! »

Ce midi-là, il s'attabla pour dîner avec nous, et il accepta de ma main une assiette pleine, comme s'il voulait faire amende honorable pour son jeûne précédent.

« Je n'ai ni rhume ni fièvre, Nelly, observa-t-il en faisant allusion à mes paroles du matin, et je suis prêt à rendre justice à la nourriture que vous me donnez. »

Il prit son couteau et sa fourchette, et il allait se mettre à manger, quand toute envie à cet égard parut soudain le quitter. Il déposa les couverts sur la table, jeta un regard avide dans la direction de la fenêtre, puis se leva et sortit. Nous le vîmes marcher de long en large dans le jardin tandis que nous terminions notre repas, et Earnshaw déclara qu'il allait lui demander pourquoi il ne voulait pas dîner : il pensait que nous avions dû le contrarier d'une manière quelconque.

« Eh bien ! vient-il ? s'écria Catherine quand son cousin rentra.

— Non, répondit-il ; mais il n'est pas fâché : il semblait même étrangement content ; je l'ai seulement impatienté en lui parlant à deux reprises, et il m'a chassé en me renvoyant vers toi : il s'étonnait que je pusse rechercher une autre compagnie. »

Je mis son assiette au chaud devant le foyer, et, une heure ou deux après, quand la pièce fut libre, il rentra, nullement plus calme : avec le même air de joie pas naturel — non, pas naturel — sous ses sourcils noirs et le même teint exsangue ; ses dents se découvraient de temps à autre dans une sorte de sourire, et son corps tremblait, non pas comme on tremble de froid ou de faiblesse, mais comme vibre une corde très tendue : c'était un frémissement intense plutôt qu'un tremblement.

« Je vais lui demander ce qu'il a, pensai-je : autrement, qui le ferait ? » Et je m'écriai :

« Avez-vous reçu de bonnes nouvelles, Mr. Heathcliff ? Vous avez l'air singulièrement animé ?

— D'où pourraient me venir de bonnes nouvelles ? dit-il. C'est la faim qui m'anime ; et, apparemment, il ne faut pas que je mange.

— Votre dîner est là, répondis-je. Pourquoi ne le prenez-vous pas ?

— Je n'en ai pas besoin pour l'instant, répondit-il vivement. J'attendrai jusqu'au souper. Et, Nelly, une fois pour toutes, veuillez empêcher Hareton et l'autre de s'approcher de moi. Je veux n'être dérangé par personne : je veux avoir cet endroit pour moi seul.

— Avez-vous quelque nouvelle raison de les chasser ainsi ? demandai-je. Dites-moi pourquoi vous êtes si étrange, Mr. Heathcliff. Où étiez-vous la nuit dernière ? Je ne vous pose pas cette question par vaine curiosité, mais...

— Vous me posez cette question par une curiosité très vaine, interrompit-il en riant. J'y répondrai pourtant. La nuit dernière, j'étais sur le seuil de l'enfer. Aujourd'hui, je suis en vue de mon paradis. J'ai les yeux dessus : trois pieds à peine m'en séparent ! Et, maintenant, vous feriez mieux de partir — vous ne verrez ni n'entendrez rien qui vous fasse peur si vous vous abstenez d'épier. »

Après avoir balayé le foyer et essuyé la table, je m'en allai, plus perplexe que jamais.

Il ne quitta plus la maison cet après-midi-là, et personne ne vint troubler sa solitude jusqu'au moment où, à huit heures, je jugeai opportun, quoiqu'il ne m'eût pas appelée, de lui apporter une chandelle et son souper.

Il était appuyé contre le rebord d'une fenêtre ouverte, mais sans regarder au-dehors et le visage tourné vers l'obscurité du dedans. Le feu s'était réduit en cendres ; la pièce était emplie par l'air humide et doux de ce soir nuageux, si tranquille qu'on distinguait non seulement le murmure du ruisseau en bas, vers Gimmerton, mais le clapotis et les glouglous qu'il faisait sur les cailloux ou entre les grosses pierres qu'il ne parvenait pas à recouvrir. Je poussai une exclamation de mécontentement à la vue de l'âtre assombri et me mis à fermer les fenêtres l'une après l'autre, jusqu'à ce que j'arrivasse à la sienne.

« Dois-je fermer celle-ci ? » demandai-je pour l'arracher à sa rêverie, car il ne voulait pas bouger.

Comme je disais ces mots, la lumière tomba sur ses traits. Oh ! Mr. Lockwood, je ne saurais exprimer quel terrible choc me donna cette vision d'un moment ! Ces yeux noirs profondément creusés ! Ce sourire et cette pâleur sinistre ! Je crus voir, non pas Mr. Heathcliff, mais un spectre ; et, dans ma terreur, je laissai la chandelle pencher vers le mur et me trouvai dans le noir.

« Oui, fermez-la, répondit-il de sa voix familière. Allons, voilà de la pure maladresse ! Pourquoi teniez-vous la chandelle horizontalement ? Dépêchez-vous d'en apporter une autre. »

Je sortis précipitamment, en proie à une sotte frayeur, et je dis à Joseph :

« Le maître veut que vous lui apportiez de la lumière et que vous ranimiez le feu. »

Car je n'osais pas retourner dans la salle sur le moment.

Joseph fit tomber des braises sur la pelle et sortit en les emportant ; mais il les rapporta immédiatement, avec le plateau du souper dans l'autre main, expliquant que Mr. Heathcliff allait se coucher et qu'il ne voulait rien manger jusqu'au matin. Nous l'entendîmes monter tout de suite l'escalier ; il n'alla pas à sa chambre habituelle, mais entra dans celle qui contient le lit à panneaux, dont la fenêtre, comme je l'ai dit plus tôt, est assez large pour que quelqu'un s'y faufile ; et l'idée me vint qu'il méditait une autre expédition nocturne dont il préférait que nous n'eussions pas soupçon.

« Est-ce une goule, ou un vampire ? » me demandai-je. Je connaissais par mes lectures ces hideux démons incarnés. Puis je réfléchis que je l'avais soigné dans son enfance ; que je l'avais vu grandir et devenir un jeune homme ; que je l'avais suivi pendant presque toute sa carrière ; et que c'était une absurdité de céder à ce sentiment d'horreur. « Mais d'où venait-il, ce petit être noiraud, recueilli par un brave homme pour son malheur ? » murmura la superstition tandis que je m'assoupissais et perdais conscience de ce qui m'entourait. Alors je m'évertuai, rêvant à demi, à concevoir une parenté qui lui convînt ; et, répétant mes méditations de l'état de veille, je passai en revue son existence en y ajoutant de sinistres variations, pour me représenter enfin sa mort et ses obsèques — à propos desquelles je me rappelle seulement que j'étais extrêmement contrariée parce que la tâche m'incombait de dicter l'inscription à mettre sur son monument, que je consultai le fossoyeur à ce sujet et que, vu qu'il n'avait pas de nom de famille et que nous ne savions pas son âge, nous dûmes nous contenter du seul mot de « Heathcliff ». Cela s'est réalisé : nous avons dû nous en contenter en effet. Si vous entrez au cimetière, vous le lirez sur sa pierre tombale, avec seulement la date de sa mort.

L'aube me rendit mon bon sens. Je me levai et descendis au jardin aussitôt qu'il fit jour, pour voir s'il y avait des traces de pas sous sa fenêtre. Il n'y en avait pas. « Il est resté à la maison, pensai-je, et il sera guéri aujourd'hui. »

Je préparai le déjeuner pour la maisonnée, selon ma coutume, mais je dis à Hareton et à Catherine de prendre le leur avant que le maître fût descendu, car il resta couché tard. Ils préférèrent le prendre dehors, sous les arbres, et je dressai là une petite table pour eux.

En rentrant, je trouvai Mr. Heathcliff en bas. Il débattait avec Joseph une question de culture ; il donnait des instructions claires, détaillées, mais il parlait rapidement et détournait continuellement la tête, et il avait le même air d'excitation qui avait seulement gagné en intensité. Quand Joseph quitta la pièce, il s'assit à la place qu'il choisissait généralement, et je mis un bol de café devant lui. Il l'attira plus près, puis posa ses bras sur la table, et regarda, me sembla-t-il, le mur d'en face, en en examinant une certaine portion de haut en bas avec des yeux étincelants, toujours en mouvement, et avec un intérêt si intense qu'il y avait dans sa respiration des arrêts d'une demi-minute.

« Allons, m'écriai-je en poussant un morceau de pain contre sa main, mangez et buvez pendant que c'est chaud : cela attend depuis près d'une heure. »

Il ne fit pas attention à moi, et pourtant il sourit. J'aurais mieux aimé le voir grincer des dents que sourire de la sorte.

« Mr. Heathcliff ! Maître ! criai-je. Pour l'amour de Dieu, ne regardez pas fixement comme si vous aviez une vision surnaturelle.

— Pour l'amour de Dieu, ne criez pas si fort, répondit-il. Retournez-vous et dites-moi si nous sommes seuls.

— Bien sûr, répondis-je, bien sûr que nous sommes seuls ! »

Malgré tout, je lui obéis involontairement, comme si je n'en étais pas tout à fait sûre. D'un geste de la main, il ménagea un espace libre devant lui parmi les objets du déjeuner, et se pencha en avant pour regarder plus à l'aise.

Je me rendis compte alors que ce n'était pas le mur qu'il contemplait ; car lorsque je concentrai toute mon attention sur sa personne, il me parut qu'il regardait quelque chose qui devait être à deux pieds de distance. Et quelle que fût cette chose, elle lui causait apparemment du plaisir et de la douleur tout ensemble, l'un et l'autre à un point extrême : c'était du moins l'idée que suggérait l'expression angoissée et cependant extatique de sa physionomie. De plus, l'objet imaginaire n'était pas fixe : ses yeux le poursuivaient avec une vigilance inlassable, et, même quand il me parlait, ne s'en détachaient jamais. C'est en vain que je lui rappelai son jeûne prolongé : s'il faisait un mouvement pour toucher quelque chose afin de répondre à mes instances, s'il étendait la main pour saisir un morceau de pain, ses doigts se refermaient avant de l'avoir atteint et restaient là sur la table, oublieux de leur but.

Je continuai, comme un modèle de patience, à m'efforcer de l'arracher à la méditation où il était plongé ; jusqu'au moment où il se leva avec irritation, me demandant pourquoi je ne le laissais pas libre de choisir son temps pour prendre ses repas, et ajoutant que, la prochaine fois, je n'aurais pas besoin d'attendre : je n'aurais qu'à poser les choses sur la table et à m'en aller. Après avoir dit ces mots, il sortit de la maison, descendit lentement l'allée du jardin et disparut de l'autre côté de la barrière.

Les heures s'écoulèrent dans l'anxiété ; un autre soir vint ; je ne me retirai que tard pour prendre du repos et, quand je l'eus fait, je fus incapable de dormir. Il revint après minuit, et, au lieu d'aller se coucher, il s'enferma dans la salle, en bas. Je prêtai l'oreille, je m'agitai, et, finalement, je m'habillai pour descendre. Il était trop pénible de rester couchée là-haut à me tourmenter la cervelle de mille craintes vaines.

Je distinguai le pas de Mr. Heathcliff mesurant avec agitation le plancher; et il rompait fréquemment le silence par une profonde inspiration, qui ressemblait à un gémissement. Il murmurait aussi des mots entrecoupés; le seul que je pusse distinguer était le nom de Catherine, joint à quelque épithète éperdue de tendresse ou de souffrance, et prononcé comme par quelqu'un qui s'adresserait à une personne présente : d'une voix grave, fervente et venant du fond de l'âme. Je n'eus pas le courage d'entrer tout droit dans la salle; mais, voulant le distraire de sa rêverie, je m'en pris au feu de la cuisine, le secouai et me mis à en racler les cendres. Cela l'attira à moi plus vite que je ne m'y attendais. Il ouvrit immédiatement la porte, et dit :

« Nelly, venez ici... est-ce le matin? Venez avec votre lumière.

— Voilà quatre heures qui sonnent, répondis-je. Il vous faut une chandelle à emporter en haut : vous auriez pu en allumer une à ce feu.

— Non, je n'ai pas envie de monter, dit-il. Entrez, allumez-moi un feu à moi aussi et faites tout ce qu'il y a à faire dans la pièce.

— Il faut que je fasse rougir les charbons avant de pouvoir vous en apporter », répondis-je, prenant une chaise et le soufflet.

Cependant, il errait de-ci de-là, dans un état voisin de l'égarement, ses profonds soupirs se succédant si rapidement qu'ils ne laissaient pas place à une respiration ordinaire.

« Quand le jour viendra, j'enverrai chercher Green, dit-il. Je veux lui poser certaines questions juridiques pendant que je suis capable d'accorder une pensée à pareilles affaires, et aussi d'agir calmement. Je n'ai pas encore fait mon testament; et je n'arrive pas à décider comment je dois disposer de mes biens! Je voudrais pouvoir les balayer de la surface de la terre.

— Vous ne devriez pas parler ainsi, Mr. Heathcliff, intervins-je. Laissez quelque temps de côté votre testament : il vous sera encore accordé du temps pour vous repentir de vos nombreuses injustices ! Je n'avais jamais songé que vos nerfs pourraient venir à être dérangés : ils le sont pourtant à un degré prodigieux et presque entièrement par votre propre faute. La façon dont vous avez passé ces trois derniers jours viendrait à bout d'un Titan. Je vous en prie, prenez quelque nourriture et quelque repos. Vous n'avez qu'à vous regarder dans un miroir pour voir combien vous auriez besoin de l'un et de l'autre. Vous avez les joues creuses et les yeux injectés de sang, comme quelqu'un qui meurt de faim et qui est en train de devenir aveugle par manque de sommeil.

— Ce n'est pas ma faute si je ne puis ni manger ni me reposer, répondit-il. Je vous assure que ce n'est pas de propos délibéré. Je ferai l'un et l'autre dès que j'en serai capable. Mais vous pourriez aussi bien conseiller à un homme qui se débat dans l'eau de se reposer à une brasse du rivage ! Il faut d'abord que je l'atteigne, ensuite je me reposerai. Allons, ne parlons plus de Mr. Green ; quant à me repentir de mes injustices, je n'en ai point commis et ne me repens de rien — je suis trop heureux ; et pourtant, je ne suis pas encore assez heureux. La félicité de mon âme tue mon corps, mais sans se rassasier.

— Heureux, maître ? m'écriai-je. Étrange bonheur ! Si vous vouliez m'écouter sans vous mettre en colère, je pourrais vous donner un conseil qui vous rendrait plus heureux.

— Qu'est-ce donc ? demanda-t-il. Donnez-le-moi.

— Vous savez, Mr. Heathcliff, que depuis l'âge de treize ans vous avez mené une vie égoïste, nullement chrétienne ; et il est probable que vous n'avez jamais eu une Bible en main de tout ce temps. Vous avez dû oublier ce que contient ce livre, et vous n'aurez peut-être plus le temps de l'y rechercher. Quel inconvénient y aurait-il à envoyer chercher quelqu'un — un ministre d'une secte quelconque, peu importe laquelle — pour vous l'exposer, et pour vous montrer dans quelle extrême mesure vous vous êtes écarté de ses préceptes et combien vous serez indigne de son Ciel si un changement ne se produit pas en vous avant votre mort ?

— Vous m'obligez plus que vous ne me fâchez, Nelly, dit-il, car vous me rappelez la façon dont je désire être enterré. Je veux qu'on me porte au cimetière le soir. Vous et Hareton pouvez m'accompagner si vous voulez; et faites bien attention que le fossoyeur obéisse à mes instructions touchant les deux cercueils! Il est inutile qu'aucun ministre vienne et qu'on prononce rien sur ma tombe. Je vous le dis, j'ai presque atteint *mon* ciel, et je n'apprécie ni ne convoite en aucune manière celui des autres!

— Et à supposer que vous persévériez dans votre jeûne obstiné, et que vous en mouriez, et qu'on refuse de vous enterrer dans l'enceinte du cimetière, dis-je, choquée de son indifférence impie, cela vous plairait-il?

— On ne fera rien de tel, répondit-il. Si pourtant il en était ainsi, il faudrait que vous me fissiez transporter en secret; et si vous y manquiez, vous éprouveriez de façon patente que les morts ne sont pas anéantis! »

Dès qu'il entendit bouger les autres membres de la famille, il se retira dans sa tanière, et je respirai plus librement. Mais l'après-midi, pendant que Joseph et Hareton étaient à leur travail, il revint à la cuisine et, avec une expression égarée, m'invita à venir m'asseoir dans la salle : il voulait avoir quelqu'un auprès de lui. Je refusai; lui disant franchement que ses propos et ses manières étranges m'effrayaient et que je n'avais ni le cœur ni l'intention de rester seule avec lui.

« Je crois que vous voyez en moi un démon! dit-il avec son rire sinistre : une créature trop horrible pour vivre sous un toit honnête! »

Puis, se tournant vers Catherine, qui était là et qui s'était retirée derrière moi à son approche, il ajouta, raillant à demi :

« Et vous, viendrez-vous, ma poulette? Je ne vous ferai pas de mal. Non! Pour vous, je me suis fait pire que le diable. Allons, il y a *quelqu'un* qui ne reculera pas devant ma compagnie! Pardieu! elle est impitoyable! Oh! damnation! C'est plus, indiciblement plus que n'en peuvent endurer la chair et le sang — même les miens. »

Il ne sollicita plus la compagnie de personne. Au crépuscule, il alla dans sa chambre. Toute la nuit, et tard dans la matinée, nous l'entendîmes gémir et se parler en murmures. Hareton aurait voulu entrer; mais je lui dis d'aller chercher Mr. Kenneth, qui, lui, entrerait et le verrait.

Quand il vint et que je frappai à la porte, puis essayai de l'ouvrir, je la trouvai verrouillée; et Heathcliff nous envoya au diable. Il allait mieux et voulait qu'on le laissât tranquille; si bien que le docteur s'en alla.

Le soir du lendemain fut très humide : en fait, il plut à verse jusqu'à l'aube; et en faisant ma ronde matinale autour de la maison, je remarquai que la fenêtre du maître était grand ouverte et que la pluie oblique y entrait carrément. Il ne peut pas être au lit, pensai-je, sans quoi il serait trempé jusqu'aux os! Il faut qu'il soit debout ou sorti. Mais je ne ferai plus de façons, j'irai voir hardiment ce qu'il en est!

Ayant réussi à entrer avec une autre clef, je courus ouvrir les panneaux du lit, car la chambre était vide; les écartant vivement, je jetai un coup d'œil à l'intérieur. Mr. Heathcliff était là — couché sur le dos. Ses yeux rencontrèrent les miens, si perçants et si farouches que je tressaillis; puis il me parut qu'il souriait.

Je ne pouvais le croire mort; mais son visage et sa gorge étaient ruisselants de pluie. La fenêtre, qui battait, lui avait écorché une main qui reposait sur le rebord; le sang ne coulait pas de la blessure, et, quand j'y portai les doigts, je n'eus plus de doute : il était raide mort.

Je bloquai la fenêtre; j'écartai de son front, à l'aide d'un peigne, ses longs cheveux noirs; j'essayai de lui fermer les yeux, pour éteindre, s'il était possible, cet effrayant regard d'exultation qui semblait vivant, avant que personne d'autre le vît. Ils refusèrent de se fermer : ils semblaient se moquer de mes efforts; et ses lèvres disjointes ainsi que ses dents pointues et blanches se moquaient pareillement de moi! Prise d'un nouvel accès de lâcheté, j'appelai Joseph. Il monta de son pas traînant et fit beaucoup de tapage, mais refusa résolument d'intervenir.

« L'dièble a importé son âme, s'écria-t-il, et y peut bin

prind' sa carcasse par-d'sus l'marché pour l'cas qu'j'in fais. Ech ! Quel air môvais qu'il a, ricanant comme y fait à la mort ! » ajouta le vieux pécheur en ricanant lui-même par dérision.

Je crus qu'il allait se mettre à gambader autour du lit ; mais, retrouvant soudain sa dignité, il tomba à genoux, leva les mains et rendit grâces de ce que le maître légitime et l'ancienne lignée fussent réintégrés dans leurs droits.

Je me sentais tout étourdie par le terrible événement ; et ma mémoire retournait inévitablement aux temps passés avec une sorte de tristesse accablante. Mais le pauvre Hareton, celui qui avait souffert le plus de torts, fut le seul qui eût vraiment beaucoup de peine. Il veilla le corps toute la nuit, versant des larmes amères. Il pressait sa main, embrassait le visage sarcastique et sauvage dont tout autre se détournait, et pleurait le défunt avec cette douleur profonde qui jaillit naturellement d'un cœur généreux, fût-il dur comme l'acier trempé.

Kenneth hésita à se prononcer sur l'affection qui avait causé la mort du maître. Je cachai le fait qu'il n'avait rien avalé pendant quatre jours, de crainte que cela n'attirât des ennuis, et d'ailleurs, je suis persuadée qu'il ne s'était pas abstenu volontairement de toute nourriture : c'était la conséquence de son étrange maladie, non sa cause.

Nous l'enterrâmes, au scandale de tout le voisinage, comme il l'avait désiré. Earnshaw et moi, le fossoyeur et six hommes pour porter le cercueil formèrent toute l'assistance. Les six hommes partirent quand ils l'eurent déposé dans la tombe : nous restâmes pour la voir recouvrir. Hareton, le visage ruisselant de larmes, détacha du sol des mottes vertes et les plaça lui-même sur le tertre brun : il est maintenant aussi lisse et aussi verdoyant que les tombes voisines, et j'espère que son occupant dort aussi profondément que les autres. Mais les gens du pays, si vous les interrogiez, jureraient sur leur Bible qu'il *se promène*. Certains parlent de l'avoir rencontré près de l'église, et sur la lande, et même dans cette maison. Sornettes, direz-vous, et je dis de même. Pourtant ce vieil homme là-bas près du feu de la cuisine affirme qu'il les a vus tous les deux, en regardant par la fenêtre de sa chambre, à chaque nuit pluvieuse depuis le jour de sa mort. Et il m'est arrivé une étrange chose voici environ un mois. J'allais un soir au Manoir — un sombre soir, où l'orage menaçait — et juste au détour des monts, j'ai rencontré un petit gars qui poussait devant lui une brebis et deux agneaux; il était tout en larmes, et j'ai supposé que les agneaux étaient fantasques et ne voulaient pas se laisser conduire.

« Qu'y a-t-il, mon petit homme ? demandai-je.

— Y a Heathcliff et une femme; là-bas, sous le Piton, sanglota-t-il, et j'ose pas les passer. »

Je ne vis rien; mais ni les moutons ni lui ne voulaient avancer, si bien que je lui dis de prendre la route en contrebas. Il avait probablement évoqué ces fantômes à force de penser, en traversant la lande tout seul, aux bêtises qu'il avait entendu répéter par ses parents et par ses camarades — et pourtant je n'aime pas à être dehors dans le noir à présent; et je n'aime pas non plus me trouver seule dans cette lugubre maison : c'est plus fort que moi; je serai heureuse quand ils la quitteront pour s'installer au Manoir !

« Ils vont donc aller au Manoir ? dis-je.

— Oui, répondit Mrs. Dean, dès qu'ils seront mariés, ce qui se fera au Jour de l'An.

— Et qui habitera ici alors ?

— Eh bien ! Joseph prendra soin de la maison, avec un garçon, peut-être, pour lui tenir compagnie. Ils vivront dans la cuisine, et l'on fermera le reste.

— A l'usage des fantômes qui feront choix de l'habiter, observai-je.

— Non, Mr. Lockwood, dit Nelly en secouant la tête. Je crois que les morts sont en paix, mais ce n'est pas bien de parler d'eux avec légèreté. »

A ce moment la barrière du jardin tourna; les promeneurs revenaient.

« Ils n'ont peur de rien, eux, grommelai-je en suivant des yeux leur approche par la fenêtre. Ensemble, ils braveraient Satan et ses légions. »

Comme ils posaient le pied sur la pierre du seuil et s'arrêtaient pour jeter un dernier regard à la lune — ou plus exactement pour se regarder l'un l'autre à sa lueur — je sentis de nouveau l'impulsion irrésistible de les fuir; et, glissant un souvenir dans la main de Mrs. Dean sans prendre garde à ses remontrances sur mon incivilité, je disparus par la cuisine au moment où ils ouvraient la porte de la maison. J'aurais par là confirmé Joseph dans son opinion sur les fredaines de sa compagne de service si par bonheur il n'avait reconnu en moi un personnage respectable en entendant un souverain tinter agréablement à ses pieds.

Ma route de retour fut allongée par une pointe que je poussai dans la direction de l'église. Quand je fus sous ses murs, je constatai que le délabrement y avait fait des progrès rien qu'en ces sept mois : plus d'une fenêtre offrait des trous noirs dépourvus de verre ; et des ardoises dépassaient çà et là du bord rectiligne du toit, prêtes à être peu à peu emportées par les prochaines bourrasques de l'automne.

Je cherchai, et découvris bientôt, les trois pierres tombales sur la pente voisine de la lande : celle du milieu grise et à demi enfouie dans la bruyère ; celle d'Edgar Linton parée seulement par le gazon et la mousse qui croissaient à son pied ; celle de Heathcliff encore nue.

Je m'attardai autour d'elles sous le ciel clément : observant les papillons de nuit qui voltigeaient parmi la bruyère et les jacinthes ; écoutant la brise légère qui palpitait dans l'herbe ; et m'étonnant que quiconque pût prêter un sommeil troublé à ceux qui dormaient dans cette terre tranquille.

DOSSIER
SUR WUTHERING HEIGHTS

textes traduits par
Didier COUPAYE

cités par Raymond BELLOUR
dans l'édition de *Wuthering Heights*
publiés par J.-J. Pauvert, 1972

*VIRGINIA WOOLF**

* Sur *Jane Eyre* et *Wuthering Heights*,
article publié en 1916,
repris dans *The Common Reader*, vol. I (1925).

(...) Wuthering Heights *est un livre plus difficile que* Jane Eyre *parce qu'Emily est un plus grand poète que Charlotte. Lorsque Charlotte écrit, sa voix nous dit avec une éloquence magnifique et passionnée « J'aime », « Je hais », « Je souffre ». Son expérience de la vie est sans doute plus intense que la nôtre, mais elle se situe au même niveau. Or il n'y a pas de « je » dans* Wuthering Heights. *Il n'y a pas de gouvernantes. Il n'y a pas d'employeurs. Si l'amour y est présent, ce n'est pas l'amour des hommes et des femmes. Emily était inspirée par une conception d'ordre plus général. L'élan qui la poussait vers la création littéraire n'était pas dû à des souffrances ou à des blessures personnelles. Elle avait*

sous les yeux un monde brisé, livré au chaos, et elle se sentit la force de lui rendre son unité dans un livre. On perçoit dans Wuthering Heights *cette ambition gigantesque, cet effort à demi frustré et pourtant plein d'une conviction superbe, pour dire par l'intermédiaire de ses personnages quelque chose qui ne soit pas seulement « J'aime » ou « Je hais », mais plutôt « Nous autres humains... » et « Vous, puissances éternelles... » ; la phrase demeure inachevée. Rien d'étrange à cela ; ce qui est plus étonnant, c'est qu'Emily parvient à nous faire sentir ce qui la poussait à parler. Cela surgit dans les paroles à peine cohérentes de Catherine Earnshaw : « Si tout le reste périssait et qu'il demeurât, lui, je continuerais d'être, moi aussi, et si tout le reste demeurait et que lui fût anéanti, l'univers me deviendrait un formidable étranger : je ne semblerais plus en faire partie [1]. » Et cela éclate à l'approche de la mort : « Je vois là un repos que ni la terre ni l'enfer ne peuvent troubler, et j'éprouve la certitude d'un au-delà sans terme et sans ombres — l'Éternité gagnée — où la vie est sans limites dans sa durée comme l'amour dans sa sympathie, comme la joie dans sa plénitude [2]. »*

JOHN COWPER POWYS : EMILY BRONTË*

* Essai paru dans *Suspended Judgments, Essays on Books and Sensations,* New York, 1916.

Wuthering Heights *est un grand livre, non seulement parce que les passions y sont intenses, mais aussi parce que ces passions sont lourdement chargées du souvenir âpre et tragique de tous ceux qui, pendant des générations, ont habité les mêmes lieux et porté le pesant fardeau des souffrances des morts.*

1. Cf. p. 124.
2. Cf. p. 213.

C'est un grand livre parce que le romantisme y débouche dans des espaces d'une immensité sereine et s'y manifeste en de vastes formes primitives et grandioses, dédaigneuses de tout ornement frivole.

Chez tout écrivain romantique (et à vrai dire chez tout écrivain s'intéressant essentiellement au mystère de l'âme humaine), le génie consiste à laisser apparaître les conflits fondamentaux qui existent entre l'homme et l'homme, entre la femme et l'homme et, sans s'embarrasser de détails futiles, à les laisser surgir des profondeurs insondables de l'existence même.

La solitude où vivait Emily Brontë, et la simplicité austère de son caractère de granit lui permirent de considérer la vie dans une perspective plus large, plus simple, plus nette que nous ne le faisons ordinairement. C'est pourquoi son art présente un peu cette simplicité mystérieuse et terrifiante qui caractérise l'œuvre de Michel-Ange ou de William Blake.

Impossible d'oublier en quel temps et en quel lieu on a lu Wuthering Heights. *En lisant ces lignes, chacun de mes lecteurs poussera tout à coup un profond soupir à la pensée de sa jeunesse enfuie et se rappellera l'instant où, pour la première fois, il s'est senti saisi à la gorge par la puissance tragique et tendre de son génie fatal. (...)*

Pour apprécier pleinement l'art d'Emily Brontë (mais ce mot convient-il bien pour désigner cette projection spontanée de son identité la plus profonde dans une œuvre âpre et sauvage, déchirée par les orages du destin?), il nous faut mesurer l'adresse avec laquelle elle nous plonge dans le sombre flot de la destinée de ses personnages, grâce à la médiation d'un narrateur qui n'est pas directement mêlé aux événements.

Cette technique narrative, ainsi que les commentaires sophocléens qu'Emily Brontë place habilement dans la bouche de la vieille et fidèle servante des Earnshaw, nous permettent de situer les événements dans leur juste perspective et de les voir dans leur véritable ampleur.

Mieux que tout autre, ce procédé assure une épaisseur à l'ouvrage en nous imposant le sentiment de la continuité de la vie en ces lieux sauvages.

Cet artifice nous donne l'illusion d'être initiés à une série d'événements qui ne sont pas complètement imaginaires. Pour nous, les Earnshaw et les Linton vivent d'une vie réelle, tangible, indéniable — quelque part, dans un isolement terrible qu'ils ont toujours connu — et, croyons-nous, il a fallu l'heureux effet d'une découverte toute fortuite pour que nous soyons plongés dans le mystère de leur existence.

En lisant l'histoire de Heathcliff, on ne peut s'empêcher d'imaginer combien Emily Brontë dut lacérer son âme pour créer cette terrifiante figure. Heathcliff, qui n'a pas de père, ni de mère ni même de prénom, devient à nos yeux l'incarnation de la fureur qu'Emily Brontë devait refouler dans son cœur. La circonspection, la réserve hypocrite de ce monde feutré habité par des êtres bienveillants, pusillanimes et prêts à tous les compromis, exaspèrent cette terrible jeune fille ; et tandis qu'elle arrache et déchire tous les masques qui dissimulent nos haines et nos amours, elle semble pousser des cris farouches, et se précipiter, telle une louve, dans le bêlant troupeau des moutons humains.

ARTHUR SYMONS : EMILY BRONTË*

* Article publié en 1918,
repris dans *Dramatis Personae* (1925).

Oui, il y avait quelque chose de solitaire et de mélancolique dans la personnalité, dans l'imagination créatrice de cette femme qui vécut dans une solitude totale, et dont le génie ignorait le mépris. Elle croyait au Dieu indestructible qui l'habitait et fut à jamais réduite au silence ; et, avec elle, son génie qui avait soufflé comme le vent, déferlé comme la mer tourbillonnante, fondu comme les nuées en furie sur les eaux tragiques et péril-

leuses de la passion qui encerclent les « tours sans sommets[1] *»* *de* Wuthering Heights.

Chez un être qui, comme Emily Brontë, se mourait toujours d'un excès de vie, on peut imaginer les réticences ombrageuses, les regards brûlants et aussi cette tension qui la rendait taciturne, due à la véhémence d'un feu intérieur qui se dévorait lui-même. « Il est inutile de la questionner ; on n'obtient pas de réponse[2]*. » « Ce qu'il y avait de terrible, c'est que, tout en étant pleine de compassion pour autrui, elle était sans pitié pour elle-même ; l'esprit était inexorable envers la chair ; de cette main tremblante, de ces membres amaigris, de ces yeux affaiblis, elle exigeait les mêmes services que ceux qu'ils avaient rendus au temps de la santé*[3]*. »*

« L'esprit inexorable envers la chair » : voilà tout le secret du génie de son existence. Seule avec elle-même — de corps et d'esprit — elle ne s'accorde aucun répit ; car elle fut d'une nature qui n'admettait pas le repos. Selon les mots de Pater[4] *qui me disait un jour l'énorme admiration qu'il portait à sa prose : « Nous sommes tous* condamnés à mort avec des sursis indéfinis[5] ; *nous obtenons un certain délai et puis notre lieu ne nous connaît plus. » Comment elle occupa ces « sursis », nul ne le saura jamais. Je ne crois guère qu'elle eut des passions violentes, qu'elle tenta d'acquérir une sagesse ou qu'elle se soucia des réalités matérielles, mais bien plutôt qu'elle vécut des moments passionnés et que, soutenue par son exaltation intellectuelle et poussée par son inlassable curiosité, elle se livra à la contemplation ironique d'« une vie multiforme et dramatique dont elle comptait les pulsations ».*

1. Marlowe, *Faust* (1588 environ), vers 1329.
2. Charlotte Brontë à Ellen Nussey, 28 octobre 1848.
3. Cf. p. 27.
4. Walter Horatio Pater (1839-1894), essayiste anglais.
5. En français dans le texte.

GEORGES BATAILLE : EMILY BRONTË*

* Article publié dans *Critique* (n° 117, février 1957), repris dans *La Littérature et le Mal*, éd. Gallimard, 1957.

L'érotisme est l'approbation de la vie jusque dans la mort

Je dois, si je parle d'Emily Brontë, aller jusqu'au bout d'une affirmation première.

L'érotisme est, je crois, l'approbation de la vie jusque dans la mort. La sexualité implique la mort, non seulement dans le sens où les nouveaux venus prolongent et remplacent les disparus, mais parce qu'elle met en jeu la vie de l'être qui se reproduit. Se reproduire est disparaître, et les êtres asexués les plus simples se subtilisent en se reproduisant. Ils ne meurent pas, si, par la mort, on entend le passage de la vie à la décomposition, mais celui qui était, se reproduisant, cesse d'être celui qu'il était (puisqu'il devient double). La mort individuelle n'est qu'un aspect de l'excès proliférateur de l'être. La reproduction sexuée n'est elle-même qu'un aspect, le plus compliqué, de l'immortalité de la vie gagée dans la reproduction asexuée. De l'immortalité, mais en même temps de la mort individuelle. Nul animal ne peut accéder à la reproduction sexuée sans s'abandonner au mouvement dont la forme accomplie est la mort. De toute façon, le fondement de l'effusion sexuelle est la négation de l'isolement du moi, *qui ne connaît la pâmoison qu'en s'excédant, qu'en se dépassant dans l'étreinte où la solitude de l'être se perd. Qu'il s'agisse d'érotisme pur (d'amour-passion) ou de sensualité des corps, l'intensité est la plus grande dans la mesure où la destruction, la mort de l'être transparaissent. Ce qu'on appelle le vice découle de cette profonde implication de la mort. Et le tourment de l'amour désincarné est d'autant plus symbolique de la vérité dernière de l'amour que la mort de ceux qu'il unit les approche et les frappe.*

D'aucun amour d'êtres mortels, ceci ne peut être dit plus à propos que de l'union des héros de Wuthering Heights, *de Catherine Earnshaw, de Heathcliff. Personne n'exposa cette vérité avec plus de force qu'Emily Brontë.*

REPÈRES BIOGRAPHIQUES

17 mars 1777 : Naissance en Irlande de Patrick Brontë, le père, qui deviendra pasteur en 1806.

21 avril 1816 : Naissance de Charlotte Brontë après celle de ses deux sœurs aînées, Maria et Elisabeth.

26 juin 1817 : Naissance de Patrick Branwell Brontë.

30 juillet 1818 : Naissance d'Emily au presbytère de son père, dans le Yorkshire. Elle est la cinquième enfant d'une famille dont l'aînée a quatre ans et trois mois.

24 mai 1819 : Naissance de la princesse Victoria, future reine.

17 janvier 1820 : Naissance d'Anne Brontë, seule amie vraiment intime de la « sauvage » Emily. Installation dans le presbytère de Haworth.

1821 : Mort de Maria, la mère des enfants Brontë, sans doute atteinte d'un cancer. Remplacée auprès des enfants par sa sœur, Elisabeth.

1824-1825 : Après avoir été envoyées comme pensionnaires dans une institution religieuse anglicane, les deux sœurs aînées, Maria et Elisabeth, meurent de phtisie. Le roman de Charlotte Brontë, *Jane Eyre*, restitue le souvenir de cette époque.

1831 : Création par Emily du monde imaginaire de Gondal. Les quatre enfants ont déjà une activité littéraire qui mêle des personnages historiques tels que Bonaparte, Hannibal et César à des fantasmes, des religions, des légendes (Emily a treize ans) — l'ensemble don-

nera des milliers de pages en prose dues surtout à Charlotte et Branwell.
Influence sur les enfants de la lecture du *Blackwood Magazine* et de Walter Scott. Ainsi la nature, dans *Gondal*, est écossaise.

1833 : Lecture de la vie de Byron par Moore, des poèmes de Byron (Lara, Manfred...) Influence de Milton, poète favori du père.

1834 : Emily commence à tenir son journal. Elle joue de la musique. Visites aux familles voisines notamment à Ponden House dont l'atmosphère se retrouve dans le lieu-dit Manoir de la Grive de *Wuthering Heights*.

1835 : Après une courte et désastreuse expérience du pensionnat, Emily rentre à Haworth et retrouve son frère Branwell dont l'ambition de peindre à Londres a échoué.
Emily et Branwell vivent deux années de symbiose.
Emily écrit des poèmes sur l'échec et le défi : l'expérience de son frère est devenue la sienne.

1837 : Victoria devient reine.
A dix-neuf ans, Emily part enseigner à Halifax dans une école, *Law Hill*, lieu qui devait la hanter et inspirer la maison de *Wuthering Heights*. Poèmes sur l'amour et la culpabilité.

1839 : Branwell à Haworth.

1842 : Emily et Charlotte partent pour Bruxelles.
Emily y étudiera le français neuf mois.
Elle écrit sept essais en français, dont *Le Papillon* (« La nature est un problème inexplicable, elle existe sur un problème de destruction ; il faut que tout être soit l'instrument infatigable de mort aux autres ou qu'il cesse de vivre lui-même »). Elle fait de la musique.

29 octobre 1842 : Mort de la tante, miss Branwell.
Retour d'Emily à Haworth.

1843-1844 : Emily seule avec son père à Haworth. Branwell entre comme précepteur d'un garçon de onze ans, chez les Robinson.

Charlotte rentre bientôt. Emily, mise au courant des amours malheureuses de ses sœurs, se tourne de plus en plus vers la poésie. Reçoit quelque argent de sa tante en héritage.

1845 : Branwell, précepteur chez les Robinson est renvoyé, soupçonné d'avoir séduit Mrs. Robinson. Il fait un voyage à Liverpool, boit et se drogue. Devenue veuve, Mrs. Robinson refuse de revoir Branwell dont la personnalité se défait.
Emily souffre d'un amer sentiment de désillusion concernant son frère que vient compliquer une pitié intense. Sa sœur, en automne, découvre le secret d'Emily : elle écrit de la poésie.

1845 : Décision des trois sœurs de prendre un pseudonyme :
Charlotte : Currer Bell,
Emily : Ellis Bell,
Anne : Acton Bell.

1843-1845 : Emily écrit des poèmes qui annoncent *Wuthering Heights* et laissent entendre une note mystique.

Automne 1845 à juillet 1846 : Emily compose *Wuthering Heights*.

2 janvier 1846 : Emily rédige le poème *No coward soul is mine (Ce n'est pas une lâche que mon âme)* dont les affinités avec *Wuthering Heights* sont évidentes.

1846 : Les sœurs envoient, pour être publiés : *Wuthering Heights, Agnès Grey, The Professor* (respectivement par Emily, Anne et Charlotte).

Mai 1846 : Publication de *Poèmes* par Currer, Ellis et Acton Bell (Charlotte, Emily et Anne B.).
Branwell, sur la pente de la désagrégation totale, évoque la personne de Heathcliff.
Mrs. Robinson pendant toute cette époque organise le mariage de ses filles. Elle finira par se remarier elle-même avec un riche voisin.
Emily très perturbée par la vie sentimentale de son frère et de ses sœurs.

16 octobre 1847 : Publication de *Jane Eyre* par Currer Bell (Charlotte Brontë).

Mi-décembre : *Wuthering Heights* par Ellis Bell (Emily Brontë).
Agnès Grey par Acton Bell (Anne Brontë).
La critique est sévère pour *Wuthering Heights* que l'on juge un ouvrage déplaisant et démoniaque.

1848 : *The Tenant of Wildfell Hall* par Acton Bell (Anne Brontë).

1848-1849 : A cause des confusions émanant des pseudonymes adoptés par les trois sœurs, Charlotte songe à révéler leurs noms authentiques. Emily, restée à Haworth, approfondit son intimité avec Branwell qui se sent exclu du succès littéraire de ses sœurs.

Juillet 1848 : Branwell s'adonne au gin et à l'opium.

4 septembre 1848 : Mort de Branwell Brontë.
Emily prend froid à l'enterrement. Le 1er octobre : sa dernière sortie. Elle cesse d'écrire.

19 décembre 1848 : Mort d'Emily Brontë.

28 mai 1849 : Mort d'Anne Brontë.
Shirley de Currer Bell (Charlotte Brontë).

1850 : Notice biographique de Charlotte pour préfacer les œuvres de ses sœurs.

1853 : *Villette* de Currer Bell (Charlotte Brontë).

1854 : Mariage de Charlotte Brontë avec Arthur Bell Nicholls, vicaire de son père. Elle constate qu'elle n'a même plus « le temps de penser ».

31 mars 1855 : Mort de Charlotte Brontë, enceinte de quelques mois.

1857 : Mrs. Gaskell écrit la vie de Charlotte Brontë où le secret des trois pseudonymes est enfin clairement révélé.
The Professor de Charlotte Brontë.

7 juin 1861 : Mort du père, le pasteur Patrick Brontë.

BIBLIOGRAPHIE

PRINCIPALES TRADUCTIONS DE *WUTHERING HEIGHTS*

Un amant, trad. Théodore de Wyzewa, Perrin, 1892.
Les Hauts de Hurlevent, trad. Frédéric Delebecque, Payot, 1925.
Haute-Plainte, trad. Jacques et Yolande de Lacretelle, Gallimard, 1937.
Les Hauteurs battues des vents [republié sous le titre *Le Domaine des tempêtes*], trad. Gaston Baccara, Verviers, Gérard, 1950.
Hurlemont, trad. Sylvère Monod, Garnier, 1963.
Wuthering Heights, trad. Louise Servicen, Club français du Livre, 1963.
Hurlevent des monts, trad. Pierre Leyris, Jean-Jacques Pauvert, 1972.
Hurlevent, trad. Jean-Pierre Richard, Pocket, 1995.
Wuthering Heights, trad. Dominique Jean, Gallimard, « Bibliothèque de la Pléiade », 2002.

AUTRES ŒUVRES DES SŒURS BRONTË

Anne BRONTË, *La Recluse de Wildfell Hall*, trad. Georges Charbonnier et André Frédérique, Phébus, 2008.
Charlotte BRONTË, *Jane Eyre*, trad. Sylvère Monod, Pocket, 1990.
Charlotte BRONTË, *Villette*, trad. Albine Loisy et Brian Telford, Gallimard, 1932.
Anne, Branwell, Charlotte et Emily BRONTË, *Le Monde du dessous : poèmes et proses de Gondal et d'Angria*, trad. et préface par Patrick Reumaux, J'ai lu, 2011.

Emily BRONTË, *Devoirs de Bruxelles*, Mille et Une Nuits, 2008.

Emily BRONTË, *Poèmes (1836-1846)*, Gallimard, « Poésie », 1999.

BIOGRAPHIES DES SŒURS BRONTË

Jeanne CHAMPION, *La Hurlevent*, LGF, « Le Livre de Poche », 1988.

Elizabeth GASKELL, *Charlotte Brontë* [1857], trad. Lew Crossford, Monaco, Éditions du Rocher, 2004.

Julien GREEN, *Suite anglaise*, Fayard, 1988.

Denise LE DANTEC, *Emily Brontë : le roman d'une vie*, L'Archipel, 1995.

Jean-Pierre LÉONARDINI, Florence MARGUIER et Claude METTRA, *Éclatants comme la gloire : écrits de jeunesse des Brontë*, Vénissieux, Paroles d'Aube, 1997.

Margot PETERS, *Charlotte Brontë : une âme tourmentée*, trad. Guy Le Clec'h, Stock, 1979.

OUVRAGES CRITIQUES SUR LES SŒURS BRONTË ET SUR *HURLEVENT DES MONTS*

Georges BATAILLE, *La Littérature et le Mal*, Minuit, 1957.

Judith BATES, *L'Onirisme dans Wuthering Heights d'Emily Brontë. Narration, schèmes et symbolisme*, Dives-sur-Mer, Lettres modernes Minard, 1988.

Claire BAZIN, *La Vision du mal chez les sœurs Brontë*, Toulouse, Presses universitaires du Mirail, 1995.

Jacques BLONDEL, *Emily Brontë, expérience spirituelle et création poétique*, PUF, 1955.

René CREVEL, *Les Sœurs Brontë, filles du vent*, Éditions des Quatre Chemins, 1930.

Terry EAGLETON, *Myths of Power : a Marxist Study of the Brontës*, Londres, Macmillan, 1975.

Catherine LANONE, *Wuthering Heights d'Emily Brontë : un vent de sorcière*, Ellipses, 2000.

Jean-Pierre PETIT, *L'Œuvre d'Emily Brontë : la vision et les thèmes*, Lyon, L'Hermès, 1977.

Dominique ROLIN, « Emily Brontë », in *Les Écrivains célèbres*, Mazenod, t. III, 1953.

Patsy STONEMAN, *Brontë Transformations : The Cultural Dissemination of Jane Eyre and Wuthering Heights*, Upper Saddle River (New Jersey), Prentice Hall, 1996.

Augustin TRAPENARD, « Authorizing Emily : The Production of an Author-Function in Charlotte Brontë's 1850 Edition of *Wuthering Heights* and *Agnes Grey* », *Études anglaises*, vol. 60, nº 1 (2007), p. 15-28.

Arlette VESQUE-DUFRÉNOT, *Wuthering Heights by Emily Brontë*, Ellipses, 1997.

ADAPTATIONS DE *WUTHERING HEIGHTS*

Au cinéma

Wuthering Heights, de William Wyler, avec Laurence Olivier et Merle Oberon (1939).

Abismos de Pasión, de Luis Buñuel (1954).

Wuthering Heights, de Robert Fuest, avec Timothy Dalton (1970), première adaptation en couleurs.

Onimaru, de Yoshishige Yoshida (1988).

Emily Brontë's Wuthering Heights, de Peter Kosminsky, avec Ralph Fiennes et Juliette Binoche (1992).

À l'opéra

Wuthering Heights, opéra de Carlisle Floyd (1958).

Wuthering Heights, opéra de Bernard Herrmann (1966).

Les Hauts de Hurlevent : histoire d'une passion, ballet de Roland Petit sur une musique de Marcel Landowski (1982).

Wuthering Heights, opéra de Frédéric Chaslin, livret de P.H. Fisher (2008).

TABLE

HURLEVENT DES MONTS

GF Flammarion

13/09/184448-IX-2013 – Impr. MAURY Imprimeur, 45330 Malesherbes.
N° d'édition L.01EHPN000614.N001 – Octobre 2013 – Printed in France.